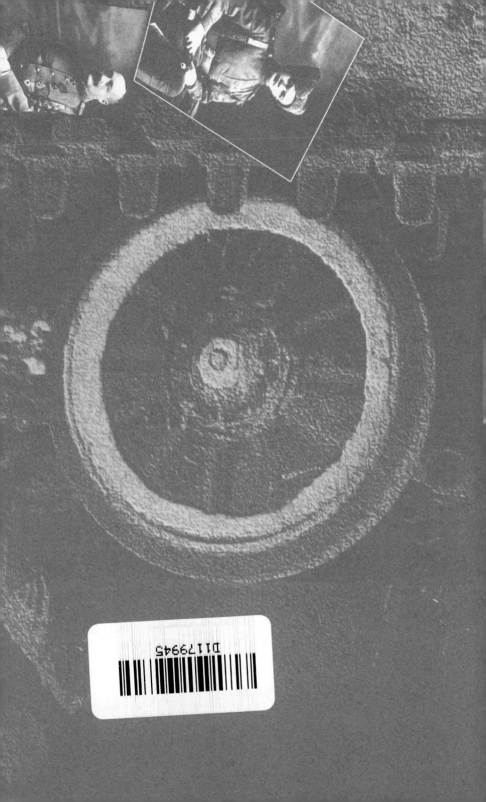

«Изограф»

ЭКСМО-ПРЕСС

Василий АКСЕНОВ

Остров Крым

Издательство «Изограф»
Издательство «ЭКСМО-Пресс»
Москва
2001

ББК 84 Р7
А41

Художник *Александр Анно*

Аксенов В.

А41   Остров Крым. — М.: Изограф, «ЭКСМО-
Пресс». 2001. — 320 с.

ISBN 5-04-006303-2

Знаменитый роман «Остров Крым» Василия Ак-
сенова принес автору мировую известность.
В основе фабулы невероятное допущение: как
могла повернуться история, если бы Крым не был
захвачен большевиками, а остался свободным и независимым. В романе много приключений, гротеск-
ных житейских ситуаций. Несмотря на фантастический сюжет, книга во многом оказалась провидче-
ской.

ББК 84Р7

I
Приступ молодости

Всякий знает в центре Симферополя среди его сумасшедших архитектурных экспрессий дерзкий в своей простоте, похожий на очиненный карандаш небоскреб газеты «Русский Курьер». К началу нашего повествования, на исходе довольно сумбурной редакционной ночи, весной, в конце текущего десятилетия или в начале будущего (зависит от времени выхода книги), мы видим издателя-редактора этой газеты сорокашестилетнего Андрея Арсеньевича Лучникова в его личных апартаментах, на «верхотуре». Этим советским словечком холостяк Лучников с удовольствием именовал свой плейбойский пентхауз.

Лучников лежал на ковре в йоговской позе абсолютного покоя, пытаясь вообразить себя перышком, облачком, чтобы затем и вообще как бы отлететь от своего восьмидесятикилограммового тела, но ничего не получалось, в голове все время прокручивалась редакционная шелуха, в частности невразумительные сообщения из Западной Африки, поступающие на телетайпы ЮПИ и РТА: то ли марксистские племена опять ринулись на Шабу, то ли, наоборот, команда европейских головорезов атаковала Луанду. Полночи возились с этой дребеденью, звонили собкору в Айвори, но ничего толком не выяснили, и пришлось сдать в набор невразумительное: «По неопределенным сообщениям, поступающим из...»

Тут еще последовал совершенно неожиданный звонок личного характера: отец Андрея Арсеньевича просил его приехать, и непременно сегодня.

Лучников понял, что медитации не получится, поднялся с ковра и стал бриться, глядя, как солнце в соответствии с законами современной архитектуры располагает утренние тени и полосы света по пейзажу Симфи.

Когда-то был ведь заштатный городишко, лежащий на унылых серых холмах, но после экономического бума ранних сороковых Городская управа объявила Симферополь полем соревнования самых смелых архитекторов мира, и вот теперь столица Крыма может поразить любое туристское воображение.

Площадь Барона, несмотря на ранний час, была забита богатыми автомобилями. Уик-энд, сообразил Лучников и стал активно включаться на своем «Питере-турбо», подрезать носы, гулять из ряда в ряд, пока не влетел в привычную улочку, по которой обычно пробирался к Подземному Узлу, привычно остановился перед светофором и привычно перекрестился. Тут вдруг его обожгло непривычное: на что перекрестился? Привычной старой церкви Всех Святых в Земле Российской Воссиявших больше не было в конце улочки, на ее месте некая овальная сфера. На светофор, значит, перекрестился, ублюдок? Совсем я зашорился со своей «идеей», со своей газетой, отца Леонида уже год не посещал, крещусь на светофоры.

Эта его привычка класть кресты при виде православных маковок здорово забавляла новых друзей в Москве, а самый умный друг Марлен Кузенков даже увещевал его: Андрей, ведь ты почти марксист, но даже и не с марксистской, с чисто экзистенциальной точки зрения смешно употреблять эти наивные символы. Лучников в ответ только ухмылялся и всякий раз, увидев золотой крест в небе, быстренько, как бы формально, отмахивал знамение. Он-то как раз казнил себя за формальность, за суетность своей жизни, за удаление от Храма, и вот теперь ужаснулся тому, что перекрестился просто-напросто на светофор.

Мутная изжога, перегар газетной ночи, поднялась в душе. Симфи даже ностальгии не оставляет на своей территории. Переключили свет, и через минуту Лучников понял, что овальная, пронизанная светом сфера — это и есть теперь церковь Всех Святых в Земле Российской Воссиявших, последний шедевр архитектора Уго ван Плюса.

Автомобильное стадо вместе с лучниковским «Питером» стало втягиваться в Подземный Узел, сплетение туннелей, огромную развязку, прокрутившись по которой машины на большой скорости выскакивают в нужных местах Крымской системы фривеев. По идее, подземное движение устроено так, что машины набирают все большую скорость и выносятся на горбы магистралей, держа стрелки уже на второй половине спидометров. Однако идею эту с каждым годом осуществить становилось труднее, особенно во время уик-эндов. Скорость в устье туннеля была не столь высока, чтобы нельзя было прочесть аршинные буквы на бетонной стенке ворот. Этим пользовались молодежные организации столицы. Они спускали на канатах своих активистов, и те писали яркими красками лозунги их групп, рисовали символы и карикатуры. Зубры в Городской Думе требовали «обуздать мерзавцев», но либеральные силы, не без участия, конечно, лучниковской газеты, взяли верх, и с тех пор сорокаметровые бетонные стены на выездах из Узла, измазанные сверху донизу всеми красками спектра, считаются даже чем-то вроде достопримечательностей столицы, чуть ли не витринами островной демократии. Впрочем, в Крыму любая стенка — это витрина демократии.

Сейчас, выкатываясь из Восточных ворот, Лучников с усмешкой наблюдал за трудом юного энтузиаста, который висел паучком на середине стены и завершал огромный лозунг «Коммунизм — светлое будущее всего человечества», перекрывая красной краской многоцветные откровения вчерашнего дня. На заду паренька на выцветших джинсах красовался сверкающий знак «серп и молот». Временами он бросал вниз, в автомобильную реку, какие-то пакетики-хлопушки, которые взрывались в воздухе, опадая агитационным конфетти.

Лучников посмотрел по сторонам. Большинство водителей и пассажиров не обращали на энтузиаста никакого внимания, только через два ряда слева из «Каравана-фольксвагена» махали платками и делали снимки явно хмельные британские туристы да справа рядом в роскошном сверкающем «Руссо-балте» хмурил брови пожилой врэвакуант.

Вылощенный, полный собственного достоинства мастодонт чуть повернул голову назад и что-то сказал своим пассажирам. Две мастодонтихи поднялись из мягчайших кожаных глубин «Руссо-балта» и посмотрели в окно. Пожилая дама и молодая, обе красавицы, не без интереса, прищуренными глазами взирали — но не на паучка в небе — на Лучникова. Белогвардейская сволочь. Наверное, узнали: позавчера я был на ТВ. Впрочем, все врэвакуанты так или иначе знают друг друга. Должно быть, эти две сучки сейчас обсуждают, где они меня могли встретить — на вторниках у Беклемишевых, или на четвергах у Оболенских, или на пятницах у Нессельроде... Стекла в «Руссо-балте» поползли вниз.

— Здравствуйте, Андрей Арсеньевич!

— Медам! — восторженно приветствовал попутчиц Лучников. — Исключительно рад! Вы замечательно выглядите! Едете для гольфа? Между прочим, как здоровье генерала?

Любого врэвакуанта можно смело спрашивать «между прочим, как здоровье генерала»: у каждого из них есть какой-нибудь одряхлевший генерал в родственниках.

— Вы, должно быть, не узнали нас, Андрей Арсеньевич, — мягко сказала пожилая красавица, а молодая улыбнулась. — Мы Нессельроде.

— Помилуйте, как я мог вас не узнать, — продолжал ерничать Лучников. — Мы встречались на вторниках у Беклемишевых, на четвергах у Оболенских, на пятницах у Нессельроде...

— Мы сами Нессельроде! — сказала пожилая красавица. — Это Лидочка Нессельроде, а я Варвара Александровна.

— Понимаю, понимаю, — закивал Лучников. — Вы Нессельроде, и мы, конечно же, встречались на вторниках у Беклемишевых, на четвергах у Оболенских и на пятницах у Нессельроде, не так ли?

— Диалог в стиле Ионеско, — сказала молодая Лидочка.

Обе дамы очаровательно оскалились. «Что это они так любезны со мной? Я им хамлю, а они не перестают улыбаться. Ах да, ведь в этом сезоне я жених. Левые взгляды не в счет, главное — я сейчас «жених из врэвакуантов. В наше время, милочка, это не так уж часто встретишь».

— Вы, должно быть, сейчас припустите на своем «турбо»? — спросила Лидочка.

— Иес, мэм, — американский ответ Лучникова прозвучал весьма подозрительно для ушей русских дам.

— Наш папочка предпочитает «Руссо-балт», а значит, плавное, размеренное движение, не лишенное, однако, стремительности. — Лидочка Нессельроде пыталась удержаться в «стиле Ионеско».

— Это сразу видно, — сказал Лучников.

— Почему? — спросила Варвара Александровна. — Потому что он ваш политический оппонент?

«Он, оказывается, мой политический оппонент!»

— Нет, сударыня, я сразу понял, что ваш папочка предпочитает «Руссо-балт», когда я увидел его за рулем «Руссо-балта».

Господин Нессельроде повернул голову и что-то сказал.

— Михал Михалыч интересуется, как здоровье Арсения Николаевича? — Именно в таком виде Варвара Александровна вынесла на поверхность высказывание супруга.

Глянув на летящие впереди на одной скорости автомобили и сообразив, что сейчас начнется подъем и стадо будет прорежаться, Лучников слегка сдвинул руль, приблизился к «Руссо-балту» едва ли не вплотную и зашептал горячим шепотом чуть ли не в ухо госпоже Нессельроде:

— Я как раз еду к отцу и, значит, узнаю о его здоровье. Немедленно телеграфирую вам или позвоню. Давайте вообще сблизимся по мере возможностей. Я немолод, но холост. Левые взгляды не в счет. Лады?

Лучников поджал педаль газа, и его ярко-красный с торчащим хвостом спортивный зверь, рявкая турбиной, ринулся вперед, запетлял, меняя ряды, пока не выбрался из стада и не стал на огромной скорости уходить вверх по сверкающему на солнце горбу Восточного Фривея.

ВФ, вылетая из Симфи, набирает едва ли не авиационную высоту. Легчайший серебристый виадук с кружевами многочисленных съездов и развязок, чудо строительной техники. «Приезжайте в Крым, и вы увидите пасторали XVIII века на фоне архитектуры XXI века!» — обещали туристские проспекты, и не врали.

«Откуда все-таки взялось наше богатство?» — в тысячный раз спрашивал себя Лучников, глядя с фривея вниз на благодатную зеленую землю, где мелькали прямоугольные, треугольные, овальные, почковидные пятна плавательных «пулов» и где по вьющимся местным дорогам медленно в больших «Кадиллаках» ездили друг к другу в гости зажиточные яки. Аморально богатая страна.

Он вспомнил Южную дорогу, или, как они говорят в Союзе, «трассу». Недавно они ехали по ней на «Волге» со старым московским другом Лучникова, разжалованным кинорежиссером Виталием Гангутом.

Как назывался тот городок, где мы зашли в магазин? Фанеж? Нет — Фатеж. Разбитый асфальт главной площади и неизменная фигура на постаменте. Был ли там Вечный огонь? Нет, кажется, только областным центрам полагается по статусу Вечный огонь. Да, в Фатеже не было Вечного огня. Хотя бы Вечного огня там не было.

— Сейчас увидишь наше изобилие, — сказал Виталий.

В магазине у прилавка стояло несколько женщин. Они обернулись и молча смотрели на вошедших. Может быть, приняли за иностранцев — странные сумки через плечо, странные куртки... Пока мы ходили и осматривали прилавки, женщины все время молча глядели на нас, но тут же отворачивались, если мы замечали это.

В общем, здесь не было ничего. Впрочем, не нужно преувеличивать, вернее, преуменьшать достижений: кое-что здесь все-таки было — один сорт конфет, влажные вафли, сорт печенья, рыбные консервы «Завтрак туриста»... В отделе под названием «Гастрономия» имелось нечто страшное — брикет мороженой глубоководной рыбы. Спрессованная индустриальным методом в здоровенную плиту, рыба уже не похожа была на рыбу, лишь кое-где на грязно-кровавой поверхности брикета виднелись оскаленные пасти, явившиеся в Фатеж из вечной мглы.

— Я вижу, у вас тут не все есть, — с подлой улыбочкой сказал женщинам Гангут.

— А что вам надо? — хмуро поинтересовались женщины.

— Сыру, — пробормотал Луч. — Хотели сырку купить. — Чудесная склонность советского населения к уменьшительным обозначениям продуктов была ему давно известна.

Женщины мило заулыбались. Вот эта способность русских баб мгновенно переходить от хмурости, мрачной настороженности к душевной теплоте — вот это клад! Непонятный чужой человек

9

вызывает подозрительность, человек же, желающий сырку, сразу становится понятен, мил и сразу получает добрую улыбку.

— Сыр? Это у нас в военном городке бывает почти регулярно, — охотно стали объяснять женщины. — Двенадцать километров отсюда военный городок, сразу увидите.

— Понятно, понятно, — закивал Луч. — Мы на машине, это несложно...

— А масло? — продолжал провоцировать Гангут. — А насчет колбаски?

Однако лед был расколот, и ехидство московского интеллектуала пропало втуне.

— А это вам надо, друзья, в Орел ехать, — поясняли женщины. — У нас тут, врать не будем, колбасы не бывает. Масло иной раз подвозят, а за колбасу этого не скажешь. Надо в Орел ехать, и то с утра только. В этот час уж все продано. Вы сами-то, друзья, куда едете?

— В Москву.

— Ну, там всего навалом! — радостно зашумели женщины.

Они повернули к машине.

— Ну, как по-твоему, что моральней: супермаркет «Елисеев и Хьюз» или гастрономия в городе Фатеж? — спросил Гангут.

— Не знаю, что моральнее, но «Елисеев и Хьюз» — аморальнее, — мрачно ответил Луч.

— Значит, вечное издевательство над людьми и вечная тупая покорность менее аморальны? Тогда позволь тебе преподнести советский сувенир из глубины России, отвези его на Остров и угости друзей.

Гангут протянул Лучникову плоскую банку консервов. По боку банки вилась призванная возбуждать аппетит надпись: «Кальмар натуральный обезглавленный».

Воспоминания об этой банке, о городке Фатеж и еще какая-то гадость угнетали Лучникова. «Питер» гудел на высотной стальной дороге, солнце заливало благословенный край, в стекле спидометра отражались рыжие усы Лучникова, которые всегда ему были по душе, но весь сегодняшний день основательно угнетал Андрея Лучникова, и он ехал сейчас к отцу в дурном настроении. Кальмар натуральный обезглавленный? Такого рода воспоминания о континенте присутствовали всегда. Невразумительное сообщение из Западной Африки? Перекрестился на светофор? Встреча с этими дурацкими Нессельроде? Возраст, в конце концов, паршивое увеличение цифр.

Все это, конечно, дрянь, но дрянь обычная, нормальная. Между тем Лучникова — вот наконец-то нащупал! — угнетала какая-то странная тревога, необычное беспокойство. Что-то мелькнуло особенное в голосе отца, когда он произнес: «Нет, приез-

10

жай обязательно завтра». Что же это? Да просто-напросто слово «обязательно», столь несвойственное отцу. Он, кажется, никогда не говорил, даже в детстве Андрея, «ты обязательно должен это сделать». Сослагательное наклонение — вот язык Арсения Николаевича. «Тебе бы следовало сесть за книги...» «Я предложил бы обществу поехать на море...» В таком роде общался старый доброволец с окружающими. Явно вымученный императив в устах отца беспокоил и угнетал сейчас Лучникова.

Они виделись не так уж редко: собственно говоря, их разделяли всего один час быстрой езды по Восточному и полчаса кружения по боковым съездам и подъемам. Арсений Николаевич жил в своем большом доме на склоне Сюрю-Кая, и Андрей Арсеньевич любил бывать там, выбегать утром на плоскую крышу, ощущать внизу огромное свежайшее пространство, взбадриваться прыжками с трамплина в бассейн, потом пить кофе с отцом, курить, говорить о политике, следить за перемещением ярко раскрашенных турецких и греческих тральщиков, что промышляли у здешних берегов под присмотром серой щучки, островной канонерки. Крымчане берегли свои устричные садки, ибо знаменитые крымские устрицы ежедневно самолетами отправлялись в Париж, Рим, Ниццу, Лондон, а оставшиеся, самые знаменитые, подавались на стол в бесчисленных туристских ресторанчиках. Налоги же с устричных хозяйств шли прямиком в военное министерство, так что щука-канонерка берегла эти поля с особым тщанием.

Перед началом серпантина на Сюрю-Кая Лучников на минуту остановился у обочины. Он всегда так делал, чтобы растянуть чудесный миг — появление отцовского дома на склоне. Широчайшая панорама Коктебельской бухты открывалась отсюда, и в правом верхнем углу панорамы прямо под скальными стенами пилы-горы тремя белыми уступами зиждился отцовский дом.

Собственно говоря, здесь тоже не было никакой ностальгии. Арсений Николаевич построился здесь каких-нибудь восемь—десять лет назад, когда бурно разрослись в Восточном Крыму его конные заводы. В те времена параллельно с лошадиным бизнесом невероятно выросла и популярность Лучникова-старшего среди островного общества. Определенные круги даже намекали Арсению Николаевичу, что было бы вполне уместно выставление его кандидатуры на выборах Председателя Временной Думы, то есть практически крымского президента. Блестящих данных, дескать, Арсению Лучникову не занимать: один из немногих оставшихся участников Ледяного похода, боевой врэвакуант, профессор-историк, персона, «вносящая огромную лепту в дело сохранения и процветания русской культуры», и в то же время европеец с огромными связями в западном мире, да к тому же еще и миллионер-коннозаводчик, «способствующий экономическому процветанию Базы Временной Эвакуации», то есть Острова Крыма.

Уже и еженедельники начали давать репортажи об Арсении Лучникове, о его удивительном доме на диком склоне, о натуральной ферме за Святой горой, о новой породе скаковых лошадей, выведенной на его заводах. Стал уже создаваться имидж, «Лучников-лук» — длинный худой старик со смеющимися глазами, одетый, как юноша: джинсы и кожаная куртка.

Трудно сказать, намеренно или случайно отрезал себе Арсений Николаевич пути к президентству. Однажды в телеинтервью в ответ на вопрос: «А вас не смущает, что ваш удивительный дом стоит в сейсмически опасной зоне?» — он ответил:

— Было бы смешно жить на Острове Крым и бояться землетрясений.

Эта фраза вызвала бурный всплеск фаталистического веселья и странной бодрости: как смешно, в самом деле, бояться землетрясений под радарами, ракетами и спутниками красных, в восьмидесяти километрах от супердержавы, любимой и трижды проклятой исторической родины — СССР.

Однако вряд ли автор такого афоризма, способного восхитить снобов Симфи и космополитический сброд Ялты, может претендовать на президентское кресло. Пока еще ключи к политике Острова лежат в ладонях патриотов, истинных врэвакуантов, потомственных военных, сохраняющих уверенность в своих силах, стерегущих Крым до светлого дня Весеннего похода, до Возрождения Отчизны. Что касается современных левиафанов, милостивые государи, то... не нужно, конечно, обольщаться, но нельзя и забывать о нашем герое лейтенанте Бейли-Лэнде, и почему не вспоминать иногда о примере Израиля, о Давиде и Голиафе, о собственном славном опыте, когда небольшие наши, но ультрасовременные «форсиз» в течение недели перемолотили огромную турецкую армию и заставили современных янычар заключить пакт дружбы. Так что, несмотря на постоянную и страшную опасность и даже именно в связи с этой опасностью, нам не нужен в президентах потенциальный пораженец. К тому же, господа, не грех вспомнить и о сыне, об Андрее Лучникове, этом вполне едва ли не коммунисте, который не вылезает из Москвы. Помилуйте, господа, но это уже не дело. Рассуждая таким образом, мы уподобляемся цэкистам-гэбистам, ущемляем священные принципы нашей демократии, да и какой Андрюша коммунист, я его знаю с детских лет. Хорошо, было бы уместно прекратить эту дискуссию, тема, кажется, исчерпана...

Примерно так представлял себе Лучников обсуждение «в кругах» кандидатуры своего отца. Он вспомнил об этом деле и сейчас, кружа по серпантину Сюрю-Кая и приближаясь к «Каховке».

Как всегда, мысль о «кругах» наполнила его темным гневом. Паяцы и мастодонты, торгаши и дебилы, всерьез рассуждают, видите ли, о Возрождении! Богатые и безнравственные смеют считать себя хранителями русской культуры. С детства они талдычат нам о зверствах большевиков, но разве и вы не были зверьми? Красные расстреливали тысячами, вы вешали сотнями. Нет, не белое знамя вы несли с Юга и Востока к Кремлю, но черное с кровью. Жажда мщения двигала вашими батальонами. Либералы, вроде моего юнкера-отца или самого генерала Деникина, не решались произнести при вас слово «республика», не решались заикнуться о разделе земли. Как красные презирали разогнанную «учредилку», так и вы ненавидели Учредительное выборное собрание российского народа. Даже и после поражения вы охотились за Милюковым, убили Набокова-старшего, а какой была бы охота после вашей победы? Вот и сейчас шесть десятилетий вы на своей Базе Временной Эвакуации наслаждаетесь комфортом, свободой и спокойствием, в то время когда наш народ кровью истекал под сталинскими ублюдками, отражал с неслыханными жертвами нашествие наглых иностранных орд, прозябает в бесправии, темноте духовной, скудости и лжи и снова жертвует лучшими своими детьми, в то время когда такие сложнейшие и драматические процессы происходят в России, вы все еще талдычите вставными челюстями о Весеннем походе...

Звук сирены сверху отвлек Лучникова от этих мыслей. Он притормозил и увидел прямо над собой за зарослями кизиловых кустов длинную фигуру отца в выцветшей голубой рубашке. Отец махал ему рукой и что-то кричал. За спиной у него светилась странная при ярком солнце фара маленького желтого бульдозера. Очевидно, именно из бульдозера он и просигналил сиреной.

— Андрей, не разгоняйся! — кричал отец.

Лучников медленно проехал вираж.

Молодой походкой, размахивая руками со свойственной ему внешней беззаботностью, отец шел навстречу.

— Вчера здесь случился камнепад, — объяснил он. — Я сейчас тут расчищаю бульдозером. Олл райт, закончу после обеда.

Арсений сел в машину к Андрею, и они медленно перевалили через опасный участок.

— Ну, а теперь можно как обычно, — улыбнулся отец. — Не потерял еще класс?

Лучников до тридцати лет занимался автогонками почти профессионально, но никогда на шоссе или в городе этого не показывал, лишь на горных дорогах охватывал его иногда мальчишеский раж. Он подумал, что, может быть, отцу будет приятно увидеть в этом рыжем с сединой морщинистом дядьке прежнего своего любимого мальчишку, и стал подхлестывать свой «Питер» толчками по педали. Турбина рявкала. Они выскакивали на виражи, казалось, для того, чтобы лететь дальше в небо и в пропасть, но резко перекладывался руль, выдергивалась кулиса, и со скрежетом на двух колесах — два других в воздухе — «Питер» вписывался в поворот.

13

— Браво! — сказал отец, когда они влетели во двор «Каховки» и остановились мгновенно и точно в квадрате паркинга.

Резиденция Лучникова-старшего называлась «Каховкой» неспроста. Как раз лет десять назад Андрей привез из очередной поездки в Москву несколько грампластинок. Отец снисходительно слушал советские песни, как вдруг вскочил, пораженный одной из них.

Каховка, Каховка,
родная винтовка,
горячая пуля, лети!
...

Гремела атака, и пули свистели,
и дробно стучал пулемет,
и девушка наша
в походной шинели,
горящей Каховкой идет.

Ты помнишь, товарищ,
как вместе сражались,
как нас овевала гроза?
Тогда нам с тобою сквозь дым улыбались
ее голубые глаза.

Отец прослушал песню несколько раз, потом некоторое время сидел молча и только тогда уже высказался:

— Стихи, сказать по чести, не вполне грамотные, но, как ни странно, эта комсомольская романтика напоминает мне собственную юность и наш юнкерский батальон. Ведь я дрался в этой самой Каховке... И девушка наша Верочка, княжна Волконская, шла в шинели... по горящей Каховке...

Прелюбопытным образом советская «Каховка» стала любимой песней старого врэвакуанта. Лучников-младший, конечно же, с удовольствием подарил отцу пластинку: еще один шаг к Идее общей судьбы, которую он проповедовал. Арсений Николаевич сделал магнитную запись и послал в Париж, тамошним батальонцам: «Ты помнишь, товарищ, как вместе сражались...» Из Парижа тоже пришли восторженные отзывы. Тогда и назвал старый Лучников свой новый дом на Сюрю-Кая «Каховкой».

— Еще не потерял класс, Андрюша.

Отец и сын постояли минуту на солнцепеке, с удовольствием глядя друг на друга. Разновысокие стены строений окружали двор: галереи, винтовые лестницы, окна на разных уровнях, деревья в кадках и скульптуры.

— Я вижу, у тебя новинка, — сказал Андрей. — Эрнст Неизвестный...

— Я купил эту вещь по каталогу, через моего агента в Нью-Йорке, — сказал Арсений и добавил осторожно: — Неизвестный, кажется, сейчас в Нью-Йорке живет?

— Увы, — проговорил Андрей, приблизился к «Прометею» и положил на него руку. Сколько раз он видел эту скульптуру и трогал ее в мастерской Эрика, сначала на Трубной, потом на улице Гиляровского.

Они прошли в дом и через темный коридор с африканскими масками по стенам вышли на юго-восточную, уступчатую, многоэтажную часть строения, висящую над долиной. Появился древний Хуа, толкая перед собой тележку с напитками и фруктами.

— Ю узлкам Андрюса синочек эз юзуаль каниста, — прошипел он сквозь остатки зубов, похожие на камни в устье Янцзы.

— Ты видишь, не прошло и сорока лет, а Хуа уже научился по-русски, — сказал отец.

Китаец мелко-мелко затрясся в счастливом смехе. Андрей поцеловал его в коричневую щеку и взял здоровенный бокал водкатини.

— Сделай нам кофе, Хуа.

Арсений Николаевич подошел к перилам веранды и позвал сына — глянь, мол, вниз — там нечто интересное. Андрей Арсеньевич глянул и чуть не выронил водкатини: там внизу на краю бассейна стоял его собственный сын Антон Андреевич. Длинная и тонкая дедовская фигура Антошки, белокурые патлы перехвачены по лбу тонким кожаным ремешком, ярчайшие американские купальные трусы почти до колен. В расхлябанной наглой позе на лесенке бассейна стояло отродье Андрея Арсеньевича, его единственный сын, о котором он вот уже больше года ничего не слышал. В воде между тем плавали две гибких девушки, обе совершенно голые.

— Явились вчера вечером пешком, с тощими мешками, грязные... — быстро, как бы извиняясь, заговорил Лучников-старший.

— Кажется, уже отмылись, — суховато заметил Лучников.

— И отъелись, — засмеялся дед. — Голодные были, как акулы. Они приплыли из Турции с рыбаками... Позови его, Андрей. Попробуйте все-таки...

— Анто-о-ошка! — закричал Лучников так, как он кричал когда-то, совсем еще недавно, будто бы вчера, когда в ответ на этот крик его сын тут же мчался к нему большими скачками, словно милейший дурашливый пес.

Так неожиданно произошло и сейчас. Антон прыгнул в воду, бешеным кролем пересек бассейн, выскочил на другой стороне и помчался вверх по лестнице, крича:

— Хай, дад!

Как будто ничего и не было между ними: всех этих мерзких сцен, развода Андрея Арсеньевича с матерью Антона, взаимных обвинений и даже некоторых пощечин; как будто не пропадал мальчишка целый год черт знает в каких притонах мира.

Они обнялись и, как в прежние времена, повозились, поборолись и слегка побоксировали. Краем глаза Лучников видел, что дед сияет. Другим краем глаза он замечал, как вылезают из бассейна обе дивы, как они натягивают на чресла ничтожные яркие плавочки и как медленно направляются вверх, закуривая и болтая друг с другом. Мысль о лифчиках, видимо, не приходила им в голову, то ли за неимением таковых, то ли за неимением и самой подобной мысли.

— Познакомьтесь с моим отцом, друзья, — сказал Антон девушкам по-английски. — Андрей Лучников. Дад, познакомься, это Памела, а это Кристина.

Они были очень хорошенькие и молоденькие, если и старше девятнадцатилетнего Антона, то не намного. Памела, блондинка с пышной гривой выгоревших волос, с идеальными, будто бы скульптурными крепкими грудками. «Калифорнийское отродье, вроде Фары Фасет», — подумал Лучников. Кристина была шатенка, а груди ее (что поделаешь, если именно груди девиц привлекали внимание Лучникова: он не так уж часто бывал в обществе передовой молодежи), груди ее были не столь идеальны, как у подружки, однако очень вызывающие, с торчащими розоватыми сосками.

Девицы вполне вежливо сказали «nice to meet you» — у Кристины был какой-то славянский акцент — и крепко, по-мужски пожали руку Лучникова. Они подчеркнуто не обращали внимания на свои покачивающиеся груди и как бы предлагали и окружающим не обращать внимания — дескать, что может быть естественнее, чем часть человеческого тела? — и от этой нарочитости, а может быть, и просто от голода у Лучникова зашевелился в штанах старый друг, и он даже разозлился: вновь возникала проклятая, казалось бы, изжитая уже в сумасшедшей череде дней зависимость.

— Вы, должно быть, из «уимен-либ», бэби? — спросил он девушек. Яростное возмущение. Девчонки даже присвистнули.

— Мы вам не бэби, — хрипловато сказала Кристина.

— Male chouvinist pig, — прорычала Памела и быстро, взволнованно стала говорить подружке: — Из их поколения этой гадости уже не выбьешь. Обрати внимание, Кристи, как он произнес это гнусное словечко «бэби». Как будто в фильмах пятидесятых годов, как будто солдат проституточкам!..

Лучников облегченно расхохотался: значит, просто обыкновенные дуры! Дружок в штанах тоже сразу успокоился.

— Ребята, вы не обижайтесь на моего дадди, — сказал Антон. — Он и впрямь немного олд-таймер. Просто вы его своими титьками взволновали.

16

— Простите, джентльмены, — сказал Лучников девушкам. — Я действительно невпопад ляпнул. Грехи прошлого. Почувствовал себя слегка в бордельной обстановке. Ведь я, именно, солдафон пятидесятых.

— Будем обедать, господа? — спросил Арсений Николаевич. — Здесь или в столовой?

— В столовой, — сказал Антон. — Тогда девки, может быть, оденутся. А то бедный мой папа не сможет съесть ни кусочка.

— Или съем что-нибудь не то, — пробурчал Лучников.

Отец и сын сели рядом в шезлонги.

— Где же ты побывал за этот год? — спросил Лучников.

— Спроси, где не был, — по-мальчишески ответил Антон. Он сделал знак Хуа, и тот принес ему его драные, разлохмаченные джинсы. Антон вытащил из кармана железную коробочку из-под голландских сигар «Биллем II» и извлек оттуда самокруточку. Понятно — курим «грасс». Именно в присутствии отца закурить «грасс» — вот она свобода! Неужели он думал когда-нибудь, что я его буду угнетать, давить, ханжески ограничивать? Неужели он, как и эти две дурочки, считает меня человеком пятидесятых? Во всем мире меня считают человеком, определяющим погоду и настроение именно сегодняшнего дня, и только мой собственный сын нашел между нами generation gap. Не слишком ли примитивно? Во всех семьях говорят о разрыве поколений, значит, и мы должны иметь эту штуку? Может быть, он не слишком умен? Провалы по части вкуса? В кого у него этот крупный нахальный нос? Невысокий, зарастающий по бокам лоб — в мамашу. Но нос-то в кого? Да нет, не открестишься — подбородок мой и зеркальные родинки: у меня над левой ключицей, у него — над правой, у меня справа от пупка, у него — слева, а фигура — в Арсения.

— Сейчас спрошу, где ты не был, — улыбнулся Лучников. — В Штатах не был?

— От берега до берега, — ответил Антон.

— В Индии не был?

— Сорок дней жил в ашраме. Пробирались даже в Тибет через китайские посты.

— Скажи, Антоша, а на что ты жил весь этот год?

— В каком смысле?

— Ну, на что ты ел, пил? Деньги на пропитание, короче говоря?

Антон расхохотался, слегка театрально.

— Ну, папа, ты даешь! Поверь мне, это сейчас не проблема для... ну, для таких, как я, для наших. Обычно мы живем в коммунах, иногда работаем, иногда попрошайничаем. Кроме того, знаешь ли, ты, конечно, не поверишь, но я стал совсем неплохим саксофонистом...

17

— Где же ты играл?

— В Париже... в метро... знаешь там корреспонданс на Шатле...

— Дай затянуться, — попросил Лучников.

Антон вспомнил, что он курит, и тут же показал специфическую расслабленность, особую такую шикарную полуотрешенность.

— Это... между прочим... из Марокко... — пробормотал он как бы заплетающимся языком.

Все-таки — мальчишка.

— Я так и понял, — сказал Лучников, взял слюнявый окурок и втянул сладковатый дымок. Сладкая дрянь.

— Ба, вот странность, только сейчас заметил, что я спрашиваю тебя по-русски, а ты мне отвечаешь на яки. — Он внимательно разглядывал сына. Все-таки красивый парень, очень красивый.

— Это язык моей страны! — с неожиданной горячностью вскричал Антон. Веселости как не бывало. Глаза горят. — Я говорю на языке моей страны!

— Вот оно что! — сказал Лучников. — Теперь, значит, вот такие у нас идеи?

— Слушай, атац, ты меня опять подначиваешь. Ты со мной, я вижу, так и не научишься говорить серьезно. Яки! — Нотка враждебности, той старой, годичной давности, появилась в голосе Антона. — Яки! Яки, атац!

Атац, то есть отец, типичное словечко яки, смесь татарщины и русятины.

Уровнем ниже, в дверях столовой появилась фигура деда.

— Мальчики, обедать! — крикнул он.

Антон вылез из шезлонга и пошел по веранде, прыгая на одной ноге и на ходу натягивая джинсы. Обернулся.

— Да, я забыл тебе сказать, что я и в Москве твоей побывал.

— Вот как? — Лучников встал. — Ну и как тебе Москва?

— Блевотина, — с удовольствием сказал Антон и, почувствовав, что диалог закончился в его пользу, очень повеселел.

Дед явно любовался внуком. В дверях столовой Антон дружески ткнул Арсения плечом. Лучников-средний задержался.

— Арсений, это из-за него ты просил меня приехать обязательно сегодня. Он что — завтра испаряется?

— Нет-нет. Антошка мне ничего не говорил о своих планах. Не думаю, что эта троица так быстро нас покинет. Девочки первый раз на Острове. Антошка предвкушает роль гида. Новая культура яки и жизнь русских мастодонтов. К тому же рядом и Коктебель с его вертепами. Думаю, что американочкам на неделю хватит.

Арсений Николаевич вроде бы посмеивался, но Андрей Арсеньевич заметил, что глаза отца смотрят серьезно и как бы изучают его лицо. Это тоже было несвойственно старику Лучникову и пугало.

— Тогда почему же ты сказал «обязательно»? Просто так, а? Без особого значения?

«Если ответит «просто так, без особого значения», то это самое худшее», — подумал Андрей Арсеньевич.

— Со значением, — улыбнулся отец, как бы угадавший ход его мыслей. — У нас сегодня к обеду Фредди Бутурлин.

— Да я его вижу чуть ли не каждый день в Симфи! — воскликнул Лучников.

— Нам нужно будет вечером поговорить втроем, — неожиданно жестким голосом — президент в кризисных паузах истории — проговорил Лучников-старший.

Они вошли в столовую, одна стена которой была стеклянной и открывала вид на море, скалу Хамелеон и мыс Крокодил. За столом уже сидели Памела, Кристина, Антон и Фредди Бутурлин.

Последний был членом Кабинета министров, а именно товарищем министра информации. Пятидесятилетний цветущий отпрыск древнего русского рода, для друзей и избирателей Фредди, а для врэвакуантов Федор Борисович, член партии к-д и спортклуба «Русский сокол», а по сути дела плейбой без каких-либо особых идей, Бутурлин когда-то слушал лекции Лучникова-старшего, когда-то шлялся по дамочкам с Лучниковым-средним и потому считал их своими лучшими задушевными друзьями.

— Хай, Эндрю! — Он открыл свои объятия.

— Привет, Федя! — ответил Лучников по правилам московского жаргона.

Памела и Кристина — Боже! — преобразились: обе в платьях! Платья, правда, были новомодные, марлевые, просвечивающие, да еще и на узеньких бретельках, но все-таки соски молодых особ были прикрыты какими-то цветными аппликациями. Антоша сидел голый по пояс, только лишь космы свои слегка заправил назад, завязал теперь в пони-тэйл.

Седьмым участником трапезы был мажордом Хуа. Он отдавал распоряжения на кухню и официанту Гаври, но то и дело присаживался к столу, как бы гордо демонстрируя, что он тоже член семьи, поворачивал по ходу беседы печеное личико, счастливо лучился, внимал. Вдруг беседа и его коснулась.

— Хуа — старый тайваньский шпион, — сказал про него Антон девушкам. — Это естественно, Крым и Тайвань, два отдаленных брата. В семьях врэвакуантов считается шикарным иметь в доме китайскую агентуру. Хуа шпионит за нами уже сорок лет, он стал нам родным.

— Что такое врэвакуанты? — Памела чудесно сморщила носик.

— Когда в тысяча девятьсот двадцатом году большевики вышибли моего дедулю и его славное воинство с континента, бе-

19

лые офицеры на Острове Крым стали называть себя «временные эвакуанты». Временный is temporary in English. Потом появилось сокращение «вр. эвакуанты», а уже в пятидесятых годах, когда основательно поблекла идея Возрождения Святой Руси, сложилось слово «врэвакуант», нечто вроде нации.

Отец и дед Лучниковы переглянулись: Антону и в самом деле нравилась роль гида. Фредди Бутурлин пьяновато рассмеялся: то ли он действительно набрался, еще до обеда, то ли ему казалось, что таким пьяноватым ему следует быть в его «сокольской» плейбойской куртке, да еще и в присутствии хорошеньких девиц.

— Ноу, Тони, ноу, плиз донт... — погрозил он пальцем Антону. — Не вводи в заблуждение путешественниц. Врэвакуанты, май янг лэдис, это не нация. По национальности мы — русские. Именно мы и есть настоящие русские, а не... — тут бравый «сокол» слегка икнул, видимо вспомнив, что он еще и член кабинета, и закончил фразу дипломатично: — А не кто-нибудь другой.

— Вы хотите сказать, что вы — элита, призванная править народом Крыма?! — выпалил Антон, перегнувшись через край стола.

«Что это он глаза-то стал так таращить? — подумал Лучников. — Уж не следствие ли наркотиков?»

— Не вы, а мы, — лукаво погрозил Бутурлин Антону вилкой, на которой покачивался великолепный шримп. — Уж не отделяешься ли ты от нас, Тони?

— Антон у нас теперь представитель культуры яки, — усмехнулся Лучников.

— Яки! — вскричал Антон. — Будущее нашей страны — это яки, а не вымороченные врэвакуанты, или обожравшиеся муллы, или высохшие англичане! — Он отодвинул локтем свою тарелку и зачастил, обращаясь к девушкам: — Яки — это хорошо, это среднее между «якши» и «о'кей», это формирующаяся сейчас нация Острова Крыма, составленная из потомков татар, итальянцев, болгар, греков, турок, русских войск и британского флота. Яки — это нация молодежи. Это наша история и наше будущее, и мы плевать хотели на марксизм и монархизм, на Возрождение и на Идею Общей Судьбы!

За столом после этой пылкой тирады воцарилось натянутое молчание. Девицы сидели с каменными лицами, у Кристины вздулась правая щека — во рту, видимо, лежало что-то непрожеванное, вкусное.

— Вы уж извините нас, уважаемые леди, — проговорил Арсений Николаевич. — Быть может, вам не все ясно. Это вечный спор славян в островных условиях.

— А нам на ваши проблемы наплевать, — высказалась Кристина сквозь непрожеванное и быстро начала жевать.

— Браво! — сказал дед. — Предлагаю всему обществу уйти от битвы идей к реальности. Реальность перед вами. В центре стола омар, слева от него различные соусы. Салат с креветками вы уже отведали. Смею обратить внимание на вот эти просвечивающие листочки балаклавской ветчины, она не уступит итальянской «прошютто». Вон там, в хрустале, черная горка с дольками лимона — улыбка исторической родины, супервалютная икра. Шампанское «Новый Свет» в рекламе не нуждается. В бой, господа!

Далее последовал очень милый, вполне нормальный обед, в течение которого вся атмосфера наполнялась веселым легким алкоголем, и вскоре все стали уже задавать друг другу вопросы, не дожидаясь ответа, и отвечать, не дожидаясь вопросов, а когда подали кофе, Лучников почувствовал на своем колене босую ступню Памелы.

— Этот тип, — говорила золотая калифорнийская дива, тыча в него сигарой, вынутой изо рта Фредди Бутурлина, — этот тип похож на рекламу «Мальборо».

— А этот тип, — Кристина, взмахнув марлевым подолом, опустила голый задик на костлявые колени деда Арсения, — а этот тип похож на пастыря всего нашего рода. Пастырь белого племени! Джинсовый Моисей!

— Вы, девки! Не трогайте моих предков! — кричал Антон. — Папаша, можно я возьму твой «турбо»? Нельзя? Как это говорят у вас в Москве — жмот? Ты — старый жмот! Дед! Одолжи на часок «роллс»? Жмоты проклятые! Врэвакуанты! Яки поделится последней рубахой.

— Я вам дам «Лэндровер» с цепями, — сказал дед Арсений. — Иначе вы сверзитесь с серпантина в бухту.

— Ура! Поехали! — Молодежь поднялась и, приплясывая, прихлопывая и напевая модную в этом туристическом сезоне песенку «Город Запорожье», удалилась. Памела перед уходом нахлобучила себе на голову летнюю изысканную шляпу товарища министра информации.

Город Запорожье!
Санитэйшен фри!
Вижу ваши рожи,
Братцы, же ву при!

Русско-англо-французский хит замер в глубинах «Каховки». Взрослые остались одни.

— Эти девки могут разнести весь твой замок, Арсений, — сказал Лучников. — Откуда он их вывез?

— Говорит, что познакомился с ними третьего дня в Стамбуле.

— Третьего дня? Отлично! А когда он стал яки-националистом?

— Думаю, что сегодня утром. Они часа два беседовали на море с моим лодочником Хайрамом, а тот активист «Яки-Фьюча-Туганер-Центр».

21

— Хороший у тебя сын, Андрюшка, — мямлил вконец осоловевший Бутурлин. — Ищущий, живой, с такими девушками дружит. Вот мои мерзавцы-белоподкладочники только и шастают по салонам врэвакуантов, скрипка, фортепиано, играют всякую дребедень от Гайдна до Стравинского... понимаете ли, духовная элита... Мерзость! В доме вечные эти звуки — Рахманинов... Гендель... тоска... не пьют, не валяются...

— Ну, Фредди, хватит уже, — сказал Лучников-старший. — Теперь мы одни.

Фредди Бутурлин тут же причесался, одернул куртку и сказал:

— Я готов, господа.

— Хуа, отключи телефоны, — попросил Арсений Николаевич.

— А вы не завели еще себе магнитный изолятор? — поинтересовался Фредди. — Рекомендую. Стоит дорого, но зато перекрывает всех «клопов».

— Что все это значит?— спросил Лучников. Он злился. Двое уже знают некий секрет, который собираются преподнести третьему, несведущему. Хочешь не хочешь, но в эти минуты чувствуешь себя одураченным.

Арсений Николаевич вместо ответа повел их в так называемые «частные» глубины своего дома, то есть туда, где он, собственно говоря, и жил. Комнаты здесь были отделаны темной дубовой панелью, на стенах висели старинные портреты рода Лучниковых, часть из которых успела эвакуироваться еще в двадцатом, а другая часть разными правдами-неправдами была выцарапана уже из Совдепии. Повсюду были книжные шкафы и полки с книгами, атласами, альбомами, старые географические карты, старинные глобусы и телескопы, модели парусников, статуэтки и снимки любимых лошадей Арсения Николаевича. Над письменным столом висела фотография суперзвезды, лучниковского фаворита, пятилетнего жеребца крымской породы Варяга, который взял несколько призов на скачках в Европе и Америке.

— Недавно был у меня один визитер из Москвы, — сказал Арсений Николаевич. — Настоящий лошадник. Еврей, но исключительно интеллигентный человек.

Андрей Арсеньевич усмехнулся. Ничем, наверно, не изжить врэвакуантского высокомерия к евреям. Даже либерал папа проговаривается.

— Так вот, знаете ли, этот господин задумал в каком-то там их журнале рубрику «Из жизни замечательных лошадей». Дивная идея, не так ли?

— И что же? — поднял дворянскую бровь Бутурлин.

— Зарубили. наверное? — хмуро пробормотал Андрей.

— Вот именно это слово употребил визитер, — сказал Арсений. — Редактор рубрику зарубил.

Андрей рассмеялся:

— Евреи придумывают, русские рубят. Там сейчас такая ситуация.

Все трое опустились в кожаные кресла вокруг низкого круглого стола. Хуа принес портвейны и сигары и растворился в стене.

— Ну так что же случилось? — Лучников все больше злился и нервничал.

— Андрей, на тебя готовится покушение, — сказал отец.

Лучников облегченно расхохотался.

— Ну, вот я так и знал — начнет ржать. — Арсений Николаевич повернулся к Бутурлину.

— Арсений, тебе, наверное, позвонил какой-нибудь маразматик-волчесотенец? — смеялся Лучников. — В «Курьере» дня не проходит без таких звонков. Чекистский выкормыш, блядь кремлевская, жидовский подголосок... как только они меня не кроют... придушим, утопим, за яйца повесим...

— На этот раз много серьезнее, Эндрю. — Вместе с этими словами и голос Бутурлина стал намного серьезнее.

— Сведения идут прямо из СВРП, — холодно и как бы отчужденно Арсений Николаевич стал излагать эти сведения. — Правое законспирированное крыло Союза Возрождения Родины и Престола приняло решение убрать тебя и таким образом ликвидировать нынешний «Курьер». Мне об этом сообщил мой старый друг, один из еще живущих наших батальонцев, но... — у Лучникова-старшего чуть дрогнул угол рта, — но, смею заверить, еще не маразматик. Ты знаешь прекрасно, Андрей, что твой «Курьер» и ты сам чрезвычайно раздражаете правые круги Острова...

— Сейчас уже и левые, кажется, — вставил Фредди Бутурлин.

— Так вот, мой старый друг тоже всегда возмущался твоей позицией и Идеей Общей Судьбы, которую он называет просто советизацией, но сейчас он глубоко потрясен решением правых из СВРП. Он считает это методами красных и коричневых, угрозой нашей демократии и вот почему хочет помешать этому делу, лишь во вторую голову ставя наши с ним дружеские отношения. Теперь, пожалуйста, Федя, изложи свои соображения.

Арсений Николаевич, едва закончив говорить, тут же выскочил из кресла и зашагал по ковру, как бы слегка надламываясь в коленных суставах.

Лучников сидел молча с незажженной сигарой в зубах. Мрак мягкими складками висел справа у виска.

— Андрюша, ты знаешь, на какой пороховой бочке мы живем, в какую клоаку превратился наш Остров... — так начал говорить товарищ министра информации Фредди Бутурлин. — Тридцать девять одних только зарегистрированных политических партий. Масса экстремистских групп. Идиотская мода на марксизм распространяется, как инфлуэнца. Теперь любой богатей-яки выписывает для украшения своей виллы собрания сочинений прямо из Москвы. Врэвакуанты читают братьев Медведевых. Муллы цитируют Энвера Ходжу. Даже в одном английском доме недавно я присутствовал на декламации стихов Мао Цзэдуна. Остров наводнен агентурой. Си-Ай-Эй и Ка-Гэ-Бэ действуют чуть ли не в открытую. Размягчающий транс разрядки. Все эти бесконечные делегации дружбы, культурного, технического, научного сотрудничества. Безвизный въезд, беспошлинная торговля — все это, конечно, невероятно обогащает наше население, но день за днем мы становимся международным вертепом почище Гонконга. С правительством никто не считается. Демократия, которую Арсений Николаевич с сотоварищами вырвали у Барона в тысяча девятьсот тридцатом году, доведена сейчас до абсурда. Пожалуй, единственный институт, сохранивший до сих пор свой смысл, — это наши вооруженные силы, но и они начинают развинчиваться. Недавно было экстренное заседание кабинета, когда ракетчики Северного укрепрайона потребовали создания профсоюза военных. Вообрази себе бастующую армию. Кому она нужна? По данным ОСВАГа шестьдесят процентов офицерского состава выписывают твой «Курьер». Стало быть, они читают газету, которая на каждой своей странице отвергает сам смысл существования русской армии. Понимаешь ли, Андрей, в другой, более нормальной обстановке твоя Идея Общей Судьбы была бы всего лишь одной из идей, право на высказывание которых — любых идей! — закреплено в конституции. Сейчас Идея и ее активный пропагандист «Курьер» становится реальной опасностью не только для амбиций наших мастодонтов, как ты их называешь, но и для самого существования государства и нашей демократии. Подумай, ведь ты, проповедуя общую судьбу с великой родиной, воспитывая в гражданах комплекс вины перед Россией, комплекс вины за неучастие в ее страданиях и, как говорят они там, великих свершениях, подумай сам, Андрей, ведь ты проповедуешь капитуляцию перед красными и превращение нашей славной банановой республики в Крымскую область. Ты только вообрази себе этот кошмар — обкомы, райкомы...

— Я не понимаю, Федя, — перебил его Лучников. — Ты что, подготавливаешь меня к покушению, что ли? Доказываешь его целесообразность? Что ж, в логике тебе не откажешь.

Тяжесть налила все его тело. Тело — свинцовые джунгли, душа — загнанная лиса. Мрак висел теперь, как овальное тело, возле уютной люстры. Сволочь Бутурлин разглагольствует тут, развивает государственные соображения, а в это время СВРП разрабатывает детали охоты. На меня. На живое существо. Сорокашестилетний холостяк, реклама сигарет «Мальборо», любитель быстрой езды, пьянчуга, сластолюбец, одинокий и несчастный, будет вскоре прошит очередью из машингана. До слез жалко мальчика Андрюшу. Папа и мама, зачем вы учили меня гаммам и кормили кашей «Нестле»? Конец.

— Постыдись, Андрей! — вскричал Бутурлин. — Я рисую тебе общую картину, чтобы ты уяснил себе степень опасности.

Он уяснил себе степень опасности. Вполне отчетливо. Отцу и в самом деле не нужно было называть своего старого друга по имени, он сразу понял, что речь идет о майоре Боборыко, а покушение затеяно его племянником, одноклассником Лучникова Юркой, обладателем странной двойной фамилии Игнатьев-Игнатьев.

Всю жизнь этот карикатурный тип сопровождает Андрея. Долгое время учились в одном классе гимназии, пока Андрей не отправился в Оксфорд. Вернувшись на Остров в конце 1955 года, он чуть ли не на первой же вечеринке встретил Горку и поразился, как отвратительно изменился его гимназический приятель, фантазер, рисовальщик всяческих бригантин и фрегатов, застенчивый прыщавый дрочила. Теперь это стал большой, чрезвычайно нескладный мерин, выглядящий много старше своих лет, с отвратительной улыбкой, открывающей все десны и желтые вразнобой зубы, с прямым клином вечно грязных волос, страшно крикливый монологист, политический экстремист, «ультраправый».

Андрею тогда на политику было наплевать, он воображал себя поэтом, кутил, восторгался кипарисами и возникающими тогда «климатическими ширмами» Ялты, таскался по дансингам за будущей матерью Антона Марусей Джерми и всюду, где только ни встречался с Юркой, слегка над ним посмеивался.

Игнатьев-Игнатьев тоже вращался в ту пору вокруг блистательной Маруси, но никогда ей не объяснился, никогда с ней не танцевал, даже вроде бы и не подходил ближе чем на три метра. Он носил какое-то странное полувоенное одеяние с волчьим хвостом на плече — «Молодая волчья сотня». Чаще всего он лишь мрачно таращился из угла на Марусю, иногда — после пары коктейлей — цинично улыбался огромным своим мокрым ртом, а после трех коктейлей начинал громогласно ораторствовать, как бы не обращая на итальяночку никакого внимания. Тема тогда у него была одна. Сейчас, в послесталинское время, в хрущевской неразберихе, пора высаживаться на континент, пора стальным клинком разрезать вонючий маргарин Совдепии, в неделю дойти до Москвы и восстановить монархию.

Однако когда началась Венгерская революция 1956 года, «Молодая волчья сотня» осталась ораторствовать в уютных барах Крыма, в то время как юноши из либеральных семей, все это барахло, никчемные поэтишки и джазмены, как раз и организовали баррикадный отряд, вылетели в Вену и пробрались в Будапешт прямо под гусеницы карательных танков.

Андрей Лучников тогда еле унес ноги из горящего штаба венгерской молодежи, кинотеатра «Корвин». Советская, читай русская, пуля сидела у него в плече. Потрясенный, обожженный, униженный дикой танковой беспощадностью своей исторической родины, он был доставлен домой какой-то шведской санитарной организацией. Из трех сотен добровольцев на Остров вернулось меньше пяти десятков. Разумеется, вернулись они героями. Портреты Андрея появились в газетах. Маруся Джерми не отходила от его ложа. К концу года раны борца за свободу затянулись, состоялась шумнейшая свадьба, которую некоторые эстеты считают теперь зарей новой молодежной субкультуры.

Среди многочисленных чудеснейших эпизодов этой свадьбы был и один безобразный: Игнатьев-Игнатьев, перегнувшись через стол, стал орать в лицо Лучникову: «А все-таки здорово наши выпустили кишки из жидомадьяр!» Хотели было его бить, но жених, сияющий и блистательный идол молодежи Андрэ, решил объясниться. Извини, Юра, но мне кажется, что-то есть лишнее между нами. Оказалось не лишнее: ненависть! Игнатьев-Игнатьев в кафельной тишине сортира ночного клуба «Blue Inn», икая и дрожа, разразился своим комплексом неполноценности. «Ненавижу тебя, всегда ненавидел, белая кость, голубая кровь, облюю сейчас всю вашу свадьбу».

До Лучникова тогда дошло, что перед ним злейший его враг, опаснейший еще и потому, что, кажется, влюблен в него, потому что соперником его считать нельзя. Потом еще были какие-то истерики, валянье в ногах, гомосексуальные признания, эротические всхлипы в адрес Маруси, коварные улыбки издалека, доходящие через третьи руки угрозы, но всякий раз на протяжении лет Лучников забывал Игнатьева-Игнатьева, как будто тот и не существует. И вот наконец — покушение на жизнь! В чем тут отгадка — в политической ситуации или в железах внутренней секреции?

— Ну хорошо, я уяснил себе опасность ситуации, — сказал Лучников. — Что из этого?

— Нужно принять меры, — сказал Бутурлин.

Отец молчал. Стоял в углу, глядел на замирающее в сумерках море и молчал.

— Сообщи в ОСВАГ, — сказал Лучников.

Бутурлин коротко хохотнул:

— Это несерьезно, ты знаешь.

— Какие меры я могу принять, — пожал плечами Лучников. — Вооружиться? Я и так, словно Бонд, не расстаюсь с «береттой».

— Ты должен изменить направление «Курьера».

Лучников посмотрел на отца. Тот молча перешел к другому окну, даже и не обернулся. Закатные небеса над холмами изображали битву парусного флота. Лучников встал и, прихватив с собой бутылку и пару сигар, направился к выходу из кабинета. Бутурлин преградил ему путь.

— Андрэ, я же не говорю тебе о коренном изменении, о повороте на сто восемьдесят градусов... Несколько негативных материалов о Союзе... Нарушение прав человека... насилие над художниками... ведь это же все есть на самом деле... тебе же не придется врать... ведь ты же печатаешь такие вещи... но ты это освещаешь как-то изнутри, как-то так... будто бы один из них, некий либеральный советчик... Ведь ты же сам, сознайся, Андрей, всякий раз возвращаешься оттуда, трясясь от отвращения... Пойми, несколько таких материалов, и твои друзья смогут тебя защитить. Твои друзья смогут тогда говорить: «Курьер» — это независимая газета Временной Зоны Эвакуации, руки прочь от Лучникова. Сейчас, ты меня извини, Андрей, — голос Бутурлина вдруг налился историческим чугуном, — сейчас твои друзья не могут этого сказать.

Лучников легонько отодвинул Фредди и прошел к дверям. Выходя, успел заметить, как Бутурлин разводит руками, — дескать, ну вот, с меня, мол, и взятки гладки. Отец не переменил позы и не окликнул Андрея.

Он ушел из «частных комнат» в свою башенку, открыл дверь комнаты, которая всегда ждала его, и некоторое время стоял там молча в темноте с бутылкой в руке и с двумя сигарами, зажатыми между пальцев. Потом медленно распустил шторы. Полыханье парусной битвы за плоскими скалами Библейской долины. Лучников лег на тахту и стал бездумно следить медленные перемещения деформированных и частично горящих фрегатов. Потом он увидел на полке над собой маленький магнитофон, до которого можно было дотянуться, не меняя позы, и это соблазнило его нажать кнопку.

Сразу в черноморской тишине взорвался заряд потусторонних звуков, говор странной толпы, крики чуждых птиц, налетающий посвист морозного ветра, отдаленный рев грубых моторов, какой-то лязг, стук пневмомолотка, какая-то дурацкая музыка — все это было чуждым, постылым и далеким, и это была земля его предков, коммунистическая Россия, и не было в мире для Андрея Лучникова ничего роднее.

Всю эту мешанину звуков электропилой прорезал кликушеский бабий голос: «Молитесь, родные мои, молитесь, сладкие мои! Нет у вас храма, в угол встаньте и молитесь!

Святого образа нет у вас, на небо молитесь! Нету лучшей иконы, чем небо!»

Прошлой зимой в Лондоне Лучников ни с того ни с сего купил место в дешевом круизе «Магнолия» и прилетел в Союз. Никому из московских друзей звонить не стал, путешествовал с группой западных мещан по старым городам — Владимир, Суздаль, Ростов-Великий, Ярославль, и не пожалел: «Интурист» англичанами занимался из рук вон плохо, часами мариновал на вокзалах, засовывал в общие вагоны, кормили частенько в обычных столовках — вряд ли когда-нибудь Лучников столь близко приближался к советской реальности.

Эту запись он сделал случайно. Гулял вокруг Успенского собора во Владимире и там услышал кликушу. В парке возле собора красовались аляповатые павильоны, раскрашенные жуткими красками, — место увеселения детворы, кажется, шли школьные каникулы. Изображения ракет и космонавтов. Дом напротив украшен умопомрачительно-непонятным лозунгом: «Пятилетке качества рабочую гарантию». Тащатся переполненные троллейбусы, бесконечная вереница грузовиков, в основном почему-то пустых. Большая чугунная рука, протянутая во вдохновенном порыве. И вдруг — кликуша, и, отвернувшись от животворной современности, видишь неизменных русских старух у обшарпанной стены храма, сонмы ворон, кружащих над куполами, распухшую бабу-кликушу и дурачка Сережу, Божьего человека, который курит «Беломор» и трясется рядом с бабой, потому что она — его родная мать вот уж сорок годков.

— Гляньте на Сережу, сладкие мои! Я ему на кровати стелю, а сама на полу сплю, потому что он — человек Божий. А ест Сережа с кошками и собаками, потому что все мы твари Божие и он дает нам понятие — природу не обижайте, сладкие мои!

Лучников с магнитофоном в кармане стоял среди старух. Те вынимали черствые булки и совали их в торбу юродивым. Распухшая баба быстро крестила всех благодетельниц и кричала все пронзительнее:

— Евреев не ругайте! Евреи — народ Божий! Это вам враги говорят евреев ругать, а вы по невежеству их слушаете.

Господа нашего не еврей продал, а человек продал, а и все апостолы евреями были!

Подошел милиционер — чего тут про евреев? — подошли молоденькие девчонки в пуховых шапочках — вот дает бабка! — но ни тот, ни другие мешать не стали, замолчали, смущенно топтались, слушая кликушу.

— Родные мои! Сладкие мои! Евреев не ругайте!

...Парусная битва меркла, фрегаты тлели, угольками угасали в нарастающей темноте, но все-таки тень, прошедшая по стене, была еще видна. Она прошла, исчезла и вернулась. Остановилась в чуткой позе, тень тоненькой девушки, потом толкнула дверь и материализовалась внутри комнаты Кристиной.

— Хай, Мальборо? Вы здесь?

Хулиганская рука ее блуждала недолго и вскоре безошибочно опустилась в нужное место, взялась за язычок молнии. В темноте он видел над собой светящиеся глаза Кристины и ее смеющийся рот, две полоски поблескивающих зубов. Потом упали вниз ее волосы и скрыли начинающийся девичий пир. Прикосновение

28

слизистой оболочки, и сразу он ощутил мгновенный и мощный подъем.

— ...Спасибо, родные мои! Господь вас храни! А кто бабу Евдокию видеть хочет, так автобусом до станции Колядино пусть едет, а там до Первой Пятилетки километр пеши, а изба наша с Сергунчиком — крайняя! Господь благослови! Дай Бог вам, сладкие мои, здоровья и мира! Утоли, Богоматерь, наши печали!

Чавканье размокшего снега под ногами, усиление музыки — «до самой далекой планеты не так уж, друзья, далеко...». Ослабление музыки, утробный хохот Сережи, радость олигофрена — сигарету получил, животные звуки, собственный голос:

— Можно я с вами поеду?

— Ты кто таков будешь? Не наш? — голос бабы Евдокии сразу перекрыл все звуки. Вот так они в старину созывали огромные толпы, без всяких микрофонов; особые голосовые данные русских кликуш.

— Нет, я русский, но из Крыма.

— Господь тебя благослови! Чего тебе с нами?

Невразумительное чавканье, оханье, кряхтенье — посадка в автобус. Визгливый голос, не хуже кликушеского, правда, через микрофон:

— Граждане, оплачивайте за проезд!

Да как же они все там говорят, разве по-русски?

...Кристина хотела доминировать, но Лучников не любил амазонок и после короткой борьбы вековая несправедливость восторжествовала — девушка была придавлена горой мышц. Предательская мысль, нередкая спутница лучниковских безобразий — «а вдруг упаду?» — появилась и сейчас, но девушка вовремя сдалась и тоненько и жалобно застонала, отдавая себя во власть свинскому племени мужчин, и он, ободренный капитуляцией, мощно вступил в сладкие и влажные пределы.

— ...Передайте за проезд. Куда вы давите? Да что это за люди? Ох народ пошел — зверь! Ухм-ухм-ухм — Сережа... Булочку хотите пососать, приезжий? Следующая остановка — автовокзал! Ай-ай-ай, да куда же он катится? Гололед...

— Я вас хочу спросить, мать Евдокия.

— Погоди, голубь мой, сначала я тебя спрошу: как у вас с продуктами в Крыму?

Шипенье пневмосистемы — открылись двери. Ворвался гул автостанции, крики — началась борьба на посадке.

— Вы где, простите, апельсины брали?

...Лучников забыл свои года и самозабвенно играл со слабенькой, но гибкой, постанывающей и вскрикивающей Кристиной, то мучил ее как наглый юноша-солдат, гонял, вбивал в тахту и в стенку, то вдруг наполнялся отеческими чувствами и нежно поглаживал мокрую кожу, то вдруг она как бы увеличивалась в размерах и представала как бы матерью, а он — дитя, и он тогда обсасывал мочки ее ушей, ключицы и в этих паузах набирал силы, чтобы снова стать наглым солдатом-захватчиком.

...Тонкий мужской голосок повествовал соседу:

— Я с сестрой ехал из Рязани, а тут в вагон ребята пьяные зашли. Сестре говорят — айда, девка, с нами, и, значит, руками берут мою сестру. Отдыхайте, говорю, мальчики, не мешайте людям отдыхать. Они мне в глаз зафилигранили и ушли. Ну, сижу и думаю, что за несправедливость.

Пришел в вагон мой друг Козлов, мы с ним вина выпили и пошли тех ребят искать. В соседнем вагоне нашли. Ну вот, сейчас поговорим по-хорошему! Тогда один из тех ребят локтем окно высаживает, вынимает длинную штуку стекла — такая у него находчивость — и начинает нас с Козловым этой штукой сажать, а другие нам выйти не дают. Вот вам и плачевные результаты: выписался из травматологии только вчера, а Дима еще лежит.

Голосишко все время уплывал, заглушался вдруг оглушительным газетным шорохом или кашлем, явственно доносился «танец маленьких лебедей» из транзистора. Собственный голос:

— Вы лечите людей, мать Евдокия?

Жуткий вопль всего автобуса, визг тормозов, усиливающийся вопль, грохот, сдавленные крики, стоны, скрежет. Еб-вашу-мать-мать-вашу-еб-в-сраку-вашу-мать-в-рот-в-рот-меня-ебать-блядь-позорная-пиздорванец-покалечил-нас-всех-помогите-люди-добрые!

Катастрофа, минутное молчание.

...Итак, приближается момент истины. Сдержанно рыча, Лучников приспосабливал девушку для последнего броска на колючую проволоку райских кущ.

В следующий момент они сравнялись, потеряли и зависимость, и доминанту, и все свои разницы и барьеры, сцепились, извергая из себя восторги, и полетели, приближаясь, приближаясь, приближаясь — и впрямь как будто увидели осколок чего-то чудесного — и удаляясь, удаляясь, удаляясь, пока не отпали друг от друга.

Его всегда удивляло, как быстро, почти мгновенно после любовных актов он начинал думать о постороннем, о делах, о деньгах, о машинах... Сейчас, отпав от Кристины и тихо поглаживая ее дрожащее плечо, он мигом перенесся в грязно-снежные поля, откуда вытекали магнитофонные звуки и где в разбухшем кювете лежал на боку рейсовый автобус Владимир — Суздаль.

Сильно пострадавших не было. Кажется, кто-то руку сломал, кто-то ногу вывихнул, остальные отделались ушибами. Детишки выли, бабы стонали, мужчины матерились. Подтягиваясь, подсаживая друг друга, пассажиры выбирались из автобуса через левые две-

30

ри, которые оказались теперь над головами. Лучников старался не смотреть на ужасное бабское белье под юбками. От Евдокии несло хлевом и мочой. Вдвоем с солдатом артиллерийских войск Лучников подсаживал бабу на выход, когда она вдруг запричитала:

— Сережа-то где? Сергунчика-то, родные мои, забыли? Где дитятко-то мое. Господи спаси! Сереженька, отзовись, мое золотце!

Дурак был завален в заднем углу кошелками и чемоданами. Тряслась его плешивая голова. Подвывая, он жрал апельсины, кусая их прямо через ячейки авоськи. Услышав зов, он вскочил с человеческим криком:

— Маманя!

Апельсиновый сок, ошметки кожуры на небритых Сережиных щеках.

Когда все выбрались, спрыгнули в кювет и солдат с Лучниковым, сразу по пояс в грязную обжигающую холодную жижу.

— Великолепно, — все время говорил солдат. — Обстановка великолепная.

На обочине уже стояло несколько грузовиков. По ледяной корке асфальта медленно юзом приближался автокран, ткнулся в кустики обочины и остановился. Остановился и встречный автобус. Толпа у места катастрофы росла.

— Я им, сукам, говорил, что нельзя в такой гололед выходить на линию! — кричал водитель упавшего автобуса. — Не выйдешь, говорят, партбилет положишь!

С мутных предвечерних небес пошел снег с дождем. Евдокия сидела на обочине, баюкала своего огромного дитятю. Сережа всхлипывал, уткнувшись ей в распухший живот. Взвыла сирена «скорой помощи». Появились две желто-синих милицейских машины.

— Мать Евдокия! — позвал Лучников.

Баба дико на него посмотрела, потом, видимо, узнала.

— Иди своей дорогой, приезжий, — незнакомым хриплым голосом сказала она. — Никого я не врачую и никаких ответов не знаю. Приезжай в Колядино летом, когда птахи поют, когда травка зеленая. Иди таперича!

— Благослови, мать Евдокия, — попросил Лучников.

Баба подняла было руку, но потом снова ее упрятала.

— Иди к своим немцам, в Крымию, у вас там церквей навалом, там и благословись.

Она отвернулась от Лучникова и выпятила нижнюю губу, как будто давая понять, что он для нее больше не существует.

— Очень великолепно! — гаркнул рядом солдат. Он уже тащил откуда-то стальной трос. — Сейчас бы бутылку — и полностью великолепно!

Лучников пошел по обочине обледеневшего шоссе в сторону города. Он поднял воротник своего кашмирового сен-жер-

31

менского пальто, обхватил себя руками, но мокрый злой ветер России пронизывал его до костей, и кости тряслись, и, тупо глядя на тянущиеся в полях длинные однообразные строения механизированных коровников, он чувствовал свою полную непричастность ко всему, что его сейчас окружало, ко всему, что здесь произошло, происходит или произойдет в будущем. Последнее, что записал его магнитофон, был крик капитана милиции:

— Проезжай, не задерживайся!

...Пока он все это слушал и вспоминал, Кристина выбралась из-под его бока. Она взяла с подоконника какой-то маленький комочек, встряхнула его, и это оказалось ее платье. Вскоре она, причесанная и в платье, сидела у стола, курила и наливала себе в стакан херес.

— Что это за дикие звуки? — спросила она, подбородком показывая на магнитофон.

— Это вас не касается, — сказал Лучников.

Она кивнула, погасила сигарету и потянулась.

— Ну, я, пожалуй, пойду. Благодарю вас, сэр.

— Я тоже вам благодарен. Это было мило с вашей стороны.

Уже в дверях она обернулась:

— Один вопрос. Вы, наверное, думали, что к вам Памела придет?

— Честно говоря, я ничего не думал на этот счет.

— Пока, — сказала Кристина. — Памела там внизу с Тони. Пока, мистер Мальборо.

— Всего доброго, Кристина, — очень вежливо попрощался Лучников. Оставшись в одиночестве, налил себе стакан и закурил сигарету.

«Да, совсем не трудно переменить курс «Курьера», — подумал он. — Нет ничего легче, чем презирать эту страну, нашу страну, мою, во всяком случае. Кстати, в завтрашнем номере как раз и идет репортаж о советских дорогах. Да-да, как это я забыл, это же внутренний диссидентский материал, ему цены нет. «Путешествие через страну кафе». Анонимный материал из Москвы, талантливое издевательство над кошмарными советскими придорожными кафе. Быть может, этого достаточно, чтобы на несколько дней сберечь свою шкуру?»

Он повернулся на тахте и снял телефонную трубку — в принципе можно не отлучаться с этого лежбища, если и девки сами сюда приходят, и в Россию можно вернуться нажатием кнопки, и с газетой соединиться набором восьми цифр.

Ответил Брук. Бодрый нагловатый пьяноватый голос:

— Courier! Associate editor Brook is here.

— Сколько раз вам говорить, Саша, вы все-таки работаете в русской газете, — проворчал Лучников.

— Вот вляпался! — так же весело и еще более пьяновато воскликнул Брук. — Это вы, чиф? Не злитесь. Вы же знаете наши кошмарные парадоксы: многим читателям трудновато изъясняться по-русски, а на яки я не секу, не врубаюсь. Вот по-английски и сходимся.

— Что там нового из Африки, Саша?

— Могу вас обрадовать. Рамка прислал из Киншасы абсолютно точные сведения. Бои на границе ведут племена ибу и ебу. Оружие советское, мировоззрение с обеих сторон марксистское. Мы уже заслали это в набор. На первую полосу.

— Снимите это с первой полосы и поставьте на восьмую. Так будет посмешнее.

— Вы уверены, чиф, что это смешное сообщение?

— Мне представляется так. И вот еще что, Саша. Выньте из выпуска тот московский материал.

Пауза.

— Вы имеете в виду «Путешествие через страну кафе», Андрей?

— Да.

— Но...

— Что?

Пауза.

— Какого черта! — заорал Лучников. — В чем дело? Что вы там мнетесь, Саша?

— Простите, Андрей, но... — Голос Брука стал теперь вполне трезвым. — Но вы же знаете... От нас давно уже ждут такого материала...

— Кто ждет?! — завопил Лучников. Ярость, словно морская звезда, влепилась в темную стену.

— Чем заменим? — холодно спросил Брук.

— Поставьте это интервью Самсонова с Сартром! Все! Через час я позвоню и проверю!

Он швырнул трубку, схватил бутылку, глотнул из горлышка, отшвырнул бутылку, крутанулся на тахте. От скомканного пледа пахло женской секрецией. Ишь чем решили шантажировать — жизнью!

Снова схватил трубку и набрал тот же номер. Легкомысленное насвистывание. Брук уже насвистывает этот идиотский хит «Город Запорожье».

— Courier! Associate edi...

— Брук, извините меня, я сорвался. Я вам позже объясню...

— Ничего, ничего, — сказал Брук. — Все будет сделано, как вы сказали.

Лучников вдруг стал собираться. Куда собираюсь — неясно. С такой мордой нельзя собираться. В таких штанах нельзя никуда собираться: от них разит проституцией. Как женской проституцией, так и мужской. Однако политической проституцией от них не пахнет. Для ночного Коктебеля сойдут и такие штаны. Ширинка будет наглухо застегнута. Это новинка для ночного Коктебеля — наглухо зашторенные штаны. Возьму с собой пачку денег. Где мои деньги? Вот советские шагреневые бумажки, вот доллары — к черту! Ассигнации Банка Вооруженных Сил Юга России — это валюта! Яки, кажется, уже забыли слово «рубль». У них денежная единица — «тича». Тысяча — тыща — тича. Смешно, но в «Известиях» в бюллетенях курса валют тоже пишут «тича». Крымские тичи: за 1,0 — 0,75 рубля. Деньги охотно принимаются во всех «Березках», но делается вид, что это не русские деньги, не рубли, что на них нет русских надписей «одна... две... сто тысяч рублей... Банк Вооруженных Сил Юга России». Вот это странная, но тем не менее вполне принимаемая всем народом черта в современной России, в Союзе — не замечать очевидное. Пишут в своих так называемых избирательных бюллетенях: «Оставьте одного кандидата, остальных зачеркните», а остальных-то нет, нет, и не было никогда! Фантастически дурацкий обман, но никто этого не замечает, не хочет замечать. Все хотят быть быдлом, комфортное чувство стада. Программа «Время» в советском ТВ — ежевечерняя лобэктомия. Однако и наши мастодонты мудацкие хороши — почему государственный банк с тупым упорством называется Банком Вооруженных Сил, да еще и Юга России??? Почему баронское рыло до сих пор на наших деньгах? Черт побери, если вы считаете себя хранителями русской культуры, изображайте на ассигнациях Пушкина, Льва Николаевича, Федора Михайловича... Экий герой — бездарный барон Врангель, спаситель «последнего берега Отечества». Быть может, это он создал Чонгарский пролив? А лейтенанта Бейли-Лэнда вообще не было? Лжецы и тупицы властвуют на русских берегах. Почему в Москве ко мне прикрепляют переводчика? Товарищи, посудите сами — зачем мне переводчик, нелепо мне ходить по Москве с переводчиком. Стучать на меня бессмысленно, секретов-то нету, это вы знаете. Спасибо и на этом. Но для чего же тогда? У нас так полагается — к важным гостям из-за границы прикрепляется переводчик. То есть вроде бы в Крыму не говорят по-русски? Вот именно. Ты же знаешь, Андрей, что, когда Сталин начал налаживать кое-какие связи с Крымом, он как бы установил, что там никто не говорит по-русски, что русским духом там и не пахнет, что это вроде бы совершенно иностранное государство, но в то же время как бы и не государство, как бы просто географическая зона, населенная неким народом, а народы нами любимы все как потенциальные потребители марксизма. Однако, возражаю я, ни Сталин, ни Хрущев, ни Брежнев никогда не отказывались от претензий на Крым как на часть России, не так ли? Верно, говорят умные друзья-аппаратчики. В территориальном смысле мы не отказываемся и никогда не откажемся и дипломатически Крым никогда не признаем, но в смысле культурных связей мы считаем, что там у вас полностью иноязычное государство. Тут есть какой-то смысл? Неужели не понимаешь, Андрюша? Тут глубочайший смысл — таким образом дается народу понять, что русский язык вне социализма не мыслим. Да ведь вздор полнейший, ведь все знают, что в Крыму государственный язык русский. Все знают, но как бы не замечают, вот в этом вся и штука. В этом, значит, вся штука? Да-да, именно в этом. Ну вот ведь и сам ты говоришь, что и у вас там много козлов, ну вот и у нас, Андрей, козлов-то немало. Конечно, вздор, конечно, анахронизм, но в некотором смысле полезный, цементирующий, как и многие другие сталинские анахронизмы. Да ведь, впрочем, Андрей Арсеньевич, тебя действительно иногда надо переводить на современный русский, то есть советский. Меня? Никогда не надо! Я, смею утверждать, говорю на абсолютно современном русском языке, я даже обе фени знаю — и старую и новую. Ах так? Тогда попробуй приветствовать телезрителей. Пожалуйста — «Добрый вечер, товарищи!». Ну вот, вот она и ошибка — надо ведь говорить: «Добрый вечер, дорогие товарищи», об интонации уж умолчим. Интонация у тебя, Андрей, совсем не наша. Знаем, знаем, что ты патриот, и твою Идею Общей Судьбы уважаем, грехи твои перед Родиной забыты, ты — наш, Андрей, мы тебе доверяем, но вот фразу «Нет слов, чтобы выразить чувство глубокого удовлетворения» тебе не одолеть. Так обычно мирно глумился над Лучниковым новый его друг — не разлей вода, умнейший и хитрейший Марлен Кузенков, шишка из международного отдела ЦК.

Значит, нечто общее есть и в Москве и в Симферополе? Общее нежелание замечать существующие, но неприятные факты, цепляние за устаревшие формы: все эти одряхлевшие «всероссийские учреждения» в Крыму, куда и мухи уже не залетают, и элитарное неприсоединение к гражданам страны, которой мы сами же и управляем, — это словечко «врэвакуант» и московское непризнание русских на Острове, и все их бюллетени, и почему-то Первая Конная армия, когда ни слова о Второй, и почему-то в юбилейных телефильмах об истории страны ни Троцкого, ни Бухарина, ни Хрущева — куда же канул-то совсем недавненький Никита Сергеевич, кто же Гагарина-то встречал? — да все эти московские фокусы с неупоминаниями и не перечислишь, но... но раз и у нас тут существует такая тенденция, значит, может быть, и не в тоталитаризме тут отгадка, а, может быть, просто в некоторых чертах национального характера-с? Характерец-то, характеришка-то у нас особенный. Не так ли? У кого, например, еще существует милейшая поговорочка «Сор из избы не выносить»? Кельты, норманны, саксы, галлы — вся эта свора избы небось свои очищала, вытряхивала сор наружу, а вот гордый внук славян заметал внутрь, имея главную цель — чтоб соседи не видели. Ну а если все эти гадости из национального характера идут, значит, все оправданно, все правильно, ведь мы же и говном себя называем, а вот англичанин говном себя не назовет.

Придя в конце концов после довольно продолжительных размышлений к этому несколько вонючему выводу, Андрей Арсеньевич Лучников обнаружил себя несущимся в своей рявкающей машине по серпантину, который переходил сразу в главную улицу Коктебеля, заставленную многоэтажными отелями. Обнаружив себя здесь, он как бы вспомнил свои предшествующие движения: вот вышел, размахивая пачкой «тичей» из Гостевой башни, вот энергично двигался по галерее, вот чуть притормозил, увидев на парапете неподвижный контур Кристины, вот прошел мимо, вот засвистал что-то демонстративно старомодное, «Сентиментальное путешествие», вот чуть притормозил, увидев в освещенном окне библиотеки молчаливо стоящую фигуру отца, вот прошел мимо во двор и перепрыгнул, словно молодой, через бортик «Питера», услышал призывный возглас Фредди: дескать, возьми с собой, и тут же включил зажигание.

Сейчас, обнаружив себя среди ночи подъезжающим к злачным местам своей юности и вспомнив все свое сегодняшнее поведение, Андрей Арсеньевич так изумился, что резко затормозил. Что происходит сегодня с ним? Он обернулся. Зеленое небо в проеме улицы, серп луны над контуром Сюрю-Кая. В боковой улочке, уходящей к морю, медленно вращается светящийся овал найтклаба «Калипсо». Пронзительный приступ молодости. Ветер, прилетевший из Библейской долины, согнул на миг верхушки кипарисов, вспенил и посеребрил листву платана, взбудоражил и закрутил Лучникова. Что обострило сегодня все мои чувства — появившаяся опасность, угроза? Совершенно забытое появилось вновь — простор и обещания коктебельской ночи.

У входа в «Калипсо» стояло десятка полтора машин. Несколько стройных парней-яки пританцовывали на асфальте в меняющемся свете овала. Вход — 15 тичей. За двадцать лет, что Лучников здесь не был, заведение стало фешенебельным. Когда-то здесь в гардеробной висела большая картина, которую лучниковская компания называла «художественной». На ней была изображена нимфа Калипсо с большущими грудями и татарскими косами, которая с тоской провожала уплывающего в пенных волнах татарина Одиссея. Теперь в той же комнате по стенам вился изысканнейший трех-, а может быть, и четырехсмысленный рельеф, изображающий приключения малого как сперматозоид Одиссея в лоне гигантской, разваленной на десятки соблазнительных кусков Калипсо. Все это было подсвечено, все как бы дышало и трепетало, двигались кинетические части рельефа. Лучников подумал, что не обошлось в этом деле без новых эмигрантов. Уж не Нусберг ли намудрил?

36

Едва он вошел в зал и направился к стойке, как тут же услышал за спиной чрезвычайно громкие голоса:

— Смотрите, господа, редактор «Курьера»!

— Андрей Лучников собственной персоной!

— Что бы это значило — Лучников в «Калипсо»?

Говорили по-русски и явно для того, чтобы он обернулся. Он не обернулся. Присев к стойке, он заказал «Манхэттан» и попросил бармена сразу после идиотской песенки «Город Запорожье» — должно быть, не меньше десяти раз уже крутили за сегодняшний вечер? Не менее ста, сэр, у меня уже мозжечок расплавился, сэр, от этого «Запорожья»! — так вот сразу после этого включите, пожалуйста, музыку моей юности «Serenade in Blue» Глена Миллера. С восторгом, сэр, ведь это и моя юность тоже. Не сомневался в этом. Мне кажется, сэр, я вас уже встречал. Еще сомневаетесь? Не исключено, что вы из Евпатории, сэр. Кажется, там у вас отель. Смешно, Фадеич... Как вы меня?.. Смешно, говорю, Фадеич, прошло двадцать лет, я стал знаменитым человеком, а ты так и остался занюханным буфетчиком, но вот я тебя прекрасно узнаю, а ты меня, хер моржовый, не узнаешь. Андрюша! Хуюша! Не надо сквернословить! Ну а обняться-то можно, а? Слегка всплакнуть? Слышишь серебряные трубы — Глен Миллер бэнд!.. Голубая серенада, 1950 год, первые походы в «Калипсо»... первые поцелуи... первые девушки... драки с американскими летчиками...

Хлопая по спине и по скуле Фадеича, слушая свинговые обвалы Миллера, Лучников вдруг осознал, что привело его в эту странную ночь именно сюда — в «Калипсо». В юности здесь всегда была пленительная атмосфера опасности. Неподалеку за мысом Хамелеон находилась американская авиабаза, и летчики никогда не упускали возможности подраться с русскими ребятами. Быть может, и сегодня, неожиданно помолодев от ощущения опасности, от словца «покушение», Лучников почувствовал желание бросить вызов судьбе, а где же бросить вызов судьбе, как не в «Калипсо».

Признаться в этом даже самому себе было стыдно. Все здесь переменилось за два десятилетия. Клуб стал респектабельным, дорогим местом вполне благопристойных развлечений верхушки среднего класса, секс перестал быть головокружительным приключением, а летчики, постарев, демонтировали базу и давно уже отбыли в свои Миллуоки.

Остался старый Фадеич, и даже вспомнил меня, это приятно. Сейчас допью «Манхэттан» и уеду домой в Симфи и завтра в газету, а через три дня в самолет — Дакар, Нью-Йорк, Париж, конференция против апартеида, сессия Генеральной Ассамблеи, встреча редакторов ведущих газет мира по проблеме «Спорт и политика» и, наконец, Москва.

Вдруг он увидел в зеркале за баром своего сына, о котором он, планируя следующую неделю, гнуснейшим образом забыл. Что же удивляться — мы потеряли друг друга, потому что не ищем друг друга. Распланировал всю неделю — Дакар, Нью-Йорк, Париж, Москва и даже не вспомнил о сыне, которого не видел больше года.

С кем он сидит? Странная компания. В глубине зала — в нише — бледное длинное лицо Антошки, золотая головка Памелы на его плече, а вокруг за столом четверо плотных мужланов в дорогих костюмах, браслеты, золотые «Роллексы». Ага, должно быть, иностранные рабочие с Арабатской стрелки.

— Там мой сын сидит, — сказал он Фадеичу.

— Это твой сын? Такой длинный.

— А кто там с ним, Фадеич?

— Не знаю. Первый раз вижу. Это не наша публика.

Нынешний Фадеич за стойкой как завкафедрой, седовласый мэтр, а под началом у него три шустрых итальянца. Лучников махнул рукой и крикнул сыну:

— Антоша! Памела! Идите сюда! Приготовь шампанского, Фадеич, — попросил старого друга.

Щелчок пальцами — серебряное ведерко с бутылкой «Вдовы» мигом перед нами. Однако где же наш сын? В конце концов, необходимо познакомить его с Фадеичем, передать эстафетную палочку поколений. Не хочет подойти — пренебрегает? Generation gap? В зеркале Лучников, однако, видел, что Антон хочет подойти, но каким-то странным образом не может. Он сидел со своей Памелой в глубине ниши, а четверо богатых дядек вроде бы зажимали его там, как будто не давали выйти. Какие-то невежливые.

— Какие-то там невежливые, — сказал Лучников Фадеичу и заметил, что тот весьма знакомым образом весь подобрался — как в старые времена! — и сощуренными глазами смотрит на невежливых.

— That's true, Андрей, — проговорил медленно и так знакомо улыбаясь Фадеич. — Они невежливые.

Подхваченный восторгом, Лучников спрыгнул с табуретки.

— Пойду, поучу их вежливости, — легко сказал он и зашагал к нише.

Пока шел под звуки «Голубой серенады», заметил, что симферопольские интеллектуалы смотрят на него во все глаза.

Подойдя, Лучников взял руку одного из дядек и сжал. Рука оказалась на удивление слабой. Должно быть, от неожиданности: у такого мордоворота не может быть столь слабая рука. Лучников валял эту руку, чуть ли не сгибал ее.

— В чем дело, Антоша? — спросил он сына. — Что это за люди?

— Черт их знает, — пробормотал растерянно Антон. Как растерялся, так небось по-русски заговорил. — Подошли к нам, сели и говорят — вы отсюда не выйдете. Что им надо от нас — не знаю.

— Сейчас узнаем, сейчас узнаем. — Лучников крутил слабую толстую руку, а другой свободной рукой взялся расстегивать пиджак на животе незнакомца. В старые времена такой прием повергал противника в панику.

Между тем к нише подходили любопытные, и среди них симфи-пипл, те, что его знали. С порога за этой сценой наблюдал дежурный городовой. Кажется, Фадеич с ним перемигивался.

Четверо были все мужики за сорок и говорили на яки с уклоном в татарщину, как обычно изъяснялись на острове турки, работающие в «Арабат ойл компани».

— Гив май хэнд, ага, — попросил Лучникова пленник. — Кадерлер вери мач, пжалста, Лучников-ага.

Лучников отпустил руку и дал им всем выйти из ниши, одному, другому, третьему, а на четвертого показал сыну:

— Поинтересуйся, Антон, откуда джентльменам известно наше имя.

Мальчик быстро пошел за четвертым и в середине зала мгновенным и мощным приемом карате зажал его. Лучников пришел в восторг. Этот прием был как бы жестом дружбы со стороны Антона: несколько лет назад они вместе брали уроки карате.

— Откуда ты знаешь моего отца? — спросил Антон.

— Ти Ви... яки бой... Ти Ви... юк мэскель... кадерлер... ма-ярта... сори мач... — кряхтел четвертый.

— Он тебя на телевизии видел, — как бы перевел Антон. — Извиняется.

— Отпусти его, — сказал Лучников.

Он хлопнул сына по плечу, тот ткнул его локтем в живот, а Памела, хохоча, шлепнула обоих мужчин по задам. Четверо мигом улетучились из «Калипсо». Городовой, засунув руки за пояс с мощным «кольтом», вышел вслед за ними. Симфи-пипл аплодировал. Сцена получилась как в вестерне. Молодым огнем сияли глаза Фадеича.

Они выпили шампанского. Памела с интересом посматривала на Лучникова, должно быть прикидывая, была ли у него Кристина и что из этого вышло. «Очевидно, возможен был и другой вариант», — решил Лучников. Антон рассказывал Фадеичу разные истории о карате, как ему пригодилось его искусство в разных экзотических местах мира. Фадеич серьезно и уважительно кивал.

Когда они втроем вышли на улицу, обнаружилось, что три колеса дедушкиного «Лэндровера» пропороты ножом. «Неужели СВРП занимается такими мелкими пакостями? — подумал Лучников. — Может быть, сам Иг-Игнатьев? На него это похоже».

К ним медленно, все та же шерифская кинематографическая походочка, подходил городовой. Рядом кучкой брели присмиревшие четверо злоумышленников.

— Видели, офицер? — Лучников показал городовому на «Лэндровер».

— Эй, вы, — позвал городовой четверых. — Расскажите господам, что вы знаете.

Четверо сбивчиво, но с готовностью стали рассказывать. Оказалось, что они попросту шли в «Калипсо» повеселиться, когда к ним подошел какой-то ага, предложил двести тичей... двести тичей? Вот именно — двести... и попросил попугать «щенка Лучникова». Ну, настроение было хорошее, ну вот и согласились сдуру. Оказалось, что этот ага все время сидел в «Калипсо» и за всей этой историей наблюдал, а потом выскочил перед ними на улицу, проткнул даггером шины у «Лэндровера», сел в свою машину и укатил. Ярко-желтый, ага, сори мина, старый «Форд», кандерлер.

— А какой он был, тот ага? — спросил Лучников. — Вот такой? — И попытался изобразить Игнатьева-Игнатьева, как бы оскалиться, расслюнявиться, выкатиться мордой вперед в ступорозном взгляде.

— Си! Си! — с восторгом закричали они. — Так, ага!

— Вы знаете его? — спросил городовой Лучникова.

— Да нет, — махнул рукой Лучников. — Это я просто так. Должно быть, псих какой-нибудь. Забудьте об этом, офицер.

— Псих — это самое опасное, — наставительно проговорил городовой. — Нам здесь психи не нужны. У нас тут множество туристов, есть и советские товарищи.

Тут на груди у него забормотал и запульсировал уоки-токи, и он стал передавать в микрофон приметы «психа», а Лучников, Антон и Памела зашли за угол, где и обнаружили красный «турбо» в полной сохранности.

— Можете взять мой кар, ребята, — сказал Лучников. — А я тут немного поброжу в одиночестве.

— Да как же ты, па...— проговорил Антон.

Памела молчала, чудно спокойно улыбаясь, прижавшись щекой к его плечу. Лучников подумал: вполне сносная жена для Антошки. Вот бы поженились, гады.

— У меня сегодня ночь ностальгии, — сказал он. — Хочу побродить по Коктебелю. Да ты не бойся, я вооружен до зубов. — Он хлопнул себя по карману «сафари», где и в самом деле лежала «беретта».

Медленно растворялось очарование ночи, малярийный приступ молодости постепенно проходил. Гнусноватое выздоровление. Ноги обретали их собственную тяжесть. Лучников шел по Коктебелю и почти ничего здесь не узнавал, кроме пейзажа. Тоже, конечно, не малое дело — пейзаж.

Вот все перекаты этих гор, под луной и под солнцем, соприкосновение с морем, скалы и крутые лбы, на одном из которых у камня Волошина трепещет маслина, — все это столь отчетливо указывает нам на вездесущее присутствие Души. Вдруг пейзаж стал резко меняться. Лунный профиль Сюрю-Кая значительно растянулся, и показалось, что стоишь перед обширной лунной поверхностью, изрезанной каньонами и щелями клыкастых гор. Ошеломляющая новизна пейзажа! За волошинским седым холмом вдруг вырос некий базальтовый истукан. Шаг в сторону — из моря поднимается неведомая прежде скала с гротом у подножия... Тогда он вспомнил: Диснейлэнд для взрослых! Он уже где-то читал об этом изобретении коктебельской скучающей администрации. Так называемые «Аркады Воображения». Экое свинство — ни один турист не замечает перехода из мира естественного в искусственный: первозданная природа вливается сюда через искусно замаскированные проемы в стенах. Вливается и дополняется замечательными имитациями. Каждый шаг открывает новые головокружительные перспективы. У большинства посетителей возникает здесь особая эйфория, необычное состояние духа. Не забыта и коммерция. Там и сям в изгибах псевдомира разбросаны бары, ресторанчики, витрины дорогих магазинов. Никому не приходит в голову считать деньги в «Аркадах Воображения», тогда как швырять их на ветер считает своим долгом каждый.

За исключением, конечно, «советских товарищей». Гражданам развитого социализма швырять нечего, кроме своих суточных. Эйфория и у них возникает, но другого сорта, обычная советская эйфория при виде западных витрин. Вежливо взирая на коктебельские чудеса, дисциплинированно тащась за гидами, туристские группы с севера, конечно же, душой влекутся не к видам «воображения», но к окнам Фаберже, Тестова, Сакса, мысленно тысячный раз пересчитывая валюту, все эти паршивые франки, доллары, марки, тичи...

В глухой и пустынный час Лучников увидел в «Аркадах Воображения» вдалеке одинокую женскую фигуру. Без сомнения, советский человек, кто же еще посреди ночи на перекрестке фальшивого и реального миров, под накатом пенного и натурально шипящего, но тем не менее искусственного прибоя, будет столь самозабвенно изучать витрину парфюмерной фирмы.

Лучников решил не смущать даму и пошел в сторону, поднимаясь по каким-то псевдостаринным псевдоступеням, пока вдруг не вышел в маленькую уютную бухточку, за скалами которой светился лунный простор. Здесь оказалось, что он не удалился от дамы и парфюмерной витрины, а, напротив, значительно приблизился.

Она его не замечала, продолжая внимательнейшую инспекцию и чтение призывов Елены Рубинштейн, и он мог бы теперь,

41

если бы верил своим глазам, внимательно ее рассмотреть, но он не поверил своим глазам, когда увидел ее ближе.

Он сделал еще несколько шагов в сторону от советской дамы и таким образом приблизился к ней настолько, что теперь уже трудно было глазам своим не поверить...

Он смотрел на ее плащ, туго перетянутый в талии, на милый пук выцветших волос, небрежно схваченный на затылке, на загорелое красивое лицо и лучики морщинок, идущие к уху, будто вожжи к лошади. Она, прищурившись, смотрела на флаконы, тюбики, банки и коробки и тихо шевелила потрескавшимися губами, читая английский текст. «Такую женщину невозможно сымитировать, — подумал Лучников. — Поверь своим глазам и не отмахивайся от воспоминаний».

— Таня! — позвал он.

Она вздрогнула, выпрямилась и почему-то зажала ладонью рот. Должно быть, голос его раздался прямо у нее над ухом, ибо он видел, как она осматривается вокруг, ища его на близком расстоянии.

— Андрей, это ты?! — донесся до него отчаянно далекий ее голос. — Где ты? Андрей!

Он понимал: здесь «Аркада Воображения», эти мерзавцы все перепутали, и она может его увидеть, как крохотную фигурку вдалеке, и тогда он стал махать ей обеими руками, стащил куртку, махал курткой, пока наконец не понял, что она заметила его. Радостно вспыхнули ее глаза. Ему захотелось тут же броситься и развязать ей кушак плаща и все с нее мигом стащить, как бывало он делал в прошлые годы.

И вот началась эйфория. Подняв руки к небу, Андрей Арсеньевич Лучников стоял посреди странного мира и чувствовал себя ошеломляюще счастливым. Система зеркал, отсутствие плоти, акустика, электронная пакость, но так или иначе, я вижу ее и она видит меня.

Отец, сын, любовь, прошлое и будущее — все соединилось и взбаламутилось непонятной надеждой. Остров и Континент, Россия... Центр жизни, скрещенье дорог.

— Танька, — сказал он. — Давай-ка поскорей выбираться из этой чертовой «комнаты смеха».

Арсений Николаевич, разумеется, не спал всю ночь, много курил, вызвал приступ кашля, отвратительный свист в бронхах, а когда наконец успокоилось, еще до рассвета, открыл в кабинете окно, включил Гайдна и сел у окна, положив под маленькую лампочку том русской философской антологии. Открыл ее наугад — оказался Павел Флоренский.

Прочесть ему, однако, не удалось ни строчки. В предрассветных сумерках через перила солярия перелез Антошка и зашлепал босыми ногами прямо к окну дедовского кабинета. Сел на подоконник. Здоровенная ступня рядом с антологией. Вздохнул. Посмотрел на розовеющий восток. Наконец спросил:

— Дед, можешь рассказать о самом остром сексуальном переживании в твоей жизни?

— Мне было тогда примерно столько же, сколько тебе сейчас, — сказал дед Арсений.

— Где это случилось?

— В поезде, — улыбнулся дед Арсений и снова закурил, позабыв о недавнем приступе кашля. — Мы отступали, попросту драпали, Махно смешал наши тылы, Москву мы не взяли и теперь бежали к морю. Однажды остаток нашей роты, человек двадцать пять, погрузился в какой-то поезд возле Елизаветграда. Елки точеные, поезд был битком набит девицами, в нем вывозили «смолянок». Бедные девочки, они потеряли своих родных, не говоря уже о своих домах, больше года их состав кочевал по нашим тылам. Они были измученные, грязненькие, но наши, наши девочки, те самые, за которыми мы еще недавно волочились, вальсировали, понимаешь ли, приглашали на каток. Они тоже нас узнали, поняли, что мы свои, но испугались — во что нас превратила Гражданская война — и, конечно, приготовились к капитуляции. Свою девушку я сразу увидел, в первом же купе, ее личико и острые плечики, у меня, милейший, просто голова закружилась, когда я понял, что это моя девушка. Не знаю, откуда только наглость взялась, но я почти сразу пригласил ее в тамбур, и она тут же встала и пошла за мной. В тамбуре были мешки с углем, я постелил на них свою шинель, а винтовку поставил рядом. Я подсадил ее на мешки, она подняла юбку. Никогда, ни до, ни после, я острее не чувствовал физической любви. Поезд остановился на каком-то полустанке, какие-то мужики пытались разбить стекло и влезть в тамбур, но я показывал им винтовку и продолжал любить мою девушку. Мужики тогда поняли, что происходит, и хохотали за стеклом. Она, к счастью, этого не видела, она сидела спиной к ним на мешках.

— Потом ты ее потерял? — спросил Антон.

— Да, потерял надолго, — сказал дед Арсений. — Я встретил ее много лет спустя, в 1931 году в Ницце.

— Кто же она? — спросил Антон.

— Вот она, — дед Арсений показал на портрет своей покойной жены, матери Андрея.

— Бабка?!! — вскричал Антон. — Арсений, неужели это была моя бабушка?

— Sure, — смущенно сказал дед почему-то по-английски.

II
Программа «Время»

Татьяна Лунина вернулась из Крыма в Москву утром, а вечером уже появилась на «голубых экранах». Помимо своей основной тренерской работы в юниорской сборной по легкой атлетике, она была еще и одним из семи спортивных комментаторов программы «Время», то есть она, Татьяна сия, была личностью весьма популярной. Непревзойденная в прошлом барьеристка — сто десять метров сумасшедших взмахов чуднейших и вечно загорелых ног, полет рыжей шевелюры и финишный порыв грудью к заветной ленточке, — она унесла из спорта и рекорд, и чемпионское звание, и если звание, что естественно, на следующий год отошло к другой девчонке, то рекорд держался чуть ли не десять лет, только в прошлом году был побит.

Она вернулась в Москву взбаламученная неожиданным свиданием с Андреем (ведь решено было еще год назад больше не встречаться, и вот все снова), весь полет думала о нем, даже иногда вздрагивала, когда думала о нем с закрытыми глазами, а глаза и открывать-то не хотелось, она просто обо всем на свете позабыла, кроме Андрея, и уж прежде всего позабыла о своем законном супруге, супружнике, или, как она его попросту называла, — «Суп». Однако он-то о ней, как обычно, не забыл, и первое, что она выделила из толпы за таможенным барьером, была статная фигура супруга-десятиборца. Приехал встречать на своей «Волге», со всем своим набором московского шика: замшевым пиджаком, часами «Сейко», сигаретами «Винстон», зажигалкой «Ронсон», портфелем «дипломат» и маленькой сумочкой на запястье, так называемой «пидираской». Чемоданчиком своим, поглядыванием на «Сейку», чирканьем «Ронсоном», а также озабоченным туповато-быковатым взглядом муж как бы показывал всем окружающим, возможным знакомым, а может быть, и самому себе, что он здесь чуть ли не случайно, просто, дескать, выдался часок свободного времени, вот и решил катануть в Шереметьево встретить супружницу. Тане, однако, достаточно было одного взгляда, чтобы понять, как он ее ждет, с каким подсасыванием внизу живота, как всегда предвкушает. Достаточно было одного взгляда, чтобы вспомнить о пятнадцатилетних отношениях, обо всем этом: медленное размеренное раздевание, притрагиванье к соскам и к косточкам на бедрах, нарастающий с каждой минутой зажим, дрожь его сокрушительной похоти и свою собственную мерзейшую сладость. Пятнадцать лет, день за днем, и больше ему ничего не надо.

— Вот такие дела, Танька, вот такие, Татьяна, дела, — говорил он по дороге из аэропорта, вроде бы рассказывая с чем-то, что произошло в ее отсутствие, сбиваясь, повторяя, чепуху какую-то нес, весь сосредоточенный на предвкушении. В Москве, конечно, шел дождь. Солнце, ставшее здесь в последние годы редким явлением природы, бледным пятачком висело в мутной баланде над черными тучами, наваливавшимися на башни жилквартала, на огромные буквы, шагающие с крыши на крышу: «Партия — ум, честь и совесть нашей эпохи!» Тане хотелось отвернуться от всего этого сразу — столь быстрые перемены в жизни, столь нелепые скачки! — но она не могла отвернуться и смотрела на тучи, на грязь, летящую из-под колес грузовиков, на бледный пятак и огненные буквы, на быковатый наклон головы смущенного своим бесконечным предвкушением супруга и с тоской думала о том, как быстро оседает поднятая Лучниковым сердечная смута, как улетает в прошлое, то есть в тартарары, вечный карнавал Крыма, как начинает уже и в ней самой пошевеливаться пятнадцатилетнее привычное предвкушение.

Он хотел было начать свое дело чуть ли не в лифте, потом на площадке, и в дверях и, конечно, дальше прихожей он бы ее не пропустил, но вдруг она вспомнила Лучникова, сидящего напротив нее в постели, освещенного луной и протягивающего к ней руку, вспомнила и окаменела, зажалась, дернулась, рванулась к дверям. Вот идиотка, забыла, вот ужас, забыла сдать, нет-нет, придется подождать, милейший супруг, да нет же, мне нужно бежать, я забыла сдать, да подожди же в самом деле, пусти же в самом деле, ну как ты не понимаешь, забыла сдать валютные документы! Какая хитрость, какой инстинкт — в позорнейшей возне, в диком супружеском зажиме сообразила все-таки, чем его можно пронять, только лишь этим, каким-нибудь священным понятием: валютные документы — он тут же ее отпустил. Татьяна выскочила, помчалась, не дав ему опомниться, скакнула в лифт, ухнула вниз, вырвалась из подъезда, перебежала улицу и, уже плюхаясь в такси, заметила на балконе полную немого отчаяния фигуру супруга, статуя Титана с острова Пасхи.

В Комитете ей сегодня совершенно нечего было делать, но она ходила по коридорам очень деловито, даже торопливо, как и полагалось тут ходить. Все на нее глазели: среди рутинного служилого люда, свыкшегося уже с застоявшейся погодой, она, загорелая и синеглазая, в белых брюках и в белой же рубашке из плотного полотна — костюм, который ей вчера купил Андрей в самом стильном магазине Феодосии, — она выглядела существом иного мира, что, впрочем, частично так и было: ведь вчера еще вечером неслась в «литере» под сверкающими небесами, вчера еще ночью в «Хилтоне» мучил ее любимый мужик, вчера еще ужинали во французском ресторане на набережной, смотрели на круизные суда и яхты со всех концов мира, а над ними каждые четверть часа пролетали в темном небе «Боинги» на Сингапур, Сидней, Дели... и обратно.

Вот так дохожусь я тут в Комитете проклятом до беды, подумала она, и действительно доходилась. Из Первого отдела вышла близкая подруга секретарша Веруля с круглыми глазами.

— Татьяна, «телега» на тебя, ну поздравляю, такую раньше и не читала.

— Да когда же успели?

— Успели...

— А кто?

— Не догадываешься?

Она догадывалась, да, впрочем, это и не имело значения, кто автор «телеги». Она и не сомневалась ни на минуту, что после встречи с Лучниковым явится на свет «телега». Поразила ее лишь оперативность — сразу, значит, с самолета стукач помчался в Первый отдел.

— Ой, мамочка, там написано, деточка-лапочка, будто ты две ночи с белогвардейцем в отеле жила. Врут, конечно?

Они устроились в закутке, за машбюро, куда никто не заходил, и там курили привезенные Татьяной сигареты «Саратога». Веруля, запойная курильщица, готова была за одну такую сигарету продать любую государственную тайну.

— Не врут? Ну, поздравляю, Танька. Да я не за две, а за одну такую ночь, за полночи, за четвертиночку всю эту шарашку со всеми стукачами на хер бы послала.

«Дела, — подумала Татьяна Лунина, так и подумала в манере своего мужа, — ну и дела». Как ни странно, атмосфера Комитета со снующими по коридорам бывшими чемпионами успокаивала и бодрила. Все эти деятели спортивного ведомства сами были либо героями каких-либо «телег», либо сочинителями, а часто и тем и другим одновременно. То и дело кто-нибудь становился «невыездным» на год — на два — на три, но, если

46

за это время не опускался, не спивался, не «выпадал в осадок», в конце концов его снова начинали посылать сначала в соц-, а потом и в капстраны. Так что иначе как словом «дела» об этом и не подумаешь, да и думать не стоит. Мысль об Андрее в этот момент Татьяну не посетила. Она подарила Веруле всю парфюмерию, которая у нее оказалась в сумке, и рассказала о белом костюме, который вроде вот и не глядится здесь в Москве, а между тем куплен в феодосийском «Мюр-Мерюлизе» за шестьсот тичей и там-то он глядится, любой западный человек с первого взгляда понимает, где такая штука куплена. Тут до нее в закуток стало иногда долетать ее собственное имя. «Лунину не видели?» «Говорят, Таня Лунина здесь». «Сергей Палыч спрашивал — не здесь ли товарищ Лунина?» Она поняла, что нужно побыстрее смыться.

— Какая странная жизнь, — вздохнула прыщеватая лупоглазенькая Веруля. — Ведь здесь за такой костюм и двадцатника не дадут, а джинсовка идет за двести. Сколько стоит, Танька, в Крыму джинсовый сарафан с кофточкой?

— Тридцать пять тичей, — с полной осведомленностью сказала Татьяна. — А на «сейле» можно и за двадцать.

— Ах, как странно, как странно... — прошептала Веруля.

Тут прошел по близкому коридору какой-то массовый топот, голоса, стук дверей, и сразу все затихло: началось собрание. Татьяна тогда быстро расцеловала погруженную в размышления Верулю, выскочила в коридор, прошлепала вниз по лестнице, распахнула двери в переулок и увидела напротив зеленую «Волгу» и за рулем истомившегося ожиданием супруга. «Ну, ничего не поделаешь», — подумала тогда она и направилась к машине. Наличие «телеги» в секретном отделе как бы приблизило к ней мужа, и в предстоящем совокуплении уже не виделось ей ничего противоестественного.

И все-таки опять сорвались у супруга сокровенные планы. Какие-то злые силы держали его сегодня за конец на вечном взводе. Эдакие сверхнагрузки, перегрузки не всякий и выдержит без соответствующей подготовки. Едва они подъехали к своему кооперативу на бетонных лапах — «чертог любви», так его застенчиво называл в тайниках души бывший десятиборец, — как тут же у него сердце екнуло: у подъезда стоял «рафик» с надписью «Телевидение», а на крыльце валандались фраера из программы «Время» — явно по Танькину душу. Оказалось, некому сегодня показаться на экране: из всех спорткомментаторов одна Лунина в городе. А если бы самолет опоздал, тогда как бы обошлось? Тогда как-нибудь обошлись бы, а вот сейчас никак не обойдемся. Логика, ничего не скажешь. Что же это за жизнь такая пошла, законный супруг законной супруге целый день не может вправить. Какой-то скос в жизни, не полный порядок.

Даже Татьяна немного разозлилась и, разозлившись, тут же поняла, что это уже московская злость и что она уже окончательно вернулась в свой настоящий мир, а Андрей Лучников снова — в который уже раз — уплыл в иные, не вполне реальные пространства, куда вслед за ним уплыл и Коктебель, и Феодосия, и весь Крым, и весь Западный мир.

Тем не менее она появилась в этот вечер на экранах на обычном фоне Лужников какая-то невероятная и даже идеологически не вполне выдержанная. Она читала дурацкие спортивные новости, а миллионам мужиков по всей стране казалось, что она вещает откровения Эроса. Супруг имел ее на ковре у телевизора. Он так все-таки умело сконцентрировался, что теперь доводил ее до изнеможения. Он был влюблен в каждую ее жилочку и весьма изощрен в своем желании до каждой жилочки добраться. Надо сказать, что он никогда ее не ревновал: хочешь романтики, ешь на здоровье, трахаешься на стороне, ну и это не беда, лишь бы мне тоже обламывалось.

III
Хуемотина

Виталий Гангут ранее, еще год назад, находя
в себе какие-либо малейшие признаки старения, очень расстраивался, а теперь вот
как-то пообвыкся: признаки, дескать, как
признаки— ну, волосок седой полез, ну,
хруст в суставах, ну, что-то там иногда с
мочевым пузырем случается, против биоло-
гии не очень-то возразишь. Призванная на
помощь, верная спутница жизни ирония
весьма выручала. Как же иначе прикажете
встречать все эти дела, как же тут обойдешь-
ся без иронии? Веселое тело кружилось и
пело, хорошее тело чего-то хотело, теперь
постарело чудесное тело, и скоро уж тело
отправят на мыло. Так, кокетничая с собой,
совсем еще не старый, со средней позиции,
Гангут встречал признаки старения.

И вдруг обнаружился новый, обескура-
живающий. Вдруг Гангут открыл в себе новую тягу. Карты на стол, джентльмены, он
обнаружил, что теперь его постоянно тянет
вернуться домой до девяти часов вечера.
Вернуться до девяти, заварить чаю и включить программу «Время» — вот она, старость, вот он, близкий распад души.

Я, брошенный всеми в этой затхлой
квартире, слегка заброшенный и совсем заброшенный господин Гангут наедине с теле-
визором, наедине с чудовищным аппаратом
товарища Лапина. «Вахта ударного года». Сводка идиотической цифири. Четыре миллиона
зерновых — это много или мало? Всесоюзная
читательская конференция. Все аплодируют.
Мрачные уравновешенные лица. Вручение
ордена Волгоградской области. Старики в орденах. Внесение знамен. Бульдозеры. Опять
«Вахта ударного года». Ширится борьба за
права человека в странах капитала. Порабо-
щенная волосатая молодежь избивает поли-
цию. Израильская военщина издевается над

арабской деревенщиной. Снова — к нам! Мирно играют арфистки, экая благодать, стабильность, ордена, мирные дети, тюльпаны... экая хуемотина... Гангут по старой диссидентской привычке вяло иронизировал, но на самом-то деле размагничивался в пропагандистском трансе, размягчался, как будто ему почесывали темя, и сам, конечно, сознавал, что размагничивается, но отдавался, распадался, ибо день за днем все больше жаждал этих ежевечерних размягчений. Прокатившись по кризисным перекатам западной действительности, поскользив по мягкой благодати советского искусства, программа «Время» приближалась к самому гангутовскому любимому, к спортивным событиям. Где-то он вычитал, что современный телезритель хотя и следит за спортивными событиями, размягчившись в кресле, тем не менее все-таки является как бы их участником и в организме его без всяких усилий в эти моменты происходят спортивные оздоровляющие изменения. Вздор, конечно, но приятный вздор. «О спортивных событиях расскажет наш комментатор...» Их было семь или восемь, и Гангут относился к ним чуть ли не как к своей семье, нечто вроде «родственничков» из романа Брэдбери. Для каждого комментатора он придумал прозвище и не без удовольствия пытался угадать, кто сегодня появится на экране: «Педант» или «Комсомолочка», «Дворяночка» или «Агит-Слон», «Засоня», «Лягушка», «Синенький»... Оказалось, сегодня на экране редкая гостья — «Сексапилочка» Татьяна Лунина. Вот именно ее появление и тряхнуло Гангута, именно Лунина с ее поблескивающими глазами на загорелом лице, в ее сногсшибательной по скромности и шику белой куртке как бы сказала в тот вечер Гангуту прямо в лицо: ты, Виталька, расползающийся мешок дерьма, выключайся и катись на свалочку, спекся.

Они когда-то были знакомы. Когда-то даже что-то наклевывалось между ними. Когда-то пружинистыми шагами входил на корт... Там Таня подрезала подачи. Когда-то показывал в Доме кино отбитый в мучительных боях с бюрократией фильм... Там в первом ряду сидела Татьяна. Когда-то заваливался в веселую компанию или в ресторан, задавал шороху... Там иной раз встречалась Лунина. Они обменивались случайными взглядами, иной раз и пустяковыми репликами, но каждый такой взгляд и реплика как бы говорили: «Да-да, у нас с вами может получиться, да-да и почему же нет, конечно, не сейчас, неподходящий момент, но почему бы не завтра, не послезавтра, не через год...» Потом однажды на подпольной выставке, вернее, подкрышно-чердачной выставке художника-авангардиста он встретил Лунину с Лучниковым, заморским своим другом, крымским богачом, каждый приезд которого в Москву поднимал самумы на чердаках и в подвалах: он привозил джазовые пластинки, альбомы, журналы, джинсы и обувь для наших нищих ребят, устраивал пьянки, колесил по Москве, таща за собой вечный шлейф девок, собутыльников и стукачей, потом улетал по какому-нибудь умопомрачительному маршруту, скажем, в Буэнос-Айрес и вдруг возвращался из какого-нибудь обыкновенного Стокгольма, но для москвича ведь и Стокгольм, и Буэнос-Айрес, в принципе, одно и то же, одна мечта. Тогда на том чердачном балу не нужно было быть психологом, чтобы с первого взгляда на Андрея и Татьяну понять — роман, романище, электрическое напряжение, оба под высоковольтным током счастья. А у Гангута как раз по приказу Комитета смыли фильм, на который потрачено было два года; как раз вызывали его на промывку мозгов в Союз, как раз не пустили на фестиваль в Канн, зарезали очередной сценарий, и жена его тогдашняя Дина устроила безобразную сцену из-за денег, которые якобы пропиваются в то время, как семья якобы голодает, шумела из-за частых отлучек, то есть «откровенного блядства под видом творческих восторгов». Словом, неподходящий был момент у Гангута для созерцания чужого счастья. Вместе с другими горемыками он предпочел насосаться гадкого вина, изрыгать антисоветчину и валяться по углам.

Впрочем, чудное было время. Хоть и душили нас эти падлы, а время было чудесное. Где теперь это время? Где теперь тот авангардист? Где две трети тогдашних гостей? Все отвалили за бугор. Израиль, Париж, Нью-Йорк... Телефонная книжка — почти ненужный хлам. «Ленинград, я еще не хочу умирать, у меня телефонов твоих номера...», а в Питере звонить уже почти некому. Как они проходят, эти проклятые, так называемые годы, какие гнусные мелкие изменения накапливаются в жизни в отсутствие крупных изменений. Кошмарен счет лет. Ужасно присутствие смерти. Дик и бессмертный быт.

Виталий Гангут рывком выскочил из продавленного кресла и вперился в цветное изображение Татьяны Луниной. У нее такой вид, какой был тогда. Неужели наши девки еще могут быть такими? Неужели мы еще живы? Неужели Остров Крым еще плавает в Черном море?

«Сборная юниоров на соревнованиях в Крыму победила местных атлетов по всем видам программы. Особенного успеха добились...»

Что она говорит? Почему я не женился на ней? Она не дала бы мне опуститься, так постареть, так гнусно заколачивать деньгу на научпопе. Она ведь не Линка, не Катька, не прочие мои идиотки, она — вот она... Где же Андрюшка? Сколько лет мы не виделись с этим рыжим? В прошлом году или в позапрошлом мы ехали вместе с юга на моей развалюхе и ругались всю дорогу. Как безумные мы только о политике тогда и бубнили: о диссидентах, о КГБ, о геронтократии, о Чехословакии, о западных леваках, о национальной психологии русских, о вонючем мессианстве, об идиотской его теории Общей Судьбы... Именно тогда Лучников сказал Гангуту, что он, его друзья и газета «Курьер» борются за воссоединение Крыма с Россией, а тот взорвался и обозвал его мазохистом, мудаком, самоубийцей, пидаром гнойным, вырожденцем с расщепленной психологией и хуем моржовым.

— Вы, сволочи буржуазные, с жиру беситесь, невропаты проклятые, вы хотите опозорить наше поколение, убить до срока нашу надежду, как и ваши отцы, золотопогонная падаль, проорали в кабаках всю Россию и сбежали! — так орал Гангут, пока его «Волга», грохоча треснувшим коленвалом, катила к Москве.

— Да ведь твой-то отец, Виталий, был матросом на красном миноносце, он же дрался как раз за Крым, идиот ты паршивый! — так же орал в ответ Лучников.— Вы тут ослепли совсем из-за того, что вам не дают снимать ваши говенные фильмы! Ослепли от злобы, выкидыши истории! России нужна новая сперма!

Перед Москвой в какой-то паршивой столовке они вроде бы помирились, утихли, с усмешечками в прежнем ироническом стиле своей дружбы стали обращаться друг к другу «товарищ Лучников», «господин Гангут», договорились завтра же встретиться, чтобы пойти вместе к саксофонисту Диме Шебеко, хотя и знали оба, что больше не встретятся, что теперь их жизни начнут удаляться одна от другой, что каждый может уже причислить другого к списку своих потерь.

Чем было для поколения Гангута в Советском Союзе курьезное политико-историко-географическое понятие, именуемое Остров Крым? Надеждой ли на самом деле, как вскричал в запальчивости Гангут? С детства они знали о Крыме одну лишь исчерпывающую формулировку: «На этом клочке земли временно окопались белогвардейские последыши черного барона Врангеля. Наш народ никогда не прекратит борьбы против ошметков белых банд, за осуществление законных надежд и чаяний простых тружеников территории, за воссоединение исконной русской земли с великим Советским Союзом». Автор изречения был все тот же, основной автор страны, и ни одно слово, конечно, не подвергалось сомнению. В пятьдесят шестом, когда сам автор был подвергнут сомнению, в среде новой молодежи к черноморскому острову возник весьма кипучий интерес, но даже тогда, если бы одному из активнейших юношей Ленинграда Виталию Гангуту сказали, что через десять лет близким его другом станет «последыш последышей», он счел бы это вздором, дурацкой шуткой, а то и буржуазной провокацией. Его отец действительно дрался за Остров во время Гражданской войны и находился на миноносце «Красная заря», когда тот был накрыт залпом главного калибра с английского линкора. Вынырнув из-под воды, папаша занялся периодом реконструкции, потом опять утонул. Вынырнув все-таки из ГУЛАГа, папаша Гангут рассказывал о многом, иногда и о Крыме. Наш флот был тогда в плачевном состоянии, говорил он. Если бы хоть узенькая полоска суши соединяла Крым с материком, если бы Чонгар не был так глубок, мы бы прошли туда по собственным трупам. Энтузиазм в те времена, товарищи, был чрезвычайно высок.

В первые послесталинские годы Остров потерял уже свою мрачную, исключающую всякие вопросы формулировку, но от этого не приблизился, а, как ни странно, даже отдалился от России. Возник образ подозрительного злачного места, международного притона, Эльдорадо авантюристов, шпионов. Там были американские военные базы, стриптизы, джаз, буги-вуги, словом, Крым еще дальше отошел от России, подтянулся в кильватер всяким там Гонконгам, Сингапурам, Гонолулу, стал как бы символом западного разврата, что отчасти соответствовало действительности. Однажды в пьяной компании какой-то морячок рассказывал историю о том, как у них на тральщике вышел из строя двигатель и они, пока чинились, всю ночь болтались в виду огней Ялты и даже видели в бинокль надпись русскими буквами «Дринк кокакола». Буквы-то были русские, но Ялта от берегов русского смысла была даже дальше, чем Лондон, куда уже начали ездить, не говоря о Париже, откуда уже приезжал Ив Монтан. И вдруг Никита Сергеевич Хрущев, ничего особенного своему народу не объясняя, заключил с Островом соглашение о культурном обмене. Началось мирное сосу-сосу. Из Крыма приехал скучнейший фольклорный татарский ансамбль, зато туда отправился Московский цирк, который произвел там подобие землетрясения, засыпан был цветами, обсосан всеобщей любовью. В шестидесятые годы стали появляться первые русские визитеры с Острова, тогда-то и началось знакомство поколения Гангута со своими сверстниками, ибо именно они в основном и приезжали, старые врэвакуанты побаивались. В ранние шестидесятые молодые островитяне производили сногсшибательное впечатление на москвичей и ленинградцев. Оказывается, можно быть русским и знать еще два-три европейских языка как свой родной, посетить десятки стран, учиться в Оксфорде и Сорбонне, носить в кармане американские, английские, швейцарские паспорта. У себя дома крымчане как-то умудрялись жить без паспортов. Они каким-то странным образом не считали свою страну страной, а вроде как бы временным лагерем. И все-таки были русскими, хотя многого не понимали. Они, например, не понимали кипучих тогдашних споров об абстрактном искусстве или о джазе. Острейшие московские вопросы вызывали у них только улыбки, пожатие плечами, вялый ответ-вопросец Why not? — «почему нет?». Поколению, выросшему под знаком «почему да?», трудно объяснить им свою борьбу, проблемы, связанные с брюками, с прическами, с танцами, с манерой наложения красок на холсты, с «Современником», с Театром на Таганке. Впрочем, находились и такие, кто все хотел понять, во все старался влезть, и первым из таких был Андрюша Лучников.

Гангут познакомился с Лучниковым, как ни странно, на Острове. Он был одним из первых «советикусов» на Ялтинском кинофестивале. В тот год случилась какая-то странная пауза в генеральном деле «закручивания гаек», и ему вдруг разрешили повезти свою вторую картину на внеконкурсный показ. Утром в гостиницу явился к нему рыжий малый в застиранном джинсовом пиджаке, хотя и с часами «Роллекс» на запястье, член совета адвайзеров газеты «Русский Курьер» Андрей А.Лучников, принес толстый как подушка воскресный выпуск, в котором о нем, Гангуте, было написано черным по белому: «Один из ведущих режиссеров «новой волны» мирового синема Виталий Гангут говорит по этому поводу...» Так непринужденно, в одном ряду со всякими Антониони, Шабролями, Бергманами, Бунюэлями, «один из...». Гангут, конечно, от Острова обалдел, поддался на соблазны, полностью морально разоружился. Быть может, тогда у него впервые и явилась идея, что Остров Крым принадлежит всему их поколению, что это как бы воплощенная мечта, модель будущей России.

В те времена все говорилось, писалось, снималось и ставилось от имени поколения. Где они сейчас, наши шестидесятники? Сколько их ринулось в израильскую щель и рассеялось по миру? Вопросы не риторические, думал Гангут. В количестве и в географии расселения — тоже приметы катастрофы. Отъезд — это поступок, так говорят иные. Нельзя всю жизнь быть глиной в корявых лапах этого государства. Однако есть ведь и другие поступки. Самые смелые сидят в тюрьмах. Отъезд — это климакс, говорят другие, и, может быть, это вернее. Оставшиеся говорят «катастрофа» и покупают «Жигули». Вдруг оказывается, что можно хорошие деньги делать в «Научпопе», плюнуть на честолюбие и заниматься самоусовершенствованием, которое оборачивается ежедневным киселем в кресле перед программой «Время». Все реже звонил у Гангута телефон, все реже он выходил вечерами из дома, все меньше оставалось друзей... вот и Андрей Лучников в списке потерь, да и какой он русский, он не наш, он западный вывихнутый левак, и пошел бы он подальше... все меньше становилось друзей, все меньше баб, впрочем, и дружок в штанах все реже предъявлял требования.

Смутный этот фон, или, как сейчас говорят, бэкграунд, дымился за плечами Виталия Гангута, когда он стоял, согнувшись, вперившись потревоженным взглядом в лицо спорткомментаторши Таньки Луниной. Три или четыре минуты она полыхала на экране, а потом сменилась сводкой погоды. Гангут рванулся, схватил пиджак... Год назад он облегал фигуру, теперь не застегивался. Три дня не буду жрать, снова начну бегать... схватил пиджак, заглянул в бумажник... те, прежние, большие деньги, башли триумфа, никогда не залеживались, эти нынешние малые деньжата, те, что нагорбачивались унижением, всегда в бумажнике... прошагал по квартире, отражаясь в грязных окнах, в пыльных зеркалах, гася за собой свет, то есть исчезая, и, наконец, у дверей остановился на секунду, погасил свое последнее отражение и вздохнул: к едреной фене, завтра же с утра в ОВИР за формулярами, *линять отсюда, линять, линять...*

Ознобец восторга, то, что в уме он называл молодой отвагой, охватил Гангута на лестничной площадке. Как он все бросит, все отряхнет, как чисто вымоет руки, как затрещат в огне мосты, какие ветры наполнят паруса! Было бы, однако, не вполне честно сказать, что молодая отвага впервые посещала знаменитого в прошлом режиссера. Вот так же вечерами выбегал на улицу, нервно, восторженно гулял, в конце концов напивался где-нибудь по соседству, а утром после трех чашек кофе ехал на «Научпоп» и по дороге вяло мусолил отступные мысли о климаксе, о поколении, о связях с почвой, о том, что вот недавно его имя мелькнуло в какой-то обзорной статье, значит, разрешили упоминать, а потом, глядишь, и фильм дадут ставить, а ведь любой мало-мальски неконформистский фильм полезнее для общего дела, чем десяток «Континентов». Фальшивое приглашение в Израиль, возникшее в короткий период диссидентщины, тем не менее тщательно сохранялось как залог для будущих порывов молодой отваги.

Конечно, сегодняшний порыв был из ряда вон выходящим, в самом деле какой-то приступ молодости, будто вдруг открылись пороховые погреба, будто забил где-то в низах гормональный фонтанчик. Прежде всего он найдет Таню Лунину и узнает у нее об Андрее. Нужно немедленно искать коммуникацию с ним. В Крыму мощная киноиндустрия. В конце концов не оставит же редактор «Курьера» своего старого кореша. В конце концов он все-таки Виталий Гангут, «один из», в конце концов еще совсем недавно в Доме кино сказал ему, когда икру-то жрали, тот красавчик голливудчик-молодчик: «I know, I know, you are very much director». В конце концов его отъезд вызовет «звук». Итак, прежде всего он найдет Таню Лунину и, если будет подходящий случай, переспит с ней.

Красный глазок лифта тупо взирал Гангуту под правую ключицу. Лестничная шахта четырнадцатиэтажного кооперативного дома гудела что-то как бы авиационное. Откуда-то доносилась песня «Hey Jude». Двери лифта разъехались, и на площадку вышел сосед Гангута, глядящий исподлобья и в сторону мужчина средних лет с огромной собакой породы московская сторожевая. Он был соседом Гангута уже несколько лет, но Гангут не знал ни имени, ни звания и даже за глаза упоминал его, как по сценарной записи, «глядящий исподлобья и в сторону мужчина средних лет с огромной собакой породы московская сторожевая». Сосед никогда не здоровался с Гангутом, больше того — никогда не отвечал на приветствие. Однажды Гангут, разозлившись, задержал его за пуговицу. Отвечать надо. Что? — спросил сосед. Когда вам говорят «доброе утро», надо что-нибудь ответить. Да-да, сказал сосед и прошел мимо, глядя исподлобья и в сторону. Диалог произошел, разумеется, в отсутствие собаки породы московская сторожевая. Гангут полагал, что урок пойдет впрок, но этого не случилось. Сосед по-прежнему проходил мимо Гангута, будто не видел его или видел впервые.

— Ах, здравствуйте,— вдруг сказал сосед прямо в лицо.

Собака мощно виляла хвостом.

Гангут изумился:

— Здравствуйте, если не шутите.

Народное клише весьма подходило к случаю.

Сосед плутовато засмеялся.

— Чудесный ответ, и в народном духе. Какой он все-таки у нас умница.

— Кто?— спросил Гангут.

— Наш народ. Лукав, смекалист.

Сосед слегка придержал Гангута рукой за грудь. Лифт ушел.

— Да зайдемте ко мне,— сказал сосед.

— Простите?— не понял Гангут.

— Да зайдемте же, в самом деле, ко мне.— Сосед хитровато смеялся.— Что же, в самом деле, живем, живем...

Он был слегка пьяноват.

— Никогда бы к вам не зашел,— сказал Гангут.— А вот сегодня зайду.

— Именно сегодня,— продолжал хихикать сосед.— Гости. Юбилей. Да заходите же.

Гангут был введен в пропитанную запахами тяжелой праздничной готовки квартиру. Оказалось, полстолетия художественному редактору Ершову, то есть «человеку, глядящему исподлобья и в сторону», нелюбезному соседу. Большое изобилие украшало стол, торчали ножки венгерских индеек, недоразрушенные мраморные плоскости студня отсвечивали богатую люстру. С первого же взгляда на гостей Гангут понял, что ему не следовало сюда приходить.

— А это наш сосед, русский режиссер Виталий Семенович Гангут,— крикнул юбиляр.

Началось уплотнение, после которого Гангут оказался на краю дивана между дамой в лоснящемся парике и хрупким ребенком-школьником, из тех, что среди бела дня звонят в дверь и ошарашивают творческую интеллигенцию вопросом: «Извините, пожалуйста, нет ли у вас бумажной макулатуры?»

— ... русский режиссер... небесталанный, одаренный... мы бы, если бы... ну, помнишь эта штука историческая о нашей родине... русский режиссер... задвинули на зады... сами знаете кто...

С разных концов стола на Гангута смотрели кувшинные рыла.

— Это почему же такой упор на национальность?— спросил он свою соседку.

— А потому, что вас тут раньше жидом считали, Виталик,— с полной непринужденностью и некоторой сердечностью ответила дама, поправляя одновременно и грудь и паричок.

— Ошиблись,— крикнул мужской голос с другого конца стола. Послышался общий смех, потом кто-то предложил за что-то выпить, все стали быстро выпивать-закусывать, разговор пошел вразнобой, о Гангуте забыли, и лишь тогда, то есть с весьма значительным опозданием, он оттолкнул локтем тарелку, на которую уже навалили закуски — кусок студня, кусок индюшатины, кусок пирога, селедку, винегрет, — и обратился к соседке с громким вопросом:

— Что это значит?

Через стол тут протянулась крепкая рука, дружески сжала ладонь Гангута. Мужественная усатая физиономия — как это раньше не замечена — улыбалась, по-свойски, по-товарищески, как раньше бы сказали — от лица поколения.

— Евдокия, как всегда, все упрощает. Пойдем, Виталий, на балкон, подымим.

Воздвиглась над столом большущая и довольно спортивная фигура в черном кожаном пиджачище, ни дать ни взять командарм революции. Гангут поднялся, уже хотя бы для того, чтобы выбраться из-за стола, избавиться от диванного угла и от соседки, копошащейся в своем кримплене.

— Олег Степанов,— представился на балконе могучий мужчина и вынул пачку «Мальборо».— Между прочим, отечественные. Видите, надпись сбоку по-русски. Выпускается в Москве.

— Первый раз вижу,— пробормотал Гангут.— Слышал много, а вот пробую впервые.— Затянулся.— Нормальный «Мальборо».

— Вполне.— Олег Степанов прогулялся по обширному балкону, остановился в метре от Гангута.— Будете смеяться, но мы о вас много говорили у Ерша как о еврее.

— Несколько вопросов,— сказал Гангут.— Почему вы говорили обо мне? Почему много? Почему как о еврее или о нееврее, о татарине, об итальянце, что это значит?

— Сейчас люди ищут друг друга. Идет исторический отбор,— просто и мягко пояснил Олег Степанов.

— Вы славянофилы?

— Да, конечно,— улыбнулся Олег Степанов.— Согласитесь, нужно помочь национальному гению, он задавлен. Естественно, ищешь русских людей в искусстве. Вот ваше творчество, эти три ваших картины, несмотря на все наносные модные штучки, казались лично мне все-таки русскими, в них было здоровое ядро. Конечно, звучание фамилии, отчество Семенович, а самое главное — ваше окружение вызывали недоверие, но исследование показало, что я был прав, и я этому рад, поверьте, Виталий, искренне.

— Исследование?— переспросил Гангут.

Олег Степанов серьезно кивнул.

— Мы выяснили ваши корни. Может быть, вы и сами не знаете, что Гангуты на Руси пошли с того самого дня русской славы, с той самой битвы у мыса Гангут. Был взят в плен шведский юнга. Потом уже идет только русская кровь. Что же, шведы, варяги — это приемлемо...

— Вы это серьезно? — спросил Гангут.

Они стояли на балконе десятого этажа в четырнадцатиэтажном доме. Внизу на перекрестке светился дорожный знак и мигал светофор. Далее за тоненькой полоской реки громоздился скальными глыбами и угасал перед лицом ночи, превращаясь в подобие пещерного города, новый микрорайон. Над ним бедственно угасало деревенское небо, закат прозябания, индустриальные топи Руси. Жуткая тоска вдруг налетела на Гангута. Вид тоски, когда нельзя отыскать причины, когда тебя уже нет, а есть лишь тоска. Он сделал даже резкое движение головой, как будто боролся с водоворотом. Вынырнул. Олег Степанов стоял, облокотившись на перила балкона и глядя в те же зеленоватые, ничего не обещающие хляби.

— Евреи — случайные гости на нашей земле,— проговорил он, не двигаясь.

«Надо уйти,— подумал Гангут.— Немедленно вон из этого вертепа». Он не ушел чуть ли не до утра, напротив, жрал из своей, похожей уже на помойку тарелки, пил все подряд и дурел и слушал Олега Степанова, который все уговаривал его завтра же позвонить какому-то Дмитрию Валентиновичу, который может ему помочь. Да кто он такой? Министр, секретарь ЦК, генерал? Он птаха невидная, да певучая. Позвони ему завтра и назовись, глядишь, и изменится твоя судьба.

На рассвете тот же Степанов перетащил Гангута через лестничную площадку в его квартиру, положил на тахту, вытер даже извержения.

Некоторое время он сидел рядом с бесчувственным телом, пытаясь перевернуть его с живота на спину или хотя бы пролезть рукой под живот. Все было тщетно — глыба русской плоти только сопела и ничего не чувствовала. Олег Степанов, отчаявшись, сел в кресло к письменному столу, полез в свои собственные штаны и взялся. Перед ним стояла фотография — двое голых парней и одна голая девушка на фоне морского прибоя. Глядя на эту фотографию и сдержанно рыча, теоретик начал и кончил. Потом аккуратно все вытер и удалился, оставив на письменном столе номер телефона.

IV
Любопытный эпизод

Марлен Михайлович Кузенков тоже видел в тот вечер на телеэкране комментатора Татьяну Лунину, но она не произвела на него столь оглушительного впечатления, сколь на впечатлительного артиста Виталия Гангута. Просто понравилась. Приятно видеть, в самом деле, на телеэкране хорошо отдохнувшую, мило одетую женщину. Марлен Михайлович полагал, что и всему народу это приятно, за исключением совсем уже замшелых «трезоров», принципиальных противников эпохи телевидения. Между тем симпатичные лица на экране не вредны, напротив, полезны. Сейчас можно иной раз на улице или в театре заметить лицо, не отягощенное социальными соображениями. На месте товарищей из телевидения Марлен Михайлович активно привлекал бы в свою сеть такие лица, и не только по соображениям агитационным, как некоторым верхоглядам может показаться, но и ради глубоких исторических сдвигов в стране. Такие лица могут незаметно, год за годом, десятилетие за десятилетием, изменять психологическую структуру населения.

Эта мысль о лицах промелькнула в голове Кузенкова, пока он смотрел на Таню, но не исчезла навсегда, а зацепилась где-то в спецхране его мозга для будущего использования. Таким свойством обладал Марлен Михайлович — у него ничего не пропадало.

Он, конечно, еще утром узнал, что Таня вернулась из Крыма. Больше того, он уже знал, конечно же, что она в Коктебеле встретилась с Андреем Лучниковым и провела с ним два дня, то есть двое суток, в треугольнике Феодосия—Симферополь—Ялта. Материалы по этой встрече поступили на стол Марлена Михайловича, смеем вас уверить, раньше «телеги» в Первый от-

59

дел Госкомитета по спорту и физвоспитанию. Такая уж у Марлена Михайловича была работа —все знать, что касается Крыма. Не всегда ему и хотелось все знать, иногда он, секретно говоря, даже хотел чего-нибудь не знать, но материалы поступали, и он знал все. По характеру своей работы Марлену Михайловичу Кузенкову приходилось «курировать» понятие, именуемое официально зоной Восточного Средиземноморья, то есть Остров Крым.

«Итак, она здесь, а он еще в Симфи», — прикинул Кузенков, когда заглянул в комнату, где жена и дети расселись вокруг телевизора в ожидании какого-то очередного фестиваля песни «Гвоздика—79» или «80» или на будущее — «84».

Предстоящий маршрут Лучникова был ему приблизительно известен: Париж, Дакар, Нью-Йорк, кажется, Женева, потом опять Париж — однако зигзаги этой персоны нельзя было предвидеть, и никто не смог бы поручиться, что Андрей завтра не забросит все дела и не прикатит за Татьяной в Москву. Кажется, у него еще не истекла виза многократного использования. Завтра нужно будет все это уточнить.

«Да перестань же ты, Марлен, все время думать о делах, — одернул себя Кузенков. — Подумай обо всем об этом с другого угла. Ведь Лучников не только твой объект, но и друг. Ведь этот, как вы его называете между собой, OK, то есть Остров О'кей, не только «политический анахронизм», но и чудесное явление природы. Тебе ли уподобляться замшелым «трезорам», которые по тогдашнему выражению «горели на работе», а проку от которых было чуть, одна лишь кровь и пакость. Ты современный человек. Ты, взявший имя от двух величайших людей тысячелетия».

Сегодня днем на улицах Москвы с Марленом Михайловичем случился любопытный эпизод. Вообще-то по своему рангу Марлен Михайлович мог бы и не посещать улиц Москвы. Коллеги его уровня, собственно говоря, улиц Москвы не посещали, а только с вяловатым любопытством взирали во время скоростных перемещений из дачных поселков на Старую площадь, как за окнами «персоналок» суетятся бесчисленные объекты их забот. Марлен Михайлович, однако, считал своим долгом поддерживать живую связь с населением. У него была собственная машина, черная «Волга», оборудованная всякими импортными штучками из сотой секции ГУМа, и он с удовольствием ее водил. Ему было слегка за пятьдесят, он посещал теннисный корт «Динамо», носил английские твидовые пиджаки и ботинки с дырочным узором. Эти его вкусы не полностью одобрялись в том верховном учреждении, где он служил, и он это знал. Конечно, слово «международник» выручало — имеешь дело с буржуазией, нужна дымовая завеса, — но Марлен Михайлович отлично знал, что ниже этажом по его адресу молчат, а на его собственном этаже кое—кто иногда с легкой улыбкой называет его «теннисистом» и острит по поводу имени Марксизм-

Ленинизм — этот вкусовой экстремизм конца двадцатых вызывает сейчас понятное недоверие у аппарата, ибо попахивает левым уклоном в корнях, а выше этажом тоже молчат, но несколько иначе, чем внизу, пожалуй, там молчат со знаком «плюс—минус», в котором многообещающий крестик все-таки превалирует над уничтожающим тире. Вот это-то верхнее молчание и ободряло Кузенкова держать свою марку, хотя временами приходилось ему и показывать товарищам кое-какими внешними признаками, что он «свой» — ну, там, матюкаться в тесном кругу, ну, демонстрировать страсть к рыбалке, сдержанное почтение к генералиссимусу, то есть к нашей истории, интерес к «деревенской литературе», слегка деформировать в южную сторону звуки «г» и «в» и, конечно же, посещать... хм... гм... замнем для ясности, товарищи... ну, в общем финскую баню. Тут следует заметить, что Марлен Михайлович ни на йоту не кривил душой, он был действительно своим в верховном учреждении, на все сто своим, а может быть, и больше, чем на сто. Так, во вся ком случае, предполагали психологи этажом выше, но им не дано было знать о некоторых «тайниках души» Марлена Михайловича, о которых он и сам хотел бы не знать, но откуда иногда выскакивали на поверхность, всегда неожиданно, тревожные пузыри, объясняемые им, заядлым материалистом- диалектиком, наличием присутствия малого тайничка в анкете. Об этом-то последнем Марлен Михайлович знал прекрасно, но молчал, ну хотя бы потому, что не спрашивали, и только лишь гадал: знают ли о нем те, кому все полагается знать. Так по необходимости, вихляясь и оговариваясь в короткой нашей презентации Марлена Михайловича Кузенкова, мы подходим наконец к упомянутому уже «любопытному эпизоду» на улицах Москвы.

Отыграв свою партию в теннис с генералом из штаба стратегической авиации, Марлен Михайлович Кузенков вышел на Пушкинскую улицу. Красавица его «Волга» была запаркована прямо под знаком «Остановка запрещена», но ведь любой мало-мальски грамотный милиционер, глянув на номер, тут же поймет, что эта машина неприкосновенна. Тем не менее как только он подошел к своей красавице — нравилась она ему почему-то больше всех «Мерседесов», «Порше» и даже крымских «Руссо-Балтов», — как тут же с противоположной стороны к нему стал приближаться милиционер. Кузенков с улыбкой его ждал, уже представляя себе, как отвалится у нерасторопного служаки челюсть при виде его документов.

— Я извиняюсь, — сказал пацан лет двадцати с сержантскими погонами. — У вас литра три бензина не найдется? Мне только до отделения доехать.

— Пожалуйста, пожалуйста, — улыбнулся Марлен Михайлович. — Бак полный. Только уж вы сами берите, сержант, у меня и шланга-то нету.

Этот пустяковый вроде бы контакт с населением Москвы, точнее, с ярким его представителем в милицейской форме доставил Марлену Михайловичу значительное удовольствие. Он представил себе, как вытянулись бы лица соседей по этажу, если бы они узнали в обыкновенном водителе, предоставлявшем свой бак какому-то сержантику, человека их «уровня». Эх, аппаратчики, аппаратчики, вот, может быть, главная наша беда — потеря связи с улицей. На это уже и Владимир Ильич нам указывал.

Сержант принес бачок и шланг с грушей специально для отсоса. Он копошился возле «Волги», но дело шло туго: то ли шланг был с дыркой, то ли сержант что-то делал не так, только бензин вытекал каплями, а временами и вовсе переставал появляться на поверхности.

— Ничего-ничего,— ободрил юного центуриона Марлен Михайлович.— Не спеши. Попробуй ртом.

Между тем мимо текла по тротуару толпа, и Кузенков, чтобы не терять времени, стал ее наблюдать. В поле его зрения попала странная парочка: шли две эпохи, одна из эпох вцепилась в другую. Бледный неопрятный старик в обвисшем пиджаке с орденскими планками волокся за длинноволосым джинсовым парнем. Правой рукой старик тащил авоську с убогими продуктами, левой с силой оттягивал назад джинсовый рукав.

— Сорок лет! — орал старик кривым ртом. — Сорок лет сражаюсь за социализм! За наши идеалы! Не позволю! Айда, пошли, пройдем!

— Отвали, отец,— пониженным голосом говорил длинноволосый.— Не базарь. Оставь меня в покое.

Он явно не хотел привлекать внимания прохожих и силой освобождать свой рукав. Он, видимо, чувствовал, что старик будет виснуть на нем и орать еще сильнее, если он применит сейчас молодую превосходящую силу, и вся ситуация тогда быстро покатится к катастрофе. С другой стороны, он, кажется, понимал, что и увещеваниями старика не проймешь и дело все равно принимает катастрофический уклон.

Короче говоря, этот типичный молодой москвич был растерян под напором типичного московского старика.

— Не оставлю в покое! — орал старик. — Никогда в покое врага не оставлял. Сейчас тебя научат, как агитировать! Пошли в опорный пункт! Давай пошли, куда следует!

Задержать внимание московской толпы довольно сложно. Хмурые люди проходили мимо, как будто вовсе не замечая ни унизительной позиции молодого человека, ни рычащей атаки старика. Однако выкрики старого бойца становились все более интригующими, кое-кто оборачивался, даже задерживал шаги.

Кузенков тогда, не отдавая себе отчета и подчиняясь, видимо, какому-то сигналу из какого-то своего тайника, взошел на мостовую и остановил движение странной парочки.

— Что здесь происходит?— протокольным голосом обратился он к старику.— Вы почему мешаете гражданину прогуливаться?

Фраза получилась в зощенковских традициях, и он слегка улыбнулся. Старик опешил, запнулся на полуслове, увидев тяжелую машину, присевшего рядом с ней сержанта милиции, а главное, увидев прохладную усмешечку в глазах непростого товарища. Уловив эти приметы любимой власти, старик потерял на миг координацию и отпустил рукав подозрительного.

— Да вот, видите, ходит по гастроному и шипит,— вконец совладал с собой старик.

— Сами вы шипите, сами шипите,— бездарно оборонялась джинсовая эпоха.

— Почему же вы к нему пристаете?— строго, но патронально вопросил Марлен Михайлович старика.

— Да вот шипит же, портфель носит, а шипит... мы в лаптях ходили... а он портфель носит... ходит с портфелем по гастроному и шипит...— бормотал старик.

— Не нужно приставать к гражданам,— тем же тоном сказал Марлен Михайлович.

— Товарищ, вы не оценили ситуацию! — отчаянно вскричал старик.— Ведь он же там высказывался, что в магазинах нет ничего!

Он весь трепетал, старый дурак в обвисшем пиджаке, под которым была заляпанная чем-то клетчатая рубаха навыпуск, в сандалиях на босу ногу. От него слегка попахивало вином, но больше ацетоном и гнилью разваливающегося организма. Землистое с синевой лицо дрожало: придешь тут в отчаяние, если свои тебя не понимают.

— Так и говорил, враг, что в магазинах нет ничего.— Он повернулся, чтобы снова ухватить за рукав длинноволосого, в джинсах и с портфельчиком, врага, но того, оказывается, уже и след простыл. Марлен Михайлович, между прочим, тоже на заметил, как испарился смельчак критикан.

— А что, разве в магазинах ВСЕ есть? — полюбопытствовал Марлен Михайлович.

— Все, что надо, есть! — вопил уже старик, оглядываясь, ища врага и как бы порываясь к преследованию, и опадал, видя, что уже не достигнешь, и поднимая к физиономии Кузенкова свою авоську, глядя уже на помешавшего справедливому делу человека с бурно нарастающим подозрением.

— Все, что надо простому народу, есть в магазинах. Вот вам макаронники, вона крупа, масла триста грамм, макарончики... Булки белые лежат! — взвизгнул он.— Это те, которые зажрались, те шипят! Мы работаем на них, жизнь кладем, а он всем недоволен!

— А вы всем довольны?— холодно осведомился Кузенков. Он сам себя своим тоном как бы убеждал, что в нем говорит социологический интерес, на самом-то деле и в нем что-то уже стало подрагивать: омерзение к агрессивной протоплазме стукача-добровольца.

— Я всем доволен! — Теперь уже дрожащие пальцы тянулись к кузенковскому твиду.— Я сорок лет сражался за правое дело! В лаптях... в лаптях... а они с портфелями...

— Идите своей дорогой,— сказал Марлен Михайлович. Он отвернулся от старика и возвратился к своей машине.

Сержант продолжал возиться со шлангом. Он, кажется, и головы не поднял, хотя не мог, конечно, не слышать скандального старика.

— Ну как?— деловым автомобильным голосом спросил Кузенков. — Тянет?

Сержант, видимо, тоже чувствовал некоторый идиотизм ситуации. Он брал шланг в рот, подсасывая бензин, отплевывался, наклонял шланг к бачку, но оттуда снова только лишь капало, не появлялась желанная струйка. Кузенков облокотился на багажник, стараясь отвлечься от исторической конфронтации к простому автомобильному делу. Тут он почувствовал, как ему в бок упирается мягкий живот старика.

— А вы не разобрались, товарищ,— теперь уже тихо заговорил старик, заглядывая в лицо Марлену Михайловичу.— Вы вообще-то кто будете?

В уголках рта у него запекшаяся слюнца, в углах глаз гноец. Прищур и трезвая теперь интонация показали Марлену Михайловичу, что перед ним, должно быть, не простой московский дурак, а кто-то из сталинских соколов, человечек из внутренней службы, по крайней уж мере, бывший вохра.

— Послушайте,— сказал он с брезгливой жалостью.— Что вы угомониться-то не можете? Вы всем довольны, а тот парень не всем. Люди-то разные бывают, как считаете?

— Так. Так.— Старик внимательно слушал Кузенкова и внимательнейшим образом его оглядывал.— Люди, конечно, разные, разные... А вы, товарищ, кто будете? Сержант, этот товарищ откуда?

Нахлебавшийся уже изрядно бензину милицейский, не поднимая головы, рявкнул на старика:

— Выпили? Проходите!

Старик чуть вздрогнул от этого рыка и, как видно, слегка засомневался, ибо власть, как всегда, была права — выпил он, а раз выпил, положено проходить. Тем не менее он не прошел, а продолжал смотреть на Кузенкова. Конечно, английское происхождение кузенковских одежд было старику неведомо, но взгляд его явно говорил о направлении мысли: кто же этот человек, отнявший у меня врага? свой ли? ой, что-то в нем не свое, дорогие товарищи! А уж не враг ли? А уж не группа ли тут?

Марлену Михайловичу взгляд этот был предельно ясен, и в тайниках его происходил процесс ярости, как вдруг откуда-то из самых уж отдаленных глубин какой-то самый тайный уже тайник выплеснул фонтанчик страха.

Руки старика потянулись к его груди, слюнявые губы зашевелились в едва ли не бредовом лепете:

— Конечно, выпил... значит, ваше преимущество... а я сорок лет сражался... в лаптях... с портфелями... продовольственные трудности... полмира кормим... братским классам и нациям... документик покажите... вы кто такой... меня тут знают, а вы... сержант, а ну...

Марлен Михайлович разозлился на себя за этот страх. Да неужели даже и сейчас, даже и на такой должности не выдавить из себя раба? Как легко можно было бы весь этот бред оборвать — отшвырнуть сталинскую вонючку (так и подумал— «сталинскую вонючку»), сесть в мощный автомобиль и уехать, но этот сержант дурацкий, со своим дурацким шлангом; конечно же, чего мне-то бояться, ну потеряю полчаса на объяснение в соседнем отделении милиции, звонок Щелокову и — все в обмороке, но в то же время, конечно же, совсем ненужный получится дурацкий нелепый скандал, и не исключено, что дойдет до верхнего этажа, к этим маразматикам сейчас прислушиваются, кое-кто даже считает их опорой общества (печальна судьба общества с такой опорой), ну, словом... Как же от него избавиться, еще секунда — и он вцепится в пиджак, забьется в припадке, и тогда уж вся улица сбежится, припадочных у нас любят...

Тут налетела на старика расхристанная бабенка лет сорока, титьки вываливаются из черной драной маечки с заграничной надписью GRAND PRIX.

— Дядя Коля, айдате отседа! Дядя Коля, ты что? Пошли, пошли! Смотри, сейчас бабка прибежит! Тебя уж час по дворам ищут!

Старик вырывался и хрипел, махал авоськой на Кузенкова. Из ячеек сыпались и ломались длинные макаронины.

— Этот! — кричал старик.— Документы показывать не хочет! Сержант служебных обязанностей не выполняет! На помощь, товарищи!

— Дядя Коля, пошли отседа! Номер запомни, бумагу напишешь!

Бабешка запихивала в майку вылезающие груди, подхватывала слетающие с ног шлепанцы — видимо, выскочила из дома в чем была, — но умудрялась притом подмигивать Марлену Михайловичу, да еще как-то причмокивать косым хмельным ртом.

Упоминание о бумаге, которую он напишет, подействовало: старик дал себя увести, правда, все время оборачивался и высказывался, все более угрожающе и все менее разборчиво по мере удаления.

— Ну что у вас тут, сержант?— Марлен Михайлович раздраженно заглянул в бачок, там еле-еле что-то полоскалось на донышке. Приятный и познавательный контакт с уличной жизнью обернулся тягостным идиотизмом. Кузенкова больше всего злило промелькнувшее, казалось бы забытое уже, чувство страха. Да неужели же до сих пор оно живет во мне? Пакость!

Он вырвал из рук сержанта шланг, осмотрел его: так и есть — дыра. Чертыхнулся, полез в собственный багажник, вытащил оттуда какую-то трубку, засунул один конец в бак, другой в рот, потянул в себя и захлебнулся в бензине, зато возникла устойчивая струйка, и очень быстро сержант приобрел для своего кургузого «москвичонка» нужное количество.

— Плата за невмешательство. Отмена нефтяного эмбарго,— усмехнулся Марлен Михайлович.

Сержант поглядывал на него как-то странно, может быть, тоже не понимал, что перед ним за птица. Во всяком случае, в благодарностях не рассыпался.

Кузенков сел уже за руль, когда в зеркале заднего вида снова увидел дядю Колю. Тот торопился на поле идейной битвы, тяжелый его пиджачище запарусил, рубашка расстегнулась, виден был тестообразный живот. Авоську старик, видимо, оставил дома, но вместо нее у него в руке была какая-то красная книжечка размером в партбилет, которую он то и дело поднимал над головой, будто сигналил. Марлену Михайловичу оставалось сделать несколько движений для того, чтобы отчалить и прекратить бессмысленную историю: нужно было отжать сцепление, поставить кулису на нейтраль, включить первую скорость и левую мигалку. Если бы он сделал все чуть быстрее, чем обычно, то как раз бы и успел, но ему показалось, что всякое ускорение будет напоминать бегство, и потому он даже замедлил свои движения, что позволило дяде Коле добежать, влезть всей харей в окно и протянуть книжицу.

— Вот мой документ! Читайте! И свой предъявляйте! Немедленно!

— Стукач,— сказал вдруг Марлен Михайлович и сильной своей ладонью вывел мокрое лицо старика за пределы машины.— Не смей больше трогать людей, грязный стукач.

С этими словами он поехал. Старик вдогонку залаял матом. В боковом зеркальце мелькнуло хмурое лицо сержанта. Машина мощно вынесла Марлена Михайловича на середину улицы, но тут загорелся впереди красный свет. Стоя у светофора, Кузенков еще видел в зеркале в полусотне метров сзади и старика и сержанта. Дядя Коля размахивал красной книжкой, тыкал рукой вслед ушедшей машине, апеллировал к милиции. Сержант с бачком в одной руке, другой взял старика за плечо, тряхнул и показал подбородком на свою машину — ну-ка, мол, садись. Тут старик упал

66

на мостовую. Последнее, что видел Кузенков,— дергающиеся ноги в голубых тренировочных шароварах. Зажегся зеленый.

Приехав домой, Марлен Михайлович немедленно отправился в ванную мыть руки. На левой ладони, казалось ему, еще осталась липкая влага старика. Подумав, стал раздеваться: необходим душ. Раздеваясь, он рассматривал себя в зеркало. Седоватый, загорелый, полный сил мужчина. «Не пристало так отпускать тормоза, Марлен,— сказал он себе.— Не дело, не дело. Вели себя не в соответствии со своим положением, да что там положение, не в соответствии со своим долгом, с ответственностью перед, нечего пугаться слов, перед историей. Вели себя,— вдруг пронзила его тревожная мысль,— вели себя, как диссидент. Вели себя, как диссидент, и чувствовали, как диссидент, нет, это совершенно непозволительно».

Он поставил тут себя на место старого болвана-вохровца, вообразил, как вдруг рушится перед ним выстроенный скудным умом логический мир; сержант, черная «Волга», прищуренный глаз, как символы мощи и власти, которую он стерег, как пес, всю свою жизнь, вдруг оборачиваются против него, какая катастрофа. Нет, нет, отшвыривание, низвержение этих стариков, а имя им легион, было бы трагической ошибкой для государства, зачеркиванием целого периода истории. Негосударственно, неисторично.

Он думал весь остаток дня об этом «любопытном эпизоде» (именно так он решил обозначить его своей жене, когда придет время пошушукаться,— «любопытный эпизод»). Думал об этом и за письменным столом во время чтения крымских газет. Нужно было подготовить небольшой обзор текущих событий на Острове для одного из членов Политбюро. Такие обзоры были коньком Марлена Михайловича, он относился к ним с большой ответственностью и увлечением, но сейчас проклятый «любопытный эпизод» мешал сосредоточиться, он мечтал, чтобы вечер скорее прошел, чтобы они наконец остались вдвоем с женой, чтобы можно было поделиться с ней своими ощущениями.

Лицо Тани Луниной, появившееся на экране телевизора, отвлекло его, пришли в голову мысли об Андрее Лучникове, о всем комплексе проблем, связанных с ним, но тут по ассоциативному ряду Марлен Михайлович добрался до режиссера Виталия Гангута, московского друга курируемой персоны, и подумал, что вот Гангут-то был бы нормален в дурацкой склоке на Пушкинской улице. Он подставлял на свое место Гангута, и получалось нормально, естественно. Он возвращал себя на свое место, и получалось все неестественно, то есть, по определению Николая Гавриловича, безобразно.

Как всегда на ночь глядя и как всегда ни с того ни с сего позвонил старший сын от первого брака Дмитрий. Этот двадцатипятилетний парень был, что называется, «отрезанный ломоть», солист полуподпольной джаз-рок-группы C_2H_5OH. Дмитрий носил фамилию матери и требовал, чтобы его называли всегда концертным именем — Дим Шебеко. Он считал политику дрисней, но, конечно же, был полнейшим диссидентом, если подразумевать под этим словом инакомыслие. Марлену Михайловичу иногда казалось, что Дим Шебеко стыдится родства с таким шишкой, как он, и утаивает это от своих «френдов». Впрочем, и у Марлена Михайловича было мало оснований гордиться таким сыночком перед товарищами по «этажу». Их отношения всю жизнь были изломанными, окрашенными не утихающей с годами яростью брошенной жены, то есть матери Дима Шебеко. В последнее время, правда, музыкант весьма как-то огрубел, отделил себя от обожаемой мамы, шлялся по столице с великолепной наплевательской улыбкой на наглой красивой физиономии, а с отцом установил естественные, то есть потребительские, отношения: то деньжат попросит, то бутылку хорошей «негородской» водки из пайка. В этот раз он интересовался, когда приедет крымский кореш Андрей, ибо тот обещал ему в следующий приезд привезти последние пластинки Джона Кламмера и Китса Джеррета, а также группу «Секс пистолс», которая, по мнению Дима Шебеко, малоперспективна, как и вся культура «панк», но тем не менее нуждается в изучении.

Поговорив с сыном, Марлен Михайлович снова вернулся к «любопытному эпизоду», подумал о том, что на месте того длинноволосого мог бы свободно оказаться и Дим Шебеко. Впрочем, у Дима Шебеко такая рожа, что даже бдительный дядя Коля побоялся бы подступиться. «Давить таких надо, дад,— сказал бы Дим Шебеко.— Я на твоем месте задавил бы старую жабу».

В конце концов Марлен Михайлович отодвинулся от пишущей машинки и стал тупо ждать, когда закончится проклятая «Гвоздика». Телевизионные страсти отполыхали только в начале двенадцатого. Он слышал, как Вера Павловна провожала в спальню детей, и ждал желанного мига встречи с женой. У них уже приближался серебряный юбилей, но чувства отнюдь не остыли. Напротив, едва ли не каждый вечер, несмотря на усталость, Марлен Михайлович сладостно предвкушал встречу с мягким нежнейшим телом вечно благоухающей Веры Павловны.

— Что это, лапик, Дим Шебеко звонил?— спросила жена, отдышавшись после встречи.

Голова Марлена Михайловича лежала на верном ее плече. Вот мир и милый и мирный, понятный в каждом квадратном сантиметре кожи,— мир его жены, пригожие холмы и долины. Так бы и жил в нем, так бы и не выходил никогда в смутные пространства внешней политики.

— Знаешь, моя кисонька, сегодня со мной в городе случился любопытный эпизод,— еле слышно прошептал он, и она, по-

68

няв, что речь идет о важном, не повторила своего вопроса о звонке, а приготовилась слушать.

— Что ж, Марлен,— сказала она, когда рассказ, вернее, весьма обстоятельный разбор кузенковских ощущений, цепляющихся за внешнюю пустяковость событий, был закончен.— Вот что я думаю, Марлен. А... — она загнула мизинец левой руки, и ему, как всегда, показалось, что это не мизинец левой руки, но вот именно весьма серьезный А, за которым последуют Б, В, Г... родные, конкретные и умные. — А — тебе не нужно было влезать в эту потасовку, то есть не следовало обращать на нее внимания. Б— раз уж ты обратил на это внимание, то тебе следовало вступиться, и ты правильно сделал, что вступился. В — вступившись, лапик, ты вел себя идеально как человек с высоким нравственным потенциалом, и вопрос только в том, правильно ли ты закончил этот любопытный эпизод, то есть нужно ли было называть старика грязным стукачом. И наконец, Г — темный страх, который ты испытал под взглядом дяди Коли, вот что мне представляется самым существенным, ведь мы-то знаем с тобой, Марлуша, какой прозрачный этот страх и где его корни. Если хочешь, мне вся эта история представляется как бурный подсознательный твой протест против живущего в тебе и в мне, да и во всем нашем поколении страха. Ну, а если это так, тогда все объяснимо и ес-тест-вен-но, ты меня понимаешь? Что касается возможного доноса со стороны припадочного старика, то это...

Вера Павловна отмахнула пятый пункт своих размышлений всей кистью руки, легко и небрежно, как бы не желая для такой чепухи и пальчики загибать. «Какая глубина, какая точность,— думал Марлен Михайлович, с благодарностью поглаживая женино плечо,— как она меня понимает! Какая стройная логика, какой нравственный потенциал!»

Вера Павловна была лектором университета, заместителем секретаря факультетского партбюро, членом правления Общества культурных связей СССР — Восточное Средиземноморье, и действительно ей нельзя было отказать в только что перечисленных ее мужем качествах.

Облегченно и тихо они обнялись и заснули как единое целое, представляя собой не столь уж частое нынче под луной зрелище супружеского согласия. Рано утром их разбудил звонок из Парижа. Это был Андрей Лучников.

— У меня кончилась виза, Марлен. Не можешь ли позвонить в посольство? Необходимо быть в Москве.

V
Проклятые иностранцы

«Каменный век,— подумал Лучников,— столицу космической России нужно заказывать заранее через операторов. Так мы звонили в Европу в пятидесятые годы. А из Москвы позвонить, скажем, в Рязанскую область еще труднее, чем в Париж. Так мы вообще никогда не звонили...»

Лучников подошел к окну. За окнами гостиницы на бульваре Распай стоял редкий час тишины. На тротуарах меж деревьев боком к боку, так что и не просунешься, стояли автомобили. По оставшейся асфальтовой тропинке ходил печальный марокканец с метлой. Небо розовело. Через час начнется движение. Лучников закрыл противошумные ставни, прыгнул в постель и тут же заснул. Он проснулся через три часа, ровно в семь. Впереди был напряженный день, но в запасе оставалось три часа, когда не надо было спешить. Приезжаешь в Париж и никуда не торопишься. Это наслаждение.

Ленивая йога. Душ. Бритье. Завтракать пойду на Монпарнас, в «Дом», там все осталось как прежде, те же посетители, как всегда: старик с «Фигаро», старик с «Таймс», старик с «Месседжеро», все трое курят сигары, одинокая очень пожилая дама, чистенькая, как фарфор, затем — кто еще? — ах да, блондин с брюнеткой, или брюнет с блондинкой, или блондин с блондином, брюнет с брюнетом — у этих цветовые комбинации реже, чем у разнополых пар, безусловно, сидит там и молодая американская семья, причем мама на стуле бочком, потому что младенец приторочен к спине. Все эти лица и группы лиц расположились на большой веранде «Дома» с полным уважением к человеческой личности и занимаемому ею пространству, храня, стало быть, и за завтраком первейшую заповедь европейского Ренессанса. Два внушительных нестареющих и немолодеющих «домских» официанта в длинных белых фартуках разносят кофе, сливки и круасаны. Рядом с верандой продавец фрюи де мер раскладывает на прилавке свои устрицы. Изредка, то есть почти ежедневно, на веранде появляется какой-нибудь приезжий из какого-нибудь отеля поблизости, какой-нибудь молодой джентльмен средних лет, делающий вид, что он никуда не спешит. В руках у него всегда газеты. Вот в этом и состояла прелесть парижских завтраков — все, как обычно в Париже.

В киоске на углу Монпарнаса и Распая Лучников купил «Геральд трибюн» и двуязычное издание своего «Курьера». Сделав первый глоток кофе, он на секунду вообразил напротив за столиком Татьяну Лунину. Улыбнувшись воображению и этим как бы отдав долг своей так называемой «личной жизни», он взялся за газеты. Сначала «Курьер». Сводка погоды в подножии первой полосы, Симфи +25°C, Париж и Лондон — +29°C, Нью-Йорк — +33°C, Москва — +9°C... Опять Москва — полюс холода из всех столиц. Экое свинство, даже климат становится все хуже. Несколько лет подряд антициклоны обходят стороной Россию, где и так всего не хватает, ни радостей, ни продуктов, и стойко висят над зажравшейся Европой, обеспечивая ей дополнительный комфорт. Главная шапка «Курьера» — запуск на орбиту советского космического корабля, один из двух космонавтов — поляк, или, как они говорят, гражданин Польской Народной Республики. Большие скуластые лица в шлемофонах, щеки раздвинуты дежурными улыбками. На этой же полосе внизу среди прочего очередное заявление академика Сахарова и маленький портрет. Ну, разве это не справедливо, господа? В советском корабле впервые поляк на орбите, а господин Сахаров при всем нашем к нему уважении делает отнюдь не первый стейтмент. В «Геральде» все наоборот: большой портрет Сахарова и заявление наверху, сообщение о запуске на дне, лики космонавтов, как две стертых копейки. Так или иначе, деморализованная и разложившаяся Россия опять дает заголовки мировым газетам. Кто же настоящие герои современной России, кто храбрее — космонавты или диссиденты? Вопрос детский, но дающий повод к основательным размышлениям.

На солнечной стороне Монпарнаса Лучников заметил сухопарую фигуру полковника Чернока. Смешно, но он был одет в почти такой же оливкового цвета костюм, как и у Лучникова. Почти такая же голубая рубашка. Смешно, но он остановился на углу и купил «Курьер» и «Геральд». Правда, подцепил еще пальцем июльский выпуск «Плейбоя». Зашел в «Ротонду» и попросил завтрак, не забыв, однако, и о рюмочке «мартеля». Кажется, он тоже заметил друга через улицу, сидящего, словно в витрине, на террасе «Дома». Заметил, но так же, как и Лучников, не подал виду. Через час у них было назначено свидание в двух шагах отсюда, в «Селекте», но этот час был в распоряжении Чернока, и он мог чуть-чуть похитрить сам с собой, развалившись на солнышке, листать газеты, прихлебывать кофе, как будто ему, как и Лучникову, вроде бы предстоит праздный день.

Итак, поехали дальше. Политические новости Крыма. Фракция яки-националистов во Временной Государственной Думе вновь яростно атаковала врэвакуантов и потребовала немедленного выделения Острова в отдельное государство со всеми надлежащими институтами. Решительный отпор СВРП, коммунистов, с-д, к-д, трудовиков, друзей ислама. У всех свои соображения, но парадокс в том, что вся эта гиньольная компания с их бредовыми или худосочными идейками ближе сейчас нам, чем симпатичные ребята из «я-н». Увы, напористые, полные жизни представители новой островной нации, о возникновении которой они кричат на всех углах, сейчас опаснее любых монархистов и старорусских либералов для Идеи Общей Судьбы. Не говоря уже о коммисах по всему их спектру, о них и говорить нет смысла. Московские коммисы повторяют за Москвой, пекинские за Пекином, еврокоммисы сидят в университетских кабинетах, пока их ученики-герильеры шуруют по принципу еще 1905 года: «хлеб съедим, а булочные сожжем!». Эта идея неизлечима, дряхла, тлетворна. Быть может, главным и единственным ее достижением будет тот здоровый росток, который возникает сейчас в самой Москве, то начало, к которому и тянется ИОС. Андрей Арсеньевич Лучников довольно часто за утренним кофе казался сам себе здоровым, умным, деятельным и непредубежденным аналитиком не только нации, но и вообще человеческого рода.

Последний глоток кофе. Рука уже тянется к карману за вчерашними «мессажами». По осевой полосе Монпарнаса к бульвару Сен-Мишель несется, яростно сигналя, наряд полицейских машин. Девять часов сорок минут. Начинается новый сумасшедший парижский день редактора одной из самых противоречивых газет нашего времени, симферопольского «Русского Курьера».

Записки в основном подтверждали назначенные уже ранее апойтменты, хотя одно послание было совершенно неожиданным. Вчера в обеденный час в отель позвонил мистер Джей Пи Хэлоуэй, компания «Парамаунт», и попросил мосье Лютшникофф связаться с ним по такому-то телефону. Позднее, то есть в послеобеденное время, мистер Хэлоуэй, то есть старый подонок, друг юности Октопус, лично заехал в гостиницу, то есть уже вдребадан, и оставил записку: «Андрей Лучников, вам лучше сложить оружие. Капитуляция завтра в час дня, брассери «Липп», Сен-Жермен-де-Пре. Октопус». Ничего не поделаешь, придется обедать с американскими киношниками, не выбросишь ведь старого Октопуса на помойку, столько лет не виделись — три, пять? Итак, давайте распределимся. Через пятнадцать минут свидание с Чер-

72

ноком. В одиннадцать часов ЮНЕСКО, Петя Сабашников. К часу
едем вместе на Сен-Жермен-де-Пре. После обеда надо позвонить
в советское посольство, узнать о продлении «визы многократного
использования». В пять часов вечера с Сабашниковым — к фон
Витте. В шесть тридцать интервью в студии Эй-би-си. Затем прием Пенклуба в честь диссидента X. Допустимое опоздание полчаса.
Укладываюсь. Вечер, надеюсь, будет свободен. Проведу его в одиночестве. Неужели это возможно? Пойду в кино на Бертолуччи.
Или в тот джазовый кабачок в Картье Латэн. На ночь почитаю
Платона. Не выпью ни капли. Впрочем, не пойду ни в кино, ни
в кабачок, а сразу залягу с Платоном... то место о тирании и сво-
боде, прочту его заново...

Андрей Лучников положил на стол деньги, забрал свои газеты и вышел из кафе. То же самое проделал на другой стороне
улицы полковник Чернок, командующий Северным укрепрайо-
оном Острова Крым. Они двинулись в сторону «Селекта», почти
зеркально отражая друг друга.

Они были действительно похожи, одногодки из одной зам-
кнутой элиты врэвакуантов, один пошире в кости, другой пост-
ройнее, один военный летчик, другой писака и политик.

— Ты мешал мне читать газеты в своей «Ротонде»,— сказал
Лучников.

— А ты мне не давал пить кофе в своем «Доме»,— сказал
Чернок.

— «Дом» лучше,— сказал Лучников.

— А у меня костюм лучше,— сказал Чернок.

— Убил,— сказал Лучников.

— Не лезь,— сказал Чернок.

За диалогом этим, естественно, стояла Третья симферополь-
ская мужская гимназия имени императора Александра Второго
Освободителя. Им принесли пива.

— Читал последние новости из Симфи?— спросил Лучников.

— Яки?

— Да. По последнему «поллу» их популярность поднялась на
три пункта. Сейчас она еще выше. Идея новой нации заразитель-
на, как открытие Нового Света. Мой Антошка за один день на
Острове стал яки-националистом. Зимой — выборы в Думу. Если
мы сейчас не начнем предвыборную борьбу, России нам не ви-
дать никогда.

— Согласен. — Полковник был немногословен.

Они стали обсуждать план быстрого создания массовой
партии. Сторонников Общей Судьбы на Острове множество во
всех слоях населения. К исторически близкому воссоединению с
великой родиной призывают десятки газет во главе с могуществен-
ным «Курьером». Нет сомнения, что когда возникнет СОС — вот
такая предлагается аббревиатура, Союз Общей Судьбы, звучит

магнитно, ей-ей, в этом слове уже залог успеха,— итак, когда возникнет СОС, другие партии поредеют. Нужно как можно скорее объявлять новую партию, и делать это с открытым забралом. Да какая уж там секретность! Если даже муллы за автономию в границах СССР, секретность — вздор. Военным разрешено будет примыкать к СОС? Прости, но в этом случае мы не можем считать СОС политической партией. Что ж, можно и не считать его политической партией, но в выборах участвовать. Прости, нет ли в этом демагогии? Пожалуй, в этом есть демагогия именно в советском духе или в стиле наших мастодонтов: мы за разрядку, но при нарастании идейной борьбы; мы не государство, но самостоятельны; мы не партия, но в выборах участвуем... Нет, демагогия нам не годится. Наша хитрость — отсутствие хитрости. Мы... Кто это все-таки мы? Старина, это пустой вопрос. Сейчас речь идет о спасении, и не о спасении Крыма, как ты понимаешь... Чтобы участвовать в кровообращении России, надо стать ее частью. Ну хорошо, давай о практическом.

Они еще некоторое время говорили о практическом, а потом замолчали, потому что за стеклом террасы остановились две девки.

Две монпарнасские халды, в снобских линялых туниках, с нечесаными волосами, с диковатым гримом на лицах. Пожалуй, даже хорошенькие, если отмыть. Чернок и Лучников посмотрели друг на друга и усмехнулись. Девчонки прижались к стеклу в вопросительных извивах — ну как, мол, поладим? Лучников показал на часы — увы, дескать, времени нет, ужасно, мол, жаль, мадемуазель, но мы не принадлежим себе, такова жизнь. Девчонки тогда засмеялись, послали воздушные поцелуи и бодренько куда-то зашагали. У одной из них был скрипичный футляр под мышкой.

— Вчера я познакомился с прелестной женщиной,— мягко заговорил Чернок. Он почему-то культивировал мягчайший старомодный стиль в обращении с женщинами, что, впрочем, не мешало ему распутничать напропалую.— Она была восхищена тем, что я русский,— ом совєтик! — и ужасно разочарована, когда узнала, что я из Крыма. «Значит, вы, мосье, не русский, а кримьен?» Мне пришлось долго убеждать ее, что я не сливочный. Многие уже забыли, что Крым — часть России...

— Что твои «Миражи»? — спросил Лучников.

Полковник сидел в Париже уже целый месяц, ведя переговоры о поставках модели знаменитого истребителя-бомбардировщика для крымских «форсиз».

— На днях подпишем контракт. Они продают нам полсотни штук.— Чернок рассмеялся.— Полный вздор! К чему нам «Миражи»? Во-первых, наши «сикоры» ничуть не хуже, а потом, пора уже переучиваться на «МИГи»...— Он вдруг заглянул Лучникову в глаза.— Мне иногда бывает интересно, нужны ли им такие летчики, как я.

74

Лучников раздраженно отвел глаза.

— Ты же знаешь, Саша, какой там мрак и туман,— заговорил он через минуту.— Иногда мне кажется, что ОНИ ТАМ сами не знают, чего хотят. НАМ важно знать, чего МЫ хотим. Я хочу быть русским, и я готов даже к тому, что нас депортируют в Сибирь...

— Конечно,— сказал Чернок.— Обратного хода нет.

Лучников посмотрел на часы. Пора было уже рулить к Пляс-де-Фонтенуа.

— Задержись на три минуты, Андрей,— вдруг сказал Чернок каким-то новым тоном.— Есть еще один вопрос к тебе.

Бульвар Монпарнас чуть-чуть поплыл в глазах Лучникова, слегка зарябил, запестрел длинными, словно струи дождя, прорехами: что-то особенное было в голосе Чернока, что-то касающееся лично Лучникова, а такой прицел событий лично на него, вне «Движения», стал в последнее время слегка заклинивать Лучникова в его пазах, в которых еще недавно катался он столь гладко.

— Послушай, Андрей, одно твое слово, и я переменю тему... так вот, не кажется ли тебе...— мягко, словно с больным или с женщиной, говорил полковник и вдруг закончил, будто очертя голову:— Что ты нуждаешься в охране?

«Вот он о чем,— подумал Лучников.— О покушении. Вернее, об угрозе покушения. Вернее, о намеках на угрозу покушения. Странно, что я совсем забыл об этом. Должно быть, Танька вымела эту пакость из моей головы. Как это постыдно — быть обреченным, вызывать в людях осторожную жалость. Впрочем, Чернок ведь солдат, он дрался под Синопом, а каждый солдат всегда основательно обречен...»

— Понимаешь ли,— продолжал после некоторой паузы Чернок,— в моем распоряжении есть специальная команда... Они будут деликатно за тобой присматривать, и ты будешь в полной безопасности. Какого черта давать «Волчьей сотне» право на отстрел лучших людей Острова? Ну что ты молчишь? Не ставь меня в идиотское положение!

Лучников сжал кулак и слегка постучал им по челюсти Чернока.

— Снимаем тему, Саша.

— Сняли,— тут же сказал тогда полковник и поднялся.

На этом их встреча закончилась. Через десять минут Лучников уже продирался на арендованном «Рено-сэнк» сквозь автомобильные запруды Парижа. При пересечении Сен-Жермен, на Курфюрде-Бак, машины еле ползли, и там он смог даже немного помечтать, вернее, погрузиться в воспоминания. Кажется, три года назад он прилетел в Париж на свидание с Таней и снял вот в этом отеле «Пон-Рояль» комнату. Она была тогда в Париже со своей командой на каком-то коммунистическом спортивном празднике — то ли день «Юманите», то ли кросс «Юманите»,— и у них оказалось всего два часа для уединения. Вот здесь, на третьем этаже, Таня осыпала его московскими нежностями. «Лапа моя,— говорила она,— прилетел в такую даль ради одного пистончика, лапуля моя». А он был готов ради этого «пистончика» пять раз обернуться вокруг земного шара. Блаженные мысли, ночные воспоминания вновь начисто выветрили из головы покушение. Он уже и прежде замечал, что, начиная думать о Таньке (они там, в Москве, всю жизнь зовут друг друга Танька, Ванька, Юрка), он сразу забывает всякие пакости. В конце концов, хотя бы для хорошего настроения... В престраннейшем хорошем настроении он выкатился наконец из теснины рю де-Бак на набережную и покатил нижней дорогой к Инвалидам. Правый берег Сены был залит солнцем.

И вот мы в атмосфере Юнайтед-Нэйшн-Эдюкэйшн-Сайенс-Калча-Организейшн. Конечно же, повсюду звучит музыка, чтобы человек не скучал. Должно быть, главная цель могучей организации международных дармоедов — не дать человеку скучать ни минуты.

В овальном зале изысканнейшего дизайна, с под-шагаловскими, а может быть, и само-шагаловскими росписями идет заседание какого-то подкомитета или полукомиссии по вопросам мировой статистики.

Лучникову повезло, он угодил прямо на спектакль, который почти ежедневно разыгрывал в ЮНЕСКО крымский представитель Петр Сабашников, тоже одноклассник и старый друг. Крым, естественно, не был членом ООН — СССР никогда не допустил бы такого «кощунства», но в органах ЮНЕСКО активно участвовал, ибо нельзя было себе и представить какую-либо серьезную международную активность без этого активнейшего Острова. Под давлением Советского Союза никто в мире не смел называть Остров тем именем, которое он сам себе присвоил, именем «Крым—Россия», ни одна организация, ни одна страна не решались противостоять гиганту, за исключением совсем уж отпетых, всяких там Чили, ЮАР, Израиля и почему-то Габона. В документах ЮНЕСКО употреблялось обозначение «Остров Крым», но Петр Сабашников на все заседания являлся со своей табличкой «Крым—Россия» и перво-наперво заменял ею унизительную географию капитулянтов. После заседания он всегда уносил эту табличку с собой, чтобы не выбросили.

— Слово имеет представитель Острова Крым господин Сабашников, — сказал председатель полукомиссии или четвертько-митета, когда Андрей Лучников вошел в совершенно пустую ложу прессы.

По проходу к подиуму уже неторопливо шествовал с кожаной папочкой под мышкой Петя Сабашников. Все делегаты с большим вниманием следили за каждой фазой его движения, а на лицах новичков, то есть представителей молодых наций, было написано изумление. Казалось бы, что особенного — идет по проходу очередной оратор? Петя Сабашников, однако, даже из этого простого движения делал великолепный фарс. Сложив бантиком губки, но в то же время строго нахмурив бровки, выставив подбородок с претензией на несокрушимость, но в то же время развесив пухлые щечки, господин Сабашников изображал то ли советского министра Громыко, то ли московского артиста Табакова. Лучников беззвучно хохотал в ладонь. Петя не изменился: погибший в нем актер ежеминутно разыгрывает все новые и новые этюды.

Вот он на трибуне. Каскад сногсшибательной мимики. Ярчайшая улыбка (президент Картер) фиксируется чуть ли не на целую минуту. Затем из кармана с кеханьем, чмоканьем, прочисткой горла и полости рта (генсек Брежнев) извлекаются очки. Легкий поворотец, псевдомечтательный взглядец в сторону, и с «очаговательной каттавостью» премьера Временного правительства в Крыму Кублицкого-Пиоттуха мосье Сабашников начинает свой спич:

— Господин председатель! Дамы и господа! Дорогие товарищи! Прежде чем приступить к сути дела, я должен внести поправку в протокол ведения нашего собрания. Давая мне слово, уважаемый господин председатель допустил ошибку, назвав меня представителем Острова Крым, между тем как я являюсь представителем организации, официально именующей себя «Крым— Россия». Я просил бы господина председателя и всех господ делегатов принять это во внимание и сделать все для того, чтобы вышеупомянутая ошибка не повторялась.

Лучников после этого заявления разыскал глазами стол советской делегации. Там происходило движение. Весьма гладкий господин — у «советчиков» сейчас более буржуазный вид, чем у «капи», — встал и сделал знак секретарю заседания. Тот привычно кивнул. Все шло как обычно: после всякого выступления представителя «Крыма—России» Советский Союз тут же делал формальный протест. Все к этому привыкли и относились едва ли не как к формальности юнесковского протокола. Петр же Сабашников, закончив свою традиционную преамбулу, иронически поклонился залу с явным все-таки уклоном к советской делегации, давая понять, что уж кто-кто, но он, П.Сабашников, меньше всего придает значение всему этому вздору: как своему осуществленному уже протесту, так и их, ожидаемому.

— Господа,— перешел теперь Сабашников к существу дела, — в условиях деморализации современного общества статистика подверглась коррозии не менее сильной, а может быть, и более сильной, чем другие социологические дисциплины. Наш долг как участников самой гуманистической дивизии международного синклита наций,— Лучников видел, что Сабашников едва удерживается или делает вид, что едва удерживается, от хохота,— наш долг способствовать возрождению доброго имени этой науки как невозмутимого барометра здоровья планеты. Увы, господа, как представитель организации «Крым—Россия», то есть как сын нашего противоречивого времени, я подолью лишь масла в огонь. Я знаю, что я это сделаю, но я не могу этого не сделать. Итак, я держу в своих руках один из недавних номеров журнала «Тайм». В нем опубликована пространнейшая статистическая карта мира, составленная, как сообщает журнал, по данным различных общественных институтов, включая и ЮНЕСКО. Разумеется, я ценю журнал «Тайм» как один из форумов независимой американской прессы, и это дает мне, как я полагаю, право подвергнуть критике некоторые проявления предвзятости в вышеупомянутой статистической карте. Во-первых, что это за уровни свободы, выраженные в процентах? Где обнаружил «Тайм» точку отсчета и по какому праву он переводит священное философское понятие на язык цифр? Во-вторых, я должен указать на неточность всех цифровых данных, касающихся России. Организация «Крым—Россия», разумеется, весьма польщена тем, что «Тайм» выделил нам полную сотню процентов свободы, и в равной степени огорчена тем, что щедротами «Тайма» Советский Союз наделен лишь восемью процентами оной, однако мы в который уже раз заявляем, что все статистические данные «Крыма—России» и Советского Союза должны плюсоваться и делиться на общее количество нашего населения. Вот вам другой пример. В Советском Союзе по данным «Тайма» приходится восемнадцать с половиной легковых автомобилей на тысячу населения. В нашей организации, которую журнал не удосуживается назвать даже географическим понятием, а именует словечком туристического жаргона «о'кей», оказывается шестьсот пять целых восемь десятых автомобилей на тысячу населения. Господа, если вы в статистических исследованиях используете понятие «Россия», извольте плюсовать данные Советского Союза и организации «Крым—Россия». При этом единственно правильном методе, господа, вы увидите, что Россия на текущий момент истории располагает двадцатью пятью целых тремя десятыми автомобилей на тысячу населения и шестнадцатью процентами свободы по шкале журнала «Тайм». Вот все, что я хотел отметить на текущий момент дискуссии. Надеюсь, что не злоупотребил вашим вниманием. Спасибо.

Сабашников, сама скромность, собрал кое-какие бумажки в папочку и, чуть подхихикивая с неслыханной фальшью, пошел по проходу к своему столу. По дороге он успел сделать пальчиком Лучникову в ложу прессы — дескать, заметил — и бровкой к выходу — выходи, мол, — а также невероятно пластично всем телом выразить полнейшее уважение советскому коллеге, который уже несся по проходу грудью вперед «давать отпор фиглярствующим провокаторам из каких-то никому не ведомых дурно попахивающих организаций, вопреки воле народов представленных на международном форуме наций».

Перед тем как выйти из ложи прессы, Лучников обнаружил, что он замечен советской и американской делегациями. Типусы за этими столами смотрели на него и перешептывались — редактор «Курьера»!

Они встретились с Сабашниковым в дверях зала. Грозный голос летел с трибуны:

— ...Советские люди гневно отвергают псевдонаучные провокации буржуазной прессы, не говоря уже о глумливых подковырках фигляров из каких-то никому не ведомых дурно попахивающих организаций, вопреки воле народов представленных на международном форуме наций!

— Старается Валентин,— покачал головой Сабашников.— А вот там, где надо, пороха у него не хватает.

— Где же?— Лучников глянул уже через плечо на изрыгающий штампованные проклятья квадратный автомат. Удивительно, что эта штука еще и Валентином называется.

— Мы с ним в паре играли утром в теннис против уругвайца и ирландца,— пояснил Сабашников.— Продулись, и все из-за него.

Они вышли. Все трепетало под солнцем.

— Какой могла бы быть жизнь на земле, если бы не наши дурные страстишки,— вздохнул Сабашников.— Как мы запутались со дня первого грехопадения.

— Вот что значит дух ЮНЕСКО,— усмехнулся Лучников.

— Вот ты смеешься, Андрей, а между тем я собираюсь постричься в монахи,— проговорил Сабашников.

— Прости, но напрашивается еще одна шутка,— сказал Лучников.

— Можешь не продолжать,— вздохнул крымский дипломат.— Знаю какая.

В лучниковской «груше» они отправились на Сен-Жермен-де-Пре.

Пока ехали, Лучникову удалось все же сквозь непрерывное фиглярство Петяши выяснить, что тот проделал за последнее время очень важную работу, прояснял позиции Союза и Штатов в отношении Крыма. Ну, у Совдепа ясность прежняя — туман, а вот что касается янки, то у них определенно торжествует теория геополитической стабильности этого, ты его знаешь, Андрюша, типчика Сонненфельда, то есть, Андрюша, им как бы насрать на нас с высокого дерева, и дважды о’кей. Оказалось также, что Сабашников и другого задания за своими «этюдами» не забыл: генерал Витте ждет их ровно в пять.

Старик является родственником, впрочем, не прямым, а весьма боковым, премьера Витте. Эвакуировался с материка в чине штабс-капитана. Остался в строю и очень быстро получил генеральскую звезду. К 1927 году он был одним из самых молодых и самых блестящих генералов на Острове. Барон его обожал: известно ведь, что, несмотря на ежедневный православный борщ, Барон сохранил на всю жизнь ностальгию к ревельским сосискам. Не подлежит сомнению, что еще год-другой и молодой фон Витте стал бы командующим ВСЮР (Вооруженные Силы Юга России), но тут его бес попутал, тот же самый бес, что и нас всех уловил, Андрюша,— любовь к ЕДИНОЙ-НЕДЕЛИМОЙ-УБО-ГОЙ и ОБИЛЬНОЙ-МОГУЧЕЙ и БЕССИЛЬНОЙ, то есть, ты уж меня прости, любовь к ЕНУОМБ, или, по старинке говоря, к матушке-Руси, что в остзейской башке еще более странно, чем в наших скифо-славянских. Короче говоря, генерал примкнул к запрещенному на Острове «Союзу младороссов», участвовал в известном выступлении Евпаторийских гвардейцев и еле унес ноги от контрразведки в Париж. Когда же в тысяча девятьсот тридцатом наши, Андрюша, родители установили ныне цветущую демократию и отправили Барона на пенсию, фон Витте почему-то не пожелал возвращаться из изгнания и вот смиренно прозябает в городке Парижске вплоть до сегодняшнего дня. Мне кажется, что с ним произошло то, к чему сейчас и я подхожу, Андрей, к духовному возрождению, к отряхиванию праха с усталых ног грешника, к смирению внемлющего...— Голос Сабашникова, достигнув звенящих высот, как бы осекся, как бы заглох в коротком артистически, очень сильном и невероятном по фальши рыдании. Он отвернул свою светлую лысеющую голову в открытое окно «Рено» и так держал ее, давая тихим прядям развеваться, давая Лучникову возможность представить себе слезы тихой радости, глубокого душевного потрясения на отвернувшемся лице.

— Чудесно вышло, Петяша,— похвалил Лучников.— Талант твой мужает.

— Ты все смеешься,— тонким голосом сказал Сабашников, и плечи его затряслись: не поймешь — то ли плачет, то ли хихикает.

— Что касается фон Витте, то я думаю, что на Остров он не вернулся, потому что не видел в наших папах союзников. Меня сейчас интересует одно — действительно ли он встречался со Сталиным и что думал таракан о воссоединении.

— Однако я должен тебя предупредить, что старик почти полностью «ку-ку»,— сказал Сабашников.

Лучникову удалось с ходу нырнуть в подземный паркинг на Сен-Жермен-де-Пре, да и местечко для «груши» — экое чудо! — нашлось уже на третьем уровне. А вот «Мерседесу», который следовал за ними от пляс де-Фонтенуа, не так повезло. Перед самым его носом из паркинга как чертик выскочил служащий-негритос и повесил цепь с табличкой «Complet». Водитель «Мерседеса» очень было разнервничался, хотел было даже бросить машину, даже ногу уже высунул, но тут увидел выходящих из сен-жерменских недр двух симферопольских денди, и нога его повисла в воздухе. Впрочем, путь джентльменов был недолог, от выхода из паркинга до брассери «Липп», и потому нога смогла вскоре спокойно вернуться в «Мерседес» и там расслабиться. Успокоенный водитель видел, как двое зашли в ресторан и как в дверях на них с объятиями набросился толстенный, широченный и высоченный американец.

Джек Хэлоуэй в моменты дружеских встреч действительно напоминал осьминога: количество его распростертых конечностей, казалось, увеличивалось вдвое. Объятия открывались и закрывались, жертвы жадно захватывались, притягивались, засасывались. Все друзья казались миниатюрками в лапах бывшего дискобола. Даже широкоплечий Лучников казался себе балеринкой, когда Октопус соединял у него на спине свой стальной зажим. На какой-то олимпиаде в прошлые годы — какой точно и в какие годы, история умалчивает — Хэлоуэй завоевал то ли золотую, то ли серебряную, то ли бронзовую медаль по метанию диска или почти завоевал, был близок к медали, просто на волосок от нее, во всяком случае, был в олимпийской команде США, или числился кандидатом в олимпийскую команду, или его прочили в кандидаты, во всяком случае, он был несомненным дискоболом. Спросите любого завсегдатая пляжей Санта-Моники, Зума-Бич, Биг-Сур, Кармел, и вам ответят: ну, конечно, Джек был дискоболом, он получил в свое время золотую медаль, он и сейчас, несмотря на брюхо, забросит диск куда угодно, подальше любого университетского дурачка. Впрочем, что там спорить о медали, если нынче имя Хэлоуэя соединяется с другим золотом, потяжелее олимпийского, с золотом Голливуда. В последние годы на студии «Парамаунт» он запустил подряд три блокбастера. Начал, можно сказать, с нуля, с каких-то ерундовых и слегка подозрительных денег, с какими-то никому не ведомыми манхэттанскими умниками Фрэнсисом Букневски и Лейбом Стоксом в качестве сценариста и режиссера, однако собрал Млечный Путь звезд, и даже несравненная Лючия Кларк согласилась играть ради дружбы со всеобщим любимцем, сногсшибательным международным другом, громокипящим романтиком, гурманом, полиглотом, эротическим партизаном Джеком Хэлоуэем Октопусом. И не просчиталась, между прочим, чудо-дива с крымских берегов: первый же фильм «Намек», престраннейшая лента, принесла колоссальный «гросс», огромные проценты всем участникам, новую славу несравненной Лючии. Последующие два фильма «Проказа» и «Эвридика, трэйд марк» — новый успех, новые деньги, мусорные валы славы...

— Андрей и Пит! — приветствовал знаменитый продюсер вновь прибывших в дверях «Липпа». — Если бы вы знали, какое счастье увидеть ваши грешные рожи в солнечных бликах, в мелькающих тенях Сен-Жермен-де-Пре. Ей-ей, я почувствовал ваше смрадное дыхание за несколько тысяч метров сквозь все ароматы Парижа. Тудытменярастудыт, мне хочется в вашу честь сыграть на рояле, и я сыграю сегодня на рояле в вашу честь, факмай-селф-со-всеми-потрохами.

По характеру приветственной этой тирады можно было уже судить о градусах Джека — они были высоки, но собирались подняться еще выше.

На втором этаже ресторана за большим столом восседала вся банда: в центре, разумеется, несравненная Лючия, справа от нее Лейб Стокс, стало быть, нынешний ее секс-партнер, слева Фрэнсис Букневски, то есть партнер вчерашний; по более отдаленным орбитам красавец Крис Хансен, ее партнер по экранной любви, а с ним рядом ее супружник, лысый губастый Макс Рутэн, потом камерамен Володя Гусаков из новых советских эмигрантов со своей женой, почтеннейшей матроной Миррой Лунц, художницей, а также «неизвестная девушка», обязательный персонаж всех застолий Октопуса.

— Привет, ребята! — крикнула Лючия Кларк по-русски. Ничего, собственно говоря, не было удивительного в том, что мировая суперстар прибегала иногда к ВМПСу (так называли в компании Лучникова «Великий и Могучий, Правдивый и Свободный» язык), ибо это был и ее родной язык, ибо звалась она прежде Галей Буркиной и родилась в семействе врэвакуантов из Ялты, хотя и получила в наследство от временного пристанища своих родителей, то есть от Острова Крыма, татарские высокие скулы и странноватый татарский разрез голубых новгородских глаз. Что поделаешь, садовник Карим часто в жаркие дни сквозь пеструю ткань винограда смотрел на ее маму, а мысли садовников, как известно, передаются скучающим дамам на расстоянии.

Нью-йоркские интеллектуалы по привычке давнего соперничества встретили крымских интеллектуалов напускным небрежением и улыбочками, те, в свою очередь, на правах исторического превосходства, как всегда в отношениях с ньюйоркцами, были просты и сердечны, должно быть, в той же степени, в какой Миклухо-Маклай был любезен с жителями Новой Гвинеи. Хэлоуэй стоял чуть в стороне, углубившись в огромную винную карту, почесывая подбородок и советуясь с немыслимо серьезным, как все французские жрецы гастрономии, метрдотелем. «До чего же живописен»,— подумал Лучников об Октопусе. Он всегда был выразителем времени и той группы двуногих, к которой в тот или иной момент относился. В пятидесятые годы в Англии (где они познакомились) Октопус был как бы американской морской пехотой: прическа «крюкат», агрессивная походочка. В шестидесятые гулял с бородкой а-ля Телониус Монк, да и вообще походил на джазмена. Пришли семидесятые, извольте: полуседые кудри до плеч, дикой расцветки майка обтягивает пузо, жилетка из хипповых барахолок... чудак-миллионщик с Беверли-Хиллз. Сейчас отгорают семидесятые, неизвестность на пороге, а Джек Октопус уже подготовился к встрече, подрезал волосы и облачился в ослепительно белый костюм.

За столом между тем установилось тягостное молчание, так как ньюйоркеры уже успели окатить крымцев пренебрежением и не успели еще переварить ответного добродушия. Лючия Кларк с очень недвусмысленной улыбкой смотрела через стол на Лучникова, как будто впервые его увидела, явно просилась в постель. Крис и Макс мрачновато переговаривались, как будто они не муж и жена, но лишь товарищи по работе. Володя Гусаков, как и полагается советскому новому эмигранту, стеснялся. Жена его Мирра каменной грудью, высоко поднятым подбородком как бы говорила, что она будет биться за честь своего мужа до самого конца. Лучников старался не глядеть на ньюйоркеров, чтобы не разозлиться, и успокоительно улыбался в ответ Лючии Кларк: легче, мол, Галка, легче, не первый день знакомы. Букневски и Стокс, развалившись в креслах и выставив колени, переглядывались, подмигивали друг другу, посмеивались в кулак, но явно чувствовали себя как-то не в своей тарелке, что-то им мешало. «Неизвестная девушка», кажется, порывалась смыться. Один лишь Петр Сабашников чувствовал себя полностью в своей тарелке: он мигом актерским своим чутьем проник в сердцевину ситуации и сейчас с превеликим удовольствием разыгрывал участника тягостного молчания, застенчиво сопел, неловко передергивал плечами, быстренько исподлобья и как бы украдкой взглядывал на соседей и тут же отворачивался и даже как будто краснел, скотина эдакая.

— Да что же ты там возишься, Джек?— прервал молчание Лучников.

Хэлоуэй подошел и сел во главе стола.

— Мы выбирали вина,— сказал он.— Сейчас это очень важно. Если неправильно выберешь вино, весь обед покатится под откос, и все вы через два часа будете выглядеть, как свиньи.

Тут все засмеялись, и «тягостное молчание» улетучилось. Огромная фигура, добродушные толстые щеки и маленькие цепкие и умные глазки во главе стола внесли гармонию. Вина оказались выбранными правильно, обед заскользил по накатанным рельсам: авокадо с ломтиками ветчины, шримпы, черепаховый суп, почки по-провансальски, шатобрианы — «Липп» под дирижерскую палочку Октопуса не давал гостям передохнуть.

Лучников стал рассказывать Лючии и Джеку про дипломатический демарш Пети в подкомитете ЮНЕСКО. Дипломат притворно возмущался — «как ты смеешь выставлять меня в карикатурном свете!». Лючия хохотала. Ньюйоркеры, заметив, что русские дворяне не очень-то кичатся своей голубой кровью, с удовольствием похерили манхэттенский снобизм. Разговор шел по-английски, и, глянув на Володю Гусакова, Лучников подумал, что тот, быть может, не все понимает.

— Что-то я не все понимаю,— тут же подтвердил его мысль Володя Гусаков.— Что это такое забавное вы рассказываете о процентах свободы?

Простоватое молодое лицо его покрылось теперь сеточкой морщин и выражало настороженную неприязнь. Быть может, он как раз все понял, может быть, даже больше, чем было рассказано.

— Джентльмен шутит,— ломким голосом, поднимая подбородок, сказала его жена. — Наша боль для него — возможность поострить.

Американцы не поняли ее русского и рассмеялись.

— Мирра оф Москоу,— сказал Букневски.— Леди МХАТ.

Рука дискобола через стол легла на плечо Володи Гусакова. Лучников вдруг заметил, что маленькие глазки Джека не сияют, как обычно, а просвечивают холодноватой проволочкой W. Только тогда он понял, что это не просто дружеский обед, начало очередного парижского загула, что у Октопуса что-то серьезное на уме. Он смотрел то на Джека, то на Володю Гусакова. Новые эмигранты для всего русского зарубежья были загадкой, для Лучникова же мука, раздвоенность, тоска. По сути дела, ведь это были как раз те люди, ради которых он и ездил все время в Москву, одним из которых он уже считал себя, чью жизнь и борьбу тщился он разделить. Увы, их становилось все меньше в Москве, все больше в парижских кафе и американских университетских кампусах. В Крым они наведывались лишь в гости или для бизнеса, ни один не осел на Острове О'кей: не для того мы драпали от Степаниды Власьевны, чтобы снова она сунула себе под подол.

Он хотел было что-то сказать Володе Гусакову: дескать, напрасно вы обижаетесь, я не над вами смеюсь, а над собой... но вдруг пронзило, что Володя Гусаков и его жена Мирра Лунц не поймут ничего, что бы он ни сказал, как бы он ни сказал, на каком бы языке, хоть на самой клевой московской чердачной фене. Вот она, пропасть, это и есть тот самый шестидесятилетний раскол в глыбе «общей судьбы».

— Вы, русские, — мазохисты, — засмеялся Джек. — Андрей и Володя, как знаток славянской души я вас развожу на десять минут.

Он встал, положил одну руку на плечо «неизвестной девушки» — пойдем с нами, пуссикэт, — и подмигнул Лучникову — надо, дескать, обмозговать наши блядские делишки. Лучников, однако, уже понимал, что разговор пойдет о другом.

Конечно, этот поход вниз, в бар, затянулся не на десять минут, а на все тридцать. Разумеется, в липповском баре оказалось у Хэлоуэя не менее трех знакомых, как раз не менее и не более трех человек восседали там на табуретках. Один из знакомых, некий гонкуровский лауреат, похожий скорее на пьянчужку-часовщика, чем на утонченного французского писателя, оказался к тому же лучшим другом Октопуса, и это тоже было нормально, потому что из трех знакомых один всегда был его лучшим другом. С барменом тоже было какое-то общее прошлое, какие-то сложные отношения, возникшие в последний приезд, какая-то жалоба какого-то мосье Делану, визиты комиссара Привэ, который все-таки оказался, как и предполагал бармен, хорошим парнем, мосье Октопус ошибался на его счет, но во всяком случае на теперешний момент никакие неприятности в VI арандисмане Парижа ему не угрожают, потому что мосье Привэ полностью соответствует своему имени, это «Привэ», это старая Франция, мосье Октопус, где люди умели смотреть друг другу в глаза и понятия не имели о кошмарных чудищах социализма, компьютерах, мосье, наступающих на нас, прошу понять меня правильно, из Америки, а вовсе не из России, как полагают некоторые, эти чудища социализма, хранящие память обо всех твоих пустяковых прегрешениях, мосье, будь это перевернутый столик в кафе, или пощечина негодяю, или грошовое полотенце, пропавшее в отеле, как это случилось с одним польским профессором, вот такое чудище сыскного социализма, мосье, установлено сейчас и в VI арандисмане Парижа, мосье, но вы туда не попали, благодаря мосье Привэ, корректман. Тут еще «неизвестная девушка» стала бунтовать, увидела в окне свою соблазнительную подружку и хотела убежать вслед за ней, и Хэлоуэю пришлось держать ее обеими руками за попку и горячо убеждать почему-то по-испански в бессмысленности и малой эффективности лесбийской любви.

— Слушай, ты мне надоел, Осьминог, — сказал наконец Лучников, он стал уже поглядывать на часы — как бы не опоздать к генералу Витте.

Джек тогда выпустил свою девчонку, отвернулся от бармена, прикрыл ладонью ухо, в которое время от времени что-то бормотал ему гонкуровский лауреат, матюкнулся на всех доступных ему языках, а их было не менее десятка, затем в стиле президента Никсона положил Лучникову руку на плечо и стал выкладывать свое деловое предложение, от которого Лучников едва не свалился на пол:

— ...Послушай старина мне это надоело ты знаешь сколько я башлей нагреб за последние годы но я клянусь тебе вот этой правой своей рукой которой делаю Андре все свое основное вот этой незаурядной ручищей которая мне нужна хотя бы для того чтобы расстегнуть ширинку что я ворочаюсь в этом блядском бизнесе живых картинок вовсе не для денег ну я вижу ты уже улыбаешься предвкушаешь как старый Октопус заговорит сейчас об искусстве но я не заговорю хотя и не вижу причин для застенчивости не заговорю хотя бы потому чтобы ты старая лошадь с голубой кровью не стала хихикать над ребенком филадельфийского дна да я был ребенок филадельфийского дна а ты не знал разве о моем ужасном детстве так вот я тебе скажу

85

хотя бы только то во что ты надеюсь поверишь а если не поверишь я сброшу тебя со стула и вызову мосье Привэ а тот упечет тебя в свой социалистический компьютер и тебя больше уже никогда не пустят в Париж и ты будешь как вечный жид носиться тысячелетия по спиралям вокруг Парижа но никогда уже сюда не попадешь из-за непотребного поведения в баре ресторана «Липп» или будешь ворчать и выть на своем Острове О'кей пока не придут красные так вот я тебе скажу что я кручу свою машинку не для себя а чтобы давать пропитание всей этой безобразной сволочи которая меня окружает и чтобы осуществлять мечты всей этой международной неблагодарной мрази то есть моих друзей и если ты и в это не поверишь клянусь своей пятой конечностью тебя милейший сегодня же вышлют из Парижа и прикуют цепью к статуе Маркса возле гостиницы «Метрополь» и ты будешь там сидеть вплоть до того как начнется твоя любимая Общая Судьба а потом коммисы в знак благодарности выебут тебя батоном докторской колбасы и сошлют в вечные льды Йошкар-Олы чего надеюсь никогда не случится потому что я тебя люблю и ты мой лучший без всякой брехни друг по всем материкам и я твой раб...

Сказав все это в безупречном стиле прежних пьянок, Джек Хэлоуэй внезапно заговорил, как трезвый.

— Я, знаешь ли, недавно прочел твою книгу «Мы— русские?». Сногсшибательно! Все эти психологические курьезы. Это свойственно, быть может, только вам, русским. Англичане, колонизируя острова и прочие пространства, тут же начинали стремиться к отделению от метрополии. У вас второе поколение спасшихся, не говоря уже о третьем, начинает мечтать о суровых объятиях передового, хотя и самого тупого, народа в истории. Суисидальный комплекс, нравственная деградация... но как все это преподносится в твоей книге! Браво, Андрей, ни в журналистском мастерстве, ни в мистическом чувстве истории тебе не откажешь. Ей-ей, татарская сперма отравила вашу аристократию навсегда. Скажи только честно: воссоединение с Россией, то есть поглощение Крыма Союзом,— это действительно твоя мечта или это... ну... или это такой твой политический прием? Мы не виделись несколько лет, дружище. Я хотел бы знать, что у тебя за душой.

Хэлоуэй пожирал Лучникова глазами. Две проволочки W накалились уже добела, и свет их гасил цветовую мешанину бутылок на стене бара и окон, открытых на Сен-Жермен-де-Пре. Мир выцвел и теперь полыхал в черно-белом интенсивном свечении. Мрак благородными складками висел прямо над головой. Лучников ощущал пожатия дистонии.

— Я никогда не говорил с тобой, Джек, на такие серьезные темы,— проговорил он.— Я предпочел бы и дальше, Джек, держать тебя за своего старого друга Октопуса...

Хэлоуэй усмехнулся, да так, что Лучников подумал: тот ли это человек, которого он знал, вправду ли это Октопус.

— Андрей, нет-нет, нельзя так долго не встречаться. Ты, должно быть, не все понимаешь. Ты понимаешь хотя бы то, что любой другой политический писатель в мире отдал бы много за такую беседу со мной? Ты не понимаешь, дурачок, что у меня к тебе предложение? Деловое предложение?

— Что у нас общего? — Лучников нажимал пальцами на глазные яблоки, но краски мира не возвращались. Тогда он выпил залпом двойной коньяк, и сразу все встало на место.— Если тебя интересует реклама, то «Курьер» и так отводит много места твоим фильмам. Лючия не сходит с наших страниц... Жемчужина Острова, что ты хочешь...

— Чудак! — прервал его Хэлоуэй.— Мое предложение стоит подороже таких блядей, как Лючия. Мы можем с тобой, Андрэ, воссоединить Остров с Россией!

— Что ты мелешь?— Лучников напружинился, схватил Октопуса за запястье, заглянул в глаза.— Что означает этот вздор?

— Мосье Гобо, у вас немножко слишком отросло правое ухо,— сказал Хэлоуэй бармену, который на другом конце стойки занимался подсчетами.— Пройдемся, Андрей, по чистому воздуху. Терпеть не могу, когда у человека в моем присутствии отрастает ослиное ухо.

На бульваре американец взял Лучникова под руку в некое подобие стального зажима и, увлеченно размахивая свободной рукой и заглядывая в глаза, стал развивать идею.

Фильм. Они снимут гигантский блокбастер о воссоединении Крыма с Россией. Трагический, лирический, иронический, драматический, реалистический и «сюр» в самом своем посыле суперфильм. Тоталитарный гигант пожирает веселенького кролика по воле последнего. Лучников напишет сценарий. Собственно говоря, сценарий почти готов. Массовка готова. Снимать будет Виталий Гангут. Стокса попрем под жопу коленкой, слишком гениальным стал. Не важно, что Гангут в Москве, мы его вытащим оттуда, это сейчас не проблема. Принимаешь предложение, старик?

— Отпусти-ка мою руку,— сказал Лучников.

— А в чем дело? — как-то странно удивился Хэлоуэй, но руку не отпустил.

— Закурить хочу,— сказал Лучников.— Какого хера ты вцепился? Что я тебе — баба?

— Ты чудак, какой-то странный тип, — бормотал вроде бы растерянно могучий Октопус и так и не выпускал руки Лучникова.— Тебе предлагают миллионы, а ты...

— Ну-ка! — Свободной рукой, ребром ладони, Лучников шарахнул по животу и вырвал свою левую.

Изумленный гигант остановился посреди текущей парижской толпы. На него оглядывались. Лучников отошел на несколько шагов, закурил свою «Пантеру» и только тогда спросил:

— От чьего имени ты меня провоцируешь?

— Сволочь! — пролетело в ответ над головами парижан.

Октопус зашагал прочь, но остановился через несколько метров и снова крикнул:

— Я тебе как другу, а ты... говно!

Еще несколько шагов в слепой ярости и гулкой трубой от кафе «Де Маго»:

— Знать тебя не хочу!

Лучников не двинулся с места.

Хэлоуэй бухнулся в кресло на тротуаре, в последний раз показал кулак Лучникову и стал звать официанта.

Лучников увидел через улицу, что из «Липпа» вышел Сабашников. Он махнул ему рукой, и они стали двигаться ко входу в паркинг, где и встретились через минуту. Сабашников, изображая оскорбленную добродетель, поведал Лучникову, как развивались за эти полчаса события на дружеском кинообеде. Американские знаменитости в конце концов обозвали его дегенератом-дворянином, а Володя Гусаков высказался в том духе, что он с одной стороны белогвардейский недобиток, а с другой красный жополиз, а Лючия Кларк расстегнула ему под столом молнию на ширинке. Как ты понимаешь, обстановка за столом стала невыносимой, не выдержали даже мои закаленные в ЮНЕСКО нервы, и я ушел, не сказав ни единого слова.

— За исключением? — спросил Лучников.

— Ну, я только лишь сказал на прощание, что их стол — это «табль де гиньоль», вот и все. После этого ушел, не сказав ни единого слова. За исключением, ну... Словом, все это кошмар. Миазмы вражды, неизбывного скандала отравляют мир. Близится час холокоста. Пока не поздно — в монастырь, куда-нибудь на Мальту, куда-нибудь на острова Тристан-да-Кунья... Не знаешь, где самый отдаленный и самый бедный православный монастырь?

Они выехали на поверхность, и теперь нужно было пробираться через все более и более сатанеющее движение на Правый берег, на улицу Бьенфезанс, где вот уже пятьдесят лет жил неудавшийся деятель русской идеи генерал фон Витте.

Лучников ни слова не сказал другу о предложении американца. По сути дела, он и себе не сказал еще ни слова об этом. Он знал, что его будет разбирать злоба все больше и больше, когда он начнет размышлять над этим кощунственным, типичным для растленных «мани-мэйкеров» с холмов Беверли предложением.

Так или иначе, он приказал себе пока не заводиться, вернулся в карусель своего парижского дня и вспомнил о том, что следует позвонить в советское посольство.

— Алло! Товарищ Тарасов? С вами говорит Андрей Лучников.

— Добрый день, господин Лучников, — расплылся в трубке любезнейший голос.— У телефона Мясниченко.

— Я по поводу своей визы,— сказал Лучников, глядя из телефонной будки на освещенную солнцем грань церкви Сен-Жермен-де-Пре. Есть ли какое-нибудь движение?

Последнее выражение, типичное для современной соцбюрократии, было употреблено сейчас с максимальной точностью. Какое дивное в этот момент произошло в мире соединение: господин говорит с товарищем на одном языке. Дивны дела Твои!

— Все в полном порядке, господин Лучников.— Товарищ Мясниченко, должно быть, представлял из себя неиссякаемый генератор душевного тепла.

— Возможно ли это?— изумился Лучников.

— Более чем возможно, Андрей Арсеньевич. Просто-напросто все уже готово, осталось только сделать пометку в вашем паспорте. Я жду вас, Андрей Арсеньевич...

— Мда-с... честно говоря, я не ожидал такой оперативности... я в дикой запарке...— забормотал Лучников.

— Не извольте беспокоиться, Андрей Арсеньевич. Это займет у нас не более десяти минут.

Товарищ Мясниченко как бы платит любезностью за любезность, в ответ на лучниковские советизмы, включающие даже и «дикую запарку», отвечает старорежимным «не извольте беспокоиться». Так, вероятно, он полагает, говорят, как в классической литературе, нынешние последыши и недобитки.

И в самом деле процедура на рю Гренель заняла не более десяти минут. Товарищ Мясниченко оказался молодым человеком, советикусом новой формации: легкая, чуть-чуть развинченная походка, слегка задымленные стильные очки, любезнейшая, хотя немного кривоватая улыбка.

Сунув паспорт в карман, Лучников бодро прошагал до угла бульвара Распай, где в «Рено» ждал его Сабашников. Поехали.

Дипломат Петяша, как будто и не прерывался, продолжал стенания:

— Послушай, Андрюшка, давай пошлем все это к едреной фене, давай уедем в Новую Зеландию. Купим землю, устроим там русский фарм, заманим несколько друзей и отца Леонида, будем выращивать овощи, встречать закат жизни, читать и толковать Писание... Неужели тебе не надоело — что? — да все это вокруг: Париж, Нью-Йорк, Симфи, Москва, все эти женщины и мужчины, полиция, политика— здесь лучше ехать прямо на Конкорд,— эх, если бы можно было собрать десятка два добрых друзей и сбежать подальше из этого бардака, я бы и в монастырь тогда не ушел, остался бы в миру, в тихом первобытном окружении, ну вот здесь поворачивай на авеню Вашингтон и ищи парковку.

Лучников предполагал, что в доме генерала он найдет запах маразма, ветхости, набор полусонильных чудачеств, сонмище котов, например, или говорящих птиц, отставшие от стен обои, словом, некий бесстыдный распад. Он мог, конечно, предположить и обратное, то есть опрятную светлую старость, но уж никак не представлял, что попадет в бюро политического деятеля. Между тем за массивной резной дверью с медной табличкой, на которой по-русски и по-французски значился длинный титул генерала, в просторном холле, украшенном старыми географическими картами России, а также портретами нескольких выдающихся человеков, среди которых соседствовали друг с другом главнокомандующий Лавр Корнилов и предсовнаркома Ленин, их встретил молодой человек в сером фланелевом костюме, типичный французский дипломат, отрекомендовался секретарем барона фон Витте и сказал, что его превосходительство ждет господ Лучникова и Сабашникова. Генерал сидел в кабинете за огромным письменным столом и что-то быстро писал; немного слишком быстро, чуть-чуть быстрее, чем нужно было, чтобы совсем уже не смахивать на балаганщика.

Те несколько секунд, пока генерал как бы не замечал вошедших (также с лишком на одну-две секунды), Лучников сравнивал его со своим отцом. Сравнение явно в пользу Арсения, уже хотя бы по манере, по жесту, генералу явно далеко до безукоризненности вулканного жителя, да и физически Арсений моложе, крепче, хотя, впрочем, и генерала не назовешь развалиной.

Крепкое рукопожатие с задержкой ладони визитера и с проникновенным заглядыванием в глаза: сердечность и благосклонность. Опять перебор! Садитесь, мальчики! Чертовски рад вас видеть, всегда рад гостям из России, особенно молодежи. Хоть и живу уже почти полвека в изгнании, но душой всегда на родине, в ее пространствах, на ее реках, на ее равнинах и островах (последнее очень точно и дельно подчеркнуто). Острейший разведывательный взгляд или имитация острейшего взгляда, во всяком случае, живое бледно-голубое свечение на эрозированной глине лица. Вот, понимаете ли, только полчаса назад принимал секретаря комсомольской организации одного из свердловских тракторных (внушительный спуск и подъем правого века) заводов. Неплохая, неплохая смена подросла у нас на Урале, интересные идеи, сила, хватка. А как на юге? Что в Крыму? Как, между прочим, здоровье Арсения Николаевича? Кланяйтесь вашему батюшке, горячий ему привет. Ведь мы с ним боевые товарищи. Каховка, Каховка, родная винтовка... Мда-с, ваше счастье, мальчики, что вам не пришлось участвовать в братоубийственной войне. Ну а вы-то как? Что в вашей среде? Чем, как говорится, дышите? Спорт, секс?

Тут фон Витте осекся, кажется, понял, что зарапортовался, переиграл. Говоря весь этот вздор, в том числе и передавая приветы Лучникову-старшему, он на Андрея почему-то не смотрел, а обращался к своему знакомому Сабашникову, а тот, как всегда тоже уловив фальшивинку, отлично подстроился под игру старика и изображал молодежь, — эдакого гимназиста-переростка, прыщавого дрочилу, смущался, хихикал и даже покусывал, подлец, ногти. В конце концов генерал взглянул все же на Лучникова и тут осекся, похоже было, что даже вроде бы слегка испугался. Лучников в этот момент стряхивал пепел своей сигариллос в пепельницу с кремлевской башней, зорко изучал генерала и явно не являлся молодежью, а тем более мальчиком.

— Это правда, Витольд Яковлевич, что вы в тридцать шестом году встречались со Сталиным? — спросил он.

— Мальчики, мальчики... — старик по инерции покачал пальцем с лукавой укоризной, но явно был напуган.

— Я редактор и издатель «Русского Курьера», вон той газеты, что лежит у вас на столе.

— Помилуйте, Андрей Арсеньевич! — Старик всплеснул руками, изображая невероятную политическую хитрость. — Да кто же не знает!.. Кто же не ценит!.. Вы даже не представляете, как мы здесь, на чужбине, радуемся родному слову, будь то московская «Правда» или симферопольский «Курьер»! Мы, рус...

— Я бы вас попросил, Витольд Яковлевич!.. — Несмотря на сослагательное наклонение и многоточие, эта фраза Лучникова прозвучала немыслимой дерзостью, а подкрепленная последующим странным жестом, легким, в четверть силы, пожатием стариковского запястья, обернулась едва ли не ультиматумом — дескать, кончайте балаган.

Генерал после этой фразы и жеста резко изменился. Быстрая энергичная смена очков, вместо синеватой лукавой дымки чистые и сильные линзы — само внимание.

— Я вас слушаю, господин Лучников.

Начался быстрый диалог, во время которого Петя Сабашников, тоже мгновенно перестроившись, живейшим образом реагировал, вскидывал брови, делал умное лицо, энергично кивал или отрицательно потряхивал легкой дворянской головой.

ЛУЧНИКОВ: Мы выражаем Идею Общей Судьбы.

ФОН ВИТТЕ: Кого вы представляете?

ЛУЧНИКОВ: Определенное интеллектуальное течение.

ФОН ВИТТЕ: Именуемое?

ЛУЧНИКОВ: Именуемое Союзом Общей Судьбы. Аббревиатура СОС.

ФОН ВИТТЕ: Браво! Это действительно находка — СОС! Однако кого же вы...

ЛУЧНИКОВ: Ваше превосходительство, ни одна из разведок мира за нами не стоит.

Фон Витте молчит. Глаза за линзами бессмысленно увеличиваются.

ЛУЧНИКОВ: Вам, должно быть, это трудно представить?

Фон Витте молчит. Глаза осмысленно сужаются.

ЛУЧНИКОВ: Наша сила в полной гласности и...

ФОН ВИТТЕ: Почему вы запнулись?

ЛУЧНИКОВ: ...и в готовности к любому повороту событий.

ФОН ВИТТЕ: Я бы произнес слово «обреченность»...

ЛУЧНИКОВ: Теперь моя очередь вас поздравить. Браво, генерал!

Обмен ироническими улыбками прошел, что называется, на равных.

Петр Сабашников, сообразив, что клоунада совсем уже закончилась, встал и отошел в тот угол кабинета, где за стеклом аквариума глазели на происходящее декоративные рыбы и в клетках чирикало несколько русских птиц, должно быть подарки комсомольских организаций Урала.

— Быть может, теперь, ваше превосходительство, мой вопрос о Сталине покажется вам более уместным,— сказал Лучников.— Меня интересует, как реагировал вождь прогрессивного человечества на идею объединения.

— Вопрос, быть может, и уместен, но ирония в адрес Иосифа Виссарионовича совершенно неуместна,— строго сказал фон Витте.

— Если вы не захотите ответить на мой вопрос, генерал, значит, вы полное говно.— Лучников любезно улыбнулся.

Крепкое словцо было воспринято как шутка. Широчайшая улыбка застыла на лице фон Витте. Правая коленка исторического деятеля дергалась. «Должно быть, сигнализация срабатывает не сразу»,— подумал Лучников.

Открылась дверь кабинета. Рядом с секретарем маячили теперь два плечистых парня в клетчатых пиджаках.

— Ай-яй-яй, Витольд Яковлевич,— покачал головой Сабашников.— Я вас всегда держал за человека со вкусом. Ай-яй-яй, батенька, фи-фи-фи...

— Это, должно быть, комсомольцы Урала?— спросил Лучников, разглядывая молодых людей.

— Позвольте мне задать вам встречный вопрос, господин Лучников. Для чего вы спрашиваете о Сталине?— Генерал взирал на визитера с ложной любезностью, которая, разумеется, предполагала за собой угрозу.

— Нам приходится иметь дело с наследниками генералиссимуса,— усмехнулся Лучников.

— Ах, Витольд Яковлевич, Витольд Яковлевич...— продолжал укорять генерала, словно нашкодившего мальчика, Сабашников.— Пугаете нас тремя мускулистыми гомосеками. Это безвкусно...

— Что за вздор, Петяша? — Фон Витте и в самом деле говорил слегка шкодливым тоном. — Молодые люди — мои служащие...

— Хотите знать, генерал, почему я вас считаю говном? — светским тоном осведомился Лучников и стал развивать свою светскую мысль, прогуливаясь по кабинету, в котором теперь уже отчетливо виделись ему признаки упадка и гниения, умело, но не бесследно прикрытые спешной уборкой: отставшие обои с мышиным запашком, радиосистема пятнадцатилетней давности, да еще и с отломанными ручками, на карте мира треугольник пылищи едва ли не в палец толщиной, случайно, видимо, обойденный мокрой тряпкой и сейчас под лучом солнца нависший над желтоватыми от ветхости льдами Гренландии. — Вы — говно, потому что вы слишком рано отдали свои идеалы. Вы дрались за них не больше, чем Дубчек дрался за свою страну. Дубчек, однако, хотя бы не продается, а вы немедленно продались, и потому вы в сотни раз большее говно, чем он. Вы еще прибавили в говенности, ваше превосходительство, когда взяли за свои идеалы слишком малую цену. Поняв, что продешевили, вы засуетились и стали предлагать свои идеалы направо и налево, и потому говна в вас еще прибавилось. Итак, сейчас, к закату жизни, вы можете увидеть в зеркале вместо идейного человека жалкого, низкооплачиваемого слугу трех или четырех шпионских служб, то есть мешок говна. Кроме всего прочего, даже и сейчас, встречая сардонической улыбкой слово «идеалы», вы увеличиваете свою говенность.

Наемные бандиты во время этого монолога вопросительно заглядывали в кабинет: должно быть, никто из них не понимал по-русски. Генерал же явно слабел: политическая хватка покидала его, напряжение оказалось слишком сильным — челюсть отвисла, глаза стекленели.

Лучников и Сабашников беспрепятственно вышли из квартиры и через несколько минут оказались за столиком кафе на тротуаре Елисейских Полей.

— Мне немного стыдно,— сказал Лучников.

— Напрасно,— сказал Сабашников.— Старая сволочь вполне заслужила твое словечко. Как это могло ему прийти в голову поразить наше воображение такой стражей? Даже если предположить, что он побаивается тебя, то ведь меня-то он уже сто лет знает как жантильного человека. Сколько раз в его смрадной норе играл я с ним в подкидные дураки! А он, видите ли, изображает из себя Голдфингера!

Сабашников ворчал, двигая перед собой из руки в руку бокал «кампари-сода», в этот раз, кажется, не играл, а на самом деле злился.

Между тем наступал волшебный парижский час: ранний вечер, солнце в мансардных этажах и загорающиеся внизу, в сумерках витрины, полуоткрытый рот Сильвии Кристель над разноязыкой толпой, бодро вышагивающей по наэлектризованным елисейским плитам.

— А вот тебе, Андрей, я тоже приготовил словечко, — вдруг, словно собравшись с духом, после некоторого молчания проговорил Сабашников.— Помнишь наше гимназическое «мобил-дробил»?

— Ну, помню, и что?— хмуро осведомился Лучников. Разумеется, он помнил весьма обидного «мобила-дробила», которым они в гимназии награждали туповатых и старательных первых учеников, большей частью отпрысков вахмистров и старшин.

— А вот то и значит, что ты, кажется, на своем ИОСе и на своем СОСе становишься настоящим «мобилом-дробилом».

Престраннейшим образом Лучников почувствовал вдруг едкую обиду.

— Кажется, ты сейчас не шутишь, Сабаша.

— Да вот именно не шучу, хотя и редко это со мной бывает, но вот сейчас, понимаешь ли, не шучу и не играю, и потому только, что ты, мой старый друг, стал таким «мобилом-дробилом»!.. Неужели ты все это так серьезно, Андрей? С такой звериной, понимаешь ли, серьезностью? С такой фанатической монархо-большевистской идейностью? Ты ли это, Луч? Неужели вся жизнь уже кончается, вся наша жизнь?

— Я всегда держал тебя за единомышленника, Сабаша, — проговорил Лучников.

— Да конечно же единомышленники! — вскричал Сабашников.— Но ведь именно по несерьезности мы с тобой единомышленники. Да ведь мы даже и в Будапеште с тобой шутили, а ведь критики нашей в адрес мастодонтов вообще без смеха нельзя читать. Также ведь и Идея Общей Судьбы... конечно... я не отрицаю, все это серьезно... как же иначе... но... но ведь все-таки... хотя бы... хоть немножечко несерьезно, а?

Он выжидательно замолчал и даже как бы заглянул другу в глаза, но Лучников выдержал взгляд без всякого гимназического сантимента, с одной лишь нарастающей злостью.

— Нет, это совсем серьезно.

— Ты отравлен,— тихо, на полном уже спаде, проговорил Сабашников.

Дикая злость вдруг качнула Лучникова.

— Выродки,— проговорил он, как бы притягивая ускользающие сабашниковские глаза.— Твоя возлюбленная «несерьезность», Сабаша, сродни наследственному сифилису. Прикинь, во что обошлись русскому народу наши утонченные рефлексии. Вечные баттерфляйчики на лоне природы! Да катитесь вы все такие в жопу!

На гребне злости он бросил друга в шанзелисейском капище и стал уходить, мощно покачиваясь на гребне злости, даже пнул ногой чугунный стульчик, оказавшийся на пути, и, сжав кулак, повернулся на фотовспышку — узнали, мерзавцы? — но не увидел перед собой никого похожего на репортера, лишь только десятка два разноплеменных лиц, привлеченных — слегка, слегка, конечно, не вполне серьезно — небольшим русским скандалом, и стал уходить все ниже, все дальше от Арки, все ближе к Конкорду, все еще на гребне злости, но уже на грани спада, сквозь равнодушно-наэлектризованную несерьезную толпу, мимо несерьезности коммерческих твердынь несерьезной цивилизации, все больше сомневаясь в своей правоте, все больше стыдясь себя, все больше коря себя за грубость, за хамство по отношению к своему едва ли не брату — сколько нас было, мальчиков-врэвакуантов из Симфи? Третья классическая имени царя Освободителя, середина века, дюжина братьев...— настоящие ребята, уж никак не «мобилы-дробилы»...

С этим он исчез. Лишь только тот, кто шел за ним, не потерял его из виду. Еще щелчок. Флаш-лайт. Снимок длинного паркинга вдоль аллей, десятки машин и сотни теней. Нужная часть фотографии будет нужным образом увеличена. Кто-то заботится о реконструкции его жизни. Все сохраняется для будущего, хотя и недалекого. Сам он, хоть и носитель исторической миссии, живет утекающей минутой, нимало не заботясь о ее ценности, растрачиваясь в набегающих и утекающих минутах, выруливание, например, на проезжую часть, задняя-передняя, налево-до-отказа-направо-до-отказа, черт бы побрал этих французов, им лишь бы всунуть, а о высовывании никто и не думает, как будто, пока они сосут свои аперитивы, все само собой наладится и все сами собой разъедутся... бзык, потерлись все же бочками с раскорякой «Ситроеном-дэ-эс»... поток впустую пропадающих минут... гнуснейшая вмятина на правой дверце... плати теперь мистеру Херцу... херцу мистеру херцу... да куда же я опять качу с этим своим вечным ощущением пустяковости, второстепенности своих деяний... что-то главное не сделал, что-то самое важное упустил... о чем я забыл?.. почему не оставляет ощущение чепухи?.. ведь это же все нужно! — даже и интервью это дурацкое на Эй-би-си, даже и прием в честь диссидента... ведь не для себя же стараюсь, для Идеи... ведь это же как раз и есть главное содержание жизни... как же ты, гад Сабашка, мог меня посчитать «мобилом-дробилом»? Бедный ты бедный шут гороховый! Нет, никогда с тобой не расстанусь. Есть ли что-нибудь более грустное, чем участь вечных крымских мальчиков-врэвакуантов?

С этой минорной, а стало быть, уже и не злой нотой он рулил по кишащим пятакам Правого берега, когда его вдруг пронзила паническая мысль: завтра лечу в Москву, а ничего не купил из того, чего там нет!

Не купил: двойных бритвенных лезвий, цветной пленки для минифото, кубиков со вспышками, джазовых пластинок, пены для бритья, длинных носок, джинсов — о Боже! вечное советское заклятье — джинсы! — маек с надписями, беговых туфель, женских сапог, горных лыж, слуховых аппаратов, водолазок, лифчиков с трусиками, шерстяных колготок, костяных шпилек, свитеров из ангоры и кашмира, таблеток алка-зельцер, переходников для магнитофонов, бумажных салфеток, талька для припудривания укромных местечек, липкой ленты «скоч», да и виски «скоч», тоника, джина, вермута, чернил для ручек «Паркер» и «Монблан», кожаных курток, кассет для диктофонов, шерстяного белья, дубленок, зимних ботинок, зонтиков с кнопками, перчаток, сухих специй, кухонных календарей, тампакса для менструаций, фломастеров, цветных ниток, губной помады, аппаратов hi-fi, лака для ногтей и смывки, смывки для лака — ведь сколько же подчеркивалось насчет смывки! — обруча для волос, противозачаточных пилюль и детского питания, презервативов и сосок для грудных, тройной вакцины для собаки, противоблошиного ошейника, газовых пистолетов, игры «Монополь», выключателей с реостатами, кофемолок, кофеварок, задымленных очков, настенных открывалок для консервов, цветных пленок на стол, фотоаппаратов «поляроид», огнетушителей для машины, кассетника для машины, присадки STR для моторного масла, газовых баллонов для зажигалок и самих зажигалок с пьезокристаллом, клеенки для ванны — с колечками! — часов «кварц», галогенных фар, вязаных галстуков, журналов Vogue, Playboy, Down beat, замши, замши и чего-нибудь из жратвы...

Приедешь с пустыми руками, будешь неправильно понят. Всеми будешь неправильно понят. Даже самый интеллигентный и духовно углубленный москвич смотрит на иностранца, особенно на крымского гостя, с немым вопросом: чего принес? Любая ерундовая штучка повышает настроение, знак присутствия в природе иной системы жизни, соседства с царством «экономической демократии». Нельзя ничего не привезти, это свинство ничего не привозить в Москву. Час пик — западня, негде оставить машину, да и бессмысленно, не заходить же в Галери Лафайет на полчаса, а через полчаса телевизионщики, нельзя ссориться с этой сволочью, то есть ссориться-то можно, но опаздывать нельзя... а Татьяне-то своей ничего не купил!

В полном уже смятении он увидел себя катящим по Фобур-Сен-Онорэ и вспомнил, что где-то здесь располагается сногсшибательный сен-лорановский магазин. Ничего не скажешь, повезло товарищу Луниной!

Как славно, в самом деле, заниматься буржуазной жизнью! Зайти в прохладный и пустой с тишайшей успокаивающей музыкой салон, раскланяться с появившимся из зеркальных глубин умопомрачительным созданием — зеленые ресницы, шифоновое струящееся одеяние... Он, она, оно молчит, но так смотрит, что перед тобой открывается целый мир таинственных возможностей.

Итак... мадам? мосье?.. простите, мадемуазель, приятная неожиданность... итак, мне нужно все для молодой дамы, блондинки, вашего роста, но вполне отчетливых очертаний, все, начиная от бра, кончая манто, включая серьги, браслет и бижу. Прошу вас включить свою фантазию, но не выключать, разумеется, и здравого смысла. Говоря это, мадемуазель, я имею в виду не финансы, но некоторую сохранившуюся еще кое-где в мире традиционность полового самоощущения и еще раз подчеркиваю, что потребитель — женщина. Улавливаю блики смысла в ваших очах и воздаю вам должное за то, что вы добрались до него, то есть до смысла, несмотря на малоудобный для вас язык и вечную драму Эгейского моря, в которую вы погружены по праву своего воспитания. Могу еще добавить, что в моем распоряжении всего пятнадцать минут. К ним уже спешила завотделом в мужском коммунистическом костюме.

Пятнадцать не пятнадцать, но через полчаса он вышел на улицу в сопровождении трех сен-лорановских существ, несущих дюжину коробок для удачливой москвички. Ближайшее отделение могучего «Симфи-карда» на авеню Опера санкционировало утечку личного капитала на 15 899 франков, ни много ни мало как две с половиной тысячи тичей, то есть два с половиной миллиона русских военных рублей. Плюс штраф под щеточкой «Рено». Поклон в сторону «баклажанчика». Браво, мадам, вы тоже дали волю своей фантазии — пятьсот франков, лучше не придумаешь! Ну-с, девочки, валите всю эту дрянь сюда, на заднее сиденье. Ну, вот вам всем по сотне на зубные щетки, а вам, товарищ мадам, крепкое партийное рукопожатие. Ученье Ленина непобедимо, потому что оно верно. Оревуар, девочки. Если среди ночи придет фантазия посетить щедрого дядю, то есть вот этого мальчика, да-да, меня, на бульваре Распай в отеле «Савой» — милости просим. Приглашение, конечно, распространяется и на вас, товарищ.

И также вы все, телевизионщики Эй-би-си, спикеры, гафферы, камерамены, вся сволочь, знайте, что Андрей Лучников — не «мобил-дробил». Он — Луч, вот он кто... мотоциклист, баскетболист и автогонщик, лидер молодежи пятидесятых, лидер плейбойства шестидесятых, лидер политического авангарда семидесятых, он лидер. И так в манере золотых пятидесятых можно положить руку на плечо одному из этих современных американских зануд и сказать:

— Call me Lootch, buddy!

Итак, на экране Эндрю Луч, один из тех, кого называют «ньюз-мэйкерами», производителями новостей.

Интервью получалось забавнейшее. Зануда, кажется, рассчитывал на серьезный диалог вокруг да около, вроде бы о проблемах «Курьера», о том, как удается издавать на отдаленном острове одну из влиятельнейших газет мира, но с намеками на обреченность как лучниковской идеи, так и газеты, так и всего ОК. Система ловушек, по которой бычок пробежит к главному убойному вопросу: представляете ли вы себе свою газету в СССР?

— У нас, русских, богатое воображение, господа. Немыслимые страницы партийной печати — это тоже продукт нашего воображения. А что из себя представляет наш невероятный Остров? Ведь это же не что иное, как тот же UFO, с заменой лишь одного срединного слова — Unidentifyed Floating Object. Весь наш мир зиждется на вымыслах и на игре воображения, поэтому такой пустяк, как ежедневный «Курьер» в газетных киосках Москвы, представить нетрудно, но, впрочем, еще легче вообразить себе закрытые газеты из-за бумажного дефицита, ибо, если мы можем сейчас вообразить себе Россию как единое целое, нам ничего не стоит понять, почему при величайших в мире лесных массивах мы испытываем недостаток в бумаге.

Слегка обалдевший от этого слалома хозяин ток-шоу мистер Хлопхайт волевым усилием подтянул отвисшую челюсть. Неопознанный Плавающий Объект — это блестяще! Браво, мистер Лучников. Да-да, Луч, спасибо вам, бадди, мы надеемся, что еще... Конечно-конечно, и я благодарю вас. Хлоп! А сейчас... Он увидел, что камера надвигается, и быстро улыбнулся — органика и металлокерамика сверкнули одной сексуальной полоской. Дружба телезвезд по всем континентам. Я не приглашаю вас в страну ароматов, хотя почему бы вам туда не приехать? Читайте! Все подробности в «Курьере»! Адью!

Щелчок. Софиты погасли. Отличная концовка. Ну. Хлоп, нет ли чего-нибудь выпить? Простите, я не пью, мистер Лучников. Да, Хлоп. Я вижу, ты настоящий «мобил-дробил»! Простите, сэр? Целую! Пока!

Он уже представлял себе обложку еженедельника — черный фон, контуры Крыма, красные буквы UFO и обязательно вопросительный знак. Ловкая журналистская метафора... Снова, в который уже раз за сегодняшний день, выплыло: я — осатаневший потный международный лавочник, куда я несусь, почему не могу остановиться, не могу вспомнить чего-то главного? Что убегает от меня? Откуда вдруг приходят спазмы стыда?

Слово «потный», увы, не входило в метафорическую систему: от утренней свежести не осталось и следа — оливковый пиджак измят, на голубой рубахе темные разводы. Ночная улица возле телестудии испаряла в этот час свой собственный пот и не принесла ему прохлады. Вдруг он почувствовал, что не может шевельнуть ни рукой, ни ногой. Иной раз уже стали появляться такие вот ощущения: сорок шесть годков повисли гирьками от плеч до пяток. Даже голова не поворачивается, чтобы хотя бы проводить взглядом медленно идущий мимо «Мерседес», из которого, кажется, кто-то на него смотрит. По счастливой иронии улица называлась рю Коньяк-Же. Да-да, конечно же, двойного коньяка же поскорее же.

Итак, Платон. Анализ тирании. Уединение...

Ну вот, мосье, вы уже улыбаетесь, сказал буфетчик. Тяжелый был день? В бумажнике среди шуршащих франков обнаружился картонный прямоугольник — приглашение на рю де-Сент-Пер — прием в честь диссидента. Не пойти нельзя. Еще одну порцию, силь ву плэ.

Трехэтажная квартира в доме XVI века, покосившиеся натертые до блеска полы, ревматически искореженные лестницы из могучего французского дуба — оплот здравого смысла своего времени, гнездо крамолы наших дней.

Гости стояли и сидели по всем трем этажам и на лестницах. Французская, английская, русская, польская и немецкая речь. Почетный гость, пожилой советский человек, говорил что-то хозяйке (длинное, лиловое, лупоглазое), хозяину (седое, серое, ироничное), гостям, журналистам, издателям, переводчикам, писателям, актерам, ультраконсерваторам и экстрарадикалам — парижское месиво от тапочек-адидасок до туфелек из крокодиловой кожи, от значков с дерзкими надписями до жемчужных колье... Среди гостей была даже и одна звезда рока, то ли Карл Питерс, то ли Питер Карлтон, долговязый и худой, в золотом пиджаке на голое тело. Непостижимые извивы марихуанной психологии перекинули его недавно из Союза красных кхмеров Европы в Общество содействия демократическому процессу России.

Лучников знал диссидента, милейшего московского дядечку, еще с середины шестидесятых годов, не раз у него сиживал на кухне, философствовал, подавляя неприязнь к баклажанной икре и селедочному паштету. Помнится, поражало его всегда словечко «мы». Диссидент тогда еще не был диссидентом, поскольку и понятия этого еще не существовало, он только еще в разговорах крамольничал, как и тысячи других московских интеллигентов крамольничали тогда в своих кухнях. «Да ведь как же мы все время лжем... как мы извращаем историю... да ведь катынский-то лес — это же наших рук дело... вот мы взялись за разработку вольфрама, а технологии-то у нас современной нет, вот мы и сели в лужу... и сами себя и весь мир мы обманываем...» Как и всех иностранцев, Лучникова поражало тогда полнейшее отождествление себя с властью.

Сейчас, однако, он не подошел к виновнику торжества. Будет случай, пожму руку, может быть, и поцелую, влезать же сейчас в самую гущу слегка постыдно. Опершись на темно-вишневую балку XVI века, попивая чудеснейшее шампанское и перебрасываясь фразами с герлфрендихой писателя Флойда Руана, скромняжечкой из дома Вандербильдтов, он то и дело поглядывал в тот угол, где иногда из-за голов и плечей появлялось широкое мыльного цвета лицо, измученное восторженным приемом «свободного мира».

Ему бы выспаться, недельки три в Нормандии в хорошем отеле на берегу. Он никогда прежде не был на Западе. Семь дней как высадился в Вене, и на плечах еще москвошвеевский «спинжак». Ему бы сейчас ринуться по магазинам, а не репрезентировать непобедимый русский интеллект. Он борется с головокружением, он на грани «культурного шока». Еще вчера на него косился участковый, а сегодня вокруг такие дружественные киты и акулы, не хватает только Брижит Бардо, но зато присутствует сенатор Мойнихен. Акулы и киты, вы все знаете о его смелых выступлениях в защиту прав человека, но вы не представляете себе квартиру на Красноармейской с обрезанным телефоном, домашние аресты в дни всенародных праздников, вызовы в прокуратуру, намеки на принудительное лечение, этого я и сам не представляю, хотя хорошо представляю Москву.

Так размышлял Лучников, глядя на появляющееся временами в дальнем углу у средневекового витража отечное потное лицо, то шевелящее быстро губами, то освещаемое слабенькой, хотя и принципиальной улыбкой. Так он размышлял, пока не заметил, что и сам является объектом наблюдения.

Над блюдом птицы целая компания. Жрут и переговариваются. Кто-то молотит воздух ладонью. Некто — борода до скул, рассыпанные по плечам патлы, новый Мэнсон, а глазки чекистские. Эй, Лучников, а ты чего сюда приперся?! Господа, здесь кремлевская агентура!

— What are they talking about? — спросила мисс Вандербильдт.

Русская компания приближалась. Три мужика и две бабы. Никого из них он не знал. Впрочем, пардон... Вот этот слева милейший блондин, в таких изящнейших очках, да ведь Слава же, это же Славка, джазовый пианист, знакомый еще с 1963-го... «КМ» на улице Горького... Потом я устроил ему приглашение в Симфи, да-да, это уже в 1969-м, и там он сорвал концерты, потому что запил, орал в гостинице, голый гонялся за женщинами по коридору — «мадам, разрешите пипиську потереть?..» после чего он «подорвал» в Штаты... Конечно, это Слава...

Я тебе не Славка, падла Лучников, предатель, большевистская блядь, сколько тебе заплатили, хуесос, за Остров Крым, мандавошка гэбэшная, я тебе не Славка, я таких, как ты, раком на каждом перекрестке, говна марксистского кусок, пидар гнойный, комисс триперный заразный!

Попробуйте сохранить европейскую толерантность при развитии московского скандала. Улыбка еще держится на вашем лице при первом витке безобразной фразы, она, быть может, и удержалась бы на нем, на лице, надменная ваша улыбка, если бы фраза не была так длинна, столь безобразна. У хорошенького Славки оловянные глаза. Увы, он не стал Дейвом Брубеком, Оскаром Питерсоном, Эрролом Гарднером, увы, он ими и не станет, потому что вы сейчас сломаете ему кисть правой руки. Запад, зараженный микробами большевизма, не про-ре-аги-ру-ет. Храбрые воители свободы, еще вчера ваявшие в Москве «Ильичей» по оптовым подрядам, заполнявшие рубрики «год ударного труда», не прореагируют тоже, потому что боятся шикарного общества. Прощайся со своей правой рукой, Слава, уже не подрочишь теперь ею ни клавиши, ни солоп.

Особым китайским зажимом (он научился этому на Тайване у дружка, майора войск специального назначения) он держал слабую кисть агрессивного пианиста и медленно пробирался (вместе с пианистом) к столу с напитками — надо все-таки чего-нибудь выпить. Изумленное «О» на лице Славы, подзакатившиеся глазки, грань болевого порога. Послушно двигается рядом. Товарищи по оружию перешептываются. Одного из них Лучников определенно помнит по Москве: он был фотографом в «Огоньке», еврейчик из-под софроновской жопы. Выпьем, Слава, у тебя одна рука свободна и у меня одна — давай выпьем «Хеннеси»? Ах, ты теперь не пьешь? Так что же, колешься? Ты, ублюдок, уже девять лет на Западе и мог бы довести до сведения новичков, что здесь не все принципы соцреализма имеют хождение и, в частности, «кто не с нами, тот против нас» — ценится только среди мафиози, в их среде, в мафии, понимаешь ли, в мафии, это закон, а в нормальном обществе — вздор собачий. Теперь терпи, недоносок Слава. Давай-ка я представлю тебя Каунту Бейси. Мистер Бейси, вам однорукий пианист не нужен?

Они двигались от одного дринка к другому, от слоеных пирожков к хвостикам креветок, то одна шишка, то другая кланялись редактору могущественного «Курьера», и Лучников чесал направо и налево по-английски, по-французски и по-русски, договаривался о каких-то встречах, ланчах, подмигивал красоткам, даже иной раз и высказывался, отвесил, например, нечто глубокомысленное о переговорах SALT, и все это время незадачливый Слава, спасая свое орудие производства, тащился рядом. Малейшая попытка освободиться кончалась страшной болью в орудии производства, то есть в правой руке. Задвинутые писательницей Фетонье вправо и продвинутые вперед издателем Ренуаром, они услышали пару фраз диссидента: «...да поймите же, товарищи, нам ни в чем нельзя верить... нельзя верить ни одному нашему слову...»

Ошеломленный переводчик, юноша из третьего поколения франко-руссов, после мгновенного столбнячка занялся уточнением мысли своего подопечного, в то время как окружавшие диссидента киты и акулы, уловив борщеватое слово «товарищи», великодушно смеялись: нашел «товарищей».

Тут диссидент так ярко вдруг просиял, что все киты и акулы обернулись в адрес сияния и, увидев популярную физиономию редактора «Курьера», тоже просияли, да так ослепительно, что наш герой как бы вновь почувствовал себя под софитами киносъемки.

— Андрюша!

Пришлось отпустить миленького Славика, слегка предварительно поддав ему под грешные ягодицы коленкой.

Сплелись объятия. По-прежнему, несмотря на недельную «дольче виту», из складок лица попахивало селедочным паштетом. Несколько шариков влаги бодро уже снижались по пересеченной местности... как ярко все вспоминается!.. Так сразу!.. Андрюша, ведь ты, наверно, еще нашу старую квартиру помнишь в Кривоарбатском переулке... помнишь, как сиживали?! нет, ты подумай только — я в Париже!.. Нет, ты вообрази!

Немыслимость пребывания человека в Париже вдруг исказила добрейшее лицо подобием судороги, но тут же другая немыслимость вызвала еще более сильные чувства. Как? Ты в Москву? Завтра? В Москву? На несколько дней? Немыслимо!

Лучников вылезал из объятий, а именитый диссидент лихорадочно шарил у себя по карманам... Что же... Андрюша... да если бы знать... вот телефончик — 151-00-88... Тамара Федоровна такая... с сыном Витей... да если бы знал... сколько всего бы послал... но вот, хотя бы это... обязательно передай...

Обозреватель журнала «Экспресс», президент издательства «Трипл Найт», супруга министра заморских территорий, певец Кларк Пипл, писательница Мари Фетонье, в некотором замешательстве наблюдали, как guest of the honor вынимает из своих карманов пачки чуин-гама и перекладывает их в карманы Лучникова. Обязательно, обязательно передай все это Тамаре Федоровне для Витеньки и скажи (баклажанный шепоток в ухо) только ее... всегда... всегда... жду... пусть подает... все устроится... понял, Андрюша?.. а когда вернешься, найди меня...

Несколько вспышек. Кто допустил сюда папарацци? В разных углах зала легкая паника. Кто снимал? Кого снимали? Ни охотник, ни цель не обнаружены.

Лучников вышел во двор, мощенный средневековым бесценным булыжником. Одна стена замкнутого четырехугольника сияла на все три этажа, в трех других лишь кое-где тлели огоньки, сродни средневековым. В небе летела растрепанная тучка. Отличаются ли тучки нашего века от тучек XVI? Должно быть, отличаются — испарения-то иные... Бывал ли я в XVI веке? Пребывает ли он во мне? Что-то промелькнуло, некое воспарение души. Миг неуловим, он тут же превращается в дурацкое оцепенение.

Заскрипели открываемые по радио средневековые ворота, и во дворе, галдя, появилась вся кинобанда во главе с могучей фигурой Октопуса. Лучников отпрянул к темной стене, потом проскочил на улицу Святых Отцов. Где-то поблизости всхрапнул заводящийся мотор. Он сделал несколько шагов по узкому тротуару. Какая-то темная масса — моточудовище — пронеслась мимо. В сдержанном ее рычании мелькнуло два хлопка: мгновенное и сильное давление на виски, легкий звон, спереди и сзади выбиты из стены две кафельные плитки. Прохожий закричал от ужаса и спрятался в нише. Лучников выхватил свой пистолетик из потайного кармана, опустился на одно колено и прицелился. В ста метрах впереди на углу набережной автомобиль притормозил. Добропорядочно и солидно зажглись стопфары. Лучников положил пистолет в карман. Автомобиль медленно сворачивал за угол, как бы предлагая себя несущемуся мимо постоянному потоку машин.

Голова слегка кружилась. Ощущение, похожее на глубокий нырок под воду. Небольшая контузия. Трудно все же не попасть, если стреляешь в упор на узкой парижской улице. Пугали.

— Мосье, выходите! — крикнул он человеку, спрятавшемуся в нише.— Опасность миновала!

Скрипнула дверь, появилось бледное лицо.

— В вас стреляли, мосье? Вот так дела! Я вижу такие дела впервые. Просто как в кино!

— Такова жизнь,— ухмыльнулся Лучников.— Идешь себе по улице, вдруг — бух-бух — и вот результат: я вас еле слышу, мосье.

— Проклятые иностранцы,— такова была реакция напуганного парижанина.

Лучников согласился:

— Всецело на вашей стороне, мосье, хотя и сам сейчас имею несчастье относиться к этой категории. Однако у себя, в своей стране, я не являюсь иностранцем и, как и все прочие граждане, страдаю от этого сброда. Поменьше бы ездили, побольше бы сидели дома, в мире было бы гораздо спокойнее. Согласны, мосье?

Замки в «Рено-сэнк» были открыты, и все подарочные упаковки распороты ножом. Подарки, однако, как будто в неприкосновенности. Быть может, рука у подонка не поднялась испортить дорогие вещи? Может быть, солидный человек, знающий цену деньгам. Так или иначе, но Таньке опять повезло.

Уехать с ней. Отнять наконец ее у десятиборца, жениться, уехать в Австралию или еще лучше в Новую Зеландию. Наплевать на все проклятые русские, островные и материковые проблемы. Писать беллетристику, устроить ферму, открыть отель... Что за огонь жжет нас неустанно? Далась мне Общая Судьба! Да не дурацкая ли вообще проблема? Да уж не подлая ли в самом деле? Все чаще слышится слово «предатель»... теперь уже и пульками из бесшумного оплевывают. Игнатьев-Игнатьев, конечно, горилла, пианист Слава — лабух, с него и взятки гладки, но ведь и умные люди, и порядочные, и старые друзья уже смотрят косо... Идеология прет со всех сторон, а судьба народа, снова брошенного своей интеллигенцией, никого не волнует...

С мерзостью в душе и с головной болью он проехал бульвар Сен-Жермен, где даже в этот час кишела толпа; уличный фигляр размахивал языками огня, ломались в суставах две пантомимистки.

Возле его отеля в маленьком кафе сидел на веранде один человек. При виде Лучникова он поднялся. Это был генерал барон фон Витте собственной персоной. Поднятый воротник тяжелого пальто и деформированная шляпа роднили его с клошарами.

— Я ни разу за последние годы не покидал своего арандисмана,— проговорил старик, выходя из кафе навстречу Лучникову.— После вашего ухода, Андрей Арсеньевич, настоящий шторм разыгрался в моей душе.

Лучников смотрел на генерала и совершенно неожиданно для себя находил, что он ему нравится. Мешки на лице, подрагивающие жилки, окурок толстой желтой сигареты «Бояр» в углу рта, пачка газет, торчащая из кармана обвисшего кашмирового пальто, — во всем этом теперь чувствовалось полное отсутствие фальши, истинная старость, не лишенная даже определенной отваги.

— Что ж, давайте пройдем в отель,— пригласил он старика.

По лицу фон Витте проплыла смутная улыбка.

— О нет, вряд ли это будет очень ловко,— сказал он.— Там, в холле, вас ждут...

— Меня? Ждут?— Лучников резко обернулся в сторону отеля. Сквозь стеклянную дверь виден был дремлющий ночной портье, кусок ковра, половина картины на стене, пустое кресло. Окна холла были задернуты шторами.

— Какие-то приятные персоны,— проговорил фон Витте.— Впрочем, Андрей Арсеньевич, мне и нет нужды заходить внутрь. Я просто хотел ответить на ваш вопрос, а это займет не более пяти минут.

Он вынул нового «боярина», закурил, на минуту задумался, как бы отвлекаясь в те отдаленные времена, когда его принимал Сталин. Лучников присел на капот «Рено», нагретый, словно прибрежный камень, где-нибудь на пляже в Греции. Он подумал о «приятных персонах». «Кто же эти приятные персоны? — устало, без страха, но и без отваги думал он.— Сразу начну стрелять, без разговоров». Он не удержался и зевнул.

— Сталин сказал мне тогда дословно следующее: «Наш народ ненавидит белогвардейское гнездо в Черном море, но пока не возражает против его существования. Нужно подождать каких-нибудь пятьдесят лет. Возвращайтесь в Париж, генерал, и боритесь за правое дело».

Передавая речь Сталина, фон Витте, конечно, не удержался от имитации грузинского акцента.

— Так я и думал,— сказал Лучников.— Вы меня не удивили. Неожиданность — только конкретность исторического срока. Пятьдесят лет, кажется, еще не истекли, а?

Фон Витте слабо улыбнулся своим воспоминаниям.

— Это был мой последний визит в Москву. В тот вечер я смотрел «Лебединое озеро» в Большом. Божественно!

— Спасибо, Витольд Яковлевич.— Крайним усилием воли Лучников изобразил понимание исторического значения этой минуты, крепко пожал большую мягкую генеральскую руку.— Простите нас за некоторые резкости, но поверьте... я весьма ценю... и я был уверен, что в конце концов...— Тут он иссяк.

Старик сломал свою сигарету и сразу же вынул новую.

— Вы были правы, Андрей Арсеньевич,— вдруг осипшим голосом проговорил он.— Я прожил жалкую и страшную, полностью недостойную жизнь...

Он отвернулся и медленно пошел через улицу. Дымок поднимался из-за левого плеча. Поднял трость и кликнул такси.

В холле «Савоя» в креслах зеленоватой кожи Лучникова ждали три красавицы из магазина «Сен-Лоран». Экая, понимаете ли, чуткость. Вот вам новый мир, новые отношения между людьми. Ты в старом стиле пошутишь, бросишь вскользь дурацкое приглашение, а потом удивляешься: воспринято всерьез. Пардон, но я не могу шевельнуть ни рукой, ни ногой. Впрочем, что-то все-таки шевелится. Да-да, что-то ожило. Неожиданные резервы организма. Прошу, мадемуазель. Прошу, мадам. Позвольте заметить, что это платье на бретельках и мех вокруг лебединой шеи внушают мне гораздо больше оптимизма, чем ваш дневной костюм в стиле теоретика революции Антонио Грамши. Я очень польщена вашим вниманием, мосье Рюс, но я здесь не одна, как видите, с нами два этих дивных создания. Что и говорить, чудесная компания, трудно не радоваться такому обществу. Я надеюсь, всем нам хватит в моем номере и места и радости...

В полосках света, проникавшего из-за жалюзи, копошились вокруг Лучникова на ковре какие-то чудные, ароматные, дрожащие и упругие. Руки его скользили по этим штучкам, пока правая не набрела вдруг на твердый пульсирующий столбик наподобие его собственного. А это, позвольте спросить, чей же петушок? Надеюсь, не ваш, мадам? О нет, это нашей милой Джульетты. Она, понимаете ли, корсиканка, что поделаешь. Так-так, ситуация проясняется. В нашем чудесном союзе мне выпала роль запала, и я это охотно сделаю. Прошу вас, мадам, оставьте ваших девочек, разумеется, и Джульетту с ее корсаром, на некоторое время в покое и разместитесь традиционным тропическим способом. Итак, вступаем в дельту Меконга. Благодарю вас, мадам. Это вам огромное спасибо, мосье Рюс, огромное, искреннее, самое душевное спасибо, наш любимый мосье Рюс, от меня и от моих девочек. Девочки, ко мне, благодарите джентльмена.

Засыпая, он долго еще чувствовал вокруг себя копошение, целование, причмокивание, всхлипывание, счастливый смешок, легонькое рычанье. Благостный сон. Платон, самолет, закат цивилизации...

VI
Декадентщина

Шереметьевский аэропорт, готовясь к олимпийскому роскошеству, пока что превратился в настоящую толкучку. Построенный когда-то в расчете на семь рейсов в день, сейчас он принимал и отправлял, должно быть, не меньше сотни: никуда не денешься от «проклятых иностранцев».

Стоя в очереди к контрольно-пропускному пункту, Лучников, как всегда, наблюдал погранстражу. Вновь, как и в прошлый раз, ему показалось, что на бесстрастных лицах этих парней, среди которых почему-то всегда много было монголоидов, вместо прежней, едва запрятанной усмешки в адрес заграничного, то есть потенциально враждебного, человечества сейчас появилось что-то вроде растерянности.

Стоял ясный осенний день. Сияющий Марлен, сопровождаемый высоким чином таможни, отделил Лучникова от толпы. Чин унес документы. Через дорогу, за всей аэропортовской суетой, нежнейшим образом трепетала под ветром кучка березок. Чин принес документы, и они пошли к личной «Волге» Марлена. За ними на тележке катили два огромных лучниковских чемодана, купленных в самый последний момент в свободной торговой зоне аэропорта Ля Бурже. Ветер дул с северо-запада, гнал клочки испарений псковских и новгородских озер, в небе, казалось, присутствовал неслышный перезвон колокола свободы. «Советские люди твердо знают: там, где партия, там успех, там победа» — гласил огромный щит при выезде на шоссе. Изречение соседствовало с портретом своего автора, который выглядел в этот день под этим ветром в присутствии неслышного колокола довольно странно, как печенег, заблудившийся в дотатарской Руси. Стоял ясный осенний день. «Слава нашей родной Коммунистической партии!» Слева от шоссе одни на других стояли кубы какого-то НИИ или КБ, а справа в необозримых прозрачнейших далях светился будто свежеомытый крест деревенской церкви. Через все шоссе, красными литерами по бетону: «Решения XXV съезда КПСС выполним!» Палисадники покосившихся деревенских усадеб, сохранившихся вдоль Ленинградского шоссе, — бузина, надломанные георгины, лужи и глинистое месиво между асфальтом и штакетником — солнце-то, видимо, только что проглянуло после обычной московской непогоды. «Народ и партия едины!» Горб моста, с верхней точки — два рукава Москвы-реки, крутой берег острова, огненно-рыжего, с пучком вечнозеленых сосен на макушке. «Пятилетке качества рабочую гарантию!» За бугром моста уже стояли неприступными твердынями кварталы жилмассивов, сверкали тысячи окон, незримый вьюн новгородского неслышного колокола витал меж домов, соблазняя благами Ганзейского союза. С крыши на крышу шагали огненные буквы «Партия — ум, честь и совесть нашей эпохи!».

Дальше пошло все гуще: «Мы придем к победе коммунистического труда!», «Планы партии — планы народа!», «Пятилетке качества четкий ритм!», «Слава великому советскому народу, народу созидателю!», «Искусство принадлежит народу!», «Да здравствует верный помощник партии — Ленинский комсомол!», «Превратим Москву в образцовый коммунистический город!», «СССР — оплот мира во всем мире!», «Идеи Ленина вечны!», «Конституция СССР — основной закон нашей жизни!»... печенег, поднявший длань, печенег в очках над газетой, печенег, размножающийся с каждой минутой по мере движения к центру, все более уверенный, все менее потерянный, все более символизирующий все любимые им символы, все менее похожий на печенега, все более похожий на Большого Брата, крупнотоннажный, стабильный, единственно возможный... наконец, над площадью Белорусского вокзала возникло перед Лучниковым его любимое, встречу с которым он всегда предвкушал, то, что когда-то в первый приезд потрясло его неслыханным словосочетанием и недоступным смыслом, и то, что впоследствии стало едва ли не предметом ностальгии, печенежье изречение: «Газета — это не только коллективный пропагандист и коллективный агитатор, она также и коллективный организатор!»

Фраза эта, развернутая над всей площадью, а по ночам загорающаяся неоновым огнем, была, по сути дела, не так уж и сложна, она была проста в своей мудрости, она просвещала многотысячные полчища невежд, полагающих, что газета — это всего лишь коллективный пропагандист, она вразумляла даже и тех, кто думал, что газета — это коллективный пропагандист и коллективный агитатор, но не дотягивал до конечной мудрости, она оповещала сонмы московских граждан и тучи гостей столицы, что газета — это также и коллективный организатор, она доходила до точки.

107

— Ну вот, кажется, сейчас ты наконец-то проникся, —улыбнулся Кузенков.

— Сейчас меня просто пробрало до костей, — кивнул Лучников.

Гостиница «Интурист». На крыльце группа французов, с любопытством наблюдающая пробегание странной толпы: интереснейшее явление этот русский народ, вроде бы белые, но абсолютно не европейцы. Злясь и громко разговаривая с Кузенковым, Лучников двигался прямо к насторожившимся швейцарам. Два засмурневших вохровца в галунах, почуяв русскую речь и предвкушая акцию власти, улыбались и переглядывались. А вы куда.. господа товарищи? Увы, жертва вдруг обернулась хозяином: один из подозрительных русачков двумя пальцами предъявил с ума сойти какую книжечку — ЦК КПСС, а третьим пальцем показал себе за плечо — займитесь багажом нашего гостя. К тротуару уже пришвартовывалась машина сопровождения, и из нее моссоветовские молодчики выгружали фирменные сундуки. Второй же русачок, а именно тот, значитца, который гость, вообще потряс интуристовскую стражу — извлек, понимаете ли, из крокодиловой кожи бумажника хрусту с двуглавым орлом — 10 тичей! Крымец — догадались ветераны невидимого фронта. Этих они обожали: во-первых, по-нашему худо-бедно балакают, во-вторых, доллар-то нынче как блядь дрожит, а русский рубль штыком торчит.

— Шакалы, — сказал Лучников. — Где вы только берете таких говноедов?

— Не догадываешься где? — улыбнулся Кузенков.

Он все время улыбался, когда общался с Лучниковым, улыбочка персоны, владеющей превосходством, некоей основополагающей мудростью, постичь которую собеседнику не дано, как бы он, увы, не тщился. Это бесило Лучникова.

— Да что это ты, Марлен, все улыбаешься с таким превосходством? — взорвался он. — В чем это вы так превзошли? В экономике развал, в политике чушь несусветная, в идеологии тупость!

— Спокойно, Андрей, спокойно.

Они ехали в лифте на пятнадцатый этаж, и попутчики, западные немцы, удивленно на них посматривали.

— В магазинах у вас тухлятина, народ мрачный, а они, видите ли, так улыбаются снисходительно. Тоже мне мудрецы! — продолжал разоряться Лучников уже и на пятнадцатом этаже. — Перестань улыбаться! — гаркнул он. — Улыбайся за границей. Здесь ты не имеешь права улыбаться.

— Я улыбаюсь потому, что предвкушаю обед и добрую чарку водки, — сказал Кузенков. — А ты злишься, потому что с похмелья, Андрей.

Кузенков с улыбкой открыл перед ним двери люкса.

— Да на кой черт вы снимаете мне эти двухэтажные хоромы! — орал Лучников. — Я ведь вам не какой-нибудь африканский марксистский царек!

— Опять диссидентствуешь, Андрей? — улыбнулся Кузенков. — Как в Шереметьеве вылезаешь, так и начинаешь диссидентствовать. А между прочим, тобой здесь довольны. Я имею в виду новый курс «Курьера».

Лучников оторопел.

— Довольны новым курсом «Курьера»? — Он задохнулся было от злости, но потом сообразил: да-да, и в самом деле, можно считать и новым курсом... после тех угроз... конечно, они могли подумать...

Стол в миллионерском апартаменте был уже накрыт, и все на нем было, чем Москва морочит головы важным гостям: и нежнейшая семга, и икра, и ветчина, и крабы, и водка в хрустале, и красное, любимое Лучниковым вино «Ахашени» в запыленных бутылках.

— Эту «кремлевку» мне за новый курс выписали? — ядовито осведомился Лучников.

Кузенков сел напротив и перестал улыбаться, и в этом теперь отчетливо читалось: ну, хватит уж дурить и критиканствовать по дешевке. Лучников подумал, что и в самом деле хватит, перебрал, дурю, вкус изменяет.

Первая рюмка водки и впрямь тут же изменила настроение. Московский уют. Когда-то его поразило ощущение этого московского уюта. Казалось, каждую минуту ты должен здесь чувствовать бередящее внимание «чеки», ощущение зыбкости в обществе беззакония, и вдруг тебя охватывает спокойствие, некая тишина души, атмосфера московского уюта. Ну хорошо бы еще где-нибудь это случалось в арбатских переулках — там есть места, где в поле зрения не попадает ничего «совдеповского» и можно представить себе здесь на углу маленького кадетика Арсюшу, — но нет, даже вот и на этой пресловутой улице Горького, где за окном внизу на крыше видны каменные истуканы поздней сталинской декадентщины, представители братских трудящихся народов, даже вот и здесь после первой рюмки водки забываешь парижскую ночную трясучку и погружаешься в московский уют, похожий на почесыванье стареньким пальчиком по темечку — подремли, Арсюшенька, пожурчи, Андрюшенька.

Встряхнувшись, он цапнул трубку и набрал номер Татьяны. Подошел десятиборец. Проклятый бездельник, лежит весь день на тахте и поджидает Татьяну. Месиво крыш за окном. Пролетела новгородская тучка. Ну и намешали стилей! Алло, алло... наберите еще раз. Он повесил трубку и облегченно вздохнул — вот я и дома: все соединилось, водка и дым отечества — это мой дом — Россия, мой единственный дом.

— На Острове образован новый союз, — сказал он Кузенкову.

Марлен Михайлович приветливо кивнул другу: интересно, мол, очень интересно. Положил ему на тарелку семги, икры, крабов, подвинул салат.

— Союз Общей Судьбы, — сказал Лучников.

Марлен Михайлович обвел глазами стены суперлюкса и вопросительно склонил голову — не беспокоит? Лучников отмахнулся. В номер вкатили окованные по углам лучниковские кофры. На лицах моссоветовских молодчиков светилось благостное почтение к «фирме».

— Мне скрывать нечего. В этом вся наша хитрость — ничего не скрывать.

— Ешь, Андрей. Извини, что я заказал обед сюда, но Вера сегодня заседает, — улыбнулся Кузенков. — Знаешь, такой стала общественной деятельницей...

Лучников взялся за еду, и некоторое время они почти не разговаривали, насыпались, чокались, тут и осетрина подоспела, жаренная по-московски, а потом и десерт, ну а к десерту Марлен Михайлович заговорил о Париже, о том, как он его любит, вспомнил даже стихи Эренбурга: «Прости, что жил я в том лесу. Что все я пережил и выжил. Что до могилы донесу Большие сумерки Парижа...», намекнул на какое-то свое романтическое переживание в этом городе, родном каждому русскому интеллигенту (если, конечно, ты меня, аппаратчика, все-таки причисляешь к таковым), и выразил некоторую зависть Андрею Арсеньевичу, как космополиту и бродяге, которому, уж наверно, есть что порассказать о Париже, а?

— Я не вполне тебя понимаю, Марлен, — холодно заговорил в ответ Лучников. — Ты КУРАТОР нашего островка, то есть никто более тебя в Москве не может быть более заинтересован в наших делах, а между тем сообщение о СОСе тебя как бы и не затронуло. Быть может, мне еще раз объяснить тебе, что со мной хитрить не нужно?

Кузенков вытер рот салфеткой и взялся за сигару.

— Прости, Андрей, это не хитрость, но лишь свойство характера. Я просто-напросто сдержанный человек, может быть, даже и тяжелодум. Конечно же, я думаю о СОСе. Если молчу, это вовсе не значит, что мне это не интересно, не важно. Однако, ты уж прости меня, Андрей, еще более важным для меня — в свете будущего, конечно, — кажутся сомнения полковника Чернока.

Тут настала очередь Лучникова показывать аналогичные свойства характера, то есть попытаться скрыть изумление, более того, некоторое даже ошеломление, попытаться вынырнуть из того состояния, которое в боксе именуется словечком «поплыл». Марлен же Михайлович очень мягко, явно давая возможность собеседнику скоординироваться, пересказывал между тем вчерашнюю их беседу с Черноком в кафе «Селект» на бульваре Монпарнас.

— Понимаешь ли, Андрей, мы знаем полковника Чернока как самоотверженного русского патриота, знаем, что он предан ИОСу не менее тебя самого, но вот ведь и он сомневается относительно перемены «Миражей» на «МИГи», задает вопрос: понадобятся ли Союзу в будущем такие летчики, как он, а стало быть, мы можем только себе представить, сколько вопросов подобного рода, сколько сомнений в душах тысяч и тысяч островитян, не столь цельных, не столь идейных, как Александр Чернок.

Лучников налил себе коньяку. Рука, поднимавшая бокал, еще слегка дрожала, но опустилась она на стол уже твердо — выплыл.

— Big Brother watches you everywhere, doesn't he?* — усмехнулся он, глядя прямо в глаза Кузенкову.

В глазах куратора плавала улыбка уже не снисходительная, но по-прежнему мягкая, полная добра. Марлен Михайлович развел руками.

— Теперь ты можешь понять, какое значение здесь придают вашим идеям.

Лучников встал и подошел к окну. Уже начинало смеркаться. Силуэты братских трудящихся размывались на фоне крыш. Внизу над парфюмерным магазином, над «Российскими винами» и «Подарками» зажглись неоновые цветочки, некие завитушки в народном стиле. Со вкусом здесь по-прежнему было все в порядке.

— Значит, присматриваете? — тихо спросил он Кузенкова. — Подслушиваете? Попугиваете?

— Последнего не понял, — с неожиданной быстротой сказал Кузенков.

Лучников глянул через плечо. Кузенков стоял возле мерцающего телевизора, по которому катилась многоцветная мультипликация и откуда доносился детский писк.

— Разве не ваши ребята бабахнули? — усмехнулся Лучников.

— Был выстрел? — Марлен Кузенков преобразился, просто сжатая пружина.

— Два, — весело сказал Лучников. — В оба уха. — Он показал руками. — Туда и сюда. По твоей реакции вижу, что ты не в курсе.

— Немедленно наведу справки, — сказал Кузенков. — Однако почти на сто процентов уверен... если, конечно... ты сам... своим поведением...

— Сволочь, — любезно сказал Лучников. — Сволочь пайковая. Ты полагаешь, что я должен быть паинькой, когда за мной ходят по пятам ваши псы?!

— Ну знаешь! — вскричал Кузенков.— Как же можно так передергивать! Я имел в виду, что некоторые лица просто могли выйти из-под контроля, нарушить предписание... если это так, они понесут ответственность! Неужели ты не понимаешь, что... ну, впрочем, прости, я не все могу сказать... я уверен, что это волчесотенцы стреляли...

В номере люкс гостиницы «Интурист» воцарилось на некоторое время молчание. Лучников прошел в спальню, отщелкнул

---

* Большой брат наблюдает за тобой повсюду, не так ли? (*англ.*)

крышку кофра и достал подарки для всей кузенковской фамилии: «покет-мемо» для Марлена, часы «устрица» для Веры Павловны, кашмировые свитера для ребят. Пластинки для Дима Шебеко он решил передать лично в руки передовому музыканту, ибо это был уже другой мир, другая Москва, это был ЗДОРОВЫЙ мир. Так и подумалось — здоровый.

Он вышел в гостиную и положил перед Марленом Михайловичем подарки.

— Ради Бога, прости, Марлен, я сорвался. В любом случае я знаю, что ты, лично ты, мой друг. Вот... я привез... кое-что тебе, Вере и ребятишкам. Неплохие вещи. Во .всяком случае, таких нет здесь, — он не удержался от улыбки, — даже в двухсотой секции ГУМа.

— Какая трогательная осведомленность в деталях нашего снабжения, — сказал Кузенков.

Впервые за все время их знакомства Лучников видел Кузенкова оскорбленным. «Сволочь пайковая», «двухсотая секция» — должно быть, это были удары по незащищенным местам прогрессивного деятеля, нечто вроде тех оглушающих выстрелов в Париже. Легкая контузия.

— Во всяком случае спасибо. Вещи чудесные, подарки в твоем стиле, элегантно и дорого, подарки богача из высокоразвитого общества. Завтра Вера ждет тебя к обеду. Угостим своим спецснабжением. Утром к тебе приедет переводчик или переводчица, с ней или с ним ты сможешь обсудить свою программу. Тебе, как всегда, будет оказано максимальное благоприятствование, сейчас особенно. — Тут промелькнула капелька ядку-с. — Машина в твоем полном распоряжении. Сейчас я должен идти.

Говорил все это Марлен Михайлович спокойно и, как казалось Лучникову, слегка печально, надевал по ходу дела плащ и шляпу, укладывал в атташе-кейс подарки. Протянул руку. В глазах ум и печаль. Увы, как мала отдельная личность перед неумолимыми законами истории.

— У меня есть несколько пожеланий, Марлен, — сказал Лучников, приняв кузенковскую руку. — Если уж я такая персона грата... Во-первых, мне не нужен переводчик, переводчица же у меня здесь уже есть. Танька Лунина отлично переведет мне все, что нужно. Во-вторых, машина с шофером мне тоже не нужна, воспользуюсь услугами фирмы «Авис», дерзостно проникшей уже и в нашу, — он нажал на «нашу», — столицу. В-третьих, я хотел бы совершить путешествие по маршруту Пенза — Тамбов — Саратов — Казань — Омск — БАМ, причем путешествие без сопровождающих лиц. Прошу этот вопрос про-вен-ти-ли-ровать, — еще один нажим. — И в-четвертых, прошу тебя не удивляться и отнестись к этому вполне серьезно: я хотел бы вместе с тобой посетить вашу масонскую ложу.

Они посмотрели друг другу в глаза и весело расхохотались. Кажется, все недомолвки, намеки и подъебки были тут же забыты.

— Я тебя правильно понял? — сказал сквозь смех Кузен—ков. — Ты имеешь в виду...

— Да-да, — кивнул Лучников. — Финскую баню. Мне это необходимо. Не могу быть в стороне. Банный период социмперии. Рим. Декаданс. Ты понимаешь?

— Браво, Андрей! — Кузенков хлопнул его по плечу. —Все-таки я тобой восхищаюсь. Второго такого иностранца я не встречал.

— А вот тебе не браво, Марлен! — хохотал Лучников. — Я тобой сейчас не восхищаюсь. Сколько же раз нужно объяснять тебе, что я здесь вовсе не иностранец.

Они стукнули друг друга по плечам. Их шутливые дружеские отношения как бы восстановились.

Лучников проводил Кузенкова до лифта. Мягкий звонок, стрелка вниз. Лифт оказался пустым. Лучников вошел внутрь вслед за Кузенковым.

— На прощанье все-таки скажи мне, Марлен, — сказал он. — Есть ли ответ на вопрос полковника Чернока.

— Нет, — твердо сказал Марлен. — Вопроса никто не слышал, ответа нет.

Вечерняя улица Горького. Пешков-стрит. Проводив Кузенкова, Лучников медленно пошел вверх, к Телеграфу. Впереди за бугром на фоне золотого заката с крыши уцелевшего еще сытинского дома светилось голубым огнем слово «Труд». Транспорт разъезжался по всем правилам на фильтрующие стрелки. Огромный термометр скромно отражал температуру окружающей среды — просто-на-просто +8°C. Телеграф, экспонируя свой голубой шарик, по-прежнему дерзновенно утверждал, что Земля все-таки вертится, правда, в окружении неких крабьих клешней, то бишь колосьев пшеницы. Все было нормально и невероятно. На ступеньках Телеграфа и на барьерах возле сидели и стояли молодчики, среди которых по-прежнему много было южных партизан. Все они ждали приключений. Замечательно то, что все их получали. В этом городе, где столько уже лет вытравляется дух приключения, оно тем не менее живет, ползет по улицам, лепится к окнам, будоражит УВД Мосгорисполкома, ищет тех, кто его ждет, и всегда находит.

Лучников присел на барьер у Телеграфа возле подземного перехода и закурил. Окружающая фарца тут же почувствовала вирджинский дымок. Братцы, гляньте, вот так кент сидит! Что за сьют на нем, не джинсовый, но такая фирма, что уссышься. Штатский стиль, традиционный штатский стиль, долбоеб ты недалекий. Который час, мистер? Откуда, браток, вэа ар ю фром? Закурить не угостите? С девочкой познакомиться не хотите? Горле, горле? Грины есть? Что вообще есть? Да вы не из Крыма ли сами? Чуваки, товарищ из Крыма! А правда, что у вас там по-русски понимают?

113

Лучников смеялся, окруженный парнями, отдал им весь свой «Кэмел». Из-за плечей рослых москвичей все время выпрыгивал какой-то черный десантник. В глазах у него застыло отчаяние — невозможно пробиться к чужеземцу.

— Эй... друг! Эй, друг, послушай! — Он взывал к Лучникову, но его все время осаживали, пока он вдруг не повис на чьих-то плечах и не выпалил в беспредельной тоске: — Я все у тебя куплю! Все! Все!

Тут все ребята полегли от хохота, и Лучников смеялся вместе с ними. Никогда он не испытывал презрения к фарцовщикам, этим изгоям монолитного советского коллектива, напротив, полагал их чем-то вроде стихийных бунтарей против тоталитарности, быть может, не менее, а более отважными, чем западные юные протестанты.

— А вы, ребята, не знаете такого Дима Шебеко? — спросил он.

— Сингер? C_2H_5OH? Кто же его не знает! — уважительно закивала фарца.

— Передайте ему, что Луч приехал, — с многозначительными модуляциями в голосе сказал он. — В «Интуристе» стою.

Фарца раскрыла рты да так и застыла в восхищении. Тайна, европейские большие дела. Луч приехал к Диму Шебеко. Дела-а!

Лучников похлопал смельчаков по плечам, выбрался из плотного кольца и стал подниматься по ступенькам Телеграфа.

Навстречу ему спускался Виталий Гангут. Вот так встреча! В первый же вечер в Москве на самой «плешке» встретить запечного таракана, домоседа-маразматика. Глаза между тем у таракана сверкали, и грива летела вдохновенно. Лучников слегка даже испугался — сто лет уже не видел Гангута в таком приподнятом настроении: вдруг под кайфом, вдруг начнет сейчас с привычной московской тупостью обвинять в предательстве идеалов юности, что называется, «права качать»? Раскрылись объятия:

— Андрюшка!

— Виталька!

Чудо из чудес — от Гангута пахло не водкой и не блевотиной, но одеколоном! Уж не «Фаберже» ли? Кажется, даже подмышки протирал.

— Андрюха, вот это да! Такой вечер, и ты передо мной, как черт из табакерки. Все сразу!

— Что сразу, Виталик? С чем тебя еще поздравить?

— Да ты не представляешь, с кем я сейчас говорил! Ты просто не представляешь!

— С Эммой? С Милкой? С Викторией Павловной?

— Да пошли бы они в жопу, эти бабы! Благодарю покорно, не нуждаюсь! Никакой половой зависимости! Я с Осьминогом сейчас говорил! Вот, понимаешь ли, утром получаю международную телеграмму... нет, ты не представляешь... я лежу, башка болит, жить не хочется, и вдруг международная телеграмма!

114

Его просто била дрожь, когда он совал в руки Лучникову дар небес — «международную телеграмму». Текст послания поразил и Лучникова: «My friend Gangut call me as soon as possible Paris, Hotel Grison, telefon No...Octopus»*.

Как же это сразу не связалось, что осьминог по-русски это и есть октопус. Вот так оперативность, выходит, хитренький Джек и в самом деле Гангута хочет...

Лучников посмотрел на Гангута. Тот вырвал у него из рук телеграмму, тщательно сложил ее и засунул в задний карман джинсов, должно быть, самое надежное свое место. Ну что ты скажешь, а? Да-да, тот самый мощага-американец, с которым ты меня сам когда-то и познакомил... Помнишь, купались в запрещенном пруду в Архангельском? Хэлоуэй, вот именно. Мифологическая личность, ей-ей! Он стал колоссальным продюсером. Ну вот, вообрази: лежу я на своей проебанной тахте с международной телеграммой. Лежу весь день, пытаюсь звонить в Париж. Ни хера не получается. Как наберу международную службу, мой телефон тут же отключается на десять минут. Вот что делают падлы-товарищи, хер не просунешь за железный занавес. Ну, думаю, вы так, а мы так: тянусь сюда на ЦТ и прямо так, в глаза, просто-напросто заказываю: город Парижск, говорю, Парижской области, Французской Советской Социалистической Республики. Вообрази, соединяют. Вообрази, Осьминог у телефона. Ждал, говорит, твоего звонка, не слезал с кровати. Вообрази, Андрюша, сногсшибательные предложения! Шпарит полным текстом — готовлю, мол, контракт. Суммы какие-то фантастические, все — фантастика... шпарим полным текстом...

— На каком языке? — спросил Лучников.

У Гангута рука как раз летела для вдохновенного внедрения в шевелюру и остановилась на полпути.

— А в самом деле, на каком языке шпарим? Я ведь по-аглицки-то через пень колоду, а он по-русски не тянет. Да это не важно. Главное, что понимали друг друга. Главное — принципиальное согласие. Но это я по-аглицки сказал — ай эгри.

— Что же он собирается снимать? — осторожно спросил Лучников.

— Да что бы там ни было, любое говно. Надеюсь, не о проблемах ПТУ, не о БАМе, не о сибирском газе. Я на своей тахте, Луч, столько потенции накопил за эти годы, даже этого мерина могу трахнуть. — Он показал на конный памятник Юрию Долгорукому, мимо которого они в этот момент шествовали. — Знал, что не бесцельно валяюсь в своей вони. Когда художник лежит на своей тахте, мир о нем думает. Видишь — вылежал!

— Ты думаешь, отпустит тебя Госкино? — спросил Лучников.

---

* Мой друг Гангут, позвони мне как можно скорее, Париж, отель «Гризон», телефон №... Октопус (англ.).

Гангут даже задохнулся от мгновенно налетевшей ярости.

— Эти трусы, лжецы, демагоги, взяточники, ханжи, дебилы, самодовольные мизерабли, подонки общества, стукачи, выблядки сталинизма! — проорал он в состоянии какого-то полуразрыва, будто бы теряя сознание, потом осекся, набрал воздуху полные легкие и закончил почти мягко: — Буду я считаться с этим говном.

Они стояли в этот момент возле главного недействующего входа в историческое здание Моссовета, напротив бронзового Основателя. Милиционер поблизости с любопытством на них посматривал. Среди стабильных московских неоновых художеств Лучников вдруг заметил странно подвижное, огромное, на четыре этажа, слово «РЫБА». Одна лишь только престраннейшая эта РЫБА пульсировала, сжималась и распрямлялась меж неподвижных вывесок Пешков-стрита.

— Что ж... — проговорил он. — значит, и ты намылился, Виталий?

Гангут потащил вверх молнию куртки, вынул из одного кармана кепку, из другого — шарф.

— А ты никогда, Андрей, не задавал себе вопроса, почему ты можешь в любой день отправиться в Америку, Африку, в ту же Москву, и почему я, твой сверстник, всю свою жизнь должен чувствовать себя здесь крепостным?

— Я задаю себе этот вопрос ежедневно. — сказал Лучников, — этот и множество других в таком же роде.

— Ну вот и отдай свой швейцарский паспорт, — пробурчал Гангут. — Замени его на краснокожую паспортину. Тогда получишь ответ на все свои сложные вопросы.

— Какая мощная эта «Рыба», — сказал Лучников, показывая на вывеску. — Посмотри, как она сильно бьется среди московского торжественного спокойствия? Жаль, что раньше ее не замечал. Удивительная, великолепная, непобедимая «Рыба».

— Луч! — захохотал Гангут. — Вот таким я тебя люблю! Давай забудем на сегодняшний вечер, что нам по сорок пять лет, а? Согласен?

— Мне сегодня с утра тридцать, — сказал Лучников.

Гангут тогда расхлябанной походкой прошел мимо милиционера.

— Ваше благородие, пара красавиц здесь с утра не проходила?

Когда ехал сюда, казалось, что теперь уже одно здесь будет пепелище, мрак после очередной серии процессов и отъездов — всех вывели стражи Идеи, а оставшиеся только и делают, что дрочат под водяру, перемывают кости своей зловещей Степаниде. Оказалось: странная бодрость. Пошло одно за другим: «чердачные балы», спектакли «домашних театров», концерты Дима Шебеко, Козлова, Зубова в каких-то НИИ, в клубах на окраинах, сборища нищих

116

поэтов, группа «Метрополь», чаи с философией на кухнях, чтение «самиздата», выставки в подвалах, слушанье менестрелей...

Порой ему казалось, что это ради него, своего любимца Луча, старается московский «андеграунд» показать, что еще жив, но потом подумал: нет, хоть и тянут из последних жил, но так будут всегда тянуть — полю этому не быть пусту. Сидя рядом с Татьяной на каком-нибудь продавленном диване, за каким-нибудь очередным застольем, после выступления какого-нибудь нового гения, он оглядывал лица вокруг и удивлялся, откуда снова так много в столице наплодилось неидеальных граждан. Вроде бы все уже поразъехались... Вот еще недавно пели булатовское:

> *Все поразъехались давным-давно,*
> *Даже у Эрнста в окне темно,*
> *Лишь Юра Васильев и Боря Мессерер,*
> *Вот кто остался теперь в Эс Эс Эр...*

Вроде бы вся уже эта публика засела в парижских кафе, в Нью-Йорке и Тель-Авиве, но вот, оказывается, снова их целый «клоповник», таких тружеников, весьма непохожих на парад физкультурников перед Мавзолеем; и новые подросли, да и старых, на поверку, еще немало.

«Декаданс в нашей стране неистребим», — так высказался однажды после концерта в «Студии экспериментального балета» в красном уголке общежития треста «Мосстрой» один из танцоров, юный Антиной в спецовке фирмы «Wrangler». Так он не без гордости сказал иностранцу Лучникову. В гримуборной навалены были кучей пальто. Все пили чай и гнуснейшее румынское шампанское.

Из груды реквизита тут вылезла самая незаметная персона, режиссер спектакля, полуседой клочковатый Гарик Поль, которого раньше знали лишь как пьянчугу из ВТО, а тут вот оказалось, что таился в нем гений танца и мыслитель. Боднув головой прокуренный воздух и престраннейшим образом разведя руками на манер пингвина, Гарик Поль вступил в полемику с юным Антиноем.

«РУСКИЙ КУРЬЕР». ПОЛЕМИКА О ДЕКАДАНСЕ
(перепечатка с пленки)

... Декаданс для меня — это моя жизнь, мое искусство...

...Прости меня, но то, что ты считаешь декадансом, то, чем мы занимаемся, на самом деле здоровое искусство, то есть живое...

...Однако же не реалистическое же наше искусство ведь же...

...Прости меня, но тут происходит полная подмена понятий, то, что называется «с больной головы на здоровую». Декаданс, мой друг, это культурная деморализация, потеря нравственных качеств, вырождение, омертвение, эстетический сифиляга, а все это относится к соцреализму, с твоего разрешения...

...Разве видим мы эти черты в живом, вечно взбудораженном искусстве модернизма, авангардизма, в кружении его сперматозоидов? Социалистический окаменевший реализм — это и есть настоящая декадентщина...

...Однако же это переворачивает же все наши понятия же, ведь мы привыкли же всегда считать себя декадентами, то есть как бы представителями заката, а с другой стороны, видеть как бы рассвет, хоть он нам и гадок до рвоты, но искусство же нового же общества, а мы как бы держимся же за старое, уходящее же общество, которое как бы от нездоровья чурается народности, передовых идей, социального содержания, революционного призыва же... вот встают физкультурники волнами от Камчатки до Бреста, а ведь мы похмельем мучаемся.

...Прости меня, но тут и в социальном плане все перевернуто. Мое глубокое убеждение, что здоровье человечества заключено в либерализме, а революция — это вырождение; насилие и кровь — суть полная невозможность найти новые пути, увидеть новые виды, но лишь возврат к мрачности, к древнему распаду... ригидность мышц обызвествление мозга...

...Прости меня, но вся эстетика революционных обществ с ее боязнью (всяких) перемен, всего нового, с повторяемыми из года в год мрачными пропагандистскими празднествами в недвижимых складках знамен, в этих волнах физкультурников, в осатанело бесконечной повторяемости, в самой оцепеневшей величавой позе этого общества — это эстетика вырождения, сродни поздневизантийской застылости, окаменевшей позолоченной парче, под которой слежавшаяся грязь, вонь, вши и распад...

...Прости меня, но это вовсе не примета только сегодняшнего дня, вовсе не закат революции, это началось все с самого начала, ибо и сама революция — это не рассвет, но закат, шаг назад к древнему мраку, к раздувшейся от крови величавости, и то, что когда-то принималось за «коренную ломку старого быта», — это было как раз дегенерацией, упрочением древнейшего способа отношений, то есть насилия, нападением величественного загнивающего чудища на горизонты и луга либерализма, то есть нового человечества, на наш танец, на нашу музыку и божественную подвижность человеческих существ...

...Однако я не могу расстаться со словом «декаданс», я люблю его.

...Прости меня, можешь не расставаться, но имей в виду другой смысл слов...

Параллельно шла и другая московская жизнь, в которой он оставался редактором «Курьера», могущественной фигурой международного журнализма. У них был здесь солидный корреспондентский пункт на Кутузовском проспекте, чуть ли не целый этаж, и даже зал для коктейлей. Из трех крымских сотрудников один был, без сомнения, агентом «чеки», другой цээрушником, однако старшему «кору» Вадиму Беклемишеву можно было доверять полностью — одноклассник, такой же, как Чернок или Сабашников.

И Беклемишев и Лучников полагали «Курьер» как бы московской газетой и потому в разговорах между собой величали корпункт филиалом. Кроме трех крымцев здесь трудилось полдюжины молодых московских журналистов, получавших зарплату наполовину в «красных», наполовину в «русских» рублях, то есть в тичах. Эти шестеро, три веселых парня и три миловидных девицы, сидели в большом светлом офисе, тарахтели свободно на трех языках, предпочитая, впрочем, английский, курили и пили бесконечный свой кофе, стряпали лихие материалы из жизни московских celebrities, заменяя отсутствующие в СССР газеты светских новостей. Все они считали работу в «Курьере» неслыханной синекурой, обожали Крым и боготворили «босса» Андрея Лучникова, просто подпрыгивали от счастья, когда он входил в офис. Глядя на подвижные их веселые лица, Лучников не мог себе представить их агентами «чеки», а между тем, без всякого сомнения, все они были таковыми. Так или иначе, они работают на меня, думал Лучников, работают на газету, на Идею, делают то, что я хочу, то, чего мы хотим, а секретов у нас нет, пусть стучат, если иначе у них нельзя.

В один из дней пребывания в Москве своего издателя корпункт «Курьера» устроил «завтрак с шампанским». Скромнейшее угощение: горячие калачи с черной икрой и непревзойденный брют из подвалов кн. Голицына в Новом Свете. Среди приглашенных были крупные дипломаты и, конечно, директор Станции Культурных Связей Восточного Средиземноморья, то есть посол Крыма в Москве Борис Теодорович Врангель, внучатый племянник того самого «черного барона», «покрасневший», однако, к этому дню до такой степени, что его не без оснований подозревали в принадлежности к одной из пяти крымских компартий. В дипкорпус Крыма, в эту одну из формально не существующих организаций, то есть во все эти «миссии связи, наблюдательные пункты и комиссии», коммунисты не допускались конституционным запретом, но так как конституция была временной, то на нее и смотрели сквозь пальцы, только груздем не называйся, а в кузов полезай. Понаехало на завтрак и множество деятелей культуры, среди которых немало было друзей по прежним безобразиям. Из официальных лиц бюрократии самым внушительным пока было лицо «куратора» Марлена Михайловича Кузенкова. Ждали, однако, и некую, неведомую пока персону, упорные ходили слухи, что непременно кто-то явится чуть ли не с самого верха. Начался, однако, уже второй час странного современного действа, но персона не являлась, хотя по проспекту под окнами прокатывались милицейские «Мерседесы». По некоторым предположениям — «готовили трассу». На все приемы в корпункте «Курьера» по списку, составленному лично шефом, приглашались десятка полтора московских красоток, не-членов, не-деятелей, не-представителей, по большей части бедных полублядушек, девочек — увы — уже не первой свежести, дамочек с чудными знаками увядания. Где-то они еще позировали, фотографировались, демонстрировали модели Славы Зайцева, переходили из постели в постель и, наконец, ловили фортуну — замуж за иностранца! Здесь на приемах «Курьера» им отводилась роль передвигающихся букетов. Развязные молодчики Беклемишева даже согласовывали с ними по телефону цвета туалетов. Красотки, впрочем, не обижались, а радовались, что хоть кому-то нужны.

Татьяна Лунина, на сей раз в твидовой деловой тройке с улицы Сент-Онорэ, изображала при помощи суженного взгляда эдакую щучку-сучку, зорко следила за перемещениями в толпе своего Андрея. Роль, которую она тут играла, приятно щекотала самолюбие: вроде бы никто, вроде бы случайный гость ни к селу ни к городу, но в то же время почти все знают, что она здесь ой-ой как не случайна, что она здесь вот именно первая дама и что за костюм на ней, из чьих рук получен. Ситуация пьянящая, и «щучку» играть интересно... Как вдруг во время разговора с бразильским дипломатом она поймала на себе внимательнейший, анализирующий взгляд некой незнакомой персоны. Вдруг ее под этим взглядом пронзило ощущение зыбкости, неустойчивости, полнейшей необоснованности ее сегодняшней вот такой уверенной и приятной позиции... близость непредсказуемых перемен. Лучникова кто-то отвлек, мужа кто-то заслонил, малознакомая персона надела задымленные очки, «латинский любовник» из Бразилии с удивлением обнаружил рядом с собой вместо международной курвы рястерянную русскую провинциалочку.

Тут как раз началось суетливое движение — прибыли, прибыли! Кто прибыл? Не кто иной, как товарищ Протопопов! Такой чести никто даже и не ждал. Наиболее, пожалуй, энергетическая личность в компании усталых его коллег. Невероятное оживление в зале — что бы это могло означать? Вошли телохранители и быстро смешались с толпой. Борис Теодорович Врангель в партийном рвении, не хуже любого секретаря обкома, ринулся навстречу гостю. У Протопопова был маленький, гордо поднятый в классовом самосознании подбородочек.

Врангелю, как своему по партийной иерархической этике, ткнул, не глядя, руку, зато шефа «Курьера», как представителя временно независимых «прогрессивных кругов планеты», облагодетельствовал улыбкой и значительным рукопожатием.

120

— Вот, удалось вырвать десяток минуточек, — любовь к уменьшительным жила, оказывается, и на московском Олимпе, — очень много сейчас работы в связи с надвигающимися... — чем? чем? что надвигается? легкий ступор в толпе — надвигающимся юбилеем... — отлегло — каким юбилеем? — не важно, дело обычное — юбилейное, — однако решил засвидетельствовать... газету вашу читаю... не все в ней, уж извините, равноценно... однако в последнее время... да-да, читаю не без интереса... — пауза, улыбка, понимай как знаешь, — мы всегда приветствовали развитие прогрессивной мысли в... — да неужели же произнесет слово «Крым», неужели что-то сдвинулось? — в Восточном Средиземноморье... — нет, ничего не сдвинулось, нет? ничего не сдвинулось? может быть, все-таки чуточку хоть что-то?

Подано шампанское — прозрачнейший, драгоценный «Новый Свет», цвета предзакатного неба. Товарищ Протопопов сделал глоток и щелкнул языком — оценил! По слухам, ОНИ ТАМ если уж и пьют что-то, то лишь это. От предложенного калача с икрой отказался с мягким юмористическим ужасом — слежу, дескать, за фигурой. Нет-нет, что-то все-таки сдвинулось: такая человечность!

— Мечтаем о том дне, Тимофей Лукич, когда наша газета будет продаваться в Москве рядом с «Известиями» и «Вечеркой», — громко сказал Лучников.

Замерли все. Даже «букетики» застыли в красивых позах. Лишь «волкодавы» из охраны продолжали свое дело — бесшумную зрительную инспекцию. Товарищ Протопопов сделал еще глоток. Чудесная возможность — комплимент «Новому Свету», и дерзость Лучникова отлетает в анналы политических бестактностей. Все ждут. Пощелкивают исторические мгновения.

— Это зависит от... — товарищ Протопопов улыбается, — от взаимности, господин Лучников... — Поднимается накат сдержанно-возбужденного шепота. — Я ведь сказал, что не все в вашей газете равноценно, не так ли?.. — Так, так, вот именно так и было сказано, за руку товарища Протопопова не поймаешь. — Так вот, в дальнейшем все, конечно, будет зависеть от взаимопонимания... — «букетики» просияли, чувствуя всеобщую нарастающую экзальтацию, — планета у нас одна... море у нас одно, товарищи... много у нас общего, друзья... — все тут разом улыбнулись общей, открытой улыбкой, — но много и разного, господа... — улыбка погасла — не вечно же ей сиять, — итак, я поднимаю бокал за взаимопонимание!..

Крепчайшее рукопожатие временно независимым силам планеты; строгий одобряющий взгляд Врангелю, и, не торопясь, понимая и заботы охраны, подготавливающей путь, и сохраняя, естественно, классовую солидность, товарищ Протопопов отбыл.

После отбытия за бродячим завтраком воцарилась мертвая зыбь. Официальные гости быстро перешептывались между собой. Полуофициальные и неофициальные писатели (а среди приглашенных были и такие, едва ли не подзаборные представители русской творческой мысли) хихикали между собой. Кто из них предполагал, что вблизи увидит один из портретиков? Такое возможно только в «Курьере», ребята, нет-нет, в самом деле, мы живем во времена чудес. Дипломаты, загадочно улыбаясь, заговорили тут же о балете, о спорте, о русском шампанском, постепенно начали подтягиваться к выходу — такая работа. Журналисты собрались вокруг Лучникова, делали вид, что заняты светской болтовней, а на самом деле поглядывали на него, ждали statement.

— Господа! — сказал Лучников. — Формула взаимности, предложенная Тимофеем Лукичом Протопоповым, редакцию газеты «Курьер» вполне устраивает.

ЮПИ, АП, Рейтер, РТА, Франс Пресс, АНСА и прочие, включая трех японцев, чиркнули в блокнотах новомодными «моноланами» в стиле ретро. Завтрак заканчивался.

— Что же ты, Андрей, так унижаешься, смотреть на тебя противно, — сказал на прощанье Гангут, — причислил-таки себя к прогрессивному человечеству.

— Скоро ли на Остров возвращаетесь, Андрей Арсеньевич? — спросил на прощанье международный обозреватель из «Правды» и хмыкнул, не дожидаясь ответа, дескать, «пора, пора».

— Как в целом? — спросил на прощанье Лучников Кузенкова. Тот только улыбнулся на прощанье; улыбка была ободряющей.

— Почему вы никогда не позвоните, Андрюша? — спросил на прощанье один из «букетиков». — Позвонили бы, посидели бы, поболтали бы, вспомнили бы былое.

Зал очень быстро пустел, а за окном начинался моросящий дождь. Удручающий день тлел в конце Кутузовского проспекта. Неловкость, вздор, полная никчемность и бессмысленность общего дела, общей идеи, общей судьбы, всякой деятельности, всякой активности, глухая тоска и постыдность терзали Лучникова, в молчании стоящего у окна. Пустые бутылки и ошметки еды, обгрызанный калач со следом губной помады, будто менструальный мазок, — вот результаты бессмысленного завтрака с шампанским. Бежать в Новую Зеландию.

Тут голос Татьяны достиг его слуха:

— Пока, Андрей!

Он вздрогнул, отвернулся от окна. Впервые мысль о ферме и Новой Зеландии не соединилась у него с Таней, и это его испугало.

Зал был почти уже пуст. Лишь в дальнем углу в кресле вызывающе хохотал напившийся все же один «букетик» (кажется, Лора, бывшая танцорка мюзик-холла), да возле нее трое каких-то молодчиков деловито обсуждали вопрос — кто возьмет на себя джентльменские обязанности по доставке «букетика» в более подходящую диспозицию.

Таня стояла в дверях. Десятиборец держал ее под руку. Она смотрела на него растерянно, и поза какая-то была неловкая и скованная. Могла бы, конечно, уйти, не прощаясь, но вот — напоминаю о себе. Ничего больше — только лишь напоминание. Конечно, она почувствовала, что он начисто забыл про нее. Чутье у Татьяны Луниной было сверхъестественное.

Десятиборец вежливо, полудипломатически, полутоварищески, улыбался. Лучников подумал, что из этого красавца атлета настойчиво уже выпирает кто-то другой — очень немолодой и не очень здоровый человек. Может быть, иллюзия эта возникла из-за излишней его быковатости, быковатости явно преувеличенной нынешней ответственностью как представителя советских спортивных организаций.

«Неужели не знает он о наших отношениях?» — подумалось тут Лучникову.

— Хотите, Андрей, поедем к нам чай пить, — сказала Татьяна.

Десятиборец с застывшей улыбкой повернул к ней монументальное лицо, явно не сразу до него дошел смысл приглашения. Редактора буржуазной газеты — к чаю?

— Чай? К вам? — растерялся слегка и Лучников.

— Почему бы нет? У нас отличный есть английский чай. Посидим по-домашнему. — Неожиданный для нее самой дерзостный ход на глазах переменил Татьяну. Лучников увидел ту, которая поразила его десять лет назад, — лихую московскую девку, которая может и как шлюха дать где-нибудь в ванной, а может и влюбить в себя на всю жизнь.

— Ах, как это мило с вашей стороны, — забормотал он. — Как это кстати. Мне что-то, знаете ли, тошно как-то стало...

— Ну вот и поедемте чай пить... — прямо вся светясь, сказала Татьяна.

— На меня, знаете ли, всегда растерзанные столы тоску наводят, — проговорил Лучников.

— Знаю, знаю, — сказала ему Татьяна беззвучным шевелением губ.

— Пожалуйста, пожалуйста. На чай, пожалуйста, — наконец высказался десятиборец. «Ты что, рехнулась?» — взглядом спросил он жену. «Катись!» — ответила она ему тем же путем.

У Лучникова в арендованном «жигуленке» всегда лежали на всякий случай несколько «фирменных» бутылок и блоков сигарет. Все это он сейчас свалил на столик в прихожей Татьяниной квартиры. Свалил и, услышав из глубины квартиры детские голоса, ужаснулся: о детях-то он забыл — ни жвачки, ни кока-колы, ни автомобильчиков «горджи» с собой нет. Он почему-то никогда не думал о Татьяниных детях, и она сама никогда не говорила с ним ни о двенадцатилетней Милке, ни о десятилетнем Саше.

Дети пришли познакомиться с иностранцем. Милка — нимфеточка, другой и не могла быть дочь Татьяны. А вот Саша... Арсюша, Андрюша, Антоша и Саша — вдруг выстроилась в голове Лучникова такая схема. Он испугался. Лобастый стройненький мальчик, кажется, грустный. Как раз десять лет назад мы с Танькой и встретились. Тогда я уволок ее с какой-то пьянки и без всяких церемоний... Да неужели? Глаза серые, и у меня серые, но и у десятиборца серые. Челюсть крепкая, и у меня крепкая, а у десятиборца-то просто утюг. В полной растерянности Лучников подарил Саше свой «Монблан» с золотым пером. В проеме кухонной двери появилась Татьяна.

— Ну как, уже познакомились? — Звонкая бодрая спортсменочка.

Лучников глазами спросил ее о Саше. Она комически развела руками и одновременно пожала плечами и так застыла с обезьяньей греховной мордочкой. Это было очень смешно, и все засмеялись — и Лучников, и дети, а Танька еще попрыгала, потанцевала на месте: елочка-дешевочка.

Десятиборец отошел к так называемому «бару» и вернулся с двумя бутылками французского коньяка, — дескать, мы тоже не лыком шиты.

Тут такая уж пошла фальшивка! Десятиборец сел за полированным столом напротив Лучникова и налил хрустальные рюмки — всем располагаем: и коньяк, и хрусталь, — вроде он именно к нему пришел, этот любопытный иностранец; мужчина же — значит, к мужчине.

— Ну, со свиданьицем, — сказал он. — Татьяна, выпьешь?

— Сейчас! — донеслось из кухни.

— А вы где работаете? — спросил Лучников.

— Как где? — удивился десятиборец.

— Ну, вы работаете вообще-то где-нибудь или... или «фриланс»?

— Как вы сказали? — напрягся десятиборец.

— Внештатно! — перевела из кухни Татьяна.

— Ну, я вообще-то заместитель начальника главка, — сказал десятиборец. — Главное управление спортивных единоборств.

Лучников засмеялся — шутка ему понравилась. Видимо, парень все же не так уж и туп.

— А что вы смеетесь, Андрей? — спросила, входя с подносом, Татьяна.

— Понравилась шутка вашего мужа. Главное управление спортивных единоборств — это звучит!

— Что же тут смешного? — удивился Суп.

— Такой главк и в самом деле есть в нашем Комитете, — сказала Таня. — Все нормально. Главк как главк. Главное управление спортивных единоборств...

Лучников чувствовал себя пристыженным всякий раз, когда советская явь поворачивалась к нему еще каким-нибудь своим непознанным боком. Все же как ни сливайся с ней, до конца не постигнешь.

— Юмор все-таки существует: он в том... — сказал он, стараясь на Татьяну не глядеть, — что вы работаете в главке единоборств, а сами-то десятиборец.

— Так что? — спросил муж.

Татьяна расхохоталась. Она уже успела махнуть большую рюмку коньяку.

— А мне как-то и в голову раньше не приходило, — сказала она. — В самом деле смешно. Десятиборец в единоборстве.

Хохот был несколько тревожащего свойства.

— Насчет десятиборья, так у нас прежних заслуг не забывают, — сказал муж. — Вот гляньте! Вот мои этапы. Восемь лет в первой десятке держался...

Кубки и бронзовые фигуры венчали югославский сервант. Лучникова немного раздражала заурядность квартирного стиля — все-таки дом Татьяны представлялся ему в воображении (если когда-нибудь представлялся) каким-то иным. Пошла вторая рюмка. Про чай и думать забыли.

— Вот поэтому я так отлично сейчас трудоустроен, — пояснил муж. — Вы понимаете?

Лучников посмотрел на Татьяну — как, дескать, себя вести? — но она как будто и не думала ему подсказывать, хохотала, наслаждалась ситуацией.

— Понимаете, о чем я говорю? — Десятиборец настойчиво пялил на Лучникова глаза над своей четвертой рюмкой.

— Понимаю.

— Ни черта вы не понимаете. У вас там спортсменов сразу забывают, наглухо, а у нас постоянная забота. Это понятно?

— Понятно.

— Что-то не замечаю, что вам понятно. По лицу такого не определяется.

— Ой, умру. — Татьяна заваливалась за спинку стула. — Андрюша, сделай умное лицо.

— Напрасно смеешься. — Десятиборец взял жену за плечико. — У них одно, у нас другое. Вон товарищ тебе подтвердит без всякой пропаганды.

— У нас, конечно, не то, не так масштабно, — подтверждал Лучников, искоса поглядывая на Сашу, который сидел на тахте, поджав ногу. — У нас там Комитета по спорту вовсе нет. Все пущено на самотек. Многие виды изрядно хромают.

— Вот! — вскричал десятиборец, глядя в лицо своей жене, которая в этот момент, надув укоризненно губки, кивала чужеземцу — как, мол, вам не ай-яй-яй.

— Что и требовалось доказать! — Четвертая рюмка ухнулась в бездонные глубины. — А теперь ты еще скажи, что советские спортсмены — профессионалы!

— Никогда этого не скажу. — Лучников решительно открестился от такого приглашения.

— А ты скажи, скажи, — напирал Суп. — Думаешь, не знаем, что ответить?

— Он недавно на семинаре был по контрпропаганде, — любезно пояснила Татьяна.

Милочка в куртке и шапке с сумкой через плечо прошла через комнату к выходу и сердито там хлопнула дверью — ей, видимо, не нравилась бурно развивающаяся родительская пьянка.

— Фи-гу-рист-ка, — запоздало показал ей вслед слегка уже неверным пальцем десятиборец. — Сколько на вашей белогвардейщине искусственных катков?

— Три, — сказал Лучников.

— А у нас сто три!

Саша вытащил ногу из-под попки и направился в прихожую. «Моя походка, — подумал Лучников, — или его?» Гордо неся гордый лучниковский нос, Саша закрыл за собой дверь плотно и решительно. Явно дети здесь в оппозиции к коньячным беседам родителей.

— Хоккей, — кивнул ему вслед папа Суп.— Большое будущее!

— Ну, вот мы и одни, — почти бессмысленно захохотала Татьяна.

— Так почему же ты не отвечаешь на мой вопрос? — Десятиборец придвинул свой стул ближе к Лучникову и снова налил рюмки. — Ну! Профессионалы мы или любители?

— Ни то, ни другое, — сказал Лучников.

— То есть?

— Спортсмены в СССР — государственные служащие, — сказал Лучников.

Шестая рюмка повисла в воздухе. Челюсть у десятиборца отвалилась. Таня зашлась от восторга:

— Андрюшка, браво! Суп! Ты готов! Сейчас лягушку проглотишь! К такому повороту их на семинаре не подготовили!

Она раскачалась на стуле и влепила Лучникову поцелуй в щеку. Стул из-под нее вылетел, но она не упала (атлетические реакции!), а перелетела на колени к Лучникову и влепила ему еще один поцелуй, уже в губы.

— Ты, однако, Татьяна... — пробормотал десятиборец. — Все же невежливо, между прочим... чужого человека в губы...

— Да он же нам не чужой, — смеялась Таня и щекотала Лучникова. — Он нам идеологически чужой, а по крови свой. Русский же.

— В самом деле русский? — удивился супруг.

126

Лучников чрезвычайно вдруг удивился, обнаружив себя в зеркале стоящим с открытым гневным лицом и с рукой, в собственническом жесте возложенной на плечи Татьяны.

— Да я в сто раз более русский, чем вы, товарищ Суп! Мы от Рюриковичей род ведем!..

— Рюриковичи... белорусы... — хмыкнул десятиборец. — Дело не в этом. Главное, чтобы внутренне был честный, чтобы ты был не реакционный! Ходи за мной!

Железной лапой он взял Лучникова за плечо. Таня, не переставая смеяться, нажала клавишу музыкальной системы. В квартире зазвучала «Баллада о Джоне и Йоко». Под эти звуки троица проследовала в темную спальню, где словно гигантская надгробная плита светилось под уличным фонарем супружеское ложе.

— Мне хочется домой в огромность квартиры, наводящей грусть, — вдруг нормальным человеческим тоном произнес десятиборец.

Лучников ушам своим не поверил.

— Что? Что? Ушам своим не верю.

— Суп у нас любитель поэзии, — сказала Таня. — Суп, это чье ты сейчас прочел?

— Борис Мандельштам, — сказал десятиборец.

— Видишь! — ликуя, подпрыгивала уже на супружеском ложе Татьяна. — У него даже тетрадка есть с изречениями и стихами. Не хала-бала! Интеллигенция!

— Смотри сюда! — угрожающе сказал десятиборец. — Вот они и здесь — этапы большого пути. Места не хватает.

Вдоль всей стены на полке под уличным фонарем светились статуэтки и кубки.

— Почему ты зовешь его Суп? — спросил Андрей. — Почему ты так метко его назвала?

— Это сокращение от супружник, — хихикнула Татьяна.

— А почему ты ее зовешь на «ты», а меня на «вы»? — вдруг взревел десятиборец. — Подчеркиваешь превосходство?

Он махнул огромной своей ручищей — крюк по воздуху.

— Что же ты впустую машешь? — сказал Лучников. — Бей мне в грудь!

— Ха-ха, — сказал Суп. — Вот это по-нашему, по-товарищески. Без дворянских подъебок.

— Вот оно, спортивное единоборство двух систем! — смеялась Таня, сидя на супружеском ложе.

В комнате, освещенной только уличным фонарем, она показалась сейчас Лучникову настоящей падлой, сучкой, ждущей, какому кобелю достанется. Скотское желание продрало его до костей, как ошеломляющий мороз.

— Ну, бей, Суп! — тихо сказал он, принимая тайваньскую стойку.

127

Началась драка в лучших традициях. Лучников перехватывал отлично поставленные удары десятиборца и швырял его на кровать. Тот явно не понимал, что с ним происходит, однако по-спортивному оценивал ловкость партнера и даже восхищенно крякал.

— Прекрати, Андрей, — вдруг сказала Таня трезвым голосом. — Прекрати это свинство.

— Пардон, почему это я должен прекратить? — сказал Лучников. — Я не толстовец. На меня нападают, я защищаюсь, вот и все. Приемы до конца не довожу. Суп твой цел, и посуда цела...

Вдруг у него взорвалась голова, и в следующий момент он очнулся, сидя на полу, в осколках, в облаке коньячных паров. Лицо было залито какой-то жидкостью.

— Жив? — долетел с супружеского ложа голос десятиборца.

Значит, швырнул ему бутылку «Курвуазье» прямо в лицо. В рыло. В хавальник. В харю. В будку. Как они здесь еще называют человеческое лицо?

— Таня, — позвал Лучников.

Она молчала.

Он понял, что побит, и с трудом, цепляясь за предметы, за стулья и стеллажи, стал подниматься.

— Поздравляю, — сказал он. — Я побит. Честный поединок кончился в твою пользу, Суп.

— Теперь катись отсюда, — сказал Суп. — Выкатывайся. Сейчас я буду женщину свою любить.

Таня лежала лицом в подушку. Лучников в темном зеркале видел правую половину своего лица, залитую кровью.

— Женщина со мной уйдет, — сказал он. — У меня разбита голова, а у женщин сильно развит инстинкт жалости.

Таня не двигалась.

— Я так рад, что не убил тебя, — сказал Суп. — Не хватало только редактора «Курьера» убить. По головке бы за это не погладили.

— Таня! — позвал Лучников.

Она не двигалась.

— Послушай, уходи по-человечески, — сказал Суп. — Мы пятнадцать лет с Танькой живем в законном браке.

— Татьяна, пойдем со мной! — крикнул Лучников. — Неужели ты не пойдешь сейчас?

— Слушай, белый, если ты где-нибудь трахнул Таньку, не воображай, что она твоя, — мирно сказал Суп. — Она моя. Иди, белый, иди добром. У тебя, в Крыму, герлы табунами ходят, а у меня она — одна.

— Таня, скажи ему, что ты моя, — попросил Лучников. — Да встань же ты, хоть вытри мне лицо. Оно разбито.

Она не шевелилась.

Десятиборец склонился над ней и просунул ладонь ей под живот, кажется, расстегнул там пуговицу. Фигура его казалась сейчас немыслимо огромной над тоненькой женщиной.

— А ты не подумал, Суп, что я тоже могу тебя хватить чем-нибудь по башке? — спросил Лучников. — Каким-нибудь твоим спортивным трофеем? Вот, скажем, Никой этой Самофракийской.

Десятиборец хрипло засмеялся.

— Это было бы уже потерей темпа.

— Да, ты прав, — сказал Лучников. — Ты не так прост, как кажешься. Ну что ж, валяй. Еби мою любовь.

— Хочешь смотреть? — пробормотал Суп. — Хочешь присутствовать? Пожалуйста, пожалуйста...

Танины плечи вздрогнули, и голова оторвалась от подушки.

— Таня! — тихо позвал Лучников. — Очнись!

— Сейчас ты увидишь... сейчас... сейчас... — бормотал, нависая над женщиной, огромный мужик. — Сейчас ты увидишь, как мы с ней... как у нас... бей, чем хочешь... не растащишь... у меня в жизни ничего нет, кроме нее... все из меня Родина выжала, высосала... только Таньку оставила... я без нее ноль...

— Уходи, Андрей, — незнакомым голосом сказала Татьяна.

Он долго стоял возле огромного жилого дома и чувствовал, как быстро распухает у него правая половина лица. Полнейшая бессмысленность. Звон в голове. Умопомрачительная боль. На пятнадцати этажах жилого гиганта в каждой квартире, в темноте и при свете, Суп на законных основаниях ебал его незаконную любовь. Мою любовь, освещенную крымским лунным сиянием. Вот моя родина и вот мое счастье — Остров Крым посреди волн свободы. Мы никогда не сольемся с вами, законопослушные, многомиллионные, северная унылая русская сволочь. Мы не русские по идеологии, мы не коммунисты по национальности, мы яки-островитяне, у нас своя судьба, наша судьба — карнавал свободы, мы сильней вас, каким бы толстым стеклом вы, суки, ни бросали нам в голову!

Пошел снег.

Сентябрь, когда во всем мире, во всей Европе люди сидят под каштанами и слушают музыку, а в Ялте нимфы с еле прикрытыми срамными губками вылезают из волн прямо на набережную... Безнадежный, промозглый и слепой российский сентябрь... пропади все пропадом вместе с пропавшей любовью... Такси, такси!

Забытый у подножия жилого гиганта интуристовский «жигуленок» с брошенным на спинку кресла английским двухсторонним регланом.

Через три дня Татьяну Лунину пригласили в Первый отдел. И обязательно, пожалуйста, с супругом. А супруга-то зачем? Ну, не бу-

129

дем же мы с вами по телефону уточнять, Татьяна Никитична. Разговор очень важный и для вас и для вашего уважаемого супруга.

Она не удивилась, увидев в кабинете начальника отдела того типа, что гипнотизировал ее на приеме в «Курьере»: бородка, задымленные очки — вервольф последней модели. Обаятельный мужчина! Он даже снял очки, когда знакомился, продемонстрировал Татьяне чистоту и честность своих глаз, никаких ухмылок, никаких околичностей — перед вами друг. Начальник, старый сталинист соответствующей наружности, представил гостя: товарищ Сергеев, обозреватель агентства новостей, он будет присутствовать при нашей беседе.

Таня глянула на своего благоверного. Суп сидел по стойке «смирно», выпирая ослепительно белой грудью и манжетами из тесноватого блейзера. Он так волновался, что даже как-то помолодел, что-то мальчишеское, затравленное выглядывало из огромного тела. Она всегда поражалась, какими беспомощными пупсиками оказываются советские супермены, метатели, борцы, боксеры, перед всеми этими хмырями-первоотдельцами и вот такими «обозревателями». Она обозлилась.

— А я, между прочим, никаких интервью для агентства новостей давать не собираюсь!

— Татьяна Никитична... — с мирной дружеской улыбкой начал было товарищ Сергеев.

Она его оборвала:

— А вы, между прочим, по какому праву меня гипнотизировали давеча на приеме «Курьера»? Тоже мне Штирлиц! Психологическое давление, что ли, демонстрировали?

— Просто смотрел на красивую женщину. — Товарищ Сергеев чуть-чуть откинулся на стуле и как бы вновь слегка полюбовался Татьяной.

— Между прочим, многим рисковали! — выкрикнула она, рванула сумочку, вытащила сигарету.

Два кулака с язычками газового огня тут же протянулись к ней.

— Таня, Таня, — еле слышно пробормотал Суп. Он сидел, не двигаясь, будто боялся при малейшем движении лопнуть.

— Напрасно вы так разволновались, — сказал товарищ Сергеев. — У нас к вам дружеский вопрос о...

— О господине Лучникове! — угрожающим баском завершил фразу начальник отдела.

Тут по стародавней традиции таких дружеских бесед должно было наступить ошеломление, размягчение и капитуляция. Увы, традиции не сработали — Татьяна еще больше обозлилась.

— А если о нем, так тем более с обозревателями новостей говорить не буду! Явились тут, тоже мне, обозреватели! Нет уж! Обозревайте кого-нибудь...

— Перестань, Лунина! — Начальник отдела шлепнул здоровенной ладонью по письменному столу. — Ты что, не понимаешь? Перестань дурака валять!

— Это вы перестаньте дурака валять! — крикнула она и даже встала. — Обозреватели! Если хотите беседовать, так перестаньте темнить! Это мое право, знать, с кем я беседую!

— Да ты, Татьяна, говоришь, как настоящая диссидентка! — возмущенно, но по-отечески загудел начальник, в далеком прошлом одни из пастухов клуба ВВС, спортивной конюшни Васьки Сталина. — Где ж это ты поднабралась таких идеек? Права! Смотри, Татьяна!

Татьяна видела, что товарищ Сергеев пребывает в некотором замешательстве. Это ее развеселило. Она спокойно села в кресло и посмотрела на него уже как хозяин положения. Ну? Товарищ Сергеев, поморщившись, предъявил соответствующую книжечку.

— Я полагал, Татьяна Никитична, что мы свои люди и можем не называть некоторые вещи в лоб. Если же вы хотите иначе... — Он многозначительно повел глазами в сторону Супа.

Тот сидел, полузакрыв глаза, на полуиздыхании.

— Давайте, давайте, — сказала Таня. — Если уж так пошло, то только в лоб. По затылку — это предательство.

— Позвольте выразить восхищение, — сказал товарищ Сергеев.

— Не нуждаюсь, — огрызнулась она.

Любопытно, что в книжечке именно эта фамилия и значилась — Сергеев, но вместо слова «обозреватель» прописано было «полковник».

— Up to you, — вздохнул полковник Сергеев.

— Как вы сказали, товарищ полковник? — Татьяна широко открыла глаза, дескать, не ослышалась ли. Ей показалось в этот момент, что она и в самом деле имеет некоторую бабскую власть над полковником Сергеевым, а потом она подумала, что чувствовала это с самого начала, очень интуитивно и глубоко, и, быть может, именно это, только сейчас распознанное ощущение и позволило ей говорить с такой немыслимой дерзостью.

— Я сказал: как хотите, — улыбнулся полковник. — Многолетняя привычка, от нее трудно избавиться.

Ей показалось, что он вроде бы даже слегка как бы благодарен ей за вопрос, заданный с лукавой женской интонацией. Вопросец этот дал ему возможность прозрачно намекнуть на свое законспирированное зарубежное, то есть романтическое, с его точки зрения, прошлое и показать даме, что он далеко не всегда занимался внутренним сыском.

Затем он начал излагать суть дела. Начнем с того, что он испытывает полное уважение к Андрею Лучникову и как к одному из крупнейших мировых журналистов, и как к человеку. Да, у него есть определенное право называть этого человека просто по имени. Но это лишь к слову, да-да, так-так... Короче говоря, в ответственных организациях нашей страны придают Лучникову большое значение. Мы... давайте я для простоты буду говорить «мы»... мы понимаем, что в определенной исторической ситуации такая фигура, как Лучников, может сыграть решающую роль. История сплошь и рядом опровергает вздор наших теоретиков о нулевой роли личности. Так вот... так вот, Татьяна Никитична, у нас есть существенные основания опасаться за Андрея Арсеньевича. Во-первых, всякий изучавший его биографию, может легко увидеть, как извилист его политический путь, как подвижна его психологическая структура. Давайте напрямик — мы опасаемся, что в какой-то весьма ответственный момент Лучников может пойти на совершенно непредвиденный вольт, проявить то, что можно было бы назвать рефлексиями творческой натуры, и внести некий абсурд в историческую ситуацию. В этой связи нам, разумеется, хотелось бы, чтобы с Лучниковым всегда находился преданный, умный и, как я сегодня убедился, смелый и гордый друг... Он снова тут зорко и быстро глянул на Супа и потом вопросительно и доверительно — совсем уж свои! — на Татьяну. Та не моргнула и глазом, сидела каменная и враждебная. Пришлось «обозревателю» двинуться дальше.

— Однако то, что я сказал, всего лишь преамбула, Татьяна Никитична. В конце концов, главная наша забота — это сам Андрей Арсеньевич, его личная безопасность. Дело в том, что... дело в том, что... понимаете ли, Татьяна... — Глубокое человеческое волнение поглотило пустую формальность отчества, товарищ Сергеев встал и быстро прошелся по кабинету, как бы стараясь взять себя в руки. — Дело в том, что на Лучникова готовится покушение. Реакционные силы в Крыму... — Он снова осекся и остановился в углу кабинета, снова с немым вопросом глядя на Таню.

— Да знаю-знаю, — сказала она с непонятной самой себе небрежностью.

— Что все это значит? — вдруг проговорил десятиборец и в первый раз обвел всех присутствующих осмысленным взглядом.

— Может быть, вы сами объясните супругу ситуацию? — осторожно спросил товарищ Сергеев.

— А зачем вы его сюда пригласили? — Губы у Тани растягивались в кривую улыбку.

— Чтобы поставить все точки над i, — хмуро и басовито высказался завотделом.

— Ну хорошо. — Она повернулась к мужу: — Ты же знал прекрасно: Лучников уже много лет мой любовник.

Суп на нее даже и не взглянул.

— Что все это значит? — повторил он свой непростой вопрос.

Непосредственное начальство молчало, что-то перекатывая во рту, разминая складки лица и черта карандашом по бумаге бесконечную криптограмму бюросоциализма: ему что-то явно не нравилось в этой ситуации, то ли тон беседы, то ли само ее содержание.

Сергеев еще раз прошелся по кабинету. Тане подумалось, что все здесь развивается в темпе многосерийного телефильма. Неторопливый проход в интерьере спецкабинета и резкий поворот в дальнем углу. Монолог из дальнего угла.

— Из этого вытекает, братцы, необходимость определенных действий. Поверьте уж мне, что я не чудовище какое-нибудь, не государственная машина... — Сергеев снова закурил, явно волновался, почему-то помахал зажигалкой, словно это была спичка. — Впрочем, можете и не верить, — усмехнулся не без горечи. — Чем я это докажу? Так или иначе, давайте вместе думать. Вы, Глеб, ведь были нашим кумиром, — улыбнулся он Супу. — Когда вы впервые перешагнули за восемь тысяч очков, это для нас всех был праздник. Вы — гигант, Глеб, честное слово, вы для меня какой-то идеал славянской или, если хотите, варяжской мужественности. Я потому и попросил вас прийти вместе с Таней, потому что преклоняюсь перед вами, потому что считаю недостойной всякую игру за вашей спиной, потому что надеюсь на ваше мужество и понимание ситуации, ну а если мы не найдем общего языка, если вы меня пошлете сейчас подальше, я и это пойму, поверьте, я только сам себя почувствую в говне, поверьте, мне только и останется, что развести руками.

Что делать? Проклятая история только и делает, что заставляет нас руками разводить... — Он вдруг смял горящую сигарету в кулаке и не поморщился, тут же вытащил и закурил другую. — Вздор... дичь... как все поворачивается по-идиотски... ей-ей, нам бы лучше с вами за коньячком посидеть или... или... — Сергеев глубоко вздохнул, кажется, набрался решимости. — Короче говоря, у нас считают, что в интересах государственных дел чрезвычайной важности было бы полезно, если бы Татьяна Никитична Лунина стала женой Андрея Арсеньевича Лучникова, законной супругой, или другом, это на ваше усмотрение, но обязательно его неотлучным спутником.

Монолог закончился, и в кабинете воцарилась странная атмосфера какой-то расплывчатости, произошла как бы утечка кислорода, во всяком случае, произведено было несколько странных движений: начспец, например, встал и открыл окно, хотя, разумеется, уличный шум только лишь мешал запрятанным его магнитофонам, тов. Сергеев выпил сразу два стакана шипучки, причем второй пил явно с каким-то отвращением, но допил до конца, Татьяна для чего-то открыла сумку и стала в ней как бы что-то искать, на самом же деле просто перебирала пузырьки, коробочки, деньги и ключи. Суп почему-то заглянул к ней в сумочку, а потом стянул с шеи галстук и намотал его себе на левый кулак...

— Мне еще поручено вам сообщить следующее, — вроде бы совсем через силу проговорил товарищ Сергеев. — В любом случае, какое бы решение вы ни приняли, Татьяна Никитична и Глеб, это нисколько не отразится на ваших делах, на служебном положении или там на этих... ну... — явно не без нотки презрения, — ну на этих поездках за рубеж, словом, никакой неприязни у нас к вам не возникнет. Это мне поручено вам передать, а мне лично поручено быть чем-то вроде гаранта... — Он снова как бы оборвал фразу, как бы не справившись с эмоциями, впрочем, наблюдательный собеседник, безусловно, заметил бы, что эмоциональные эти обрывы происходили всякий раз, когда все уже было сказано.

В Тане этот наблюдатель проснулся задним числом к вечеру этого дня, когда старалась вспомнить все детали, сейчас она ничего не замечала, а только лишь смотрела на Глеба, который свободно и мощно прогуливался по кабинету, с некоторой даже небрежностью помахивая сорванным галстуком. Она вспомнила их первую встречу, когда он просто поразил ее мощью, молодостью и свободой движений. Он тренировался в секторе прыжков с шестом, а она отрабатывала вираж на двухсотметровке и всякий раз, пробегая мимо, наклоняла голову, как бы не замечая юного гиганта, как бы поглощенная виражом и взмахами своих чудных летящих конечностей, пока он наконец не бросил свой шест и не побежал с ней рядом, хохоча и заглядывая ей в лицо. Впервые за долгие годы вспомнился этот вечер в Лужниках. Немудрено — впервые за долгие годы в движениях одутловатого Супа промелькнул прежний победоносный Глеб. В любовных делах тот юноша был далек от рекордов, то ли весь выкладывался в десяти своих видах, то ли опыта не хватало, но она ни на кого, кроме него, тогда не смотрела, сама еще недостаточно «раскочегарилась», восхищалась им безудержно, и, когда они шли рядом, сдержанно сияя друг на друга, все вокруг останавливались — ну и пара! — и это был полный «отпад».

Он промелькнул на миг, тот юноша, будто бы готовый к бою, рожденный победителем, и исчез, и снова посреди кабинета нелепо набычился ее нынешний домашний Суп, сокрушительная секс-дробилка, одутловатый пьянчуга, трусоватый спортивный чиновник, беспомощный и родной.

Набычившись, он постоял с минуту посреди кабинета, переводя взгляд с начспеца на товарища Сергеева, а жену свою как бы не видя, выронил из кулака галстук и, тяжело ступая, вышел из кабинета, неуклюжий и потный.

— Я согласна, — сказала Таня товарищу Сергееву.

Старый сталинист суженными глазами демонстрировал презрение — стратегия, мол, стратегией, а белогвардейская, мол, койка, для советской дивчины все равно — помойка.

Сергеев строго кивнул, сел напротив и протянул Тане руку. Та весело помахала ладошкой перед его носом. Если уж сука, то сука — пусть видят, какая она веселая, наглая и циничная суч-

134

ка. Веселая и наглая — ну и баба, мол, перешагивает через трупы, вот ценный кадр.

— Поздравляю, — сказала она Сергееву.

— С чем? — спросил он.

— С успешным началом операции. Для полного успеха не хватает теперь только одной детали — самого Лучникова. Ну, подавайте мне его, и я тут же ринусь в бой.

— Разве вы не знаете, где сейчас Андрей? — осторожно спросил Сергеев.

— Уже три дня ни слуху ни духу, — сказала Татьяна. — А вы, Сергеев, выходит, тоже не знаете?

Сергеев улыбнулся с привычной тонкостью «мы все знаем», но было совершенно очевидно, что растерян.

— Ай-яй-яй, — покачала головой Татьяна. — Прокололись, кажется?

Тут вдруг нервы у разведчика сдали, он даже сделал неопределенное движение к телефону.

— Я вас прошу, Татьяна, вы мне голову не морочьте, — очень жестким на этот раз тоном заговорил он. — Вы не можете не знать, где находится ваш любовник. Вы встречаетесь с ним ежедневно. Хотите, я назову все ваши адреса, хотите я...

— Снимочки, что ли, покажете? — усмехнулась она. — Выходит, все-таки халтурите, Сергеев, если не знаете, где уже три дня ошивается редактор «Курьера»...

— Машина его возле вашего дома уже три дня, — быстро сказал Сергеев.

— А самого-то в ней нет, — засмеялась Татьяна.

— Номер в «Интуристе» он не сдал.

— Но и не появляется там.

— Беклемишеву дважды звонил.

— Откуда? — истерически завопила Татьяна.

Сорвалась. Вскочила и выдала обоим типам по первое число. Они ее утешали, Сергеев даже руки грел — теперь ведь уже своя, вот только подпись надо здесь поставить... Начспец наливал в стаканчик виски, вновь — после подписки — преисполнился отеческими чувствами. А сам Сергеев внутренне немыслимо трепетал — что теперь будет? Найдем, найдем, конечно же найдем, где угодно найдем, но как же это произошло такое невероятное — на три дня упустили из виду!!!

Это был то ли Волгоградский проспект, то ли шоссе Энтузиастов, то ли Севастопольский бульвар, то ли Профсоюзная — нечто широченное, с одинаковыми домами по обе стороны, в красной окантовке огромных лозунгов, с агитационными клумбами, увенчанными могучими символами, склепанными и сваренными хоть и наспех, но из нержавеющего металла — серп, молот, звезда с пятью лучами, ракетами и с гигантскими лицами Ильичей, взирающими из самых неожиданных мест на трех бредущих в пятом часу утра по этой магистрали похмельных персон.

Лучников обнимал за зябкие плечики Лору Лерову, одну из тех увядающих «букетиков», что украшали недавний праздник «Курьера». Десяток лет назад — звезда Москвы, манекенщица Министерства легкой промышленности, поочередная любовница дюжины гениев, сейчас явно выходила в тираж. Все на ней было еще самое последнее, широкое, парижское, лиловатое, но приходило это лиловатое к ней уже не от бескорыстных московских гениев, а от каких-то сомнительных музыкантов, подозрительных художников, короче говоря, от молодчиков фарцы и сыска, а потому и носило какой-то отпечаток сомнительности.

Она плакала, клонясь к лучниковской груди, чуть заваливаясь, ее била похмельная дрожь — еще более явный признак заката. Раньше после ночи греха Лора Лерова только бойко подмывалась, подмазывалась, подтягивалась и с ходу устремлялась к новым боям. Сейчас душа ее явно алкала какого-нибудь пойла, пусть даже гнусного, портвейного.

— У меня уже все уехали, — плакала она, размазывая свою парфюмерию по небритым щекам Лучникова. — Ирка в Париже, у нее там «бутик»... Алка за богатого бразильца вышла замуж... Ленка у Теда Лапидуса работает в Нью-Йорке... Вера и та в Лондоне, хоть и скромная машиносточка, но счастлива, посвятила свою жизнь Льву, а ведь он больше любил меня, и я... ты знаешь, Андрей... я могла бы посвятить ему свою жизнь, если бы не тот проклятый серб... Все, все, все уехали... Лев, Оскар, Эрнест, Юра, Дима — все, все... все мои мальчики... не поверишь, просто иногда некому позвонить... в слякоти мерзкой сижу в Москве... никто меня уже и на Пицунду не приглашает... только жулье заезжает на пистон... все уехали, все уехали, все уехали...

Лучников сжимал ее плечики и иногда вытирал мокрое опухшее лицо бывшей красавицы носовым платком, который потом комкал и совал в карман болтающегося пиджака. За три дня московского свинства он так похудел, что пиджак болтался теперь на нем, словно на вешалке. Жалость к заблудшим московским душам, от которых он и себя не отделял, терзала его. Он очень нравился себе таким — худым и исполненным жалости.

Дружище его Виталий Гангут, напротив, как-то весь опух, округлился, налился мрачной презрительной спесью. Он, видимо, не нравился себе в таком состоянии, а потому ему не нравился и весь мир.

На предрассветном социалистическом проспекте не видно было ни души, только пощелкивали бесчисленные флаги, флажки и флажища.

— Не плачь, Лорка, — говорил Лучников. — Мы тебя скоро замуж отдадим за богача, за итальянского коммуниста. Я тебе шмоток пришлю целый ящик.

Гангут шел на несколько шагов впереди, подняв воротник и нахлобучив на уши «федору», выражая спиной полное презрение и к страдалице, и к утешителю.

— Ах, Андрюша, возьми меня на Остров, — заплакала еще пуще Лора. — Мне страшно. Я боюсь Америки и Франции! На Острове хотя бы русские живут. Возьми бедную пьянчужку на Остров, я там вылечусь и блядовать не буду...

— Возьму, возьму, — утешал ее Лучников. — Ты — наша жертва, Лорка. Мы из тебя всю твою красоту высосали, но мы тебя на помойку не выбросим, мы тебя...

— Ты лучше спроси у нее, сколько она башлей из Вахтанга Чарквиани высосала, — сказал Гангут, не оборачиваясь. — Жертва! Сколько генов она сама высосала из нашего поколения!

— Скот! — вскричала Лора.

— Скот, — подтвердил Лучников. — Витася — скот, ему никого не жалко. Распущенный и наглый киногений. Пусть гниет в своем Голливуде, а мы будем друг друга жалеть и спасать.

— А ты Остров свой скоро товарищам подаришь, ублюдок, — ворчал Гангут. — Квислинг, дерьмо, идите вы все в жопу...

Вдруг он остановился и показал на небольшую группу людей, стоящих в очереди перед закрытой дверью. Несколько стариков и старух в черных костюмах и платьях, увешанные орденами и медалями от ключиц до живота.

— Ну, что тебе? — спросил, предполагая очередной антипатриотический подвох, Лучников.

— Ты, кажется, Россию любишь? — спросил Гангут. — Ты, кажется, большой знаток нашей страны? Ты вроде бы даже и сам русский, а? Ты просто такой же советский, как мы, да? Тогда отгадай, что это за очередь, творец Общей Судьбы!

— Мало ли за чем очередь, — пробормотал Лучников. — Многого не хватает. Может, за фруктами, может быть, запись на ковры...

— Знаток! — торжествующе захохотал Гангут. — Это очередь в избирательный участок. Товарищи пришли сюда за два часа до открытия, чтобы первыми отдать голоса за кандидатов блока коммунистов и беспартийных. Сегодня у нас выборы в Верховный Совет!

Старики в орденах, до этого мирно беседовавшие у монументальных колонн Дворца культуры, теперь враждебно смотрели на трех иностранцев, на двух мерзавцев и одну проститутку, на тех, кто мешает нам жить.

— Это бабушки и дедушки из нашего дома, — сказала Лора. — Они все герои первых пятилеток.

— Для меня это просто находка, — сказал Лучников. — Сейчас я возьму у них интервью.

137

— Рискуешь попасть в милицию, — сказал Гангут.

— Журналист должен рисковать, — кивнул Лучников. — Такая профессия. Я рисковал и во Вьетнаме и в Ливане. Рискну и здесь.

— А я тебя не оставлю, Андрей, — сказала Лора. — В кои-то веки и голос свой отдам.

— Мы, кажется, опохмелиться собирались, — сказал Гангут, который был уже не рад, что заварил эту кашу.

— Ты назвал меня Квислингом, — сказал Лучников, — а сам ты трус и дезертир. Иди и опохмеляйся среди своей любимой буржуазии, иди в говенный свой ОВИР, а мы опохмелимся здесь, в избирательном участке.

Он обнял за талию свой увядающий «букетик» и повел ее на подламывающихся каблучках к бдительным созидателям первых пятилеток.

В дальнейшем все развивалось по сценарию Гангута. Лучников собирал интервью. Лора интересовалась, не припрятал ли кто-нибудь из старичков в кармане чекушку, и предлагала за нее бриллиантовое кольцо. Она плакала и норовила встать на колени, чтобы отблагодарить этим странным движением творцов всего того, что их в этот миг окружало, — плакатов, стендов, диаграмм и скульптур, Лучников пытался выяснить, чего больше заложено в старых энтузиастах — палача или жертвы, и сам, конечно, распространялся о своем неизлечимом комплексе вины перед замороченным населением исторической родины. Гангут пытался остановить такси, чтобы всем им вовремя смыться, но не забывал, однако, и выявлять рабскую природу старческого энтузиазма, а заодно и высмеивать выборы без выбора. Наряд из штаба боевых комсомольских дружин, вызванный одним из стариков, прибыл вовремя. Дежурили в эту ночь самые отборные дружинники, дети дипломатов, студенты Института международных отношений в джинсовых костюмах. Они применили к провокаторам серию хорошо отработанных приемов, скрутили им руки, швырнули на дно «рафика» и сели на них мускулистыми задами.

В последний момент Лора, однако, была спасена — старушка лифтерша, первая доброволка Комсомольска-на-Амуре, объявила ее своей племянницей. Этот факт позволил Андрею Лучникову думать о том, что народ все же сохранил «душу живу». Об этом он думал всю дорогу до штаба, в то время, когда один из студентов-международников, которому он все же успел всадить в ребро тайваньский приветик, постанывая, бил его в живот крепким каблуком импортного ботинка.

В штабе БКД посредине кабинета с портретом Дзержинского обоих провокаторов посадили на стулья, а руки им связали шпагатом за спинками стульев. Тот, с тайваньским синяком под ребрами, плевал себе на ладонь, подносил плевок ко рту Лучникова и предлагал этот плевок слизать. Слизнешь плевок, морально разоружишься, получишь снисхождение. Не слизнешь, пеняй на себя. В конце концов Лучников изловчился и коленкой вывел из игры подтянутого, чистенького и старательного международника. После этого уже и ноги ему привязали шпагатом к стулу.

Между тем полковник Сергеев проводил вторую бессонную ночь подряд. Разумеется, и всему своему сектору, двум подполковникам, трем майорам и четырем капитанам, он тоже спать не давал. С тех пор как выяснилось исчезновение главного объекта, на который весь сектор и работал, ради которого, собственно говоря, он и был создан, полковник Сергеев стал посматривать на своих сотрудников особым глазом, подозревая всех в халтуре. Ходил по трем кабинетам сектора, внезапно распахивая двери, — наверняка, негодяи, разглядывают крымскую порнографию! Надо умудриться — упустить в Москве из виду такого человека, как Лучников. Это надо умудриться!

Однажды поймал на себе скрещивающиеся взгляды — старого зама и самого молодого пома — и вдруг понял, что и он сам под тем же подозрением — исхалтурился, мол, Сергеев, размяк в Москве.

Между прочим, и верно, самокритично думал он о себе, за десять лет заграничного подполья привык к капитализму, отвык от родины, весело, энергично шуровали, бывало, и за ширмами и под полом, и вот сейчас вхожу волей-неволей в колею, восстанавливаю связи по продовольственным заказам, по каналам дефицита, билеты в модные театры, книги, прочая мура... ловишь себя все время на подлом отечественном афоризме — «работа не волк...». А ведь работа-то почти саперная: раз ошибся — разнесет, яйца не поймаешь!

Все эти дни оперативные группы сектора прочесывали Москву по всем лучниковским возможным явкам, подключались к телефонам, под машины подсовывали подслушивающие «сардины», вели и прямое наблюдение за рядом лиц. Все безрезультатно. Попутно выяснилось, что функционирует только половина «сардин». Причина — явное воровство: мальчишки из секретной лаборатории растаскивают дорогостоящие импортные узлы.

Короче говоря, положение было критическое. Генерал, шеф отдела, почти уже отпадал в панике, но наверх пока не сообщал. Там, однако, что-то уже почувствовали, какую-то странную активность «лучниковского» сектора, позвонил напрямую референт и поинтересовался — все ли ОК с объектом ОК? Сергееву удалось тогда запудрить референту мозги подробным рассказом о плодотворной встрече с Луниной, но вот сейчас, после второй бессонной ночи, прихлебывая из термоса отвратительный кофий, щупая свое несвежее лицо и с отвращением озирая лица сотрудников, стены кабинета и даже портреты на стенах, он понимал, что приближается еще один звонок референта и на этот раз придется уже выкладывать всю правду — проглядели, потеряли в своей собственной столице редактора крупнейшей международной газеты, неустойчивого либерала, ненадежного друга, историческую личность, попросту говоря, неплохого человека.

Произошло, однако, еще более страшное, чем звонок референта. Как раз в тот час, когда Гангута и Лучникова отвязали от стульев и повели на допрос к начальнику штаба комсомольской дружины, в этот именно момент к Сергееву позвонил не референт какой-никакой, позвонили через площадь, из самого большого дома. Позвонил не кто иной, как сам Марлен Михайлович Кузенков, поинтересовался, где пребывает в данный момент Андрей Арсеньевич Лучников. Оказалось, что вечером этого дня Кузенкову вместе с Лучниковым назначено строго приватное свидание в одной из самых тайных саун, с персоной, которая и названа-то быть не может. Все. Пиздец. Фулл краш, товарищ Сергеев.

При обыске у одного из двух провокаторов, пытавшихся сорвать народное волеизъявление, был отобран пропуск на киностудию «Мосфильм» и одиннадцать рублей денег. У второго в бумажнике была обнаружена огромная сумма иностранной валюты в долларах и тичах, визитки иностранных журналистов и записная книжка с телефонами Симферополя, Нью-Йорка, Парижа и другого зарубежья. Потрясенный такой находкой, начальник штаба выскочил из кабинета то ли для того, чтобы с кем-нибудь посоветоваться, то ли просто чтобы дух перевести.

Руки у «провокаторов» были сейчас развязаны, в метре от них на столе стоял телефон, в дверях дежурил всего один комсомолец.

— Ну, позвони своему Марлену, — сказал хмуро Гангут. — Хватит уж...

— Да ни за что на свете не буду звонить, — сказал Лучников.

— Хватит выебываться, — перекосившись сказал Гангут. — Сейчас нас в ГБ поволокут, а мне это совсем некстати.

— Я никому не буду звонить, — сказал Лучников.

— Ты мне все меньше нравишься, Андрей, — вдруг сказал Гангут.

— Это неизбежно, — пробурчал Лучников.

— Тогда я позвоню. — Гангут снял телефонную трубку.

— Положите трубку! — рявкнул дежуривший бэкадешник. Да, рвение у добровольных карателей было большое, но вот умения еще не хватало. Лучникову не пришлось особенно трудиться, чтобы дать возможность Гангуту позвонить какому-то Дмитрию Валентиновичу и в двух словах описать тому ситуацию.

Физически униженный юный атлет, еще секунду назад казавшийся себе суперсолдатом будущих космических войн за торжество социализма, скорчившись сидел на полу, когда прибежал запыхавшийся начальник штаба. За ним ввалилась целая толпа студенческой молодежи МГИМО.

— Не трогать! — заорал на них начальник, когда у юношей обнаружилось естественное желание вступиться за физическую честь товарища.

Одновременно зазвонили два телефона на столе под портретом Дзержинского. Рухнуло, задетое чьей-то рукой, тяжелое бархатное знамя. Началось то, что в российском нынешнем обиходе называется ЧП, в ходе которого судьба наших героев то и дело менялась с лихорадочной поспешностью. То их тащили в какую-то мрачную, пропитанную хлоркой кутузку и швыряли на осклизлый пол, то вдруг просили перейти в другое помещение, усаживали в мягкие кресла, приносили кофе и газеты. То вдруг появлялся какой-нибудь неврастеник с дергающимися губами, и начинался грубый допрос. То вдруг его сменял приятный какой-нибудь спортсмен-путешественник, угощал их сигаретами «Мальборо», издалека заводил разговор о возможных путях миграции древних племен, о папирусных лодках, о плотах из пальмовых стволов, о «пришельцах».

Вдруг явилась уголовная бригада и начала их фотографировать со вспышками в профиль и анфас. Потом вдруг девушки с невероятно пушистыми, разбросанными по плечам волосами принесли дурно пахнущие котлеты и полдюжины чешского пива. Все время где-то в глубине здания гремела музыка, то патриотическая, то развлекательная, — выборы в Верховный Совет шли своим чередом.

Наконец вошел здоровенный мужлан в кожаном френче, физиономия украшена висящими усами и длинными тонкими бакенбардами, глазища свирепые, но и не без хитрецы. Он протянул обе руки Гангуту и, не получив в ответ ни одной, обнял того за плечи

— Ну, вот видишь, Виталий, птаха-то наша не подвела, все улажено, — ласково заурчал он. — Все в порядке, незадачливый мой дружина, пошли, пошли...

«Хорошие «дружины» появились у Гангута», — подумал Лучников. Усмешка не осталась незамеченной и явно не понравилась спасителю.

— Олег Степанов, — сказал он и протянул Лучникову руку, внимательно рассматривая его, даже, возможно, сравнивая с какими-то стандартами.

— Андрей Лучников. — Звук оказался приятным для спасителя. Он улыбнулся и пригласил обоих недавних «провокаторов» следовать за собой. Начальник штаба дружины поспешал рядом, бубнил что-то о недоразумении, извиняясь за горячие свойства молодежи и за тупость стариков энтузиастов. Он явно не вполне понимал, что происходит.

В машине, а их ждала черная машина с антенной на крыше, Олег Степанов еще раз внимательно оглядел Лучникова и сказал:

— Имя ваше звучит хорошо для русского уха.

— Что особенно хорошего слышит в моем имени русское ухо? — любезно поинтересовался Лучников. Гангут насупленно молчал, ему, кажется, было стыдно.

— Позвольте, Лучниковы — старый русский род, гвардейцы, участники многих войн за Отечество. — Глаза Степанова сузились, впиваясь.

— В том числе Гражданской войны, — усмехнулся Лучников.

— Да-да, в том числе и Гражданской... — очень уважительно произнес Степанов. — Что ж, это естественно, куда пошло войско, туда пошли и они. А вы, случайно, не родственник тем, островным, Лучниковым? Этот род там процветает — один, кажется, «думец», другой — владелец газеты... Да вы не подумайте, что вас за язык тянут. Виталий меня знает, я не из тех... Лично я только бы гордился таким родством.

Лучников и Гангут переглянулись.

Степанов сидел впереди, повернувшись всем лицом к ним, внимательно их наблюдая, покровительственно и дружественно улыбаясь — два больших желтых зуба виднелись из-под усов. Шофер совершенно неопределенной внешности и телефон в машине неопределенного назначения. «Вот так славянофилишки», — подумал Гангут.

— Андрей как раз и есть тот самый владелец газеты с Острова, — проговорил он.

Тренированный шофер только головой дернул, зато у Олега Степанова глаза выкатились и лицо стало заливаться выражением такого неподдельного счастья, какое, наверное, у крошки Аладдина появилось при входе в пещеру.

С этого момента ЧП стало принимать все более волнующие формы. Вначале они прибыли туда, куда ехали, на завтрак в квартиру, где ждали «русского режиссера» Гангута. Однако через минуту в квартире, где был завтрак этот накрыт, воцарилась немыслимая суматоха — масштабы менялись, завтрак теперь готовился уже в честь огромной персоны Лучникова, творца Идеи Общей Судьбы, о которой московская националистическая среда была, естественно, весьма наслышана. Тут уже попахивало, братцы мои, историей, ее дыханием, зернистой икрой попахивало, товарищи. Завтрак теперь оказался не основным событием, а как бы промежуточным, да и участники завтрака, в том числе и сама всемогущая «птаха» Дмитрий Валентинович, плюгавенький типчик почему-то со значком журнала «Крокодил» в петлице, тоже оказались как бы промежуточными, о чем весьма убедительными интонациями давал понять почетному гостю Олег Степанов.

Телефон звонил непрерывно, в передней толпились какие-то люди, гудели возбужденные голоса. Готовился переезд с завтрака на обед в более высокие сферы.

Обед состоялся действительно очень высоко, над крышами старой Москвы, в зале, которую, конечно, называли трапезной, с иконами в богатых окладах и с иконоподобной портретной живописью Глазунова. Тут были уже и блины с икрой, и расстегаи с визигой, и поросята с гречневой кашей, как будто на дворе стоял не зрелый социализм, а самый расцвет российской купли-продажи. За столом было не более двадцати лиц, из утренней компании удостоились присутствовать только Дмитрий Валентинович и Олег Степанов, они и вели себя здесь как младшие. Остальные представлялись по имени-отчеству — Иван Ильич, Илья Иваныч, Федор Васильевич, Василий Федорович, был даже один Арон Израилевич и Фаттах Гайнулович, которые как бы демонстрировали своим присутствием широту взглядов по части нацменьшинств.

Всем народам на нашей земле мы дадим, Андрей Арсеньевич, то, в чем они нуждаются, мягко, спокойно говорил Илья Иваныч, вроде бы самый здесь весомый. Говорил так, как будто не все еще дано народам, как будто не наслаждаются народы уже шесть десятков лет всем самым необходимым. Но прежде, Андрей Арсеньич, получит нужное ему основной наш народ, многострадальный русак — и это мы полагаем справедливым.

Все были, что называется, «в соку», от пятидесяти до шестидесяти, о должностях, официально занимаемых, никто не говорил, но по манерам, по взглядцам, по интонациям и так было ясно, что должности твердые.

Поднимались тосты за верность. Все тосты были за верность. За верность земле, за верность народу, флагу, долгу, за верность другу. Федор Васильевич предложил тост за русских людей за рубежом, сохранивших верность истории. Все встали и чокнулись с Лучниковым.

Один лишь Гангут притворился пьяным и не встал, но этого снисходительно не заметили — что возьмешь с отвлеченного артиста.

Гангут между тем то и дело бросал другу красноречивые взгляды — пора, мол, линять. Лучников же и не думал линять. Нежданно-негаданно он попал в сердцевину московского «Русского клуба», а упускать такие возможности журналисту уже никак нельзя. К тому же и связь тут с делом его жизни самая что ни на есть прямая. Кто же союзники для ИОСа, если не эти патриоты? И никакие они не юдофобы, не шовинисты, вот, пожалуйста, и Арон Израилевич и Фаттах Гайнулович за столом. Да и концепция русского народа как жертвы в значительной степени близка ИОСу, и, если начать разговор в открытую, если, принюхавшись, мы поведем впрямую разговор о воссоединении, о новой жизни единой России...

Между тем ЧП отнюдь не затихало, а, напротив, развивалось все шире. Лучников не слышал, как в отдаленных комнатах надмосковских апартаментов велись телефонные переговоры, и все по его душу.

ЧП, естественно, не обошло и того учреждения, где существовал специальный «лучниковский» сектор во главе с полковником Сергеевым. Собственно говоря, именно на это учреждение и вышел скромняга крокодилец Дмитрий Валентинович, именно оттуда и приехала машина с антенной на крыше, оттуда и начальник штаба дружины получал соответствующие распоряжения — как же иначе, откуда же еще?

Конечно, и в этом учреждении началась суматоха, когда выяснилось, что один из двух типов, задержанных дурачками- комсомольцами и освобожденных, честно говоря, просто по самому обыкновенному блату, оказался такой важной зарубежной птицей.

Пикантность заключалась, однако, в том, что тот отдел учреждения, где началась суматоха, никак не соприкасался с сектором полковника Сергеева, хотя и располагался с ним на одном этаже, в одном коридоре и даже дверьми напротив.

Весь текущий рабочий день сектор Сергеева в полном уже отчаянии метался по Москве и окрестностям, пытаясь нащупать хоть малейшие следы пропавшего «белогвардейца» и трепеща в ожидании очередного звонка от Марлена Михайловича Кузенкова, в то время как в комнатах напротив солидный штат другого сектора смежного отдела деятельно «вел» искомую персону от завтрака к обеду и далее, фиксируя буквально все ее движения, фазы, взгляды и, конечно, подсчитывая количество выпитых рюмок.

Что поделаешь, такие случаются огрехи в современных высокоразвитых структурах при разделении специализации труда.

В один момент, правда, возникла возможность коммуникации, когда во время обеденного перерыва машинистка сергеевского сектора села за один стол с секретаршей соседнего отдела. У нас сегодня все с ума посходили, сказала машинистка. И у нас сегодня все с ума посходили, сказала секретарша. Сигнальные огни в бушующем море сблизились. Где бы мне купить моющиеся обои, сказала машинистка. Сигнальные огни разошлись.

Вечерело. Горели над Москвой кресты реставрированных церквей. Обед угасал и переходил в другую фазу — в поездку куда-то «на лоно». Нет-нет, мы вас так не отпустим, дорогой Андрей Арсеньевич, может, на Острове вы малость и заразились англичанством, но в метрополии русское гостеприимство-то живо, традиций мы сейчас блюдем, возрождаем. Куда теперь? Теперь — «на лоно»! Лоно было сопряжено с несколько странными подмигиваниями, ухмылочками, потиранием ладоней. На лоно! На лоно!

— Неужели ты и на лоно поедешь с этой кодлой? — зашептал Гангут Лучникову.

А что такое это «лоно»? Да госдача какая-нибудь с финской баней и толстожопыми блядьми. Конечно, поеду, никогда не упущу такого случая. А ты, Витася, неужто отстанешь от своих друзей? Какие они, в задницу, мне друзья, презираю всю эту олигархию, линяю с концами, блевать хочется.

Вполне успешно «русский режиссер» Виталий Гангут «слинял», никто, собственно говоря, и не заметил его исчезновения. Все были основательно уже под хмельком, радостно возбуждены и нацелены на дорогого чудного гостя, чудо—миллионера с исконно русской жемчужины Острова Крыма.

Поехали разными машинами. Лучников почему-то оказался на мягких подушках новенького японского «Дацуна».

На лоне за тремя проходными со стражей оказался дивный ландшафт, зеленые холмики, озаренные закатным солнцем, дорожки, посыпанные красным утрамбованным кирпичом, гостеприимные «палаты» в традициях, но со всем, что нужно, и прежде всего, конечно, с финской баней. Закат Третьего Рима — финские бани за семью печатями.

Обнаженное общество выглядело еще более радушным, еще более благосклонным, не только к гостю, но и друг к другу. Растут, растут наши соцнакопления, говорил один, похлопывая другого по свисающим боковинам. Вот обратите внимание на Андрея Арсеньича, вот западная школа, вот тренаж, ни жириночки. Аристократы, хе-хе, а мы мужицкая кость. Наши предки тюрей пузища набивали, а Лучниковы — как вы думаете? — сколько поколений на лучших сортах мяса?

— А где Арон Израилевич? — поинтересовался Лучников. Все эти Ильичи Ивановичи, Василии Федоровичи, Дмитрии Валентиновичи в сухой финской жаре розовели, увлажнялись, поры на их коже открывались, груди их вольготно вздымались, глаз поблескивал.

Из парилки бухались в бассейн, потом переходили к столам, уставленным с традиционной российской щедростью. После каждого сеанса в парной и аппетит улучшался, и выпивальный энтузиазм увеличивался, и даже интерес к шустрым девчатам-подавальщицам в махровых халатиках появлялся.

— А где же Фаттах Гайнулович? — поинтересовался Лучников.

— Какой же все-таки спорт вы практикуете, Андрей Арсеньевич? — интересовались окружающие. Любой, какой подвернется, отвечал он. Блудные глаза невольно следили за перемещением шустрых подавальщиц. Я довольно хаотический спортсмен. Хаотический спортсмен, ха-ха-ха! Слышите, товарищи, Андрей Арсеньевич — хаотический спортсмен.

Оно и видно, оно и видно. Люда, познакомьтесь с нашим гостем. Хаотический спортсмен, ну, у тебя, Василий Спиридонович, одно на уме, старый греховодник. Между прочим, обратите внимание, у гостя-то крестик на шее, а вроде современный человек. Экономика у них там основательная, а философия, конечно, отсталая.

Лучников старался тоже наблюдать своих хозяев. Он понимал, что вокруг него реальная советская власть, уровень выше среднего, а может быть, и очень выше. Любезно общаясь и сохраняя немногословность (это качество явно импонировало присутствующим), он старался прислушиваться к обрывкам разговоров, которые временами вели между собой эти исполненные достоинства обнаженные особы с гениталиями в седоватом пуху. Уровень — это и была главная тема разговоров. Он выходит на уровень Михаила Алексеевича... нет, это уровень Феликса Филимоновича... да ведь не на уровне же Кирилла Киреевича решаются такие вопросы...

В какой-то момент он глянул на них со стороны, вылезая из бассейна, и подумал: кого же мне вся эта шатия напоминает? Человек восемь, небрежно прикрытые полотенцами, сидели за длинным псевдогрубым столом из дорогого дерева. Кто-то неторопливо разливал «Гордон-джин», кто-то наливал из банки пиво «Туборг», кто-то накручивал на вилку прозрачнейший ломтик семги, кто-то легонько обнял за махровый задик подошедшую с подносом тропических фруктов Людочку. Шла какая-то неторопливая и явно деловая беседа, которая, конечно, сейчас же оборвалась при приближении «дорогого нашего гостя». Нет, на римских сенаторов они все же мало похожи. Мафия! Да, конечно, это — Чикаго, компания из фильма о «Ревущих двадцатых» — все эти свирепые жлобские носогубные складки, страннейшее среди истеблишмента ощущение не вполне легальной власти.

— А где же Арон Израилевич?

Во время очередного перехода в парилку к Лучникову приблизился непосредственный сегодняшний спаситель Олег Степанов. Без всякого сомнения, этот огромный, как лошадь, активист впервые находился в таком высоком обществе. Он был слегка неуклюж, слегка застенчив, как мальчик, впервые допущенный в компанию мужчин, он, кажется, слегка был смущен превосходством своего роста, сутулился и пах прикрывал полотенчиком, но был явно счастлив, ох, как счастлив! Радостью, подобострастием и вдохновением сияли его обычно мрачновато-лукавые глаза. Он чувствовал свой звездный час. Вот он пришел, и так неожиданно, и благодаря кому — какому-то жалкому пьянчуге Гангуту! Русская историческая аристократия, шефы партии, армии и торговли — и он среди них, Олег Степанов, рядовой национального движения. Сегодня рядовой, а завтра...

— Я знаю, Лучников, почему вы спрашиваете про Арона Израилевича и про Фаттаха Гайнуловича, — заговорил он. — Вам любопытно: допускаются ли сюда инородцы. У вас рефлексы западного журналиста, Лучников, пора с ними расстаться, если хотите быть в нашей среде... — Он говорил как бы приватно, как бы только для Лучникова, но голос его все повышался, и по дороге в парилку на него кое-кто из немногословных боссов как-то косо стал поглядывать. Степанов бросил свое полотенце в кресло, и Лучников с любопытством заметил, что длинный и тонкий степановский член находится как бы «на полувзводе».

Вошли и расселись в парилке по малому амфитеатру дощатых отшлифованных полок — и впрямь сенат. Начали розоветь, испарять ненужные шлаки, для того чтобы еще новые вкусные эти шлаки безболезненно принять. Так ведь и гости Лукулла блевали в особом зале, чтобы снова возлечь к яствам.

— Мы не примитивные шовинисты, — все громче говорил Олег Степанов, — тем более не антисемиты. Мы только хотим ограничить некоторую еврейскую специфику. В конце концов, это наша земля и мы на ней хозяева. У евреев развита круговая порука, сквозь нее трудно прорваться. Меня, например, трижды рубили с диссертацией только по национальному признаку, и я бы не прорвался никогда, если бы не нашел друзей. Евреям нужно научиться вести себя здесь скромнее, и тогда их никто не тронет. Мы хозяева на нашей земле, а им мы дали лишь надежное пролетарское убежище...

— Как вы сказали — пролетарское убежище? — спросил Лучников.

— Да-да, я не оговорился. Не думайте, что с возрождением национального духа отомрет наша идеология. Коммунизм — это путь русских. Хотите знать, Лучников, как трансформируется в наши дни русская историческая триада?

— Хочу, — сказал Лучников.

На скамейках амфитеатра разговорчики об «уровнях» понемногу затихли. Голос Олега Степанова все крепчал. Он спустился вниз и повернулся лицом к аудитории, большой и нескладный, человек-лошадь, похожий на описанного Оруэллом Коня, но с горящим от неслыханной везухи взглядом и полувзведенным членом.

— Православие, самодержавие и народность! Русская историческая триада жива, но трансформирована в применении к единственному нашему пути — коммунизму!

— Кто это такой? — спросил чей-то голос с ленцой за спиной Лучникова.

В ответ кто-то что-то быстро шепнул.

— Декларирует, — с усмешкой, то ли одобрительной, то ли угрожающей, проговорил «ленивый».

Олег Степанов, без сомнения, слышал эти высказывания и смело отмахнул со лба длинные черные пряди а-ля Маяковский. Он не намерен был упускать сегодняшний шанс, для него уйти из этой баньки незамеченным страшнее было любого риска.

147

— Христианство — это еврейская выдумка, а православие — особенно изощренная ловушка, предначначенная мудрецами Сиона для такого гиганта, как русский народ. Именно поэтому наш народ с такой легкостью в период исторического слома отбросил христианские сказки и обернулся к своей извечной мудрости, к идеологии общности, артельности, то есть к коммунизму!

Самодержавие, само по себе почти идеальная форма власти, в силу случайностей браков и рождений, увы, к исходу своему тоже потеряло национальный характер. В последнем нашем государе была одна шестьдесят четвертая часть русской крови. И народ наш в корневой своей мудрости сомкнул идеологию и власть, веру и руку, изумив весь мир советской формой власти, советом! Итак, вот она, русская триада наших дней — коммунизм, советская власть и народность! Незыблемая на все века народность, ибо народность — это наша кровь, наш дух, наша мощь и тайна!

— Братцы мои, да у него торчком торчит! — сказал со смешком ленивый голосок за спиной Лучникова. — Вот так маячит! Ай да Степанов!

Степанов и сам не заметил, как у него в порыве вдохновения поднялся член. Ахнув, он попытался закрыть его ладонями, но эрекция была настолько мощной, что красная головка победоносно торчала из пальцев.

Общество на финских полатях покатилось от хохота. Вот так дрын у теоретика! К Людочке беги быстрей, брат Степанов. Да у него не на Людочку, у него на триаду маячит! Ну, Степанов! Ну, даешь, Степанов!

«Теоретик» затравленно взирал на хохочущие лица, пока вдруг не понял, что смех дружественный, что он теперь замечен раз и навсегда, что он теперь — один из них. Поняв это, он похохотал над собой, покрутил головой и даже слегка прогалопировал, держа в кулаке свой непослушный орган.

Тут в парилке открылась дверь, и на пороге появился еще один человек — голыш с крепкой спортивной фигурой. Смех затих.

— А вот как раз и Арон Израилевич, — тихо сказал кто-то. Лучников узнал своего друга Марлена Михайловича Кузенкова. Кто-то тихонько хихикнул. Лучников оглянулся и оглядел всех. Все смотрели на вновь прибывшего с любезными улыбками. Было очевидно, что он хоть и допущенный, но не совсем свой.

Марлен Михайлович приближался к полатям, глядя поверх головы Лучникова, как-то неуверенно улыбаясь и разводя руками, явно чем-то обескураженный и виноватый. Потом он снизил свой взгляд и вдруг увидел Лучникова. Изумлению его не было предела.

— Андрей!

Ну, знаешь! Ну, понимаешь ли! Да как же? Каким же образом? Да это просто фантастика! Нет-нет, это фантастика, иначе и не скажешь! Ты — здесь? Да это просто поворот в детективном духе!

— Какой же тут поворот? — улыбнулся Лучников. Они вышли из парилки и прыгнули в бассейн. Здесь Марлен и поведал Андрею, как развивалось вокруг него трехдневное ЧП, как потеряли его соответствующие органы, как искали по всей Москве и не могли найти, как он сам на эти органы наорал сегодня по телефону, да-да, пришлось и ему к ним обращаться, ты ведь, Андрей, достаточно реалистический человек, чтобы понимать, что к особе такого полета, как ты, не может не быть приковано внимание соответствующих органов, ну вот и пришлось обратиться, потому что ты пропал, не звонишь, не появляешься, а у нас ведь с тобой нерешенные вопросы, не говоря уже о нормальных человеческих отношениях, я уже к Татьяне звонил и в корпункт и даже своему Диму Шебеко, но никто не знал, где ты, — я так понимаю, что это ты из-за Татьяны ушел на дно, да? — ну, вот и пришлось позвонить в соответствующие органы, потому что сегодня должна была состояться твоя встреча с очень видным лицом, напоминаю тебе твою же шутку о масонской ложе, так вот — была достигнута полная договоренность, а тебя нет, это, понимаешь ли, в нашей субординации полнейший скандал, вот почему и пришлось к соответствующим органам обращаться, и вдруг выяснилось, какой пассаж, что и они не знают, где ты, так до сих пор и не знают ничего, не знают даже, что ты здесь прохлаждаешься, а ведь им все полагается знать, ха-ха-ха, это просто умора!

— А я-то думал, что здесь каждый стул соединен с соответствующими органами, — проговорил Лучников. — Даже этот бассейн непосредственно вытекает в соответствующие органы.

— Страна чудес! — возлел слегка к потолку руки Марлен Михайлович и слегка утонул в прозрачной зеленой обогащенной морским калием водице.

— Что ж, выходит, моя встреча с этим вашим магистром не состоялась? — спросил Лучников.

— Увы, она состоялась, — Марлен Михайлович опять слегка утоп, — увы, однако, без моего участия. По другим ка—
налам ты сюда приплыл, Андрей, а это, к сожалению, отразится в дальнейшем на многом...

— Что же, и магистр ваш, стало быть?.. — спросил Лучников.

— Ну, конечно же, он там. — Кузенков повел глазами в сторону парилки.

Лучников вылез из бассейна. Кузенков последовал за ним.

— Марлен, я три дня не менял рубашки, — сказал Лучников. — Ты не мог бы мне одолжить свою? У меня... у меня... понимаешь ли, сегодня прием в британском посольстве, я не успею в гостиницу заехать.

— Да-да, конечно. — Кузенков задумчиво смотрел на Лучникова.

— Кроме того, — Лучников положил руку на плечо человеку, который называл здесь себя его другом, — ты не мог бы вывезти меня отсюда на своей машине? Я совершенно потерял ориентацию.

Кузенков задумался еще больше.

Из парилки вышел и мигом обмотал чресла полотенцем Олег Степанов. В глубине холла под сенью вечнозеленых пальм три подавальщицы, бойко поглядывая, накрывали на стол. За стеклянной стеной во внешней среде под елками передвигались безучастные фигуры охраны. Олег Степанов стоял неподвижно с лицом, искаженным гримасой острейшего счастья.

— Хорошо, Андрей, поехали, — решительно сказал Кузенков.

Трудно сказать, прежние ли ребята работали, или сергеевский сектор наконец взял на себя все заботы, но оперативная машина исправно следовала за кузенковской «Волгой» всю дорогу до города, держась, впрочем, вполне тактичной дистанции. Кузенков иногда посматривал в зеркальце заднего вида и морщился. Он и не старался скрыть эту мимику от Лучникова, скорее даже подчеркивал, подсознательно, как бы показывая другу, что ему лично это все глубоко противно...

— Твой маршрут, Андрей, в принципе почти согласован, — говорил Кузенков по дороге. — Однако на поездку в одиночестве не рассчитывай. Иностранцам такого ранга, как ты, полагается переводчик, ну и ты получишь переводчика. Постараюсь, впрочем, чтобы выделили какого-нибудь нормального парня...

Он опасливо посмотрел на Лучникова, но тот только смиренно кивнул. Согласен на переводчика! Что это с ним?

— Можно даже попросить какую-нибудь нормальную девушку, — улыбнулся Кузенков. — Это зависит от тебя. Кстати, что у тебя с Таней?

— Да ничего особенного, — промямлил Лучников. — Этот ее супруг...

— Порядочный дебил, правда? — быстро спросил Кузенков.

— Нет, вполне нормальный малый, но он, понимаешь ли... ну, в общем, он уж слишком на супружнице своей задвинулся...

— Ты разочаровался в ней? — спросил Марлен.

— Ничуть. Я только не знаю,. нужен ли я ей, вот в чем вопрос.

— Хочешь, я поговорю с ней? Впрочем, лучше, если Вера это сделает. У них прекрасные отношения.

— Может быть, с ней соответствующие органы поговорят?— невинно спросил Лучников.

150

— Ну, знаешь! — задохнулся от возмущения Кузенков. —Ты меня, Андрей, иногда просто бесишь! Ты уж просто рисуешь себе настоящее оруэлловское общество! Ты говоришь, как чужой! Тебе будто бы наплевать на то, какой мы путь прошли от сталинщины, что это стоило нам... таким людям, как я... ты... Где же твой ИОС?

— Прости меня, друг. — Лучников и в самом деле почувствовал угрызения совести. Он понимал, что этим своим неожиданным отъездом с госдачи, увозом его, Лучникова, оттуда без всякого «согласования» Кузенков нарушает их мафиозную этику, идет на серьезный риск. — Нам нужно с тобой, Марлен, как-нибудь поговорить обо всем, раз и навсегда, все выяснить, начистоту до конца, без хохмочек и без улыбочек, — сказал он. — Боюсь, что, если мы этого не сделаем, это отразится не только на наших с тобой отношениях.

Кузенков посмотрел на него с благодарностью.

— Что касается этой баньки, — сказал Лучников, — то я только рад, что наше формальное знакомство с персоной не состоялось. Если вокруг него такие ребята, каких я сегодня узрел, пошел бы он на хер. Это ребята не в моем вкусе. Это ребята не из моего клуба.

Кузенков еще раз посмотрел на него и молча улыбнулся.

— Останови, пожалуйста, Марлен, и порезче, где-нибудь возле такси, — сказал Лучников.

Они ехали по Кутузовскому проспекту. «Волга» сопровождения держалась на прежнем расстоянии, что было нетрудно, потому что в этот час движение было редким, лишь такси шмыгали, да иногда прокатывал какой-нибудь дипломат.

Выскочив из резко затормозившей машины, Лучников вдруг снова с изумлением почувствовал мимолетный рывок молодости: то ли алые просветы в тучах за шпилем гостиницы «Украина», то ли сама ситуация очередного бегства, близость нового, пусть и пустякового, приключения... «Оперативка» промчалась мимо и растерянно остановилась посреди моста над Москвойрекой. Отъехала и перевалила за горб моста машина Марлена. Лучников влез в такси и назвал адрес Татьяниного кооперативного квартала.

Когда проезжали мимо опер-«Волги», трое типусов, сидящих там, сделали вид, что им нет до него никакого дела. Такси прокрутилось под мостом, резво проскочило по подъему на зеленую стрелку мимо здания СЭВ. Стрелка, видимо, тут же погасла, потому что Лучников увидел, как началось поперечное движение, как пошел на зеленый огонь огромный интуристовский «Икарус» и как из-за него, нарушая все правила, вынырнула на зверском вираже опермашина.

Видимо, они там мобилизовались и вели теперь преследование очень толково, профессионально, точно выходя к светофорам и не выпуская из виду лучниковское дребезжащее такси.

Вдруг он сообразил, что у него нет ни рубля внутренних денег. Возьмет ли доллары таксист?

— Спасибо вам большое, — сказал таксист, беря зеленую десятку. — Сенкью, мистер, вери мач.

Лучников, не торопясь, вошел в подъезд и вызвал лифт. Дверь подъезда осталась открытой, и в ее стекле отражался почти весь двор, замкнутый многоэтажными стенами. Отчетливо было видно, как медленно продвигается по двору черная «Волга», выбирая удобную позицию для наблюдения. По асфальтовой дорожке она проехала мимо строений детской площадки и остановилась прямо напротив подъезда. Зажгли дальний свет, увидели Лучникова возле лифта и успокоились, погасили свет.

В это время во двор въехал хлебный фургон и, остановившись на задах булочной, запер «Волгу» между кустами и детской площадкой. Такой удачи Лучников не ждал. Не раздумывая, он помчался через детскую площадку к хлебному фургону. Оперативники выскочили из «Волги» только в тот момент, когда ключ зажигания фургона оказался у Лучникова в кармане.

Длинноволосый хлебный шоферюга, раскрыв рот, наблюдал невероятную сцену погони «топтунов» за «фирменным человеком».

«Фирмач» рванул под арку и скрылся, «топтуны», ставя рекорды по барьерному бегу, понеслись через детскую площадку и тоже скрылись. Оперативная «Волга» свалила слоника, качели и застряла между каруселью и шведской стенкой. Хлебовоз, опомнившись, тоже побежал под арку посмотреть, как сцапают «фирмача» — ведь от таких легавых все равно не уйдешь. И на фиг только он ключ-то мой увел?

Однако оказалось, что задумано все гораздо круче, что «фирмач»-то оказался совсем непростым товарищем. За домом-то у него, оказывается, «Жигули» стояли с белым номером «ТУР—00-77». Сел «фирмач» в свои «Жигули», проехал мимо «топтунов», с улыбочкой, а шоферюге бросил его ключ, да еще и крикнул: «Спасибо, друг».

«Топтуны», конечно, шоферюгу схватили за грудки — убирай, кричали, свою помойку, заблокировал опермашину, шипят, по твоей вине упустили государственного преступника! Шоферюга, нормально, возмущается — какая же, говорит, это вам помойка, если в ней хлеб, наше богатство. Они ему по шее, сами к фургону, пока разворачивались из-под арки, киоск «Союзпечати» своротили. Выскочила «Волга» на оперативный простор, а простор, конечно, он и есть простор —пустыня, только мигалки желтые работают. Ничего, говорит один «топтун», далеко не уйдет. Ну, теперь дадут нам, ребята, по пизде мешалкой, говорит второй «топтун». Эй, говорит третий «топтун» шоферюге, дай-ка нам свежего хлеба по батону. Нате, сказал

152

шоферюга и принес им три горячих булки, пусть пожрут мужики перед служебными неприятностями.

Лучников остановил своего «жигуленка» на Старом Арбате, облачился в найденное на заднем сиденье двустороннее английское пальто, почувствовал себя почему-то весьма комфортно и углубился в переулки, в те самые, которые вызывали у него всегда обманчивое ощущение нормальности, разумности и надежности русской жизни.

На углу Сивцева Вражка и Староконюшенного (слова-то какие нормальные!) зиждился старый дом, во дворе которого зиждился дом еще более старый, а во дворе этого дома, то есть за третьей уже проходной, помещался совсем уже полуаварийный шестиэтажный памятник Серебряного века, в котором на последнем этаже жил музыкант Дим Шебеко в квартире, которую он называл «коммунальным убежищем», или сокращенно «комубежаловкой».

Был второй час ночи, весь дом спал, но из «комубежаловки» доносились голоса и смех. Образовалось это логово молодой Москвы довольно любопытным образом. Когда-то Дим Шебеко со своей матерью занимал здесь две комнаты в большой коммунальной квартире, где шла обычная коммунальная жизнь со всеми дрязгами, склоками и кухонными боями. Между тем Дим Шебеко подрастал в «рок-музыканта» и в конце концов стал им, вот именно Димом Шебеко. Параллельно подрастали дети и в других комнатах квартиры, и все постепенно становились либо музыкантами, либо фанатиками музыки. Тогда решено было все старье попереть из «комубежаловки», началась сложнейшая система обменов под личным руководством Дима Шебеко, и в результате образовалась «свободная территория Арбат». Участковый только руками разводил — у всех квартиросъемщиков лицевые счета на законном основании.

Дверь в «комубежаловку» всегда была открыта. Лучников толкнул ее и увидел, что шагнуть негде: вся передняя уставлена аппаратурой, завалена рюкзаками и чемоданами. «C_2H_5OH» явно собиралась в дорогу. Мальчики и девочки вытаскивали из комнат и сваливали в прихожей все больше и больше добра. Роскошно поблескивали в тусклом свете два барабана «Премьер» и три гитары «Джонсон». За последний год группа явно разбогатела.

— Где Дим Шебеко? — спросил Лучников у незнакомой девицы в майке с надписью «As dirty as honest».

— Чай пьет. — Девица мотнула головой в сторону ярко освещенной двери.

Дим Шебеко был, конечно, не только музыкальным лидером оркестра, но и духовным его отцом, гуру.

Он сидел во главе стола и пил зеленый узбекский чай из пиалы. Все остальные присутствующие тоже пили чай. Парадокс заключался в том, что группа, названная молекулой спирта, по идейным соображениям не употребляла спиртных напитков, таково было нынешнее направление Дима Шебеко — никаких допингов, кроме музыки.

Многие музыканты знали Лучникова: он им уже несколько лет привозил самые свежие диски и журнал «Down beat». Новичкам он был тут же представлен как «Луч Света в Темном Царстве». Весь оркестр, забыв о сборах в дорогу, сгрудился вокруг стола.

— Мы уезжаем на гастроли, Луч, — не без некоторой гордости сказал Дим Шебеко. — Едем на гастроли в город Ковров.

— Что это за город такой? — спросил Лучников.

— Город Ковров знаменит мотоциклами «Ковровец», — объяснили ему.

— Нормальные гастроли, Луч, — сказал совсем уже важно Дим Шебеко. — Город Ковров платит нам большие бабки и дает автобус. Можешь себе представить, Луч, город Ковров жаждет услышать современный джаз-рок.

— Возьмите меня с собой, ребята, — попросил Лучников. — Мне нужно смыться от ГБ.

— Возьмем Луча с собой, чуваки? — спросил Дим Шебеко.

— Конечно, возьмем, — сказали все и заулыбались Лучникову.

— Постараемся вас спрятать, господин Лучников.

— А чего они от тебя хотят? — спросил Дим Шебеко.

— Да ничего особенного, — пожал плечами Лучников. — Окружают заботой. Хотят все знать. А я хочу без них поездить по своей родной стране. Мне интересно знать, как живет моя родная страна. Что я, не русский?

— Луч — настоящий русский, — пояснил Дим Шебеко своим новичкам. — Он — редактор русской газеты в Симфи.

— Во кайф! — восхитились совсем юные новички. — Говорят, там у вас на Острове сплошной кайф, это правда?

— Частично, — сказал Лучников. Нежнейшая свежайшая девушка поцеловала его в губы и усы.

— Это как понимать? — спросил Лучников.

— Это как понимать, Галка? — поднял брови Дим Шебеко.

— По национальному признаку, — несколько туманно пояснила девушка.

— А разве это возможно — убежать от ГБ? — спросил какой-то мальчик с кожаной лентой на лбу. — Мне кажется, это просто невозможно.

— Ха-ха-ха! — вскричал Дим Шебеко. — По этому поводу все справки у нашего тромбониста Бен-Ивана. Сколько раз ты пересекал государственную границу, Бен-Иван?

Все посмотрели на маленького темного волосатика в солдатской рубашке, который на краешке стола тихо ел кусочек черного хлеба.

154

— Два раза, — тихо сказал Бен-Иван. — Пока два раза. Осенью, может быть, в третий раз отправлюсь.

— Вы шутите, Бен-Иван? — спросил Лучников.

— Нет-нет, не шучу, — сказал Бен-Иван. — У меня есть друзья в среде венгерских контрабандистов, и я вместе с ними пересекаю государственную границу в Карпатах.

Бенджамен Иванов родился в 1952 году, в разгар травли «безродных космополитов». Странные люди, его родители, как раз в ответ на эту кампанию и вписали ему в метрику английское имя.

Тихо и ненавязчиво Бен-Иван объяснил собравшимся, что государственную границу СССР пересечь трудно, но возможно. Он с венграми уже дважды бывал в Мюнхене, те по своим коммерческим делам, а он из любопытства. Этой осенью, после гастролей, он, между прочим, собирается в Стокгольм. Знакомый швед прилетит за ним в Карелию на маленьком самолете...

— Да ведь радары же, локаторы! — сказал Лучников.

— Часто ломаются, — сказал Бен-Иван. — Конечно, могут и сбить, но этот швед уже летал сюда раза три, вывозил диссидентов. Здесь нужна склонность к риску и... — он совсем уже как-то весь съежился, — ну и, конечно, некоторый опыт эзотерического характера.

— Эзотерического? — спросил Лучников. — Ушам своим не верю...

Бен-Иван пожал плечами. Чаепитие тут прекратилось, и все стали вытаскивать аппаратуру.

В Староконюшенном переулке возле канадского посольства музыкантов ждал огромный «Икарус» Ковровского мотоциклетного завода.

— Все здесь? — спросил Дим Шебеко. — Брассекшн на месте? Галка, пересядь-ка подальше от Луча. Ну, поехали!

В мощных фарах «Икаруса» неслась через лес узкая асфальтовая полоса. На обочинах пережидали ночь огромные рефрижераторы и грузовики дальнего следования. Ребята все уже спали, развалившись в креслах. Лучников и Дим Шебеко сидели сзади и беседовали.

— Я все забываю тебя спросить, — сказал Лучников. — В прошлом году ты, случайно, не познакомился с моим сыном Антоном?

Дим Шебеко хлопнул себя по лбу:

— Ба! Да это как раз то, о чем я тебя, Луч, забываю спросить. Как дела у твоего Тошки?

— Значит, познакомились?

— Две недели шлялись вместе. Он тут такой кайф поймал, твой парень, на исторической родине.

— А мне сказал, что Москва — блевотина.

— Это мы ему сказали, что Москва — блевотина.

— Вот теперь понимаю, — усмехнулся Лучников.

— Я его на саксофоне учил играть, — сказал Дим Шебеко. — У парня есть врожденный свинг.

— Твои уроки ему пригодились. — Лучников стал рассказывать Диму Шебеко об уличных музыкантах в Париже и о пересадке на Шатле, где его сын как раз и «сшибал куски», использовал московские уроки.

— Ох, как клево, — шептал Дим Шебеко, слушал, словно мальчишка, и улыбался никогда не виденному им Парижу, — как же там у вас клево, в большом мире, и как у нас херово... — Он задумался на миг и тряхнул головой. — И все-таки ни за что не отвалю. Мне тут недавно штатники гарантировали место в Синдикате музыкантов, но я не отвалю и ребятам отваливать не посоветую.

— Почему? — спросил Лучников.

— Потому что русская молодежь должна в России лабать, — убежденно сказал Дим Шебеко и добавил с некоторым ожесточением: — Пусть они отсюда отваливают.

— Кто?

— Все эти стукачи вонючие! — Дим Шебеко слегка оскалился.

— Слушай, Дим Шебеко, а у тебя в оркестре, как ты полагаешь, кто стучит?

— Никто. У нас нет!

— Но ведь это же невозможно.

— Невозможно, ты думаешь?

— Абсолютно невозможно. У тебя здесь двадцать человек, и это просто исключено. У тебя здесь наверняка несколько стукачей.

Дим Шебеко задумался, потом закрыл глаза ладонью, потом убрал ладонь. Глаза его были изумленными.

— А пожалуй, ты прав, Луч. Ведь это действительно невозможно. В таком коллективе без стукача? Нет, это невозможно. Фу, даже не по себе стало. Кто-нибудь из нас, конечно же, стукач.

— Может быть, тот, что в Мюнхен ходит? Как его? Бен-Иван?

— Бен? Да ты рехнулся, Луч? Впрочем, почему бы нет?

— А Галя? Которая так сладко целуется?

— Галка? Да я же с ней сплю иногда. Это человек очень искренний в сексе.

— Вот такие-то девочки... — продолжал Лучников свою жестокую игру.

— Ну конечно. — Глаза Дима Шебеко сузились. — Она почти наверняка стукачка. — Горка, Витя, Изя, Аскар, Нина... — перечислял шепотом Дим Шебеко своих молодых друзей. — Они ведь, наверное, там самых неожиданных вербуют... Да-да... они, между прочим... и меня самого один раз кадрили... в «Бомбоубежище»... знаешь бар на Столешниковом? Ребята говорили, что у них там специальный отдел по лабухам и хиппи... также офицеры хиппующие имеются... в Ленинграде на Крестовском в прошлом месяце «коммуну» завалили... сколько там было стукачей? И не узнаешь ведь никогда, и не подумаешь. Возьми, например, моего папашу.

— Ты считаешь Марлена стукачом? — спросил Лучников.

— А кто же он, по-твоему? Стукач большого ранга. А Вера Павловна? В высшей степени международный стукач. А ты сам-то, Луч, не стукач?

Лучников рассмеялся.

— Тут у вас, вернее, тут у нас уже и в себе-то становишься не уверен. Стукач я или не стукач? Какой же я стукач, если они за мной гоняются? Впрочем, может быть, в каком-то косвенном смысле я и стукач...

Дим Шебеко раскрыл рот, захлопнул его ладонью и зашептал Лучникову через ладонь в ухо:

— Знаешь, какая мысль меня поразила, Луч! А может быть, в косвенном смысле у нас каждый гражданин — стукач? Все ведь что-то делают, что-то говорят, а всё ведь к ним стекается...

— Значит, и ты, Дим Шебеко, стукач?

— В косвенном смысле я, конечно же, стукач, — пораженный своим открытием бормотал Дим Шебеко. — Возьми наш оркестр. Играем антисоветскую музыку. Иностранцы к нам табуном валят, и, значит, мы их вроде объебываем, что у нас тут вроде бы кайф, свобода. Едем в Ковров на гастроли, пацаны-мотоциклетчики варежки раскроют, балдеть начнут, а их потихоньку и засекут. Да-да, у нас, Луч, в нашей с тобой России сейчас, — он торжественно кашлянул, — каждый человек прямой или косвенный стукач.

— Мерзко так думать, — сказал Лучников. — И ты уж прости меня, Дим Шебеко, я сам тебя навел на эти мысли. Мне надо было проверить свои соображения, и я тебя невольно спровоцировал. Прости.

— Перестань! — отмахнулся Дим Шебеко. — Теперь мне все ясно, все стукачи... — Он задумался и замычал что-то, потом сказал в сторону еле слышно: — Кроме одного человека.

— Кого? — Лучников положил ему руку на плечо.

— Моя мама не стукач, ни в каком смысле, — прошептал Дим Шебеко.

Промелькнули огоньки какого-то поселка, пьяный парень, волокущий сбоку свой мопед, освещенная стекляшка «Товары повседневного спроса». Автобус снова ушел в лес.

— Ты не мог бы мне одолжить рублей сто? — спросил Лучников. — Если хочешь, могу обменять на валюту по курсу «Известий».

— На хера мне твоя валюта, — забормотал Дим Шебеко. — Я тебе могу хоть двести дать, Луч, хоть триста. У нас сейчас башлей навалом. Нам сейчас за нашу музыку платят клево. Тоже парадокс, правда? Мы против них играем, а они нам платят. Смешно, а? Мы от них убегаем, а они рядом с нами бегут, да еще деньги нам платят. Что нам делать, Луч, а? Куда нам теперь убегать?

Лучников взял у Дима Шебеко пачку десяток и попросил его остановить автобус. Они прошли вперед.

— Поссать, что ли, ребята? — спросил водитель.

У него в кабинке приемник тихо верещал голосом Пугачевой. Кто-то из музыкантов поднял голову, когда автобус остановился. Что, приехали?

— Куда нам теперь убегать, Луч? — спросил Дим Шебеко пьяным голосом.

— У вас путь один, — сказал Лучников. — В музыку вам надо убегать, и подальше. Я тебе завидую, Дим Шебеко. Вот кому я всегда завидую — вам, лабухам, вам все-таки есть куда убегать. Если подальше в музыку убежать, не достанут.

— Думаешь? — спросил Дим Шебеко. — Уверен? А ты-то сам куда убегаешь?

Лучникову тоже показалось, что он мертвецки пьян. Из открытой двери автобуса, из черноты России несло сыростью. Ему казалось, что оба они мертвецки пьяны, вместе с молодым музыкантом, как будто два бухарика у какого-нибудь ларька, свинские невнятные откровения.

— Я бегу куда глаза глядят, — проговорил он. — Только глаза у меня стали херовые, Дим Шебеко. Я немного слепну на исторической родине, друг. Пока я вон туда побегу, — показал он жестом Ленина в темноту. — Бег по пересеченной местности. Гуд бай нау!

Он спрыгнул на обочину, и автобус сразу отъехал. Облегчаясь над кюветом, Лучников смотрел ему вслед. Огромный комфортабельный чемодан казался совершенно неуместным на узкой дороге с разбитыми краями и дико нашлепанными, асфальтовыми заплатами. Тем не менее он шел с большой скоростью, и вскоре габаритные огни исчезли за невидимым поворотом.

Вдруг установилась тишина, и оказалось, что в России не так темно в этот час. Стояла полная луна. Шоссе слегка серебрилось. Изгиб речки под насыпью серебрился сильно. Отчетливо был виден крутой хлебный холм и за ним поселение с развалинами церкви.

Он поднял воротник пальто и пошел по левой стороне дороги. Сзади, да, кажется, и впереди уже приближался рев моторов. За бугром нарастало сияние фар. Через минуту с жутким грохотом прошли одна за другой встречные груды грязного металла.

Он поднялся по склону шоссе и увидел на обочине маленький костерок. В бликах костерка шевелилось несколько фигур. Трое мужчин, все в бязевых шапочках с целлулоидными козырьками, в распущенных рубашонках, в так называемых тренировочных штанах, свисающих мешками с выпяченных задов, толкали застрявшую машину. Очень толстая молодая женщина, одергивая цветастое платье, подкидывала под колеса ветки.

— Эй, товарищ! Товарищ! — закричала она, увидев фигуру Лучникова.

Он подошел и увидел наполовину свалившийся в кювет «караван», ту модель, которую здесь почему-то называют «рафик». У машины были разбиты стекла и изуродована крыша.

— Вот как раз одного мужичка не хватает, — сказал кто-то из присутствующих. — Помоги толкнуть, друг.

Он сошел на обочину, башмаки стали пудовыми, налипла мокрая глина. Навалились впятером. Колеса сначала пробуксовывали, потом вдруг зацепились, «рафик» потихоньку пошел. Все сразу повеселели.

— Вот кого нам не хватало, ебена мать, — дышал в ухо Лучникову пыхтящий рядом парень. — Во, бля, кого нам, на хуй, не хватало.

— Возле тебя, друг, закусывать можно, — улыбнулся ему Лучиков.

— А ты, по-моему, хорошее пил, друг, — сказал парень.— Чую по запаху, этот товарищ сегодня хлебную пил. Ошибаюсь?

— Отгадал, — кивнул Лучников.

«Рафик» выехал на асфальт. Парень показал Лучникову на изуродованную крышу.

— Понял, на хуй, блядь какая, трубы на прицепе по ночам возит и не крепит их, хуесос. Одна труба, в пизду, поперек дороги у него висит и встречный транспорт хуячит.

— Хоть живы-то остались, слава тебе Господи, — визгливо высказалась женщина, оттягивая собравшееся на груди платье вниз на живот.

— Слава Богу, вы живы остались, — сказал Лучников, встал на колени и широко перекрестился.

VII
O.K.

Вот уже несколько лет, как площадь Лейтенанта Бейли-Лэнда на набережной Ялты превратилась в огромное, знаменитое на весь мир кафе. На всем пространстве от фешенебельной старой гостиницы «Ореанда» до стеклянных откосов ультрасовременного «Ялта-Хилтон» стояли белые чугунные столики под парусиновыми ярчайшими зонтиками. Пять гигантских платанов бросали вечно трепещущие тени на цветной кафель, по которому шустро носились молодые официанты, шаркала полуголая космополитическая толпа и, пританцовывая, прогуливались от столиков до моря и обратно сногсшибательные ялтинские девушки, которые сами себя называли на советский манер «кадрами». Были они не то чтобы полуголыми, но, попросту говоря, неодетыми — цветная марля на сосках и лобках, по сравнению с которой любое самое смелое «бикини» прошлого десятилетия казалось монашеским одеянием.

— Сексуальная революция покончила с проституцией, — говорил Арсений Николаевич Лучников своему другу нью-йоркскому банкиру Фреду Бакстеру. — Неожиданный результат, правда? Ты видишь, какое здесь выросло поколение девиц? Даже меня они удивляют всякий раз, когда я приезжаю в Ялту. Какие-то все нежные, чудные, с добрым нравом и хорошим юмором. О половых контактах они говорят, словно о танцах. Внук мне рассказывал, что можно подойти к девушке и сказать ей «позвольте пригласить вас на «пистон». Это советский сленг, модный в этом сезоне. То же самое и в полном равенстве позволяют себе и девицы. Как в дансинге.

Бакстер хихикал, весь лучиками пошел под своей па намой.

— Однако, Арсен, таким-то, как мы с тобой, старым пердунам, вряд ли можно рассчитывать на буги-вуги.

— Я до сих пор предпочитаю танго, — улыбнулся Арсений Николаевич.

— До сих пор? — Бакстер юмористически покосился на него.

— Изредка. Признаюсь, не часто.

— Поздравляю, — сказал Бакстер. — Вдохновляешься, наверное, на своих конных заводах?

— Бак, мне кажется, ты сексуальный контрреволюционер, — ужаснулся Арсений Николаевич.

— Да, и горжусь этим. Я контрреволюционер во всех смыслах, и, если мне взбредет в старую вонючую башку потанцевать, я плачу за это хорошие деньги. Впрочем, должен признаться, дружище, что эти расходы у меня сокращаются каждый год, невзирая на инфляцию.

Два высоких старика, один в своих неизменных выцветших одеяниях, другой в новомодной парижской одежде, похожей на робу строительного рабочего, нашли свободный столик в тени и заказали дорогостоящей воды из местного водопада Учан-Су.

Солнце почти дописало свою ежедневную дугу над раз веселым карнавальным городом и сейчас клонилось к темно-синей стене гор, на гребне которых сверкали знаменитые ялтинские «климатические ширмы».

— Что они добавляют в эту воду? — поинтересовался Бакстер. — Почему так бодрит?

— Ничего не добавляют. Такая вода, — сказал Арсений Николаевич.

— Черт знает что, — проворчал Бакстер. — Всякий раз у вас здесь я попадаюсь на эту рекламную удочку «ялтинского чуда». Нечто гипнотическое. Я в самом деле начинаю здесь как-то странно молодеть и даже думаю о женщинах. Это правда, что в «Ореанде» произошла та чеховская история? «Дама с собачкой» — так? Какая собачка у нее была — пекинес?

— Неужели ты Чехова стал читать, старый Бак? — засмеялся Арсений Николаевич.

— Все сейчас читают что-то русское, — проворчал Бакстер. — Повсюду только и говорят о ваших проклятых проблемах, как будто в мире все остальное в полном порядке —нефть, например, аятолла в Иране, цены на золото... — Бакстер вдруг быстро вытащил из футляра очки, водрузил их на мясистый нос и вперился взглядом в женщину, сидевшую одиноко через несколько столиков от них.

— Это она, — пробормотал он. — Посмотри, Арсен, вот прототип той чеховской дамочки, могу спорить, не хватает только пекинеса.

Арсений Николаевич, в отличие от бестактного банкира, не стал нахально взирать на незнакомую даму, а обернулся только спустя некоторое время и как бы случайно. Приятная молодая женщина с приятной гривой волос в широком платье песочного цвета, сидевшая в полном одиночестве перед бокальчиком мартини, показалась ему даже знакомой, но уж никак не чеховской героиней.

— Фредди, Фредди, — покачал он головой. — Вот как в ваших американских финансовых мозгах преломляется русская литература? Никакая собака, даже ньюфаундленд, не приблизит эту даму к Чехову. Лицо ее мне явно знакомо. Думаю, это какая-то французская киноактриса. Наш Остров, между прочим, стал сплошной съемочной площадкой.

— Во всяком случае, вот с ней я бы потанцевал, — вдруг высказался старый Бакстер. — Я бы потанцевал с ней и не пожалел бы хороших денег.

— А вдруг она богаче тебя? — сказал Арсений Николаевич. Это предположение очень развеселило Бакстера. У него даже слезки брызнули и очки запотели от смеха.

Друзья забыли о «даме без собачки» и стали говорить вообще о француженках, вспоминать француженок в разные времена, а особенно в сорок четвертом году, когда они вместе освобождали Париж от нацистов и подружились со множеством освобожденных француженок; в том году, несомненно, были самые лучшие француженки.

Между тем одинокая дама была вовсе не француженкой и не киноактрисой, что же касается предполагаемого богатства, то узнай о нем Бакстер, сразу прекратил бы смеяться. Таня Лунина, а это была она, получала стараниями товарища Сергеева суточные и квартирные по самому высшему советскому тарифу, однако в бешено дорогой Ялте этих денег ей еле- еле хватало, чтобы жить в дешевом отеле «Васильевский остров» окнами во двор и питаться там же на Четвертом уровне Ялты в ближайшем итальянском ресторанчике. Конечно, и номер был хороший, и кондиционер замечательный, и ковры на полу, и ванная с голубоватой ароматной водой, и еда у итальянцев такая, какой в Москве просто-напросто нигде не сыщешь, но... но... спустившись на три квартала, к морю, она попадала в мир, где ее деньги просто не существовали, а перед витринами на набережной Татар возникали заново, но уже как злая насмешка.

Словом, если бы до Тани долетели слова старика Бакстера и если бы ее английского достало, чтобы их понять, она, возможно, и не отказалась бы потанцевать со стариканом. Хохмы ради она даже думала иногда о мимолетном «романешти» с каким-нибудь мечтательным капиталистом, мелькало такое в Таниной лихой башке, но она тут же начинала над собой издеваться — где, мол, мне, старой дуре, если тут по площади Лейтенанта такие девчонки разгуливают. Словом, только и оставалось сидеть в предвечерний час под платанами, изображать из себя что-то вроде Симоны Синьоре, потом идти по Татарам, небрежно заглядывая в витрины, а потом небрежно, как бы из туристического любопытства, сворачивать в переулок, возвращаться в свой «Васильевский остров» и звонить по всем телефонам Андрея и всюду получать один и тот же ответ: «Господин Лучников отсутствует, никакими сведениями не располагаем, пардон, мадам...»

Счет за телефонные разговоры был уже огромным, и она собиралась завтра же или послезавтра плюнуть на осторожность, зайти в местную контору «Фильмоэкспорт СССР», то есть к коллегам товарища Сергеева, и передать им этот счетик. Тоже мне рыжую нашли, работаю на вас, так извольте раскошеливаться. И так уже прибавила не меньше двух килограммчиков на этих пиццах, а о хорошем бифштексе не могу даже и мечтать... Гады, жадные и нищие гады!

Тане было оказано величайшее доверие — индивидуальная поездка в Ялту! Все советские туристические, спортивные и делегационные маршруты обходили этот город стороной, считалось почему- то, что соблазны космополи тического этого капища совсем уже невыносимы для советского человека. Считалось почему-то, что Симферополь с его нагромождением ультрасовременной архитектуры, стильная Феодосия, небоскребы международных компаний Севастополя, сногсшибательные виллы Евпатории и Гурзуфа, минареты и бани Бахчисарая, американизированные Джанкой и Керчь, кружево стальных автострад и поселения богатейших яки — менее опасны для идейной стойкости советского человека, чем вечно пританцовывающая, бессонная, стоязычная Ялта, пристанище киношной и литературной шпаны со всего мира. По мнению мудрецов из Агитпропа, в Ялте значительно расплавляются такие священные для советского человека понятия, как «государственная граница», «серпастый молоткастый паспорт», «бдительность», «патриотический долг», что именно здесь советский люд начинает терять «собственную гордость», «сверкающие крылья», начинает мечтать об анархических блужданиях и на буржуев он здесь смотрит не очень свысо ка. Скорее всего, это были досужие вымыслы тугодумного Агитпропа, и ничего особенно опасного для всепобеждающих идей социализма в Ялте не было. Весь несуществующий в природе Остров Крым, или, как официально он назывался в советской прессе, «зона Восточного Средиземноморья», представлял из себя ужасную язву для Агитпропа, начиная еще с Гражданской войны (неожиданное, сокрушительное поражение непобедимой Красной Армии) и кончая нынешним процветанием. Лучше было бы для Агитпропа, чтобы Остров этот действительно не существо вал, но, увы, где-то за пределами Агитпропа, в каких-то других, отделенных от Агитпропа сферах, этот Остров почему-то самым определенным образом существовал и был объектом каких-то неясных размышлений и усилий. Оттуда, из отделенных от Агитпропа сфер, пришла непререкаемая идея развития контактов на данном историческом этапе, и, хочешь не хочешь, контакты пришлось разворачивать и напрягать тяжелые умы для проведения разъяснительной работы, и вот, как результат напряжения агитпроповских умов, Ялта была негласно объявлена идеологическим табу.

Конечно, и в Ялту ездили, однако только самые высокие чины, да самые знаменитые артисты, да детишки самых высоких чинов — поразвлечься.

И вот Таня Лунина сподобилась, обыкновенный тренер по легкой атлетике, обыкновенный комментатор телевидения сидит без сопровождения, совершенно одна, эдакая драматическая дама в стиле Симоны Синьоре из старых фильмов, под платанами на площади Лейтенанта. Смотри, Татьяна, какие перспективы открываются перед тобой, стоит только примкнуть к тайному ордену. Одна в Крыму! Одна в Ялте! Пьешь мартини на площади Лейтенанта!

Напутствуя в дорогу, Сергеев, конечно, прозрачно намекал, что всевидящее око будет следить каждый ее шаг, но Таня после полного, «с концами» исчезновения Андрея Лучникова из- под носа специально созданного для него сектора уже не очень- то верила в эти могущества. Уже и оттуда, и из этой высшей категории, тянет халтуркой, так думала она и сейчас, поглядывая на двух старых сухопарых англичан, сидящих неподалеку (один из них казался ей знакомым, наверное, актер какой-нибудь), на климатические ширмы, создающие на гребне Яйлы фантастический силуэт какого-то миражного и вечно манящего в путь города, на голых девушек, выскакивающих из моря и в брызгах бегущих прямо к столикам кафе, на красавцев официантов- яки, которые обслуживали несметное число посетителей кафе, словно играли в какой-то веселый бейсбол, на бродящих по набережной музыкантов и фокусников, на качающиеся мачты турецких, греческих, итальянских, израильских, крымских судов, на две белые глыбы круизных лайнеров, на подходящие к порту океанские яхты, на пару вертолетов со стеклянными брюшками, несущих над городом неизменное «Кока- кола не подведет!», на русские, английские и татарские надписи, начинающие уже загораться над крышами второй, небоскребной линии Ялты, поглядывая на все это и попивая сухой мартини, который давно бы уж хватила залпом, если бы была в Москве. Попивая маленькими глотками суточное свое содержание, она и думать забыла о всевидящем оке, о товарище Сергееве думала только в связи с проклятыми телефонными счетами.

Честно говоря, она уже однажды бывала тайно в Ялте, когда Андрей в очередной раз украл ее после отбоя из пансиона в Ласпи, где жила их команда. На бешеном его «Питере- турбо» они примчались сюда, ужинали на качающейся крыше отеля «Невский проспект», там же и переспали. Помнится, ее поразила рассветная Ялта. Выйдя из гостиницы, она увидела, что за столиками открытого кафе на маленькой площади сидят и разговаривают разноплеменные люди, под пальмой девица в остром колпачке еле слышно играет на флейте, а на веранде «Клуба белого воина» кружатся несколько костюмированных под прошлое пар. Мекка всемирного анархизма, сумасбродства, греха, шалая и беспутная Ялта!

Между прочим, в разговорах с товарищем Сергеевым оказалось, что она стукачишек своих спортивных все же недооценивала. Все эти романтические побеги в «Питере-турбо», оказывается, были у товарища Сергеева зарегистрированы, равно как и прилеты Андрея в Париж, в Токио, в Сан-Диего на свидания. Мягко, без всякого нажима товарищ Сергеев дал ей понять, что потому и не было дано хода этим «телегам», что они в конечном счете к нему, Сергееву, попадали, а у него, Сергеева, были свои на Таню виды, надежда на творческое сотрудничество.

Таня чувствовала, что дурацкая пьянка и драка с Супом стала кризисным моментом в их отношениях с Андреем. Раньше-то он летел за тысячи километров ради единственного «пистончика», теперь вот пропал. Пропал в России, в Москве, исчез совсем, как будто ее и не существует. Что с ним происходит? Неужели он эту безобразную сцену принял всерьез? Раньше он ей все прощал, считал ее московской хулиганкой, любил ее и все прощал. А теперь, видите ли, рассердился. Подумаешь, накирялась, с кем этого не бывает. А сам-то, между прочим, хорош! Можно представить, сколько баб проходит сквозь его волосатые рыжие лапы.

Только один раз за все время он позвонил ей в Москву. Слышимость была отвратительная. Она еле узнала его голос. Откуда ты, спросила и тут же испугалась. Вопрос был вроде бы самый естественный, но в новом своем качестве Татьяна поймала себя на позорном — выпытываю. Из Рязани, ответил Андрей, солженицынские места. Какие места? — не расслышала Татьяна. Солженицынские, повторил Андрей. Какие, какие? На этот раз Таня расслышала, но не поняла. Она, честно говоря, и думать-то забыла о Солженицыне после его высылки, если и думала о нем раньше. Довольно дурацкий получился разговор. Суп сидел за кухонным столом и вроде бы ничего не слышал, не обращал внимания, вдумчиво ел крохотную порцию творога: после драматической сцены в первом отделе взялся почему-то за диету, за тренировки, стал сбрасывать вес. Я сейчас в Рязани, а потом буду в Казани, а потом в Березани. Из-за отвратительной слышимости угадать его настроение было трудно, голос, кажется, звучал весело. Когда мы увидимся, спросила Татьяна. Монеты кончаются, закричал Андрей. Когда увидимся? Боюсь, что нескоро, донеслось до нее. Андрей, перестань дурака валять, закричала она. Приезжай немедленно. Какая тебе еще Казань-Березань! Я видеть тебя хочу! Я со- скучи- лась! Соскучилась! Что? Монетки кончаются ! Пока! Когда ты будешь в Москве? Боюсь, что нескоро. Я на Остров возвращаюсь. Когда ты летишь? Когда в Москве? Нескоро. Монетки кон... Хотя она и понимала, что произошло разъединение, она еще минуту или больше говорила о том, что соскучилась, и в голосе ее явно звучало, что соскучилась физически, это к тому же и некоторый был вызов Супу, который после сделки у особиста пальцем к ней не притронулся. Когда же наконец она повесила трубку и обернулась, увидела Супа сквозь две открытые двери с плащом через плечо и с тяжеленной сумкой «Адидас» в правой руке. Ты-то куда, отвратительным усталым голосом спросила вдогонку. В Цахкадзор, был ответ, и Суп пропал надолго. Сергеев сообщением о дурацком телефонном разговоре был потрясен и возмущен. Потрясение ему как профессионалу удалось скрыть, а вот возмущение прорвалось наружу. Несерьезно, глупо ведет себя Андрей Арсеньевич. Что это за дурацкие кошки-мышки? Неужели он не понимает, что каждый его шаг... Таня смотрела прямо в лицо Сергееву и неприятно улыбалась. Наверное, он не понимает, наверное, не догадывается, что вы знаете каждый его шаг. Такой наивный. Да-да, он всегда был наивным. Он, наверное, полностью убежден, что вы его потеряли, товарищ Сергеев. Западный человек, что поделаешь, ко всему относится несерьезно, недооценивает наши органы.

Оставшись одна, Таня стала заниматься детьми, снаряжать их в пионерлагерь, выбросила из головы своих мужиков и даже новую эту тягостную связь с сергеевским сектором как бы забыла.

И вдруг начался внезапный дикий шухер. Сергеев приехал к ней прямо домой и выложил на стол новенький загранпаспорт, командировочное удостоверение от Комитета советских женщин и пачку «белых» рублей, которая ей в тот момент даже показалась довольно внушительной. Немедленно отправляйтесь. Да куда же? Сейчас скажу — закачаетесь: в Ялту! С кем? Одна поедете, мы в а м вполне доверяем. А что мне там делать? Шпионить за кем-нибудь? Я все равно не умею. Засыплюсь! Странный вы человек, Татьяна, ведь мы же с вами оговорили вашу задачу. Вашу вполне благородную и простую задачу — быть с Лучниковым, с вашим возлюбленным, вот и все. Да почему же мне с ним здесь сначала не встретиться? Он ведь здесь? Это не ваше дело. Сергеев заметно рассердился. Не ваше дело, где он сейчас. Ваше дело сейчас — отправиться в Ялту, поселиться в гостинице «Васильевский остров» и каждый день звонить Андрею Арсеньевичу в «Курьер», в пентхауз его дурацкий и в поместье его отца «Каховку». Когда встретите его, немедленно дайте нам знать. Да почему же?..— начала очередной вопрос Таня, но была тут грубо оборвана: вам что, в Ялту не хочется попасть? Хочется, хочется, и мысленно даже закричала, словно девчонка, — в Ялту, одна, туалеты прекрасные и деньги по высшему тарифу! Мгновенный подъем настроения. Ура! Ну, вот и результат всех наших дурацких «ура», мадам: одиночество и дикая злость, злость на Андрея, который пропал, будто ее и не существует...

166

По набережной к платанам подъехали два красно-бело-синих фургона с вращающимися на крышах фонарями тревоги. Из них выскочили и построились в две шеренги городовые в белых шлемах с прозрачными щитами и длинными белыми же дубинками. Оставшееся от старой России слово «городовой» (хрестоматийное представление Тани — пузатый, толстомордый обормот в сапожищах вроде их участкового) очень мало подходило к крымской полиции в ее синих рубашках с короткими рукавами, все как один — американские шерифы из вестернов.

За полицейскими машинами тут же возник открытый «Лэндровер» с вездесущей прессой. Длиннофокусная оптика нацелилась на полицейские шеренги и на набережную, где происходило какое-то необычное движение толпы. Несколько фотографов спрыгнули с «Лэндровера» и побежали между столиками кафе, непрерывно щелкая затворами. Один из них вдруг заметил двух сухопарых стариков, сидящих неподалеку от Тани, и нагло, лихорадочно стал их в упор снимать, пока старик в джинсовой рубашке не надел на нос темные очки, а второй не надвинул на сизый нос песочного цвета «федору» с цветной лентой. Вдруг прекратилось обслуживание. Официанты собрались толпой на оркестровой эстраде, выкинули какой-то флаг, ярко-зеленый, с очертаниями Острова и с надписью «ЯКИ», лозунг на непонятном языке и запели что-то непонятное, но веселое. Они прихлопывали в ладоши, приплясывали и смеялись, трое или четверо трубили в трубы. Голые девочки аплодировали им и кружились вокруг эстрады.

Подъехали фургоны Ти-Ви-Мига, «мгновенного телевидения», серебристые с фирменной эмблемой: крылатый глаз. Шеренги городовых, прикрывшись щитами, пошли в медленное наступление. Толпа на Татарах уже кипела в хаотическом движении. Бухнули подряд три взрыва. Поднялся в вечернее небо клубящийся пар загоревшегося бензина.

Таня встала на стул и уцепилась рукой за край зонта. Она увидела, что на набережной бушует массовая драка, и различила, что дерутся друг с другом три молодежных банды: парни в майках, похожих на флаг, выкинутый официантами, парни в майках с серпом-молотом на груди и парни в престраннейших одеяниях: то ли кимоно, то ли черкесках с газырями и с волчьими хвостами за спиной. Драка явно была нешуточная: мелькали бейсбольные биты, пролетали бутылки с горючей смесью «молотовский коктейль»...

С другой стороны Татар от порта на бушующую молодежь, видимо, тоже наступали шеренги полиции, поблескивали в последних солнечных лучах пластмассовые щиты.

— Что происходит? — полюбопытствовал Бакстер.

— Третье поколение островитян выясняет отношения, — улыбнулся Арсений Николаевич.— Насколько я понимаю, на митинг яки напали с двух сторон, очень справа и очень слева.

«Молодая волчья сотня», если не ошибаюсь, с одной стороны, и «Красный фронт» с другой. Наши официанты, как видишь, на стороне яки, потому что они и сами настоящие яки. Между прочим, мой внук тоже стал активистом яки. Не исключено, что и он там бьется за идею новой нации.

— Недурно придумано,— сказал Бакстер.— Неплохая изюминка для всего этого вечера на набережной. Чувствую себя все лучше и лучше.

— Ребята, однако, звереют не по дням, а по часам, — задумчиво проговорил Арсений Николаевич.

— Да ведь это повсюду,— проговорил Бакстер. — В Лондоне дерутся и в Париже, я недавно сам видел на Елисейских Полях. — Подражая «француженке», он взгромоздился на свой стул и посмотрел из-под руки. — Кажется, затихает, — сказал он через несколько минут. — Идет на спад. Сгорела пара автомобилей, выбито несколько витрин. Вижу смеющиеся лица. Полиция оттесняет парней на пляж. Ну началось — купание! Чудесно!

Он слез со стула и направился к «француженке». Арсений Николаевич глазам своим не верил. Старикан Бакстер, почти его ровесник, подошел к вытянувшейся на стуле молодой стройной даме и взял ее за локоть. Вполне бесцеремонно, черт возьми. Всегда все-таки были хамами эти американцы нашего поколения. Подходит к утонченной изящной даме и берет ее за локоть, словно девку. Вот сейчас он получит достойный афронт, вот посмеюсь над дубиной.

Таня спрыгнула со стула. Над ней возвышался шикарный старикан, морда красная, вся лучиками пошла, и нос как картофелина. Они сели за стол. Таня вопросительно подняла брови. Старикан вынул из кармана записную книжку крокодиловой кожи, потом старомодный, наполовину золотой «монблан», черкнул что-то в блокноте и, отечески улыбаясь, подвинул его Тане.

Она глянула: долларовый жучок, потом единичка с тремя нулями и вопросительный знак. Посмотрела в лицо старику. Голубенькие детские глазки.

— Сава? — спросил старик.

— Сава па,— сказала Таня, попросила «монблан», зачеркнула единицу и поставила над ней жирную трешку.

— Сава! — вскричал радостно хрыч.

Тогда она еще раз обвела «монбланом» нули — для пущей важности — и встала.

— Куда предпочитаете? — спросил старик. — «Ореанда»? — Он показал рукой на гостиницу. — Или яхта? — Он показал рукой на порт.

— Ваша собственная яхта? — спросила Таня. Она была очень спокойна, и по-английски спросила почти правильно, и волосы небрежно отмахнула, аристократка секса, но внутри у нее все тряслось — ну и ну, ну, ты даешь, Татьяна!

Бакстер уверил ее, что это его собственная яхта, на ней он и прибыл сюда, вполне комфортабельное плавучее местечко. Жестом он показал Арсению Николаевичу, что позвонит позже, взял под руку чудесную «француженку», и они пошли к порту по плитам набережной, на которых еще остались следы недавней битвы — клочки порванных лозунгов и маек, бейсбольные биты и разбитые бутылки.

Арсений Николаевич смотрел им вслед с чувством сильной досады, даже горечи. Давно уж за свою долгую жизнь, в которой чего только не было, казалось, должен был избавиться от идеализации женщин, но вот, оказывается, и сейчас досадно, горько, да и противно, пожалуй, даже немного и противно, что эта женщина с таким милым лицом оказалась дешевкой, тут же пошла с незнакомым стариком, будет сейчас делать все, что развратный Бак ей предложит, а ведь на профессионалку не похожа...

Огорченный и расстроенный, Арсений Николаевич оставил на столике деньги за «Учан-Су», пошел через площадь к паркингу, сел в свой старый открытый «Бентли» и поехал в Артек, где сейчас имела место «пятница у Нессельроде».

Будет сенсация, невесело думал он, медленно снижаясь в крайнем правом ряду в закатную темно-синюю бездну к подножию Аюдага, где в этот час уже зажигались огни одного из самых старых аристократических поселков врэвакуантов. Лучников-старший на пятнице у Нессельроде! Он давно уже стал манкировать традиционными врэвакуантскими салонами, имитирующими «нормальную русскую светскую жизнь». Давно уже, по крайней мере пару десятилетий назад, стала чувствоваться в этих «средах», «четвергах» и «пятницах» нестерпимая фальшь: на Острове создавалось совсем иное общество, но в замкнутом мирке врэвакуантов все еще поддерживался стиль и дух «серебряного века» России. Его уже и приглашать перестали, то есть не напоминали, но обижались до сих пор — экий, мол, видите ли, международный европейский этот Лучников, гнушается русской жизнью. Трудно было не стать космополитом на такой космополитической плошке, как Остров Крым, но находились, однако, мастодонты, как их называл Андрей, которые умудрялись поддерживать в своих домах из поколения в поколение выветривающийся дух России. Таким и был старый Нессельроде, член Вр. Гос. Думы от монархистов, совладелец оборонного комплекса заводов в Сиваше.

Вдруг этот Нессельроде стал названивать: что же вы, Арсений Николаевич? Как-то вы оторвались от нашего общества. Почему бы вам не заехать как-нибудь на нашу «пятницу» в Артек? Были бы счастливы, если бы и Андрей Арсеньевич вам сопутствовал... У нас сейчас, знаете ли, вокруг Лидочки группа молодежи, и ваш сын, так сказать, едва ли не кумир в их среде... Эти, зна-

ете ли, новые идеи... не доведут они до хорошего нашу армию...
но что поделаешь, и нам отставать нельзя...

До сих пор мастодонты не говорили: «нашу страну» и даже
«наш Остров», но только лишь нашу «русскую временно эваку-
ированную армию», нашу «базу эвакуации»...

Арсений Николаевич что-то мычал в ответ на эти приглашения, он и не думал ими воспользоваться, тем более что островные сплетни донесли, что дамочки Нессельроде нацелились на
холостяка Андрея.

И вот теперь вдруг сел в свой старый «Бентли» и меланхоли-
чески поехал в Артек, признаваясь себе, что делает это из-за какого-то смехотворного протеста перед современной аморальностью,
когда циничный богач без лишних слов покупает молодую изящную
даму... Как все это пошло и гнусно... лучше уж хоть на минуту, хоть
фиктивно, хоть фальшиво окунуться в век минувший...

На даче у Нессельроде шла их обычная «пятница», но в то
же время царило необычное возбуждение. В глубине гостиной великолепный пианист Саша Бутурлин играл пьесу Рахманинова.
Это было традицией. Существовала легенда, что Рахманинов, бы-
вая в Крыму, останавливался только у Нессельроде. Если не было
профессиональных пианистов, сама мадам Нессельроде садилась
за инструмент и играла с экспрессией, временами обрывала игру,
как бы погружаясь в страну грез или даже, как говорили полу-
шепотом, в страну воспоминаний. В креслах сидели старики в ге-
неральских мундирах и в партикулярном платье. В смежном са-
лоне — среднее поколение, финансисты и дамы играли в бридж.
На открытой веранде смешанное общество, преимущественно молодежь, общалось уже в современном стиле — стоя, с коктейлями.
Там был буфет. Вот там-то, на веранде, над морем, и царило, как
сразу заметил Арсений Николаевич, необычайное оживление.

Когда Арсений Николаевич вошел в гостиную, ему, конечно
же, было оказано чрезвычайное внимание, но отнюдь не столь чрезвычайное, как он первоначально предполагал. Михаил Михайлович,
роскошный, во фраке, раскрыл, конечно, объятия, и Варвара Александровна предоставила все еще великолепную руку для поцелуя,
но оба супруга выглядели взволнованными и даже растерянными.

Оказалось, что мирное течение нессельродовской «пятницы»
было прервано сегодня самым невероятным образом. Костю,
младшего сына Нессельроде, привезли из Ялты сильно побито-
го, в разорванной — вообразите — одежде, да и одежда, представьте, Арсений Николаевич, какая-то варварская — джинсы и
майка со знаками этих невозможных яки!

Должно быть, Костя участвовал в сегодняшней потасовке на
Татарах. Вот именно, и это совершенно невозможно, Арсений
Николаевич, чтобы юноша из хорошей семьи ввязывался в гряз-
ные уличные истории. И вот вы, Арсений Николаевич, приеха-

170

ли к нам сегодня так неожиданно, но очень кстати. Но почему же «кстати», позвольте узнать, милая Варвара Александровна. Какое же, позвольте, я имею отношение к?.. Ах, Боже мой, excuse moi, самое прямое, Арсений Николаевич, как это ни печально, но именно ваш внук Антон... простите, но именно всеми нами любимый ваш Тоша и вовлек нашего Костеньку в это дикое движение яки-национализма, он его сегодня и потащил на Татары. Мы прочим Костеньке дипломатическое поприще, но это, вы понимаете, не вяжется с уличными потасовками. Да ведь это и опасно для жизни, в конце концов... Там была «Волчья сотня».

— Там была «Волчья сотня», — хмуро сказал Михаил Михайлович, — и хулиганы из «Красной стражи». Сбежалась всяческая шваль — и просоветчики, и прокитайцы, и младотурки уже ехали, но, к счастью, опоздали. Я звонил полковнику Мамонтову в ОСВАГ и завтра же буду ставить вопрос на думской фракции. Вот вам первые цветочки нашего пресловутого ИОСа, ягодки будут потом... А вы знаете, что они называют себя сосовцами? Новая партия — СОС, Союз Общей Судьбы. Нет, их там сегодня не было, но именно они и заварили всю эту политическую кашу на нашем ост... простите, в зоне временной эвакуации...

— СОС?— переспросил Арсений Николаевич.

— Разве ваш сын не говорил вам об этой новой партии? — вполне небрежно осведомился подошедший вылощенный господин с моноклем в глазнице, явный осваговец.

— Позвольте представить, — тут же сказала Варвара Александровна. — Это наш дальний родственник Вадим Анатольевич Востоков, служащий ОСВАГа.

— Я не видел своего сына уже несколько недель, — сказал Арсений Николаевич. — Он прилетает только сегодня ночью.

— Разумеется, из Москвы? — В.А. Востоков был улыбчив и любезен.

— Рейсом из Стокгольма, — сухо ответил Арсений Николаевич и вышел на веранду. Он давно уже заметил там свою собственную костлявую, длинную, чуть сутуловатую фигуру с его собственным длинноватым носом, то есть своего обожаемого внука. Антон явно был в центре внимания. Он что-то вещал, размахивая руками, то подходил к пострадавшему Костеньке и опускал на плечо соратнику руку вождя, то усаживался с бокалом виски на перилах веранды и вещал оттуда, а Лидочка Нессельроде и ее гости, все в греческих туниках (так, вероятно, была задумана сегодняшняя «пятница» — молодежь в греческих туниках), следовали за ним и внимали.

— Яки! — вскричал Антон, увидев деда. — Гранати камина, кабахет, сюрприз! Сигим-са-фак!

Подразумевалось, что он как бы изъясняется на языке яки. Гости, восторженно переглядываясь, повторяли роскошное ругательство «сигим-са-фак».

Арсений Николаевич обнял внука за плечи и заглянул ему в лицо. Под глазом у него был синяк, на щеке ссадина. Майка-флаг порвана на плече. Герой вечера Костенька Нессельроде выглядел вполне плачевно — майка у него была располосована, повязка намокла от сукровицы, челюсть вздулась, но он тем не менее геройски улыбался.

— Мы им дали, дед! — перешел на русский Антон. — И красным и черным выдали по первое число! Они— жалкие хлюпики, дед, а у нас настоящие ребята, яки-рыбаки, парни с бензоколонок, несколько бывших рейнджеров. Мы им выдали! Сейчас увидишь. Сейчас, кажется, Ти-Ви-Миг.

Раздались позывные этой самой популярной островной программы, которая старалась передавать прямую трансляцию с места чрезвычайных событий, а потом повторяла их уже в подмонтированном драматизированном виде.

Все обернулись к светящемуся в углу веранды огромному экрану телевизора. Три разбитных комментатора, один по-русски, другой по-английски, третий по-татарски, непринужденно, с улыбочками, перебивая друг друга, рассказывали о случившемся два часа назад на набережной в Ялте столкновении молодежи. Замелькали кадры митинга яки, мелькнул взбирающийся на столб Антошка Лучников. «Кто этот юноша из хорошей семьи? — ехидно спросил комментатор. На экране появились столики кафе «Под платанами», и Арсений Николаевич увидел самого себя и Фреда Бакстера, потягивающих напиток «Учан-Су». — Быть может, член Вредумы господин Лучников-старший смог бы даже увидеть своего энергичного внука, если бы не был столь поглощен бутылкой «Учан-Су» (мгновенный кадр рекламы напитка) в обществе Фреда Бакстера, вновь осчастливившего наш Остров своим прибытием». Ах, мерзавцы, они даже «француженку» успели снять с ее выпяченной из-за неудобной позиции очаровательной попкой! Крупный план — замасленные глазки Бакстера. «Мистер Бакстер, мистер Бакстер, ваши акции снова поднимаются, сэр?» Подонки, закричал Антон, ни слова о наших лозунгах, сплошная похабная буффонада!

Вот эффектные кадры: несущаяся в атаку «Волчья сотня». Рты оскалены, шашки над головой. Шашки затуплены, ими нельзя убить, но покалечить — за милую душу! Несущиеся с другой стороны и прыгающие в толпу с балконов старинных отелей первой линии Ялты остервеневшие «красные стражники». «Коктейль «Молотов» снова в моде!» Камера панорамирует дерущуюся набережную, средний план, крупный. «Какая вайоленс!» — восклицают все трое комментаторов одновременно.

— Это я! Я! — закричал тут радостно Костенька Нессельроде, хотя вроде бы гордиться нечем: дикий красный охранник, прижав его к стене, молотит руками и ногами.

Промелькнул и Антон, пытающийся применить тайваньские приемы своего папаши и получающий удар тупой шашкой по скуле. Вновь на экране вдруг появились Арсений Николаевич и Фред Бакстер. Первый надел темные очки, второй опустил на глаза песочного цвета панаму с цветной лентой. «Не мешайте нам, джентльмены, — саркастически сказал русский комментатор, — мы наслаждаемся водой «Учан-Су». Вновь мгновенный кадр рекламы напитка. Сдвинутые ряды городовых, словно римские когорты, наступают со всех сторон. Струи воды, слезоточивые газы.

Бегство. Опустевшая набережная с остатками битвы, с догорающими машинами и выбитыми витринами. Все три комментатора за круглым столом. Смотрят друг на друга с двусмысленными улыбочками. «Чьи же идеи взяли верх? Кто победил? Как говорят в таких случаях в Советском Союзе — победила дружба!»

На экране появились вдруг кольца дороги, спускающейся к Артеку, и на ней медленно катящий в открытой старой машине Арсений Николаевич. «Быть может, как раз в этом ключе и размышляет о сегодняшних событиях наш почтенный вредумец Арсений Николаевич Лучников. А где, кстати, его сын, редактор «Курьера»? Неужели опять в...?»

Передача закончилась на многоточии. «Больше никогда не приеду в этот бедлам,— подумал Лучников. — Буду сидеть на своей горе и подстреливать репортеров».

— Свиньи! — рявкнул Антон. — Тоже мне небожители! Издеваются над мирскими делами! Следующий митинг яки — возле телевидения! Мы тряхнем эту шайку интеллектуалов, которые ради своих улыбочек готовы отдать на растерзание наш народ!

— Тряхнем! — слабо, но с энтузиазмом воскликнул Костенька Нессельроде.

— Что касается меня, то я — сторонница СОСа! — с сильным энтузиазмом высказалась Лидочка Нессельроде. Она стояла в углу веранды, на фоне темного моря, туника ее парусила, облепляя изящную линию бедра, каштановые волосы развевались.

Остальные «греки» разбрелись от телевизора с ироническими улыбочками, им как раз больше импонировала «шайка интеллектуалов» на ТВ. Теперь гости с интересом посматривали на Лидочку, как она хочет понравиться и Антону, и деду Арсюше, какой энтузиазм! Мальчишки, кричащие о новой нации, это хоть смешно, но понятно, но тридцатилетняя потаскушка, решившая заарканить редактора «Курьера» и ударившаяся в романтику Общей Судьбы, — это уж, простите, юмор высшего класса! Предположите, господа, что мечта Лидочки Нессельроде осуществится и она породнится с Лучниковыми. Что произойдет с бедной барышней в новом семейном компоте? Папа Нессельроде махровый монархист, а ведь она благоговеет перед своим папой, потому что он дал ей жизнь! Мама Нессельроде за конституционную монархию, а ведь и мама — это Лидочкино второе «я», да и воспитание она получила английское. Будущий тесть ее — один из отцов островной демократии, конституционалист-демократ. Будущий муж — творец Идеи Общей Судьбы, советизации Крыма. Будущий же ее пасынок и сейчас перед нами — гражданин Якилэнда! Бедная барышня, какой надеждой освещено ее лицо, как романтически трепещут ее одежды на фоне Понта Евксинского! Она уже видит, должно быть, нашего монарха в роли Генсека ЦК КПСС, и Политбюро, уважающее конституцию, предложенную им Партией народной свободы, и Яки АССР в составе ЕНУОМБа, обагренного жертвенными знаменами Общей Судьбы...

Арсения Николаевича пригласили к телефону, и он услышал в трубке голос Бакстера.

— Хелло, Арси, — бормотал в трубке старый развратник,— похоже на то, что мы с тобой еще не вышли в тираж.

— Поздравляю, — сухо сказал Арсений Николаевич. — На меня твои успехи совершенно не распространяются.

Бакстер смущенно хохотнул.

— Ты не понял, старый Арси. Имею в виду проклятые средства массовой информации. У вас в Крыму они совсем обезумели, даже по сравнению со Штатами. О тебе уже сообщили на весь Остров, что ты у Нессельроде, а мою посудину битый час фотографирует с пирса какая-то сволочь. Что им надо от двух развалин?

— Ты для этого мне сюда звонишь? — спросил Арсений Николаевич. — Чтобы я тебе ответил?

— Не злись, олдшу, ты злишься, как будто я у тебя девочку увел. Ведь она же ничья была, совершенно одна и ничья, я никому не наступил на хвост, прости уж мне мои контрреволюционные замашки, — канючил Бакстер.

— Послушай, мне это надоело. — Арсений Николаевич нарочно ни разу не назвал имени своего собеседника, потому что неподалеку прогуливался Вадим Востоков и явно прислушивался. — Сегодня ночью я возвращаюсь на свою гору. Если хочешь, приезжай, подышишь свежим воздухом. Можешь взять с собой, — он подчеркнул, — кого хочешь.

— Нам нужно увидеться, — вдруг деловым и даже строгим голосом сказал Бакстер. — Я тебе не сказал, что отсюда лечу в Москву. Шереметьево дает мне утренний час для посадки. Ты едешь в Аэро-Симфи встречать сына. О'кей, выезжай сейчас же, и мы встретимся в Аэро-Симфи хотя бы на час. Бар «Империя» тебя устроит?

Лучников-старший повесил трубку, вернулся на веранду, нашел внука и предложил ему вместе встретить отца. Внук неожиданно согласился, даже не без радости. Откуда едет мой старый атац? — поинтересовался он. Арсений Николаевич пожал плечами. Я ждал его из Москвы, но он возвращается через Стокгольм. От моего старика можно всего ждать, сказал Антон. Не удивлюсь, если он из космоса к нам свалится. Арсений Николаевич порадовался теплым ноткам в голосе внука. Все-таки он любит отца, сомнений нет. Вот только когда возвращается из Италии, от своей мамы, нынешней графини Малькованти, становится враждебным, отчужденным, но поживет немного вдали от до сих пор еще злобствующей синьоры, и снова все тот же славный Антошка Лучников.

С умоляющими глазами подошла Лидочка Нессельроде. Нельзя ли сопутствовать? Просто хочется окунуться в атмосферу аэропорта. Давно как-то никуда не летала, засиделась в Крыму, атмосфера ночного аэропорта всегда ее вдохновляет, а ведь она еще немного и поэт.

— Еще и поэт? — удивился Антон. — Кто же ты еще, Лидка? Неужели это правда то, что о тебе говорят?

— Противный Антошка! — Лидочка замахнулась на него кулачком. — Я тебе в матери гожусь! — Острый взглядик брошен на Арсения Николаевича.

Пришлось брать дурищу в тунике с собой. Ее посадили на задний широченный диван в «Бентли», а сами сели впереди, Антон за рулем.

Пока ехали, Антон без умолку болтал о своей новой идеологии, может быть, он решил за дорогу до аэропорта обратить и дедушку в свою веру. Шестьдесят процентов населения на Острове — сформировавшиеся яки. Вы, старые врэвакуанты, оторвались от жизни, не знаете жизни народа, не знаете тенденций современной жизни. Долг современной молодежи — способствовать пробуждению национального сознания. Все русское на Острове — это вчерашний день, все татарское — позавчерашний день, англоязычное население — это вообще вздор. Нельзя цепляться за призраки, надо искать новые пути.

Дед соглашался, что в рассуждениях внука есть определенный резон, но, по его мнению, они слишком преждевременны. Чтобы говорить о новой нации, нужно прокатиться по меньшей мере еще через пару поколений. Сейчас нет ни культуры яки, ни языка яки. Это просто мешанина, исковерканные русские, татарские и английские слова с вкраплениями романских и греческих элементов.

Внук возражал. Скоро будут учебники по языку яки, словари, газеты на яки, журналы, канал телевидения. Есть уже интересные писатели яки, один из них он сам, писатель Тон Луч...

— Ваше движение, — сказал Арсений Николаевич, — если уж оно существует, должно быть гораздо скромнее, оно должно носить просветительский характер, а не...

— Если мы будем скромнее, будет поздно, — вдруг сказал Антон тихо и задумчиво. — Может быть, ты и прав, дед, мы родились слишком рано, но, если мы будем ждать, все будет кончено очень быстро. Нас сожрет Совдепия, или здесь установится фашизм... словом... — Он замолчал.

Арсений Николаевич впервые серьезно посмотрел на своего любимого мальчишку, впервые подумал, что он его недооценивает, впервые подумал, что тот стал взрослым, совсем взрослым.

Лидочка Нессельроде в мужских разговорах участия не принимала, она была подчеркнуто женственна и романтична. Откинувшись на кожаные сиденья, она как бы мечтала, глядя на пролетающие звезды, луну, облака.

Аэро-Симфи раскинулся к северу от столицы, сразу за склонами Крымских гор, целый отдельный город с микрогруппами разноэтажных светящихся строений, с пересечением автотрасс и бесчисленными паркингами, уставленными машинами. В центре на грани ранвеев, как называют здесь взлетные дорожки, возвышается гигантский светящийся гриб (если бы можно было приблизительно так назвать данную архитектурную форму) центральной башни Аэро-Симфи.

Администрация Аэро-Симфи гордилась тем, что отсюда пассажирам не хочется улетать. В самом деле, попадая в бесконечные залы, холлы, гостиные, круглосуточно работающие элегантные магазины и бесчисленные интимные бары, ступая по пружинящим мягким полам, вбирая еле слышную успокаивающую музыку, краем уха слушая очень отчетливую, но очень ненавязчивую речь дикторов, предваряемую мягким, как бы бархатом по бархату, гонгом, вы чувствуете себя в надежных, заботливых и ненавязчивых руках современной гуманистической цивилизации, и вам в самом деле не очень-то хочется улетать в какую-нибудь кошмарную слякотную Москву или в вечно бастующий Париж, где ваш чемодан могут запросто выбросить на улицу. Собственно говоря, можно и не улетать, можно здесь жить неделями, гулять по гигантскому зданию, наблюдать взлеты и посадки, вкусно обедать в различных уютных национальных ресторанчиках, знакомиться с транзитными легкомысленными пассажирами, ночевать в звуконепроницаемых, обдуваемых великолепнейшим воздухом номерах, никуда не ехать, но чувствовать себя тем не менее в атмосфере путешествия.

В баре «Империя» в этот час не было никого, кроме Фреда Бакстера с его дамой. Греховодник представил свою проституточку очень церемонно:

— Тина, это мой старый друг, еще по войне, старый Арси. Арси, познакомься с мадемуазель Тиной из Финляндии. Ты говоришь по-фински, Арси? Жаль. Впрочем, мадемуазель Тина понимает по-английски, по-немецки и даже немного по-русски. И даже слегка по-французски, — добавил он, улыбнувшись.

Тина (то есть, разумеется, Таня) протянула руку Арсению Николаевичу и улыбнулась очень открыто, спокойно и, как показалось старому дворянину, слегка презрительно. Они сидели в полукруглом алькове, обтянутом сафьяновой кожей, вокруг стола, над которым висела старомодная лампа с бахромой.

— Мне нужно сказать тебе перед отлетом несколько слов. — Бакстер выглядел грустноватым и усталым. — Может быть, мадемуазель Тина посидит с молодежью у стойки?

176

— Хелло, — сказал Антон. — Пошли с нами, миссис.

Он повел женщин к стойке, за которой скучал одинокий красавец бартендер с седыми висками, ходячая реклама «Выпей «Смирнофф», и у тебя перехватит дыхание». Он, конечно, оказался (или причислял себя к) яки, и потому порванная майка Антона вызвала у него внепрофессиональные симпатии. Он включил телевизор за стойкой и на одном из двенадцати каналов нашел повтор Ти-Ви-Мига. Антон комментировал изображение, горячился, пытался донести и до «финки» с ее обрывочными языками смысл происходящего, апеллировал и к Лидочке Нессельроде, но та только улыбалась — она смотрела на себя со стороны: ночной аэропорт, почти пустой бар, молодая женщина-аристократка ждет прилета своего жениха-аристократа. В мире плебейских страстей две аристократические души приближаются друг к другу.

Таня притворялась, что она почти ничего не понимает по-русски и гораздо больше, чем на самом деле, понимает по-английски. Разговор, как это обычно в Крыму, легко перескакивал с русского на английский, мелькали и татарские, и итальянские, и еще какие-то, совсем уж непонятного происхождения слова.

— Сложная проблема, сэр, — говорил бартендер. — Возьмите меня. Батя мой — чистый кубанский казак, а анима наполовину гречанка, наполовину бритиш. Женился я на татарочке, а дочка моя сейчас замуж вышла за серба с одной четвертью итальянской крови. Сложный коктейль тут у нас получается, сэр, на нашем Острове.

— Этот коктейль называется яки, — сказал Антон.

Бартендер хлопнул себя по лбу:

— Блестящая идея, сэр. Это будет мой фирменный напиток. Коктейль «Яки»! Я возьму патент!

— Мне за идею бесплатная выпивка, — засмеялся Антон.

— Whenever you want, sir! — захохотал бартендер.

— Вы здесь туристка, милочка? — любезно спросила Лидочка Нессельроде Таню. — Иа! Чудесно! А я, знаете ли, жду своего жениха, он должен вернуться из дальних странствий. Нихт фершстеен? Фиансей, компрэнэ ву? Май брайдгрум...

За столиком под бахромчатой лампой между тем неторопливо беседовали друг с другом два старика.

— Жизнь наша кончается, Арсений, — говорил Бакстер. — Давай напьемся, как в старые годы?

— Я и в старые годы никогда не напивался, как ты, — сказал Арсений Николаевич. — Никогда до скотского уровня не докатывался.

— Понимаю, что ты хочешь сказать, — печально и виновато пробормотал Бакстер. — Но это не скотство, Арси. Это мои последние шансы, прости, привык платить женщинам за любовь. Не злись на меня. Я опять влюбился, Арси. Я помню, как вы смея-

177

лись надо мной во Франции. Покупаю какую-нибудь блядь за сто франков и сразу влюбляюсь. А сейчас... сейчас я совсем стал размазня, Арси... Старый сентиментальный кисель... Ты знаешь, эта Тина, она чудо, поверь мне, никогда у меня не было такой женщины. Что-то особенное, Арси. То, что называется, сладкая...

— Заткнись! — брезгливо поморщился Арсений Николаевич.— Вовсе не интересно выслушивать признания слюнявого маразматика.

— Ладно, — Бакстер положил ему на длинную ладонь свою боксерскую чуть деформированную лапу с пятнышками старческой пигментации.

«У меня вот до сих пор эта мерзкая пигментация не появилась», — со странным удовлетворением подумал Арсений Николаевич.

— Арси, ты знаешь, сколько в живых осталось из нашего поколения к сегодняшнему дню? — спросил Бакстер.

Арсений Николаевич пожал плечами:

— Я стараюсь об этом не думать, Бак. Живу на своей горе и думаю о них как о живых. Особенно о Максе...

— Я хотел бы жить рядом с тобой на твоей горе, — сказал Бакстер. — Рядом с Максом...

— Ты все-таки надираешься. — Арсений Николаевич заглянул в его стакан. — Что ты пьешь?

— Арси, поверь, весь бизнес и вся политика для меня сейчас — зола, главное на закате жизни — человеческие отношения. Мне говорят: ты — Ной, ты можешь вести наш ковчег! Вздор, говорю я. Какой я вам Ной, я лишь старый козел, которого пора выбрасывать за борт. Пусть меня гром ударит, но я приехал сюда перед скучнейшей финансовой поездкой в Москву только для того, чтобы тебя увидеть, старый мой добрый Арси.

Он откинулся на сафьяновые подушки и вдруг зорко посмотрел на старого друга, на которого вроде и не обращал особого внимания, который до этого был для него как бы лишь воспринимающим устройством.

— Вот кто Ной, — сказал он торжественно. — Ной — это ты, Арсений Лучников! Послушай... — Он опять навалился локтями на стол в манере водителя грузовика. — Ты ведь, конечно, знаешь, что в мире существует такая штука — Трехсторонняя Комиссия. Я на ней часто присутствую и делаю вид, что все понимаю, что очень уважаю всех этих джентльменов, занятых спасением человечества. Симы, хамы и яфеты строят ковчег в отсутствие Ноя. Словом, там вдруг узнали, что мы с тобой друзья, и стали меня подзуживать. Ты хочешь знать, что думают в Трехсторонней Комиссии о ситуации на Острове Крым? Видишь ли, мне самому на все это наплевать, мне важно как-то вместе с тобой и с оставшимися сверстниками дожить свой срок и «присоединиться к большинству» в добром старом английском смысле, но они мне сказали: наша Комиссия — это Ной, мы строим ковчег среди красного потопа... Они просили меня поговорить с тобой, они говорят, ты — крымский Ной, что-то они задвинулись там на этой идее ковчега, но одно могу тебе сказать, я не из-за них к тебе приехал, приехал просто повидаться...

— Бак, ты и в самом деле впадаешь в маразм... — досадливо прервал его Арсений Николаевич.

— Хорошо, излагаю суть дела. — Бакстер закурил «Гавану» и начал говорить неторопливо, деловито и четко, так, должно быть, он и выступал на пресловутой Трехсторонней Комиссии или в правлении своего банка. — Ситуация на Острове и вокруг него становится неуправляемой. Советскому Союзу достаточно пошевелить пальцем, чтобы присоединить вас к себе. Остров находится в естественной сфере советского влияния. Население деморализовано неистовством демократии. Идея Общей Судьбы овладевает умами. Большинство не представляет себе и не хочет представлять последствий аншлюса. Стратегическая острота в современных условиях утрачена. Речь идет только лишь о бессознательном физиологическом акте поглощения малого большим. Не произошло этого до сих пор только потому, что в России очень влиятельные силы не хотят вас заглатывать, больше того, эти силы отражают массовое подспудное настроение, которое, конечно, никогда не может явиться на поверхность в силу идеологических причин. Этим силам не нужна новая автономная республика, они не знают, как поступить с пятью миллионами лишних людей, не снабженных к тому же специфической советской психологией, они понимают, что экономическое процветание Крыма кончится на следующий же день после присоединения. Сейчас их ригидная система кое-как приспособилась к существованию у себя под боком маленькой фальшивой России, приспособилась и идеологически, и стратегически, и особенно экономически. По секретным сведениям треть валюты идет к советчикам через Крым. Словом, статус-кво как бы устраивает всех, не говоря уже о том, что он вносит какую-то милую пикантность в международные отношения. Однако ситуация выходит из-под контроля. Просоветские и панрусистские настроения на Острове — это единственная реальность. Остальное: все эти яки, китайцы, албанцы, волчьи сотни — детские игры. Советская система, как это ни странно, мало управляема по сравнению с западными структурами, ей движут зачастую малоизученные стихийные силы, сродни тектоническим сдвигам. Близится день, когда СССР поглотит Остров.

— Никто у нас и не сомневается в этом,— вставил Арсений Николаевич.

— Прости, но он будет вынужден поглотить Остров. Он сделает это вопреки своему желанию. Трехсторонняя Комиссия получила достаточно ясные намеки на это непосредственно из Москвы.

Некоторое время они молча смотрели друг на друга, потом Арсений Николаевич, нарушая свой зарок, попросил у Бакстера сигару.

— Далее? — сказал он, ловя сквозь дым жесткие голубенькие глазки бандита Западной пустыни Фреда Бакстера.

— Далее начинается художественная литература, — усмехнулся тот. — Запад вроде бы совершенно не заинтересован в существовании независимой русской территории. Стратегически Крым, как я уже сказал, в наше время полный ноль. Природных ресурсов вам самим едва хватает, а «Арабат ойл компани» уже пробирается в Персидский залив. Промышленность ваша — лишний конкурент на наших суживающихся рынках. Казалось бы, наплевать и забыть, однако Запад, ну и, конечно, Трехсторонняя Комиссия в первую очередь оказывается все-таки заинтересована в существовании независимого Крыма. В соответствии с современным состоянием умов, мы заинтересованы в вашем существовании нравственно и эстетически.

Западу, видите ли, важно, чтобы в тоталитарном потопе держался на плаву такой красивый ковчег, как Остров О'кей. Как тебе нравится этот бред?

— Не так уж глупо, — сказал Арсений Николаевич.

— Ага,— торжествующе сказал Бакстер. — В тебе, я вижу, заработал дворянский романтизм. Так знай, что ваша дворянская русская старомодная сентиментальность, так называемые «высокие порывы», сейчас считается современными футурологами наиболее позитивной и прагматической позицией человечества.

— И потому я — Ной? — усмехнулся Арсений Николаевич.

— Sure, — кивнул Бакстер. — Только ты и никто другой.

— Где же ваш Арарат? — спросил Лучников.

— North Atlantic Treaty Organisation, — сказал Бакстер. — Резкое и решительное усиление западной и даже проамериканской ориентации. Западный военный гарант. Стабильность восстановится, и с облегчением вздохнут прежде всего в Москве. Будет яростная пропагандистская кампания, задавят десятка два диссидентов, потом все успокоится. Комиссия получила достаточно ясные намеки из тех же московских источников. В конце концов, там же тоже есть люди, понимающие, что мы все связаны одной цепочкой... Ты Сахарова читал? Представь себе, в Кремле есть люди, которые его тоже читают.

— Я не гожусь, — сказал решительно Арсений Николаевич. — Я слишком стар, у меня слишком много, Бак, накопилось грусти, я не хочу терять свою гору. Бак, я буду сидеть на своей горе, Бак, мне почти восемьдесят лет, Бак, я молод только по сравнению со своей горой, старый Бак. И наконец, я не хочу враждовать со своим сыном.

— Понимаю, — кивнул Бакстер. — Возьми меня на свою гору, Арси. Мне тоже все надоело, мне смешно сидеть на этой Трехсторонней Комиссии, где все такие прагматики и оптимисты, мне просто смешно на них смотреть и их слушать. Положит какой-нибудь Гарри Киссельбургер ладонь на лоб, вроде бы мировая проблема решается, а я вижу скелет, череп и кость... Уходящая жизнь... Как бы я хотел верить, что основные события начнутся за гранью жизни. Старый Арси, в самом деле, продай мне кусок твоей горы. Я бы плюнул на все, чтобы жить с тобой рядом и по вечерам играть в канасту. Взял бы Тину и жил бы с ней на твоей горе...

— Так бы и осталась она с тобой на нашей горе, — усмехнулся Арсений Николаевич и дружески положил руку старому Бакстеру на затылок.

У них и прежде так бывало: если деловой разговор не получается, они как бы тут же о нем забывали, делали вид, что его и не было, показывая этим, что личные свои отношения они ставят выше всякой экономики и политики.

— Почему бы ей не бывать хоть часть года у меня на горе, — наивно расширил голубые бандитские глаза старый Бак. — Если ей захочется свеженького хера, я сам ее отпущу в Ниццу или в Майами, куда угодно. Я ведь к ней частично буду относиться как к дочке. Частично, — подчеркнул он. —Арси, — он зашептал в ухо старому другу, — скажу тебе честно, я уже сделал ей такое предложение, что-то вроде этого. Я предложил ей стать моей спутницей, другом. Уверен, что проституция для нее — просто игра. Она — особая женщина, таких не много в мире, поверь мне, ты знаешь мой опыт...

В этот момент мягко, бархатом по бархату, прозвучал гонг и милейший голос объявил, что самолет Стокгольм—Симферополь заходит на посадку.

Слева от бара осветился большой экран, на котором в темных небесах появился снижающийся, мигающий десятком посадочных огней и подсвечивающий себе носовым прожектором «Джамбо-джет» компании SAS.

Ультрасовременная, еще нигде, кроме Симфи, не опробованная система включила телекамеры на борту огромного воздушного корабля, во всех четырех огромных салонах, где пассажиры, улыбаясь, перешучивались или, напротив, сосредоточиваясь и погружаясь как бы в состояние анабиоза, готовились к посадке. Ни в высшем, ни в среднем классах Андрея Лучникова явно не было, но в переполненном «экономическом» как будто где-то на задах мелькнуло знакомое, но почему-то дьявольски небритое лицо. Вдруг «Тина» спрыгнула с табуретки и побежала прочь от бара.

— Тина! — вскричал испуганный Бакстер и вскочил, простирая руки. Она даже не обернулась.

Дело в том, что, пока два старых джентльмена разговаривали на политические темы, Таня—Тина, сидя у стойки бара, начала улавливать невероятный для нее смысл происходящего. Антон и Лидочка Нессельроде иногда обменивались репликами по-русски, и ей постепенно стало ясно, кто есть кто и для чего вся компания прибыла ночью в Аэро-Симфи. Длинный парень, который, между прочим, пару раз как бы случайно погладил ее по спине, оказался сыном Андрея. Идиотка с романтическими придыханиями, оказывается, считается невестой Андрея, а высокий седой старик, друг ее сегодняшнего клиента (употребив в уме это слово, она покрылась испариной), просто-напросто отец Андрея, тот самый знаменитый Арсений Лучников. Тут Таня, что называется, «поплыла», а когда на экране появился «Джамбо», когда она увидела или убедила себя, что увидела, ухмыляющуюся физиономию Андрея, она не выдержала и побежала куда глаза глядят— прочь!

Больше получаса она слонялась по бесчисленным коридорам, торговым аркадам, поднималась и спускалась по эскалаторам Аэро-Симфи. Везде играла тихая музыка, то тут, то там появлялись предупредительно улыбающиеся лица с вопросом — не нужна ли какая-нибудь помощь. У Тани дрожали губы, ей казалось, что она сейчас куда-то побежит, влепится в какую-нибудь стенку и будет по ней ползти, как полураздавленная муха. Хулиганское ее «приключение» теперь становилось для нее именно тем, чем и было на самом деле, — проституцией. Она отгоняла от себя столь недавние воспоминания — как брал ее этот старик, как он сначала ее раздел и трогал все ее места, неторопливо и задумчиво, а потом вдруг совсем по-молодому очень крепко сжал и взял ее и брал долго и сильно, бормоча какую-то американскую похабщину, которую она, к счастью, не понимала, а потом... она отгоняла, отгоняла от себя эти постыдные воспоминания... а потом он ей в любви, видите ли, стал объясняться... кому — шлюхе? — а потом он еще кое-чего захотел... может быть, ему обезьянью железу трансплантировали... прочь, прочь эти мерзкие воспоминания... и с лицом, искаженным злобой, она вошла в открытый и пустой офис «Краймиа-бэнк» и предъявила испуганному молодому клерку чек, подписанный Бакстером.

Чек оказался не на три, а на пять тысяч долларов. Щедрая старая горилла! Клерк, преисполненный почтения к горилловской подписи, выдал ей крупные хрустящие ассигнации Вооруженных Сил Юга России; такую сумму «тичей» она никогда и в руках-то не держала. Вот мое будущее — блядью буду. Только кто мне теперь такие деньги заплатит? По вокзалам буду пробавляться, по сортирным кабинкам. Грязная тварь. Видно, что-то рухнуло во мне сразу, когда дала подпись Сергееву, а может быть, и раньше, когда Суп избил Андрея. Такие штуки не проходят даром. Какими импульсами, какими рефлексиями ни оправдывай свое поведение — ты просто-напросто наемная стукачка и грязная блядь. Ты не достойна и стоять рядом с Андреем, ты не имеешь права и с мужем своим спать, еще неизвестно — не наградила ли тебя чем-нибудь старая горилла на своей яхте, где весь экипаж так вытягивался, словно она Грейс Келли, а не «прости-господи» из приморского кафе; ты не имеешь права и с детьми своими общаться; как ты будешь воспитывать своих детей, грязное чудовище?

Она остановилась возле «Поста безопасности», где два вооруженных короткими автоматами городовых внимательно наблюдали по телевизору поток пассажиров, вытекающий из брюха скандинавского лайнера прямо в ярко освещенный коридор аэропорта. Городовые вежливо подвинулись, чтобы ей лучше было видно.

— Франсэ, мадам? — спросил один из них.

— Москва, — сказала она.

— О! — сказал городовой. — Удрали, сударыня?

— С какой стати? — сердито сказала Таня. — Я в командировке.

— Браво, сударыня, — сказал городовой. — Я не одобряю людей, которые удирают из великого Советского Союза.

Второй городовой молча подвинул Тане кресло. Она сразу увидела Андрея, идущего по коридору с зеленым уродливым рюкзаком за плечами. Он был одет во все советское. Хлипкие джинсы из ткани «планета», явно с чужой задницы, висели мешком. На голове у него красовалась так называемая туристская шапочка, бесформенный комочек бельевой ткани с надписью «Ленинград» и с пластмассовым козырьком цвета черничного киселя. Нейлоновая куцая телогрейка расстегнута, и из-под нее выглядывает гнуснейшая синтетическая цветастая распашонка. Рыжих его сногсшибательных усов не видно, потому что весь по глаза зарос этой рыжей с клочками седины щетиной. Смеялся, веселый, как черт. Размахивал руками, приветствуя невидимых на экране встречающих, своего благородного папеньку, своего красавчика сыночка, свою романтическую жилистую выдру-невесту и, должно быть, друга дома, американского мерзкого богатея с пересаженной обезьяньей железой.

— Не ваш, мэм? — прервав бесконечное жевание гама, спросил второй городовой.

Лучников прошел мимо камеры.

Таня, не ответив городовому, резко встала, отбросила стул и побежала в конец коридора, где светилась на разных языках надпись «Выход», где чернела спасительная или гибельная ночь и медленно передвигались желтые крымские такси марки «Форд-питер».

— Почему ты из Стокгольма? — спросил сына Арсений Николаевич. — Мы ждали тебя из Москвы.

— Вы не представляете, ребята, какие у меня были приключения на исторической родине, — весело рассказывал Лучников, обнимая за плечи отца и сына и с некоторым удивлением, но вполне благосклонно поглядывая на сияющую Лидочку Нессельроде. — Во-первых, я оборвал хвост, я сквозанул от них с концами. Две недели я мотался по центральным губерниям без какой-нибудь стоящей ксивы в кармане. Все думают, что это невозможно в нашей державе, но это возможно, ребята! Потом началось самое фантастическое. Вы не поверите, я нелегально пересек границу, я сделал из них полных клоунов!

Арсений Николаевич снисходительно слушал поток жаргонных советских экспрессий, исторгаемый Андреем. Дожил до седых волос и никак не избавится от мальчишества — вот и сейчас явно фигуряет своей советскостью, этой немыслимой затоваренной бочкотарой.

— Нет-нет, наша родина поистине страна чудес, — продолжал Лучников. Он стал рассказывать о том, как целую неделю с каким-то «чокнутым» джазистом пробирался на байдарке к озеру Пухуярве где-то в непроходимых дебрях Карелии, как там, на этом озере, они еще целую неделю жили, питаясь брусникой и рыбой, и как, наконец, на озеро прилетел швед, друг этого джазиста, Кель Ларсон на собственном самолетике, и как они втроем на этом самолетике, который едва ли не цеплял брюхом за верхушки елей, перелетели беспрепятственно государственную границу. Бен-Иван, этот джазист, почему-то считал, что именно в этот день все пограничники будут бухие, кажется, водку и портвейн завезли в ближайшее сельпо — и точно, ничто не шелохнулось на священной земле, пока они над ней летели,— вот вам железный занавес, а от финнов — у этих сук ведь договор с советскими о выдаче беглецов, — от «фиников» они откупились запросто, ящиком той же самой гнусной водяры... и вот прилетели свободно в Стокгольм, а Бен-Иван через пару недель таким же путем собирается возвратиться. Он эзотерический тип.

— Да зачем тебе все это понадобилось? — удивился несказанно Арсений Николаевич. — Ведь ты, мой друг, в Совдепии персона грата. Может быть, ты переменил свои убеждения?

Андрей Арсеньевич с нескрываемым наслаждением осушил бокал настоящего «Нового Света», обвел всех присутствующих веселым взглядом и высказался несколько высокопарно:

— Я вернулся из России преисполненный надежд. Этому полю не быть пусту!

Таня бродила по ночной Ялте и не замечала ее красоты: ни задвинутых на ночь и отражающих сейчас лунный свет климатических ширм на огромной высоте над городом, ни россыпи огней по склонам гор, ни вздымающихся один за другим стеклянных гигантов «второй линии», ни каменных львов, орлов, наяд и атлантов «первой исторической линии» вдоль набережной Татар. Она ничего не замечала, и только паника, внутренняя дрожь трепали ее. Пару раз она увидела в витрине свое лицо, искаженное безотчетным страхом, и не узнала его, она как будто бы даже и не ощущала самое себя, не вполне осознавала свое присутствие в ночном городе, где ни на минуту не замирала жизнь. Машинально она вошла в ярко освещенный пустой супермаркет, прошла его насквозь, машинально притрагиваясь к каким-то вещам, которые ей были почему-то непонятны, на выходе купила совершенно нелепейший предмет, какую-то боливийскую шляпу, надела ее торчком на голову и, выйдя из супермаркета, оказалась на маленькой площади, окруженной старинными домами, на крыше одного из них на глобусе сидел, раскинув крылья, орел, у подъезда другого лежали львы, атлант и кариатида поддерживали портик третьего. Здесь ей стало чуть спокойнее, она вдруг почувствовала голод. Это обрадовало ее — мне просто хочется есть. Не топиться, не вешаться, не травиться, просто пожрать немножечко.

На площади у подножья больших кипарисов, верхушки которых слегка сгибал эгейский ветерок, был запаркован «Фургон-дом» с номерным знаком ФРГ. Все двери в нем были открыты, несколько людей играли внутри в карты, а голый, в одних купальных трусиках человек сидел на подножке фургона и курил. Увидев Таню, он вежливо окликнул ее и осведомился, как насчет секса.

— Сволочь! — крикнула ему Таня.

— Энтшульдиген, — извинился человек и что-то еще добродушно добавил, дескать, зачем так сердиться.

Через площадь светились стеклянные стены круглосуточного кафе под забавным, истинно ялтинским названием «Вилкинсон, сын вилки». Видна была толстозадая особа, которая уписывала огромный торт со взбитыми сливками и клубникой. Таня вошла в кафе, села за несколько стульчиков от толстухи и попросила порцию кебабов. Два улыбающихся «юга», у которых тоже, конечно, только секс и был на уме, за несколько минут соорудили ей блюдо чудно поджаренных кебабов, поставили рядом деревянную миску с салатом, масло, приправы, бутылку минеральной воды.

— У вас это нервное? — спросила по-русски толстуха, расправляющаяся с тортом.

— Что нервное? — Таня враждебно на нее посмотрела: неряшливое существо, ляжки выпирают из шортов, пузо свисает между ног, шлепки взбитых сливок на грудях, рот мокрый — то ли помада размазалась, то ли клубника растеклась.

— Вот эти ночные, — толстуха хихикнула, — закусочки. Раньше у меня этого не было, клянусь вам. Я была стройнее вас, сударыня. На Татарах все «тоняги» посвистывали мне вслед. У меня был эротический свинг, всем на удивление. Теперь переживаю нервный стресс—днем сплю, а по ночам жру торты. За ночь я съедаю семь. Каково?— Она всмотрелась в Таню, произвела ли на нее впечатление каббалистическая цифра, и, заметив, что никакого, добавила почти угрожающе: — Иногда до дюжины! Дюжина тортов! Каково! И это все из-за мужчин! — Она внимательно смотрела на Таню.

Наглый порочный взгляд русской толстухи сверлил Таню. Она уже чувствовала, что сейчас последует лесбийское приглашение. «Мерзость, — думала она. — В самом деле, вот мерзость капитализма. Всего полно, в карманах масса денег, все проституируют и жаждут наслаждений. Погибающий мир, — думала она. — Мне нужно выбраться отсюда как можно скорее. Улечу завтра в Москву, пошлю к черту Лучникова, Сергеева с его фирмой просто на хуй, заберу детей из пионерлагеря, починю машину и все поедем к Супу в Цахкадзор. Буду тренироваться вместе с ним. Только он один меня искренне любит, я его жена, а он мой муж, он мне все простит, и я буду жить в нашем, в моем мире, где всего не хватает, где все всего боятся, да-да, это более нормальный мир; поступлю куда-нибудь продавщицей или кладовщиком на продбазу, буду воровать и чувствовать себя нормальным человеком».

Между тем она быстро и, кажется, тоже очень неряшливо ела, приправа «Тысяча островов» уже дважды капнула на элегантное платье, купленное ей этой весной Андреем в феодосийском «Мюр и Мерилизе».

На другом конце длинной полукруглой стойки сидела худенькая девушка в темной маечке, с огромными испуганными глазами, с головой, похожей на полуощипанную курицу. В какой-то момент Тане показалось, что это она сама там сидит, что это ее отражение, она снова испугалась, но потом вспомнила, что она и одета иначе, и голова у нее в порядке, и к тому же кебабы жрет...

Из кухонного зала, сверкающего кафелем и алюминием, вышел мужик лет сорока пяти, перегнулся через стойку и стал что-то говорить, скабрезно улыбаясь, девочке с испуганными глазами. Та закрывалась салфеткой, дико посматривала огромными своими глазами и как бы собиралась бежать.

В заведение вошел некто в задымленных очках, спросил кофе и стал пить стоя, не глядя на Таню, но иногда поднимая глаза к зеркальному потолку, где все происходящее отражалось. «Ну вот, они меня уже нащупали, — подумала Таня. — Это, конечно, Сергеев. Его повадки, его очки, только борода какая-то оперная, как у Радамеса, да разве трудно приклеить бороду? Уж бороду-то они там могут приклеить. Нет, я вам не дамся. Я никому не дамся. Хватит с меня, убегу сегодня. Убегу сегодня туда, где вы меня не достанете, где меня никто не будет считать ни проституткой, ни шпионкой...»

— Ха-ха-ха,— сказала толстуха. — Нет-нет, вы меня не обманете, сударыня, я вижу, я опытный психолог, я вижу, это и вас тоже нервное...

— Оставьте меня в покое! — рявкнула на нее Татьяна. — Я просто есть хочу. Не ела весь день. Если вы псих, это не значит...

— Ну, что, попался? — Толстуха, оказывается, вовсе не слушала Таниной возмущенной тирады. Огромной рукой она, перегнувшись через стойку, ловко ухватила за рубашку мальчишку-юга и сейчас притягивала его к себе. — Вчера ты меня обманул, Люба Лукич, но сегодня не уйдешь. Сегодня тебе придется покачаться на барханах пустыни Сахары... — Она сунула мальчишке в рот ложку со сливками и клубникой. — Ешь, предатель!

Человек в задымленных очках, держа у рта чашечку кофе, медленно повернул голову.

У Тани дернулся локоть. Блюдо с остатками кебаба съехало со стойки и вдребезги раскололось на кафельном полу.

Мужчина в задымленных очках быстро вышел из кафе и растворился во мраке.

Девочка с сумасшедшими глазами прижала ко рту салфетку, словно пытаясь задавить вырывающийся из нее крик ужаса.

Повар в ослепительно белой униформе, явный ее мучитель, лихо, словно в ковбойском фильме, перепрыгнул через стойку, схватил девчонку и прижал ее чресла к своему паху. «Обжора на нервной почве» мощной рукой тащила через стойку югославского поваренка, другой же запихивала ему в рот комки торта.

Таня вдруг поняла, что кричит, визжит вместе с той несчастной девчонкой в темной майке и совершенно не понимает, куда ей бежать — выход на черную площадь, казалось, таил еще больше безумия и опасности, чем эта ослепительно сверкающая ночная жральня.

Только кассир, красивый пожилой юг, сидящий в центре зала, был невозмутим. Он курил голландскую сигару и иногда посматривал в дальний угол зала, где, оказывается, сидели еще двое, тоже в темных очках.

— О'кей?—спрашивал иногда кассир тех двоих.

Те скалили зубы и показывали большие пальцы.

Таня швырнула какую-то купюру кассиру и бросилась к вертящейся стеклянной двери. Здесь она столкнулась и с несчастной затравленной девочкой. Юбка у той была истерзана, порвана в клочья. Жуткий поварище, голый по пояс, но только снизу, преследовал ее. Девочка выскочила на площадь первая и тут же растворилась во мраке. Таня выбежала за ней.

Мирно струился фонтан, два купидона забавлялись в бронзовой чаше. Светились окна германского кемпера. Все было абсолютно спокойно. Таня оглянулась. Ночное кафе выглядело вполне спокойно. Эротоман спокойно удалялся, повиливая ноздреватой задницей. Толстуха спокойно доедала торт. Мальчик за стойкой спокойно перетирал кружки. Кассир, смеясь, разговаривал с теми двумя, что вышли теперь из угла и стояли у кассы. Ей показалось, что она на миг заснула, что это был всего лишь мгновенный кошмар.

Она присела на край фонтана. Мирно струилась вода. Средиземноморский ветер трогал волосы, сгибал верхушки кипарисов, серебрил листву большого платана. Орел, львы, атлант и кариатида, милые символы спокойного прошлого. Ее никто сейчас не видел, и она легко, по-детски разрыдалась. Она наслаждалась своими слезами, потому что знала, что вслед за этим в детстве всегда приходило облегчение.

На площадь эту выходили три узких улицы, и из одной вдруг почти бесшумно, чуть-чуть лишь жужжа великолепным мотором, выехал открытый «Лэндровер». Он остановился возле кемпера, и люди в «Лэндровере» стали просить немцев спеть хором какую-нибудь нацистскую песню.

— Мы не знаем никаких нацистских песен, — отнекивались немцы. — Мы и не знали их никогда.

— Ну «Хорст Весселя»-то вы не можете не знать, — говорили люди в «Лэндровере». — Спойте, как вы это делаете, обнявшись и раскачиваясь.

Разговор шел на ломаном английском, и Таня почти все понимала.

— Не будем мы петь эту гадость!— сплюнул один немец.

— Хандред бакс, — предложили из «Лэндровера». — Договорились? Итак, обнимайтесь и пойте. Слова — не важно. Главное, раскачивайтесь в такт. Вот вам сотня за это удовольствие.

«Лэндровер» быстро дал задний ход и исчез. Немцы обнялись и запели какую-то дичь. В трех темных улицах появились медленно приближающиеся слоны. Жуткий женский крик прорезал струящуюся средиземноморскую ночь. Таня увидела, что из бронзовой чаши, в которой только что играли лишь два бронзовых купидона и больше не было никого, поднимается искаженное ужасом лицо той девочки с огромными безумными глазами. Таня услышала тут и свой собственный дикий крик. Она зажала рот ладонями и задергалась, не зная, куда бежать. Слоны приближались, у всех на горбу сидел все тот же сексуальный маньяк. Немцы пели, раскачиваясь, все больше входя во вкус и, кажется, даже вспоминая слова.

— Stop! — вдруг прогремел на всю площадь радиоголос. — That's enough for tonight! All people are off till Wednesday! Thank you for shooting!¹

Съемка кончилась, все вышли на площадь. В темных старых домах загорелись огни, взад-вперед стали ездить «Лэндроверы» с аппаратурой, началась суета. Девочку с сумасшедшими глазами извлекли из фонтана, закутали в роскошнейший халат из альпаки. В этом халате она и уехала одна за рулем белого «Феррари». Только тогда Таня узнала в ней знаменитую актрису.

К Тане подошли несколько киношников и что-то, смеясь, начали говорить ей. Она почти ничего не понимала. На край фонтана присел человек с внешностью Радамеса. Он улыбался ей очень дружественно.

— Они говорят, сударыня, что ваше появление на съемочной площадке внесло особую изюминку. Вы были как бы отражением кризиса их героини. Они благодарят вас и даже что-то предлагают. Изменение в сценарии. Немалые деньги.

— Пошлите их к черту, — сказала измученная вконец Таня.

---

*Стоп! На сегодня достаточно! Все свободны до среды! Спасибо за съемку! (англ.)

Когда все разошлись, «Радамес» остался и тихо заговорил: проклятые кинобандиты! Облюбовали наш Остров и снимают здесь свою бесконечную бездарную похабщину... Мадам Лунина, мое имя Вадим Востоков. Полковник Востоков. Я представитель местной разведки ОСВАГ, я хотел бы поговорить с вами...

— Какие у вас повадки сходные, — сказала Таня. — Вы даже одеваетесь похоже.

— Вы имеете в виду наших коллег из Москвы? — улыбнулся Востоков. — Вы правы. Разведка в наше время — международный большой бизнес, и принадлежность к ней накладывает, естественно, какой-то общий отпечаток.

— Разведка, — ядовито усмехнулась Таня. — Сказали бы лучше слежка, соглядатайство.

— Сударыня, — не без печали заметил Востоков. — Соглядатайство — это не самое мерзкое дело, которым приходится заниматься нашей службе.

— Борода-то у вас настоящая? — спросила Таня.

— Можете дернуть, — улыбнулся Востоков.

Она с удовольствием дернула. Востоков даже и глазом не повел. Несколько седоватых волосков осталось у нее в кулаке. Она брезгливо отряхнула ладони и встала. Востоков деликатно взял ее под руку.

Они покинули старинную площадь и, пройдя метров сто вниз, оказались на набережной Татар. Спустились еще ниже, прямо к пляжу. Здесь было полуоткрытое кафе, ниши с плетеными креслами. Виден был порт, где вдоль нескольких пирсов стояли большие прогулочные катера и океанские яхты. Одна из них была «Элис», яхта Фреда Бакстера, на которой еще несколько часов назад Таня, по московскому выражению, так «бодро выступила». Востоков заказал кофе и джин-фис.

— Красивая эта «Элис», — сказал он задумчиво. — У мистера Бакстера, бесспорно, отменный вкус.

— Ну, давайте, давайте, выкладывайте, — сказала Таня. — Учтите только, что я ничего не боюсь. — Она выпила залпом коктейль и вдруг успокоилась.

— Понимаю причины вашего бесстрашия, сударыня, — улыбнулся Востоков.

В самом деле, какое сходство навыков у крымских и московских «коллег»: и еле заметные, но очень еле заметные улыбочки, и ошеломляющая искренность, сменяющаяся тут же неуловимыми, но все же уловимыми нотками угрозы, и вдруг появляющаяся усталость, некий вроде бы наплевизм — что, мол, делать, такова судьба, таков мой бизнес, но в человеческом плане вы можете полностью рассчитывать на мою симпатию.

— Сударыня, я вовсе не хочу вас ошеломить своим всезнайством, как это делается в дурных советских детективах, — продолжал Востоков, — да его и нет, этого всезнайства. Всезнайство разведки всегда преувеличивается самой разведкой.

«Вот появилось некоторое различие, — усмехнулась Таня. — Наши-то чекисты никогда не признаются в неполном всезнайстве».

— Однако, — продолжал Востоков, — причины вашей уверенности в себе мне известны. Их две. Во-первых, это Андрей Лучников, фигура на нашем Острове очень могущественная. Во-вторых, это, конечно, полковник Сергеев, — Востоков не удержался — сделал паузу, быстро глянул на Таню, но она только усмехнулась, — между прочим, очень компетентный специалист. Кстати, кланяйтесь ему, если встретите в близкое время. — Он замолчал, как бы давая возможность Тане переварить «ошеломляющую информацию».

— Браво, — сказала Таня. — Чего же прибедняетесь-то, маэстро Востоков? Такая сногсшибательная информация, а вы прибедняетесь.

— Нет-нет, не то слово, Татьяна Никитична, — улыбнулся Востоков. — Отнюдь я не прибедняюсь. Информация в наше время — это второстепенное, не ахти какое трудное дело. Гораздо важнее и гораздо труднее проникнуть в психологию изучаемого объекта. Мне, например, очень трудно понять причину вашей истерики в «Вилкинсоне, сыне вилки». Изучая вас в течение уже ряда лет, не могу думать о спонтанной дистонии, какой-либо вегетативной буре...

Да, господин Востоков на несколько очков опережает товарища Сергеева.

— В таком случае, Татьяна Никитична, не этот ли пустяк стал причиной вашего срыва?

Востоков вынул из кармана пиджака элегантнейшее портмоне и разбросал по столу несколько великолепных фотоснимков. Таня и Бакстер в мягком сумраке каюты, улыбаются друг другу с бокалами шампанского. Раздевание Тани и Бакстера. Голая Таня в руках старика. Искаженные лица с каплями пота на лбу. Выписывание чека. Отеческая улыбка Бакстера.

Снова все помутилось в ее голове и крик скопился в глотке за какой-то прогибающейся на пределе мембраной. Темное море колыхалось в полусотне метров от них. Устремиться туда, исчезнуть, обернуться водной тварью без мыслей и чувств...

— ... я вам уже сказал, что соглядатайство не самое мерзкое дело, которым нам приходится заниматься, — стал долетать до нее голос Востокова. — Увы, то, что я предъявляю вам сейчас, — это просто шантаж, иначе и не назовешь. Могу вас только уверить, впрочем, это вряд ли важно для вас, что я занимаюсь своим грязным делом из идейных соображений. Я русский аристократ, Татьяна Никитична, и мы, Востоковы, прослеживаем свою линию вплоть до...

— Аристократ, — хрипло, словно в нее бес вселился, прорычала Таня. — Ты хоть бы бороду свою вшивую сбрил, подонок. Да я с таким аристократом, как ты... — в голову вдруг пришло московское «помоечное» выражение, — да я с таким, как ты, и срать рядом не сяду.

Она смахнула со стола плотненькие, будто бы поляроидные снимки, и они голубиной стайкой взлетели в черноморскую черноту, прежде чем опасть на пляжную гальку или улететь в тартарары, в казарму нечистой силы, где им место, прежде чем пропасть, растаять в черной сладкой ночи капиталистических джунглей, где и воздух сам — сплошная порнография. Она с силой сжала веки, чтобы не видеть ничего, и ладонями залепила уши, чтобы и не слышать ничего, в голове у нее мелькнула маленькая странная мыслишка, что в тот миг, когда она разлепит уши и раскроет глаза, мир изменится и начнется восход, над теплым и мирным морем встанет утро социализма, то лето в пионерском лагере на кавказском побережье, последнее лето ее девичества, за час до того, как ее лишил невинности тренер по гимнастике, такой же грудастый, похожий на полковника Востокова тип, только без древнеегипетской бороды.

Когда она открыла глаза и разлепила уши, полковника Востокова и в самом деле перед ней не было. Вместо него сидел костлявый мужлан с мокрым ртом, с бессмысленной улыбкой, открывающей не только длинные лошадиные зубы, но и бледные нездоровые десны, с распадающимися на два вороных крыла сальными волосами.

— Ты, сука чекистская, — отчетливо проговорил он, — ну-ка вставай! Сейчас мы покажем тебе и твоему хахалю, кремлевскому жополизу, что они еще рановато празднуют. Встать!

Три фигуры в темных куртках с накинутыми на головы башлыками возникли в проеме ниши и закрыли своими внушительными плечами море.

Она встала, лихорадочно обдумывая, что же делать, чтобы не даться этим типам живьем. Сейчас не вырываться. Нужно подчиниться, усыпить их бдительность, а потом броситься с парапета на камни или под колеса машины или вырвать у кого-нибудь из них нож, пистолет и... засадить себе в пузо...

— Выходи! — скомандовал главный с собачьей улыбкой и тоже накрыл голову башлыком.

Окруженная четырьмя замаскированными субъектами, Таня вышла из кафе. Краем глаза увидела, что хозяин и два официанта испуганно выглядывали из-за освещенной стойки. Краешком ума подумала, а вдруг и это какая-нибудь очередная съемка, в которую она случайно вляпалась, и сейчас послышится оглушительное:

— Stop! Thank you for shooting!

Увы, это была не съемка. На набережной стоял огромный черный «Руссо-Балт» с замутненными и, очевидно, не пробиваемыми стеклами. Таню швырнули на заднее сиденье, туда же впрыгнули и три бандита, главный же поместился впереди рядом с шофером и снял с головы башлык. Машина мягко прошла по набережной и по завивающейся асфальтовой ленте мощно и бесшумно стала набирать высоту, уходя то ли к акведукам автострады, то ли в неизвестные горные улочки Ялты.

Бандиты залепили Тане рот плотной резиновой лентой. Потом один из них расстегнул ей платье и стал жать и сосать груди. Другой задрал ей юбку, ножом разрезал трусики и полез всей пятерней в промежность. Все делалось в полной тишине, без единого звука, только чуть-чуть всхлипывал от наслаждения сидящий впереди главарь. Таня поняла, что на этот раз ей совсем уж никуда не вырваться, что с ней происходит нечто совсем уже ужасное и, к сожалению, это не конец, а только начало.

Лимузин мощно шел по узкой улочке среди спящих домов, когда вдруг впереди из переулка на полной скорости выскочила военная пятнистая машина и встала перед «Руссо-Балтом» как вкопанная. Как всегда при автокатастрофах, первое время никто не мог сообразить, что произошло. Внутренности «Руссо-Балта» были обиты мягчайшей обивкой, поэтому ни Таня, ни ее насильники особенно не пострадали, подлетели только к потолку и рассыпались в разные стороны на мягкие подушки. Впереди стонал, едва ли не рыдал разбившийся о лобовое стекло главарь. Шофер, в грудь которого въехал руль, отвалился без сознания. Из военной машины сразу выскочили трое парней в комбинезонах десантников. В заднем стекле была видна стремительно приближающаяся еще одна точно такая же машина, из которой на ходу, держа над головой автоматы, выпрыгнули еще трое. Грохнул негромкий взрыв, дверь «Руссо-Балта» рухнула, десантники молниеносно вытащили наружу всех. Не прошло и минуты, как все четверо бандитов оказались в наручниках. Без особых церемоний их втаскивали в машину, подъехавшую сзади. Бесчувственное тело шофера швырнули туда же.

К Тане подошел один из ее спасителей и приложил ладонь к виску. Она заметила на его берете радужный овал и вспомнила, что это знак военной авиации дореволюционной России.

— Просим прощения, леди, — сказал солдат, — мы чуть-чуть опоздали. Ваша сумочка, леди. Прошу сюда. Наша машина в порядке. Можете ничего не опасаться, леди. Мы доставим вас в гостиницу.

Загорелое лицо, белозубая улыбка, мощь и спокойствие. Из какого мира явились эти шестеро, один к одному, здоровые и ладные парни? Она запахнула растерзанное на груди платье.

— Кто эти мерзавцы? — трясущимися губами еле-еле выговорила Таня.

— Простите, леди, нам это неизвестно, — сказал десантник.

— А вы-то кто? — спросила Таня.

— «Эр-форсиз», леди. Подразделение Качинского полка специальных операций, — улыбнулся парень. — Нас подняли по тревоге. Личный приказ полковника Чернока. Успокойтесь, леди, теперь все в порядке.

Все было не в полном порядке. В безопасном и комфортабельном номере «Васильевского острова» Таня упала на пол и поползла к ванной. Долгое время она пыталась обогнуть мягкий надутый пуф, валявшийся посреди номера, но это у нее не получалось, потому что голова попадала под телефонный столик, а нога безысходно застревала под кроватью. В этом положении она дергалась несколько минут и тихо визжала, пока вдруг в ярости не бросилась в атаку прямо на красный пуф, и оказалось, что отбросить его в сторону смог бы и котенок. Она добралась наконец до ванной и открутила до отказа все краны. В реве воды разделась и встала перед зеркалом. Изможденная безумная девка, вроде той, из «сына вилки», смотрела на нее. Ей лет восемнадцать, думала Таня про себя, она проститутка и шпионка, вернулась после грязной ночи вся в синяках от грязных дьявольских лап, чем ее наградили за эту ночь — сифилисом, триппером, лобковыми вшами? Кому она еще продалась, какой подонческой службе? Пустила всю воду и пытается отмыться. Преобладает горячая вода, пар сгущается, зеркало замутняется. Это не она там стоит, не грязная курва, которую все куда-то тащат и рвут на части. Это я там стою и замутняюсь, тридцативосьмилетняя мать двух любимых детей, жена любимого и могучего мужа, бывшая рекордсменка мира, любовница блестящего русского джентльмена, настоящая русская женщина, способная к самопожертвованию, «коня на скаку остановит, в горящую избу войдет...». В зеркале ее очертания были уже еле-еле видны, а потом и совсем исчезли. Ванна перелилась. Она стояла по щиколотки в горячей воде, не в силах двинуться. Вода текла в номер на мягкий пружинящий настил. С удивлением она увидела, как возле кровати плавают ее шлепанцы. Она вышла из ванной, подошла к ночному столику, стала вынимать из него какие-то без разбора таблетки, снотворные, слабительные, спазмолитические, разрывать облатки и высыпать все в пустой стакан. Набралось две трети стакана. Сейчас все схаваю целиком, подумала она со смешком, и запью кока-колой из холодильника. Надо торопиться, пока холодильник не утонул. Когда сюда придут, увидят, что тело плавает под потолком. Вот будет шутка. Вот в Москве-то похохочут. Хохма высшего порядка. Горничная заходит, а Танька Лунина плавает под потолком. Дохлая чувиха плавает вокруг люстры, вот хохма в стиле... В чьем стиле? В каком стиле?

В левой руке у нее был стакан с таблетками, в правой вскрытая и слегка дымящаяся бутылка кока-колы. Вода доходила до колена. В дверь колотили, непрерывно звонил телефон. Вот черти, хихикала она, не дают довести до конца шуточку черного юмора.

— Мадам, мадам, сударыня! — кричали за дверью горничные.

Дверь тряслась. Она сняла трубку.

— Мадам Лунина, в холле вас ждет джентльмен, — мягчайшим голосом сказал портье.

Еще один джентльмен. Сколько вокруг джентльменов. Все равно, теперь уже никто ее не остановит. Одним махом таблетки — в пасть и обязательно тут же запить кока-колой. Последнее наслаждение — холодная кока-кола.

Дверь сорвали, и тут же с визгом отпрыгнули в сторону. Таня, хихикая, зашлепала по коридору. В конце коридора был балкончик, откуда можно было обозреть весь холл. В последний раз взгляну на джентльмена. Любопытство не порок, но большое свинство. Последнее свинство в жизни — взгляд на мужскую свинью, которая внизу ждет свинью женскую.

Внизу в кресле, закинув ногу на ногу и внимательно изучая последний номер «Курьера», сидел безукоризненно выбритый и причесанный Андрей Арсеньевич Лучников в великолепном от Сен-Лорана полотняном костюме. Он был так увлечен газетой, что не замечал ни паники, возникшей среди отельной прислуги, ни струй воды, льющихся с балкона в холл, ни ручья, катящегося уже по лестнице вниз, ни голой Тани, глядящей на него сверху.

— Андрей! — отчаянно закричала она.

Хлопнулась вниз и разбилась вдребезги бутылка кока-колы и стакан. Рассыпались по мокрому ковру десятки разнокалиберных таблеток.

Он мгновенно все понял и взлетел наверх, обхватил бьющуюся Таню за плечи и прижал к себе.

За стойкой рецепции отлично вышколенные профессионалы портье и его помощник делали вид, что ничего особенного не произошло. Между собой они тихо переговаривались.

— Обратите внимание, Мухтар-ага, какие невероятные дамы стали приезжать к нам из Москвы.

— Да-да, там определенно происходят очень серьезные изменения, Флинч, если начинают появляться такие невероятные дамы.

— Что вы думаете, Мухтар-ага, насчет Идеи Общей Судьбы?

— Я уверен, Флинч, что мы принесем большую пользу великому Советскому Союзу. Я хотя и не русский, но горжусь огромными успехами СССР. Это многонациональная страна, и, между прочим, там на Волге живут наши братья-татары. А вы, Флинч? Мне любопытно, что вы, англо-крымчане, думаете о воссоединении?

— Я думаю, что мы хорошо сможем помочь советским товарищам в организации отельного дела.

— Браво, Флинч, я рад, что работаю с таким прогрессивным человеком, как вы.

— Господа! — крикнул им сверху Лучников. — Помогите, пожалуйста, погрузить багаж дамы в мою машину!

Через четверть часа они уже неслись в хвостатом «Питере-турбо» по Главному фривею в сторону столицы. Андрей каждую минуту целовал Таню в щеку.

— Вместо всех тех таблеток прими вот эту одну, — говорил он ей, протягивая на ладони розовую пилюлечку транквилизатора. — Все позади, Танюша. Это я во всем виноват. Я увлекся своими российскими приключениями и забросил тебя. Хочешь знать, что произошло с тобой этой ночью?

— Нет! — вскричала Таня. — Ничего не хочу знать! Ничего не произошло!

Таблетка вдруг наполнила ее радостью и миром. Пространство осветилось. Благодатная и мирная страна пролетала внизу под стальным горбом фривея, проплывали по горизонту зеленые холмы, ярко-серые каменные лбы и клыки древних гор, страна наивной и очаровательной романтики, осуществившаяся мечта белой гвардии, вымышленные города и горы Грина.

— Со мной ничего не происходило, любимый, — бормотала она. — С того дня, как ты ушел из нашего дома, со мной не происходило ничего. Был пустой и бессмысленный бред. Со мной только сегодня что-то произошло. Ты приехал за мной — вот это и произошло, а больше ничего.

Лучников улыбнулся и еще раз поцеловал ее в щеку.

— Дело в том, что тебя выследила «Волчья сотня», это законспирированное (ну, впрочем, в наших условиях любая конспирация — это липа) крайне правое крыло СВРП, Союза Возрождения Родины и Престола. На Родину и Престол они, честно говоря, просто кладут с прибором. Это просто самые настоящие фашисты, бандюги, спекулирующие на романтике «белого движения», отсюда и хвосты волчьи, как у конников генерала Шкуро. Они малочисленны, влияние их на массы почти нулевое, но оружие и деньги у них есть, а главное — наглое хулиганское безумие. Дело тут еще в том, что во главе их стоит сейчас некий Игнатьев-Игнатьев, бывший мой одноклассник и ненавистник в течение всей моей жизни, у него ко мне какой-то комплекс, скорее всего, гомосексуального характера. Вот он и организовал нападение на тебя. Они следили за тобой все эти дни и наконец устроили киднеппинг. Собирались изнасиловать тебя и осквернить только лишь для того, чтобы отомстить мне и пригрозить лишний раз. К счастью, это стало известно еще одному нашему однокласснику Вадиму Востокову, осваговцу, и тот немедленно соединился еще с одним нашим одноклассником Сашей Черноком, военным летчиком, который и поднял по тревоге свою спецкоманду. Теперь все эти субчики сидят на гауптвахте Качинского полка и будут преданы суду. Вот и все.

— Вот и все? — переспросила Таня.

— Вот и все. — Новый поцелуй в щеку. — Двойной Игнатьев — выродок. Все мои одноклассники по Третьей симферопольской гимназии царя Освободителя — друзья и единомышленники. Нас девятнадцать человек, и мы здесь, на Острове, не последние люди. Ты в полной безопасности, девочка моя. Как я рад, что мы наконец-то вместе. Теперь не расстанемся никогда.

Они уже кружили над Симферополем, готовясь нырнуть в один из туннелей Подземного узла. Невероятный город простирался под ними.

— Видишь, в центре торчит карандаш? — спросил Лучников. — Это небоскреб «Курьера», а наверху, в «обструганной» части, моя собственная квартира. Она довольно забавна. Мы будем там жить вместе три дня, а потом поедем отдохнуть к моему отцу на Сюрю-Кая, а там, глядишь, и Антошка соблаговолит познакомиться с новой мачехой.

— Нет! — вскричала Таня. — Никуда мы не поедем. Нигде мы вместе не будем жить. Отправь меня в Москву, Андрей. Умоляю тебя.

— Ну-ну, — он протянул ей еще одну розовую пилюлю, — прими еще одну. Ведь ты же боевая девка, Татьяна, возьми себя в руки. Подумаешь, «урла» напала. В Союзе ведь тоже такое бывает, и очень нередко, скажу тебе по великому секрету. Секретнейшая статистика по немотивированной преступности: мы — чемпионы мира. Все будет хорошо, бэби...

Через несколько минут они уже поднимались в скоростном лифте на вершину «обструганного» карандаша.

Похожая на шалаш, однокомнатная, но огромная квартира Лучникова была задумана как чудо плейбойского интерьера: множество неожиданных лестниц, антресолей, каких-то полатей, раскачивающихся кроватей, очагов; ванна, естественно, висела под крышей. Таня усмотрела для себя нору между выступами стен, завешанных тигриными шкурами. Перед ней был стеклянный скат крыши, за которым видно было только небо с близко пролетающими облаками.

— Я хочу туда. Только не притрагивайся сегодня ко мне, Андрей. Прошу тебя, не притрагивайся. Завали меня какими-нибудь пледами, дай молока и включи телевизор. Лучше всего спортивную программу. Не трогай меня, пожалуйста, я сама тебя позову, когда смогу.

Он все сделал, как она хотела: устроил уютнейшую берлогу, подоткнул под Татьяну мексиканские и шотландские пледы, как под ребенка, принес кувшин горячего молока и поджаренные булочки. Огромный телевизор вел бесконечную спортивную передачу на одиннадцатом спортивном канале.

— Чудо спортивного долголетия, — говорил обаятельный седоватый диктор. — Бывший чемпион по десятиборью, медалист шестидесятого года намерен участвовать в Олимпиаде в качестве толкателя ядра.

— Ну, вот, — сказал Лучников.— Все о'кей?

— О'кей,— прошептала она. — Иди, иди, тебя ждут одноклассники и единомышленники...

VIII
В стеклянном вигваме

Конец лета в Крыму: испаряющийся запах полыни на востоке, теплый дух первосортной пшеницы в центральных областях, пряные ароматы татарских базаров в Бахчисарае, Карасу-базаре, Чуфут-Кале, будоражащая секреция субтропиков.

Готовилось традиционное авто350 по так называемой Старой Римской дороге от Алушты до Сугдеи. По ней давно уже никто не ездил, а сохранялась она только для этого ежегодного сногсшибательного ралли, на которое съезжались самые отчаянные гонщики мира. Дорога эта была построена владыками Боспорского царства как бы специально для римских легионеров, которые это царство и разрушили. Восемьдесят километров еле присыпанного гравием грунтового пути с выбитыми столетья назад колеями, осыпающимися обочинами, триста восемнадцать закрытых виражей над пропастями и скалами. Не было более любимых героев у яки, чем победители этого так называемого Антика-ралли. Андрей Лучников однажды, пятнадцать лет назад, оказался первым: обошел мировых асов на гоночном «Питере» местной постройки. Это принесло ему тогда неслыханную популярность.

На этой трассе кажется, что ты летчик в воздушном бою, делился он воспоминаниями с друзьями. Летишь прямо в пропасть, и нельзя притрагиваться к тормозам, сзади и сбоку наседает враг. Надо быть очень агрессивным типом, чтобы участвовать в этой гонке. Сейчас я уже на это не способен.

Перед камином в пентхаузе в тот вечер собралось семь или восемь друзей, одноклассников. Они ели шашлыки, доставленные с пылу с жару из подвалов «Курьера», и пили свой излюбленный «Новый Свет». Таня смотрела на мужчин сверху, из облюбованной ею в первый вечер пещеры, откуда она, надо сказать, до сих пор старалась спускаться как можно реже. Телевизор перед ней вот уже несколько недель был включен на одиннадцатый канал, и она без конца смотрела баскетбольные и футбольные матчи, интервью и легкоатлетические старты со всего мира. Это почему-то ее успокаивало. Иногда крымские телевизионщики давали информацию и из Цахкадзора. С Супом и в самом деле происходило какое-то чудо. Он появлялся на экране, огромный, мощный и белозубый, хохотал, благодарил, конечно, партию за заботу о советском спорте, затем сообщал о своих нарастающих с каждым днем результатах, а результаты действительно были ошеломляющие: ему в этом году исполнялось сорок лет, а ядро летело стабильно за двадцать один метр, хочешь не хочешь, а приходилось отодвигать молодежь и включать Глеба в сборную.

Таня смотрела вниз на друзей Андрея. Основательно уже подержанная временем компания — лысины, седоватые проборы, несвежие кудри. Все это общество держалось, однако, так, словно иначе и нельзя, якобы без этих лысин и седин и выглядеть-то смешно. Супермены вшивые, думала о них Таня с раздражением, вот это именно и есть настоящие вшивые супермены: презрение к немолодым, если ты еще молод, презрение к молодым, если ты уже немолод.

Разговор как раз и шел о том, как лучше унизить молодежь, агрессивных и ярких «Яки-Туган-Фьюча». Ближайший друг Андрея Володечка, граф Новосильцев, вдруг заявил, что намерен в этом году снова выйти на Старую Римскую дорогу. Заявление было столь неожиданным, что все замолчали и уставились на графа, а тот только попивал свое шампанское да поглядывал на друзей поверх бокала волчьим глазом.

В отличие от Лучникова граф Новосильцев был настоящим профессиональным гонщиком, кроме всех прочих своих гонок он не менее семи раз участвовал в Антика-ралли и три раза выходил победителем.

Когда Андрей представил Тане графа как своего лучшего друга, она только усмехнулась. «Лучший друг» смотрел на нее откровенно и уверенно, как будто не сомневался, что в конце концов они встретятся в постели. Волчишка этот твой друг, сказала она потом Андрею. Волк, поправил он ее с уважением. Ты бы последил за ним, сказала она. Я и слежу, усмехнулся он.

— Не поздновато ли уже, Володечка? — осторожно спросил полковник Чернок. — В сорок шесть, хочешь не хочешь, рефлексы уже не те.

— Я сделаю их всех, — холодно сказал граф. — Можете не сомневаться, я сделаю всю эту мелюзгу на обычных «Жигулях».

Довольный эффектом, он допил до дна бокал и покивал небрежно друзьям, не забыв метнуть случайный взгляд и к Тани-

198

ной верхотуре. Да-да, он сделает их всех, и своих, и иностранных «пупсиков», на наших (он подчеркнул) обыкновенных советских «Жигулях» модели «06». Конечно, он специально подготовил машину, в этом можете не сомневаться. Он поставил на нее мотор самого последнего «Питера» и добавил к нему еще кое-что из секретной авиаэлектроники (Саша, спасибо), он переделал также шасси и приспособил жалкого итало-советского бастарда к шинам гоночного «Хантера». Шины шириной в фут, милостивые государи, и с особой шиповкой собственного изобретения.

— Вот так граф! — воскликнул лысенький мальчик Тимоша Мешков, самый богатый из всех присутствующих, нынешний совладелец нефтяного спрута «Арабат ойл компани». — Восхищаюсь тобой, Володечка! — Все тут вспомнили, что маленький Тимоша, начиная еще с подготовительного класса, восхищался могучим Володечкой. — А говорят, что аристократия вырождается!

— Аристократы никогда не вырождались, — нравоучительно сказал граф Новосильцев. — Аристократия возникла в древности из самых сильных, самых храбрых и самых хитрых воинов, а древность, господа, это времена совсем недавние.

— В чем, однако, смысл твоего вызова? — спокойно поинтересовался толстяк профессор Фофанов, ответственный сотрудник Временного Института Иностранных Связей, то есть министерства иностранных дел Острова Крым.

— Смысл-то огромный, — задумчиво произнес Лучников.

— Яки! — воскликнул граф. — Наш лидер знает, где собака зарыта. Для меня-то лично это чисто спортивный шаг, последняя, конечно, эскапада,— он снова как бы невзначай бросил взгляд на Танины полати, — но лидер-то, Андрюшка-то знает, где зарыта политическая дохлятина. Неужели вы не понимаете, что нам необходимо победить на Старой Римской дороге, срезать нашу юную островную нацию, наших красавчиков яки и сделать это надо именно сейчас, в момент объявления СОСа, за три месяца до выборов в Думу? Вы что, забыли, братцы, кто становится главным героем Острова после гонки и как наше уникальное население прислушивается к словам чемпиона? Чемпион может стать президентом, консулом, королем, во всяком случае до будущего сезона. Кроме того — «Жигули»! Учтите, победит советская машина!

Все замолчали. Кто-то пустил по кругу еще бутылку. Таня прибавила громкости в телевизоре. Показывали скучнейший футбольный матч на Кубок УЕФА, какая-то московская команда вяло отбивалась от настырных, налитых пивом голландцев.

— Ты уже делал прикидки? — спросил Лучников графа.

— Я эту трассу пройду с закрытыми глазами, Андрей, — сказал граф. — Но если ты полагаешь...

Он вдруг замолчал, и все молчали, стараясь не смотреть на Андрея.

— Я тоже пойду в гонке, — вдруг сказал он.

Таня мгновенно выключила телевизор. Тогда все посмотрели на Лучникова.

— Только уж не на «Жигулях», конечно, — улыбнулся Лучников. — Пойду на своем «Питере». Тряхну стариной.

— А это еще зачем, Андрюша? — тихо спросил граф Новосильцев.

— Чтобы быть вторым, Володечка, — ответил Лучников. — Или первым, если... если ты гробанешься...

Возникла томительная пауза, потом кто-то брякнул: «Вот мученики идеи!» — и начался хохот и бесконечные шутки на тему о том, кого куда упекут большевики, когда идея их жизни осуществится и жалкий притон, их никчемная прекрасная родина, сольется с великим уродливым левиафаном, их прародиной.

Далее последовало обсуждение деталей проекта. Пойти на крайний риск и выставить на гонку машины с лозунгами СОС на бортах? Вот и будет формальная заявка нового союза. Конечно, весь Остров уже знает о СОСе, газеты пишут, на «разговорных шоу» по телевидению фигурирует тема СОСа: считать ли его новой партией или дискуссионным клубом, однако формально он не заявлен.

— Учитывая наши дальнейшие планы, — сказал Лучников, — это будет гениальная заявка. Володечка оказался не только мучеником, но и провидцем. Браво, граф!

«Какие дальнейшие планы? — подумала Таня. — Какие у этой вшивой компании дальнейшие планы?» Она задала себе этот вопрос и тут же поймала себя на том, что это вопрос — шпионский.

— Интересно, что думает по этому поводу мадам Татьяна? — Граф Новосильцев поднял вверх свои желтые волчьи глаза.

— Я думаю, что вы все самоубийцы, — холодно высказалась Татьяна.

Она ждала услышать смех, но в ответ последовало молчание такого странного характера, что она не выдержала, подкатилась к краю своих полатей и глянула вниз. Они все, семь или восемь мужчин, стояли и молча смотрели вверх на нее, и она впервые подумала, что они удивительно красивы со всеми их плешками и сединами, молоды, как декабристы.

— Таня, вы далеко не первая, кому это в голову приходит, — наконец прервал молчание граф.

Андрей натянуто рассмеялся:

— Сейчас она скажет: вы ублюдки, с жиру беситесь...

— Вы ублюдки, — сказала Таня. — Я ваших заумностей не понимаю, а с жиру вы точно беситесь.

Она прибавила звука футбольному комментатору, ушла в глубину своей пещеры, взяла кипу французских журналов с модами. Не первый уже раз она гасила в себе вспыхивающее вдруг раздражение против Лучникова, но вот сейчас впервые осознала четко — он ее раздражает. Проходит любовь. Неужели проходит любовь? Уныние стало овладевать ею, заливать серятиной глянцевые страницы журналов и экран телевизора, где наши как раз получили дурацкий гол и сейчас брели к центру, чтобы начать снова всю эту волынку — игру против заведомо более сильного противника. Андрей приходил к ней каждую ночь, и она всегда принимала его, и они синхронно достигали оргазма, как и прежде, и после этого наступало несколько минут нежности, а потом он уходил куда-то в глубины своего огромного вигвама, где-то там бродил, говорил по видеотелефону с сотрудниками, звонил в разные страны, что-то писал, пил скоч, плескался в ванной, и ей начинало казаться, что это не любимый ее только что побывал у нее, а просто какой-то мужичок с ней поработал, славно так поебался, на вполне приличном уровне, ублаготворил и себя и ее, а сейчас ей до него, да и ему до нее никакого нет дела. Она понимала, что нужно все рассказать Андрею: и о Сергееве, почему она приняла предложение, и о своей злости, о Бакстере, о Востокове, только эта искренность поможет против отчуждения, но не могла она говорить о своих муках с этим «чужим мужичком», и возникал порочный круг: отчуждение увеличивалось.

Лучникову и в самом деле не очень-то было до Тани. После возвращения из Союза он нашел газету свою не вполне благополучной. По-прежнему она процветала, и по-прежнему тираж раскупался, но, увы, она потеряла тот нерв, который только он один и мог ей дать. Идея Общей Судьбы и без Лучникова волоклась со страницы на страницу, но именно волоклась, тянулась, а не пульсировала живой артериальной кровью. Советские сообщения и советские темы становились скучными и формальными, как бы отписочными, и для того чтобы взглянуть на Советский Союз взглядом свободного крымчанина, лучше было бы взять в руки «Солнце России» или даже реакционного «Русского артиллериста».

Вернувшись в газету, Андрей Лучников прежде всего сам взялся за перо. На страницах «Курьера» стали появляться его очерки о путешествии в «страну чудес», об убожестве современной советской жизни, о бегстве интеллигенции, о задавленности оставшихся и о рождении новой «незадавленности», о массовой лжи средств массовой информации, о косности руководства. Он ежедневно звонил в Москву Беклемишеву и требовал все больше и больше критических материалов. Негласный пока центр еще не объявленного, но уже существующего СОСа считал, что накануне исторического выбора они не имеют права скрывать ни грана правды об этой стране, об их стране, о той великой державе, в которую они зовут влиться островной народ, тот народ, который они до сих пор полагают русским народом, тот народ, который должен был отдать себе полностью отчет в том, чью судьбу он собирается разделить.

Когда он спит? — удивлялась Таня, но никогда его не спрашивала — когда ты спишь? Здесь, на крыше гигантского алюминиево-стеклянного карандаша, он был полным хозяином, она впервые видела его в этом качестве, ей казалось, что он и ее хозяин тоже, вроде бы она ему не друг, не возлюбленная, а просто такое домашнее удобное приспособление для сексуальной гимнастики.

Опять он не спит? — подумала она, когда гости разошлись, и выглянула из своей пещеры. Она не сразу нашла Андрея. Вигвам вроде бы был пуст, но вот она увидела его высоко над собой, на северном склоне башни, в одной из его деловых «пещер». Он сидел там за пишущей машинкой, уютно освещенный маленькой лампой, и писал очередной хит для «Курьера».

НИЧТОЖЕСТВО
К столетию И.В.Сталина

В ссылке над ним смеялись: Коба опять не снял носки; Коба спит в носках; товарищи, у Кобы ноги пахнут, как сыр «бри»... Конечно, все, кто тогда, в Туруханске, смеялся, впоследствии были уничтожены, но в то время рябой маленький Иосиф молчал и терялся в догадках, что делать: снять носки, постирать — значит, признать поражение, не снимать носки, вонять — значит, превращаться все более в козла отпущения. Решил не снимать и вонял с мрачностью и упорством ничтожества.

Нам кажется, не до конца еще освещен один биопсихологический аспект Великой русской революции — постепенное, а впоследствии могучее победоносное движение бездарностей и ничтожеств.

Революция накопилась в генетическом коде русского народа как ярость ординарности (имя которой всегда и везде — большинство) против развязного, бездумного и в конечном счете наглого поведения элиты, назовем ее дворянством, интеллигенцией, новобогачеством, творческим началом, западным влиянием, как угодно.

Переводя всю эту огромную проблему в этот план, мы вовсе не стараемся перечеркнуть социальное, политическое, экономическое возмущение, мы хотим лишь прибавить к этим аспектам упомянутый биопсихологический аспект и, имея в виду дальнейшее развитие событий, осмеливаемся назвать его решающим. О нем и будем вести речь в преддверии торжественного юбилея, к которому сейчас готовится наша страна. Заранее предполагаем, что в дни юбилея в официальной советской печати появится среднего размера статья, в которой будут соблюдены все параметры, будут отмечены и ошибки этого, в общем, выдающегося коммуниста, связанные с превышением личной власти.

Между тем мы имели возможность наблюдать, что страна и народ собираются неофициально отметить столетие этой исключительной посредственности как великого человека. На лобовых стеклах проносящихся мимо нас грузовиков, и не в южных, не в грузинских, а в центральных русских областях, едва ли не на каждом втором красовался портрет генералиссимуса в его варварской форме. Цель этой статьи — показать, что этот коммунист был не выдающимся, а самым обычным представителем биопсихологического сдвига, выброшенным на поверхность ничтожеством. Среди лидеров большевистской революции были одаренные люди, такие, как Ленин, Троцкий, Бухарин, Миронов, Тухачевский. Ведя возмущенные массы, они руководствовались своими марксистскими теориями, но они не знали, что все они обречены, что главная сила революции — это биопсихологический сдвиг и что этот сдвиг неизбежно рано или поздно уничтожит личность и возвысит безличность и из их среды восстанет, чтобы возглавить, самый ничтожный и самый бездарный.

Есть ходячее выражение: «Революция пожирает своих детей». Осмелимся его оспорить: она пожирает детей чужих. Троцкий, Бухарин, Блюхер, Тухачевский — это чужие дети, отчаянные гребцы, на мгновение возникающие в потоке. Дети революции — это Молотовы, Калинины, Ворошиловы, Ждановы, поднимающийся со дна осадок биопсихологической бури.

Мы часто со смехом отмахиваемся от художественных кинофильмов, сделанных на вершине сталинского владычества такими мастерами советского кино, как Ромм, Козинцев, Трауберг (впоследствии, в период оттепели, обернувшимися к классике и ставшими «большими художниками» и даже «либералами»), от всех этих «юностей Максима» и «человеков с ружьем». И напрасно отмахиваемся. Проституирующая интеллигенция исполняла так называемый «социальный заказ», точнее же сказать, она чутко улавливала настроения и пожелания полностью сформировавшегося тогда правления серятины и бездарностей. Наглая тупая человеческая особь, кривоногая и придурковатая, становилась в советском искусстве центральной фигурой, и это было отражением жизненной правды, ибо и в жизни она стала главной — безликая фигура, выражение огромной коллективной наглости бездарностей. Любая, отличающаяся от массы ничтожеств фигура, не говоря уже об интеллигенте, но и любая яркая народная фигура, матрос или анархист, единоличный ли крепкий хозяин, так называемый «кулак», становилась в этом искусстве объектом издевательства, насмешки и призывалась к растворению в бездарной массе или же обрекалась на уничтожение.

Так шло и в жизни, холуйское искусство точно отражало биопсихологическую тенденцию жизни. Шло яростное уничтожение поднимающихся над многомиллионной отарой голов. Уничтожались

203

и революционные народные вожди, наделенные талантом, такие, как Сорокин, Миронов, Махно, по сути дела спасший большевистскую Москву, нанесший непоправимый удар по тылам Добровольческой армии. Биопсихологический процесс выталкивал на поверхность бездарностей типа Ворошилова, Тимошенко, Калинина и, наконец, ничтожнейшего из ничтожных, бездарнейшего из бездарных, Иосифа Сталина. Меч или, скорее, пила биопсихологической революции делала свое дело: слетали высовывающиеся головы Троцкого, Бухарина, Тухачевского, меч шел по городам и весям, по губерниям и уездам, единственной виной жертв были блестки талантливости, хоть малая, но бросающаяся в глаза одаренность. И вот установилась власть мизерабля, низшего из мизераблей, самого дебильного дебила нашего времени.

Нет ни одного деяния Сталина, не отмеченного исключительной, поражающей ум бездарностью. Он уничтожил спасительный ленинский план новой экономической политики и вверг страну в новое убожество и голод. С целью организовать сельское хозяйство он уничтожил миллионы дееспособных крестьян и организовал высшую форму сельскохозяйственной бездарности — «раскулачивание» и колхозы. Непосредственным следствием этого были многомиллионные жертвы голода на Украине, в Поволжье, по всей стране, гибель тысяч и тысяч насильственно переселенных с одних земель на другие.

Чувствуя нарастающее недовольство в партии, боясь поднимающейся над отарой фигуры крепыша Кирова, не представляя себе иного, более гибкого, более умного пути для управления страной, Сталин снова идет по самому простейшему: убийство Кирова, примитивнейшие провокации процессов и массовый террор в партии — быть может, высшее проявление его бездарности. К несчастью для страны, все это происходило на подъеме биопсихологического сдвига, то есть было неизбежным.

Перед назревающей мировой войной Сталин лихорадочно ищет родственную душу, вернее, близкую биоструктуру и находит ее, естественно, в Гитлере. Орды оболваненных немцев и орды оболваненных русских делят меж собой Восточную Европу. Нельзя было более бездарно подготовиться к войне, чем это сделал Сталин. Уничтожив талантливых маршалов, полностью презрев геополитический (сложный для анализа) аспект надвигающихся событий и положившись на биопсихологическую общность со вторым по рангу ничтожеством современности Гитлером, он после предательства последнего практически устремляется в паническое бегство, отдавая на сожжение наши города, а миллионы жизней на уничтожение и закабаление. Могучая бездарность Гитлера помешала Германии одержать сокрушительную и легкую победу. В самом деле, сколько блатного ничтожества нужно иметь, чтобы встать против всего мира, даже не вообразив себе (отсутствие воображения очень роднит обоих «паханов»), что нормальные люди могут иногда защищаться.

Между тем, пока два слабоумных душили друг друга (вернее, Адольф душил Иосифа), у англосаксов появилась возможность сманеврировать, выбрать, решить, какая гадина в этот момент опаснее. Вот вам и слабые, вот вам и хилые западные демократии! Перепуганный до смерти Сталин, смотавшийся уже из Москвы, естественно, принял неожиданную помощь. Ну, для этого не нужно ни ума, ни таланта.

Величие нашей страны проявилось в том, что перед лицом национальной катастрофы она, даже после десятилетий уничтожения всякой неординарности, смогла выдвинуть в ходе борьбы талантливых маршалов и военных конструкторов, отважных летчиков и танкистов.

Ничтожество нашей биопсихологической верхушки проявилось в том, что Россия, страна-победитель, потеряла в три раза больше миллионов жизней, чем даже спаленная до последних угольков союзной авиацией Германия.

Период послевоенной реконструкции, быть может, — венец бездарности и ничтожности генералиссимуса Сталина. Никакие новые проекты, никакие реформы ему и в голову не приходили. Вместо них он создал двадцатимиллионную армию рабов. Древний фараонский сифиляга бушевал в тупой башке. Дренажная система ГУЛАГа быстро откачала избыток таланта и творчества, явленный к жизни войной. Ничтожества снова торжествовали, пировали, ибо шел еще их пир, еще не начался их упадок, еще далеко было до выздоровления. Пик их власти, естественно, совпадает с биологической смертью их кумира. Дальше начался спад, кривая пошла вниз, таинственный человеческий процесс, так бездарно не угаданный Марксом, вступил в новую фазу.

Конечно, Сталин не умер в 1953 году. Он жив и сейчас в немыслимой по своей тотальности «наглядной агитации», в сталинских сессиях так называемого Верховного Совета и в проведении так называемых выборов, в ригидности и неспособности к реформам современного советского руководства (во всяком случае, тех из них, кто наследует Калинину и Жданову), в нарастающем развале человеческой экономики (еда, одежда, обслуживание, все области человеческой жизни поражены сталинским слабоумием) и в разрастании нечеловеческой экономики (танки и ракеты в безумном числе как фантом сифилитического бреда), в неприятии любого инакомыслия и в навязывании всему народу идеологических штампов преустрашающего характера, в экспансии всего того, что именуется сейчас «зрелым социализмом», то бишь духовного и социального прозябания...

205

И все-таки пик биопсихологического сдвига миновал, Сталин как главное ничтожество современности подыхает. Выздоровление началось.

ГУЛАГ разрушен, и нынешняя лагерная система не идет, конечно, с ним в сравнение. Ненависть к инакомыслию говорит о том, что инакомыслие существует. Появились писатели, режиссеры, художники, композиторы. Границы стали более проницаемыми. Самое же главное проявление реконвалесценции состоит в том, что даже и в руководящих кругах страны появились люди, пытающиеся преодолеть глобальную сталинскую тупость. Быть сталинистом в «развитом социализме» не опасно, а даже как бы почетно, во всяком случае, нетрудно. Антисталинистам в руководящей среде приходится туго, они скрываются за набором фразеологии официальной лжи, но они хотя бы пытаются ворочать мозгами, пытаются нащупать пути к спасению России от развала. Они пока молчат о реформах, но они думают о них. Они лгут, но на лицах их жажда правды. Прежняя сталинская Россия стояла на крови, нынешняя сталинская Россия стоит на лжи. Провидению было угодно провести нашу родину через великую кровь к великой лжи. Мы не можем, отказываемся думать, что шесть десятилетий под пятой сталинского ничтожества подобны коровьей жвачке и никому не нужны и что наша священная корова все равно подыхает. Ложь — это все-таки лучше, чем кровь. Не говорит ли это о том, что ничтожество «загибается» все больше, а мозги зашевелились? Каким будет следующий период? Всех правдоискателей не упрячешь в психушки. Все больше людей становится в России, для которых отделение правды от лжи — самый естественный и предельно простой процесс. Железобетон коммунизма, несмотря на «постоянное усиление и расширение форм идеологической работы», размягчается. Народ жаждет «кайфа», этим дурацким словечком именуя какой-то иной, совсем еще туманный, но желанный образ жизни.

Пересеките восточную часть нашего маленького Черного моря и прогуляйтесь по набережной «всесоюзной здравницы» Сочи. Под бесконечными и могучими лозунгами «зрелого социализма» (последний шедевр — «Здоровье каждого — это здоровье всех») вы увидите толпы советских граждан, жадно взирающих друг на друга — у кого какие джинсы, очки, майки или что-нибудь еще «фирменное», то есть западное. Над головами у них воздвигнуты вроде бы незыблемые звезды, серпы, молоты, снопы, шестеренки, вся бредовина тридцатых годов, а на груди у них красуются американские звезды и полосы, английские надписи. Можно увидеть даже двуглавого орла на майках с рекламой водки «Смирнофф».

Пик революционного биопсихологического сдвига позади. Сталин издыхает, это несомненно, вся наша страна стоит на грани нового, может быть, еще более таинственного, чем революция, исторического периода, уготованного нам Провидением. Забыть ли нам ничтожного Сталина? Нет, забыть нельзя, ибо, и окончательно издохнув, он может победить.

Нам представляется, что в России сейчас идет борьба двух могучих течений. Победит Сталин, и возникнет страшное общество тоталитаризма, бездумные отары, забывшие о Сталине, не сознающие своего сталинского ничтожества, несущие гибель во все просторы земли. Проиграет Сталин, и Россия может превратиться в великое творческое содружество людей, ведущих разговор с Богом, не забывающих ни своих, ни чужих страданий и навсегда сохранивших память о власти ничтожеств, о крови и лжи, о сталинщине.

Каждое событие, происходящее сейчас в России, должно рассматривать с точки зрения борения двух этих течений.

Возьмем, к примеру, одно из самых примечательных: эмиграция евреев и происходящее под этим флагом бегство измученной всеми сталинскими десятилетиями общественного презрения интеллигенции. С одной стороны, это как бы антисталинский поток — кто бы мог подумать еще десять лет назад, что людям будет позволено со сравнительной легкостью покидать «твердыню социализма» и переселяться в другие страны? С другой же стороны — это поток в русле сталинщины: выбрасывание за пределы страны критически мыслящей группы людей, всех, «кто высовывается», всех, кто мешает тому же самому биопсихологическому процессу. Будет ли позволено уехавшим возвращаться, уезжать и возвращаться вновь, преодолеем ли мы ксенофобию, осознаем ли мы себя в семье людей, где не бьют по лбу облизанной идеологической ложкой?

Трудно представить себе более ответственный и важный период в будущей жизни нашего немыслимого общества. Юбилей подонка И.В.Сталина — еще один повод для размышлений. Хватит ли сил у нашего народа перезахоронить зловонные останки и обратить их из источника эпидемии в своего рода удобрение для будущей демократии?

В гармоническом обществе необходимо и большинство и меньшинство, как в социальном, так и в биологическом аспектах. Очередная потеря своего меньшинства может стать губительной для новой России. Сможет ли новая большая и сильная группа людей не раствориться в баланде «зрелого социализма», но стать ферментом новых живых противосталинских процессов? Господи, укрепи!

IX
Недопаренность

В описанной уже выше «баньке» за семью печатями «Курьер» со статьей «Ничтожество» переходил из рук в руки. Вслух не читали, потому что каждый банник как бы осознавал, что читать эдакое вслух — кощунство. Тонкие голубоватые страницы заморского издания, извлеченного для нынешней встречи из спецхрана, похрустывали в руках. Хороша бумажка! С такими газетами и туалетный дефицит не страшен. Кто-то слегка крякал при изучении статьи, кто-то чуть-чуть хмыкал, самые выдержанные, и среди них, конечно, «Видное лицо», просто молчали, читая: нервы, хвала Аллаху, из гвоздевой стали ковались в ходе истории.

Марлен Михайлович, завернувшись в махровое шведское покрывало, откинувшись в кресле и попивая пиво «Левинбрау», тем не менее внимательно следил за лицами всей компании, связанной никогда не названной общей порукой, совместной обнаженностью и похабщинкой, которая по нынешним временам не практикуется в официальных кабинетах. Чаще всего взгляд Марлена Михайловича задерживался на «Видном лице», и всякий раз он отдавал ему должное — никак не проникнешь за эту маску.

Кузенков, конечно, лучниковскую статью знал уже наизусть — «Курьер» был позавчерашний. Он успел уже психологически подготовиться к нынешней баньке и теперь спокойно ждал вопросов, ибо к кому же, как не к нему, куратору Крыма и «личному другу» Лучникова, будут обращены вопросы.

— Ну-с, Марлуша, как ты на это дело взираешь? — наконец вопросило «Видное лицо».

И снова ни мимикой, ни интонацией не выдало своего к статье отношения. Марлен Михайлович определенным движением тела как бы начал уже свой ответ, но раскрывать уста не торопился: знал, что звуки, исторгнутые «Видным лицом», волей-неволей нарушат общее молчание и в последующих репликах хоть что-то, да проявится, промелькнут какие-то намеки, прожужжит некое настроение.

Так оно и случилось — прорвалось: все-таки и водочки было уже выпито, и пивка, и поры после сухого пару уже дышали свободнее.

— Поворот на сто восемьдесят градусов? — полувопросом высказался Иван Митрофанович.

— Диалектик, — пробурчал Федор Сергеевич, явно сердясь на автора.

— И к боженьке апеллирует, — улыбнулся Актин Филимонович.

— Революция-то, оказывается, чужих детей жрет, — хмыкнул Артур Лукич.

— Единственное, с чем готов согласиться, — с установившейся уже пылкостью высказался Олег Степанов, ставший за последние недели здесь завсегдатаем.

Кто-то что-то еще пробурчал, пробормотал, но «Видное лицо» смотрело прямо на Марлена Михайловича, еле заметной улыбкой показывая, что сумело оценить его тактическую паузу.

Марлен Михайлович знал, что из всех слетевших и вполне как бы небрежных реплик для «Видного лица» самой важной была «поворот на сто восемьдесят градусов».

Лучниковская проблема невероятно тяготила Кузенкова. Во всех своих устных докладах и записках он представлял Андрея как сложную противоречивую личность, которой еще не открылась окончательная мудрость учения, но который является искренним и самоотверженным другом Советского Союза и страстным сторонником объединения Крыма с Россией, то есть «почти своим».

Как «почти свой» (да еще такой важный «почти свой») Лучников и был принят в святая святых, в дружеском Эрмитаже сухого пара. То, что вроде не оценил доверия, еще можно было как-то объяснять особенностями западной психологии, дворянского воспитания. Но последующие вольты? Его исчезновение? Бегство в глубь России? Мальчишеская игра в казаки-разбойники с нашей серьезнейшей организацией? Все его приключения на периферийных просторах? И наконец, немыслимое, до сих пор непонятное, чудовищное исчезновение из страны, какое-то фантастическое проникновение через границу (где? когда? каким образом?) и появление в Крыму. Впрочем, даже и «вольты» эти можно было бы еще как-то объяснить кое-кому в руководстве, не всем, конечно, но некоторым — неизжитое мальчишество, авантюризм, следы того же порочного воспитания... Но... Но главное заключалось в том, что после возвращения Лучникова в Крым «Курьер» резко переменил направление. Из отчетливо просоветской, то есть прогрессивной, газеты он обернулся настоящим органом диссидентщины. Одна за другой появились совсем ненужные, чрезвычайно односторонние информации, заметки, комментарии, и, самое главное, все написано с подковырками, в ироническом, а то и просто в издевательском тоне. И наконец — «Ничтожество»! Это уж действительно слишком. Только лишь чуждый человек, именно последыш белогвардейщины или внутренний нравственный ублюдок, может так подло обратиться с нашей историей, с человеком, имя которого для поколений советских людей означает победу, порядок, власть, пусть даже и насилие, но величественное, пусть даже мрак, но грандиозный. Низведение к ничтожеству деятелей нашей истории (да и нынешнее руководство тоже не поднято) — это вражеский, элитарный, классово и национально чуждый выпад. Что же случилось с Лучниковым? — естественно удивляются товарищи. Цэрэушники, что ли, перекупили? Похерил он свою Идею Общей Судьбы?

Марлен Михайлович спокойно взял в руки увесистый «Курьер» (откровенно говоря, обожал он этот печатный орган, души в нем не чаял), быстро прошелестел страницами и сразу за огромным, во всю полосу, объявлением о предстоящих Антикаралли нашел статью «Ничтожество».

— Я бы вам, братцы, хотел прочесть последний абзац. Вот, обратите внимание: «Сможет ли новая большая и сильная группа людей не раствориться...» Ну, дальше эта неумная метафора... «Но стать ферментом новых... мм... ммм... процессов?»

— Ну так что? — спросил Фатьян Иванович. — Дальше-то на боженьку выходит! Не зря крестик носит. Религиозник.

— Подожди, Фатьян Иванович, — отмахнулся от него Марлен Михайлович (от Фатьяна Ивановича можно было отмахнуться). — В этой фразе большой смысл, братцы.

Он как-то всегда был несколько стеснен в банном обращении к компании — официальное «товарищи» тут явно не годилось, а «ребята» сказать (или еще лучше «робяты») как-то язык не поворачивался. Поэтому вот и появилось на выручку спасительное «братцы», хотя и оно звучало как-то слегка неестественно и в компании не приживалось.

— Из этой фразы, братцы, я делаю совершенно определенный вывод, что Лучников ни на йоту не изменил свою позицию, а, напротив, готовится ко все более и более решительным действиям в рамках формируемого им и всей этой могущественной группой одноклассников Союза Общей Судьбы.

Вновь возникло скованное молчание: во-первых, видимо, далеко не все вникли в смысл сказанного, во-вторых, «Видное лицо»-то до сих пор не высказалось.

— Какого хуя? — развело тут руками «Видное лицо». (Красивое слово явно было произнесено для того, чтобы снять напряжение, напомнить всем банникам, что они в бане, что не на пленуме, не на совещании). — Одного я, робяты, не возьму в толк: на что этот ебаный Лучников сам-то рассчитывает в этой своей Общей Судьбе? На что он рассчитывает, — щелчком отодвигается копия «Курьера», — с такими-то взглядами?

Цель была достигнута — все разулыбались. Какого, в самом деле, хуя? Ебаный дворянчик — обнаглел в пизду. Святыни наши марает — Революцию, Сталина... Да он в Венгрии был, ребята, в наших воинов из-под бочек стрелял. На какого хуя он рассчитывает в Советском Крыму?

— В том-то и дело, братцы, что он ни на что не рассчитывает, — сказал Марлен Михайлович. — Перевернутая внеклассовая психология. Иногда встаешь в тупик, истерический идеализм, еб вашу мать.

Ах, как не к месту и как неправильно была употреблена тут Марленом Михайловичем красивая экспрессия, этот сгусток народной энергии. Еще и еще раз Марлен Михайлович показал, что он не совсем свой, что он какой-то странно не свой в баньке.

— Позволь тебя спросить, Марлен Михайлович? — вдруг взял его за плечо Олег Степанов и яростно заглянул в глаза. Кузенков знал, что имеет уже право этот новичок и на «ты», и на плечо, и даже на такое вот заглядывание в глаза. За истекшие недели Олег Степанов стал директором идеологического института и членом бюро горкома. — Позволь тебя спросить, — повторил Олег Степанов. — «Новая и сильная группа людей» — это, стало быть, население Крыма, влившееся в СССР?

— Да, вы поняли правильно. — Марлен Михайлович превозмочь себя не смог и руку степановскую движением плеча от себя удалил, хотя и понимал, что вот это-то как раз и неверно, и бестактно, и даже вредно и «Видному лицу» такое высокомерие к новому любимчику вряд ли понравится.

— Значит, пятимиллионная пятая колонна диссидентщины? — От жгучих степановских глаз уже не отмахнешься. — Хочет изнутри нас взорвать ваш Лучников, как когда-то Тито хотел в Кремль въехать со своими гайдуками.

— Не нужно переворачивать сложнейшую проблему с ног на голову, — поморщился Кузенков. — Вы же неглупый человек, Степанов...

— Это вас ваша мама, Анна Марковна, научила так вилять? — любезно улыбаясь, спросил Степанов.

Вот оно. Неожиданно и хлестко под солнечное сплетение. Они всегда всё обо мне знали. Всегда и всё. И про бедную мою мамочку, которая лишний раз боится позвонить из Свердловска, как бы не засекли ее еле слышный акцент, и про всех родственников с той стороны. Ну что ж, надо принимать бой с открытым забралом.

— Моя мать, — сказал он, вставая и сбрасывая пушистое покрывало в кресло, то есть весь обнажаясь и слегка наклоняясь в сторону Степанова. — Моя мать Анна Макаровна Сыскина...

— Сискинд. — Степанов хихикнул, хотя и видно было, что струхнул, что дьявольски боится пощечины, потому что не ответит на нее, не знает, как ведут себя здесь в этих случаях. — Анна Марковна Сискинд... ну что же вы, Марлен Мих...

— Так вот, моя мать научила меня не вилять, а давать отпор зарвавшимся нахалам, даже и одержимым идеями «черной сотни»...

Бесстрашная рука была занесена, а постыдно дрогнувшая щека прикрылась локтем, то есть пощечина фактически состоялась, хотя, к счастью, и не совсем, ибо тут как раз и подоспел ленивый басок «Видного лица».

— Да пошли бы вы на хуй, робяты, — пробасило оно. — Взяли моду газетенки белогвардейские в бане читать... Да газетенками этими мозги себе ебать в пизду. Не дело, Олеша, не дело... — Мягкий, ласковый упрек в адрес Степанова, как будто бы это он принес «белогвардейскую» газету, а вовсе не Кузенков по просьбе самого же «Видного лица». — Да и ты, Марлуша... — Ласка в голосе вроде бы слегка поубавилась, но оставалась еще, конечно, оставалась. — Ты бы лучше следующий раз «Ходока» нам сюда принес, посмотрели бы на бабешек, сравнили бы с нашими...

«Ходоком» назывался русский вариант «Плейбоя», который издавался на Острове знаменитым Хью Хефнером не без участия компании «Курьера», разумеется, собственно говоря, именно Лучников и вывез из очередного московского путешествия словечко «ходок» как аналог «плейбоя». В свое время Марлен Михайлович, куратор Острова, имевший, стало быть, в сейфах у себя и это издание, притащил «Ходока» в финскую баню и вызвал дивный взрыв живительной жеребятины. Эх, журнальчик, вот журнальчик! Кабы можно было бы такое для внутреннего пользования, не для масс, конечно, народ отвлекать нельзя, но руководству такое вполне полезно.

Все тут расхохотались, очень довольные. Конфликт был сглажен, но все-таки состоялся, и это было очень важно — состоявшийся, но сглаженный конфликт давал бездну возможностей для размышлений и предположений.

Тут вдруг «Видное лицо» совершенно замкнулось, ушло в себя, встало и направилось к выходу, заканчивая таким образом сегодняшнее заседание и оставляя всех в недоумении.

Тема «Ходока» была смята, смех умолк, и все стали разъезжаться по домам, находясь в основательной недопаренности.

X
Земляки

Однажды утром в пентхаузе «Курьера» зазвонил телефон, и Таня, кажется, впервые за все время сняла трубку. Обычно в отсутствие Андрея она выключала всю систему связи с внешним миром, чем несколько раздражала своего возлюбленного: невозможно узнать, видите ли, как она там getting along.

В это вот утро как раз забыла выключить систему, как раз и сняла трубочку машинально, словно в Москве, и как раз на сногсшибательный звоночек и нарвалась.

— Татьяна Никитична? — проговорил пугающе знакомый мужской голос. — Привет, привет!

— Господин Востоков, что ли? — буркнула чрезвычайно недружелюбно Таня.

— Ого, вы уже и с Востоковым познакомились? Поздравляю, — сказал голос. — Дельный работник.

— Кто звонит? — спросила грубо Таня, хотя уже поняла, кто звонит.

— Да это Сергей звонит, Танюша, — чрезвычайно дружески заговорил полковник Сергеев, который, как ни странно, так точно и именовался — Сергей Сергеев. — Совсем ты пропала, лапуля.

— Без лапуль, — прорычала Таня.

— Ох, что с тобой делать, — хохотнул Сергеев. — Такой же ежик.

— Без ежиков, — рявкнула Таня.

— Ну, ладно, ладно, я ведь просто так звоню, просто узнать, как твое «ничего»? Я недавно, между прочим, в Цахкадзоре повстречал Глеба. Ну, я скажу, он дает! Стабильно толкает за «очко».

— За какое еще «очко»? — вырвалось у Тани.

— Ну, за двадцать один. А ты-то как живешь? Весело?

— Я, кажется, не обязалась вам давать отчетов о личной жизни.

— Б-р-р, — произнес Сергеев. — Мороз от вашего тона пробирает. Как будто не в Крым звонишь, а на Шпицберген.

— А вы что же, из Москвы, что ли, звоните? — От этого предположения у Тани настроение слегка повысилось.

— Из нее, из белокаменной, — почему-то вздохнул Сергеев. — Автоматика, Танюша. Дорогое удовольствие, однако на что только ни пойдешь, чтобы напомнить о себе хорошему человеку.

— Вас забудешь, — сказала Таня.

— Ну вот и прекрасно, спасибо, что помнишь. — Сергеев говорил, словно увещевал капризного ребенка. — Закругляюсь. Глебу привет передать?

— Передайте, — неожиданно для себя скромно и мило попросила Таня.

Отбой. В первую минуту она, как ни странно, только о Супе своем и думала. Одно только упоминание о нем вызвало сладостный спазм, охвативший чресла и волной прошедший по спине вверх. Взяла сигарету и села посреди опостылевшего стеклянного вигвама.

Востоков знает Сергеева и уважительно о нем отзывается. Сергеев знает Востокова и тоже хорошего о нем мнения. Однако Сергеев запросто говорит о Востокове по телефону из Москвы, а ведь он не может не думать, что ОСВАГ прослушивает лучниковские телефоны. Говоря так, он прямо «засвечивает» Таню, не оставляет ни малейшего сомнения у осваговцев в том, кто держит ее на крючке. Значит... впрочем, какие тут могут быть «значит»... может быть... вот это лучше... может быть, это вовсе и не Сергеев звонил, а «осваговцы» его так ловко имитировали? Или американцы? Или, может быть, Сергеев не боится Востокова? Может быть, он говорит открыто, потому что вся лучниковская информация попадает к Востокову, к своему человеку? А может быть, Сергееву для чего-то нужно выдать ее противоборствующей разведке? А может быть... Впрочем, все эти варианты не рассчитаешь и стараться не надо.

Нужно сегодня же вечером все рассказать Андрею. Ведь поймет же он, что она только ради него и «продалась дьяволу», только ради любимого человека и согласилась на эту дурацкую и опасную игру, только чтобы быть с ним рядом, чтобы разделить с ним опасность, чтобы отвести от него. Да почему же до сих пор ничего ему не рассказала? Почему с каждым днем откровенность эта кажется ей все больше немыслимой. Тогда ей думалось — ничего не будет легче, все сразу выложу ему, и тяжесть рухнет. Неужели он не поймет, что это была лишь хитрость с ее стороны, просто финт? Не было никакого второго смысла в этом движении, никакого, ни малейшего; как ни копай себя, ничего другого не сыщешь.

Однако почему он сам меня ни о чем не спрашивает? Она испытала вдруг острую и как бы желанную неприязнь к Лучникову. Никогда ни о чем ее не спрашивал, думала она вдруг эту новую для себя мысль со смесью жалости к себе и злости к нему. Никогда не спрашивал о ее прошлом, о ее родителях, например, о ее спорте, о детях, даже о Саше, который вполне может быть его собственным сыном. Трахает ее только да отшучивается, ни одного серьезного слова, и так всегда, он никогда... Употребляя в уме эти окончательные слова, Таня понимала, что если говорить о прошлом, то они несправедливы — он спрашивал ее раньше о разном, это сейчас он ее ни о чем не спрашивает.

Вообще, как он себя ведет, этот самоуверенный «хозяин жизни» и все его друзья? Как они просто и легко все эти делишки свои делают, все делают такое, от чего у нормальных людей голова бы закружилась? Супермены и главный среди них супер — Андрей. Этот вообще чувствует себя непогрешимым, никогда ни в чем не сомневается, вроде не боится ничего, вроде и не думает ни минуты, что вокруг него плетут сети все эти так называемые разведки, что они слушают, быть может, каждое его слово и фотографируют, быть может, каждое движение, что они и любимую, может быть, к нему в постель подложили, что, может быть, даже вон тот вертолетик, голубой, сливающийся с небом, каждый день таскающий мимо башни «Курьера» рекламу какого-то дурацкого мыла «Алфузов — all fusion», фотографирует какой-нибудь дикой оптикой все предметы в «вигваме», все эти дурацкие бумажки на «деске», то есть на столе письменном, даже, может быть, и гондончик, который он сегодня утром так небрежно отбросил после употребления на кафель возле ванны, а ванна-то висит над головами; во всей этой «хавире» ни одной стенки, только какие-то сдвигающиеся и раздвигающиеся экраны, во всех этих кнопках сам черт не разберется, придет же фантазия поселиться в таком чудище, лишь бы поразить мир злодейством, ну и типы, ну и показушники!

Так, дав полную волю своему накопившемуся раздражению и испытав от этого даже некоторое удовлетворение, Таня докурила сигарету, показала кукиш невинному мыльному вертолетику и отправилась за покупками.

Вот эти дела в Симфи доставляли ей до сих пор еще острое удовольствие и на время примиряли с жизнью. Сверхизобилие гастрономических аркад «Елисеев — Фошон»; легчайшее умиротворяющее движение с милейшим проволочным картингом мимо стен, уставленных ярчайшими упаковками всевозможнейших яств, начиная с ветчин полусотни сортов через немыслимые по свежести и остроте «дары моря» и кончая гавайским орехом макадамия, а скорее всего, только начиная им; движение под тихую и весьма приятнейшую музыку; Татьяна готова была тут ходить бесконечно. У любой московской хозяйки в этих аркадах, без всякого сомнения, случился бы обморок, о хозяйках периферийных страшно и подумать.

Татьяна много лет уже была «выездной», и для нее эти обморочные состояния в капиталистических «жральнях» давно пройденный этап. Раньше, в доандреевской жизни, супермаркеты эти восхищали, но раздражали недоступностью. Попробуй купи, к примеру, креветочный коктейль, если он стоит столько же, сколько тенниска «Лакайет» Сейчас эти прогулки для нее — полный кайф! О деньгах просто не думаешь, даже, собственно говоря, их и нет у тебя вовсе. Протягиваешь кассирше, которая издали уже тебе улыбается, пластмассовую карточку «Симфикарда» с какой-то перфорацией, та сует эту карточку в какой-то компьютер, и все дела! Оставляешь покупки и переходишь через улицу в кафе «Аничков мост» волновать собирающихся там на аперитив крымских (или, как здесь говорят, «русских») офицеров. Рядом помещался Главный штаб «форсиз», и офицеры, галантнейшие и ловкие джентльмены, совсем вроде бы не тронутые процветающим на Острове гомосексуализмом, любили собираться здесь. Покупки свои ты находишь уже дома — доставлены «коллабоем», то есть посыльным.

Кассирша вернула Тане карточку, еще раз широко улыбнулась — от бабешки этой всегда несло «Шанелью № 5», — и сказала на своем немыслимом яки, который Таня начинала уже понимать:

— Ханам, самван ждет ю на «Аничков мост».

— Что? Кто меня ждет? — растерялась Таня. — Никто там меня ждать не может.

Кассирша улыбнулась ей на этот раз каким-то особенным образом, как-то по-свойски, очень уж по-свойски, слишком по-свойски.

— Френда, — сказала она. — Бис трабла, ханам. Френдага, кадерле, яки, мэм...

Переходя улицу под слепящим солнцем, под падающими листьями платанов, Таня, конечно, связала утренний звонок с этим ожидающим ее в кафе неизвестным френдом; скорее всего, Востоков, может быть, кто-то и из «наших», из Фильмэкспорта или даже из ИПУ... Никак она не предполагала, однако, увидеть в углу под фотографией одного из коней Клодта самого полковника Сергеева.

Тот выглядел как самый обыкновенный бизнесмен средней руки: фланелевый костюм, рубашка в мелкую полосочку, одноцветный галстук, дорогие очки. Спокойно, явно чувствуя себя в своей тарелке, читал «Геральд», причем колонку биржевых индексов, а рядом на столе лежали «Курьер» и «Фигаро», дымилась тонкая голландская сигарка, стакан кампари со льдом и лимоном завершал картину наслаждающегося тишиной и покоем (Тане показалось, что Сергеев именно наслаждается) господина. Час аперитивов еще не начался, офицеров пока в кафе не было, и только в дальнем от Сергеева углу нежно гугукались друг с другом живописный могучий негр и пухленький блондинчик. Кажется, оба были художниками, один американец, другой немец, и справляли на Острове что-то вроде медового месяца.

— Извини, Таня, что разыграл, — просто и сердечно сказал Сергеев. — Просто подумал, что нужно сначала перед этой встречей как бы напомнить о себе, как бы психологически тебя подготовить...

— Как всегда, психологически ошиблись, — холодно сказала Таня.

Хозяин кафе, не спрашивая, тут же принес Тане рюмку мартеля и кофе-бразиль. Дружески улыбнулся и исчез.

— Не боитесь здесь сидеть? — спросила Таня. — Здесь ведь рядом Главштаб.

Сергеев улыбнулся, показывая, что восхищен ее наивностью.

— Просто я люблю это кафе и всегда здесь посиживаю, когда прилетаю из своего Торонто.

— Из своего Торонто? — усмехнулась Таня, но тут как раз заметила атташе-кейс с не оторванным еще ярлычком «TWA, рейс такой-то, Торонто—Симфи».

Сергеев проследил ее взгляд и улыбнулся совсем уже до вольный.

— Ты не представляешь, как мы все за тебя волновались в секторе. — Он чуть понизил голос, хотя эта предосторожность была вроде бы излишней для господина, говорящего на чистом русском языке, который любит посиживать в кафе «Аничков мост», прилетая из своего Торонто.

— Трогательно. Чуткие люди у вас там в секторе, — сказала Таня.

— Коллектив, между прочим, неплохой, — кивнул Сергеев. — После нападения на тебя Иг-Игнатьева некоторые ребята предлагали даже решительные меры против этого ублюдка... Хорошо, что Востоков вел тебя в эту ночь. Молодец, отличная интуиция у парня. Успел предупредить Чернока, и тот послал свою спецгруппу. — Сергеев явно щеголял своей осведомленностью.

— А сам-то он куда пропал? — спросила Таня. — И почему Черноку звонил, а не своим осваговцам?

— Почему же ты сама его об этом не спросила? — В голосе Сергеева задрожали какие-то тайные струночки. — Ведь он же у вас бывает. Ведь он же тоже из одноклассников.

— Он годом младше, — буркнула Таня.

— Вот как? — Сергеев даже прикрыл на секунду глаза.

Таня поняла, что в этот момент от нее к нему перешла какая-то важная информация.

— Рады? — спросила она. — Получили информацию?

— Спасибо, Таня, — просто сказал он. — И прошу тебя, оставь этот ядовитый тон. Он, извини меня, не совсем как-то уместен, особенно здесь, за рубежом.

— Ах, значит, мы с вами здесь вроде как бы земляки. — Яду у Тани только прибавилось.

— Да, мы с тобой здесь земляки, — вдруг очень строго сказал Сергеев. — Настоящие земляки. Да, мне нужна от тебя кое-какая информация. В интересах общего дела.

— А какое у нас с вами общее дело?

— Безопасность Андрея — вот какое общее дело, — проговорил Сергеев. — Поверь мне, Таня, прошу, поверь. Конечно, у меня есть и другое дело, глупо было бы это от тебя скрывать, ведь ты же не дура — ох, какая не дурочка! — но в отношении Андрея наше дело, Таня, клянусь тебе, общее.

— Так что же вас интересует? — спросила Таня.

— Тебя интересует то, что меня интересует? — В голосе Сергеева появился металлический звучок. — Или ты поверила мне?

— Понимайте, как хотите, — небрежно бросила она и жестом попросила хозяина «Аничкова моста» принести еще рюмочку.

Хозяин тут же появился с рюмочкой на подносике. Он приближался, но Сергеев как бы не замечал его. Он говорил спокойно, без всякой опаски:

— Меня интересует, о чем сейчас говорят между собой одноклассники. Они собираются все чаще и чаще. Какое у них настроение? Что они планируют?

— Гонки, — сказала Татьяна. — Они готовятся к Антика-ралли. Граф Новосильцев и Андрей собираются выступить, психи проклятые.

— Я говорю не об этом вздоре, — жестко сказал Сергеев.

— Но они говорят только об этом вздоре, — сказала Таня. — Все эти дни они только и талдычат о своих «Питерах», «Феррари», «Мазаратти», а Новосильцев готовит, вообразите, «Жигули». Только и слышишь — цилиндры, клапана, тормоза, топливо...

— Ты дурочку-то тут не валяй. — Сергеев впервые заговорил с Таней угрожающим тоном. — Вспомни-ка получше, а перед этим и о себе получше подумай.

— Что же вы у Востокова не спросите? — Таня даже ощерилась, но, заметив свое лицо в зеркале, взяла себя в руки. — Он ведь у нас бывает. Они ведь его в друзьях держат.

Она уже понимала, что Сергеев потому и спрашивает у нее сейчас про все эти дела, про настроение и планы, ибо не надеется на информацию Востокова. Наверное, тогда и прилетел, когда понял, что Востоков не все знает об «одноклассниках», что он не всегда у них бывает, что он не совсем друг. Проникнув так глубоко, она даже возгордилась.

218

Сергеев вдруг расхохотался почти издевательски, во всяком случае, с явным превосходством.

— Востоков?! — хохотал он. — Да ты меня просто уморила, Татьяна! Востокова спрашивать? Ха-ха-ха! Да ведь Востоков же — это конкурирующая фирма!

Он оборвал хохот с той же великолепной профессиональной внезапностью.

— Другое дело, что мы о нем все знаем. О тебе же, Таня, мы знаем больше, чем все, и ты это учти.

— Снимочки, что ли, востоковские имеете в виду? — Таня даже зашипела от злости.

В лице Сергеева ничто не дрогнуло, но до Тани вдруг дошло, что он, может быть, ошарашен, что он, возможно, ничего и не знает о «снимочках», о яхте «Элис».

— Да, снимочки, — сказал он бесстрастно.

— Ну так знайте на всякий случай, что я их вот на столько не боюсь, — она показала на длинном своем ногте мизернейшую долю опаски. — Неужели вы думаете, Сергеев, что у нас с Андреем есть какие-нибудь тайны друг от друга?

Теперь уже он был явно ошеломлен и взбешен и шипел змеем горынычем:

— Уж не хотите ли вы сказать, мадам, что и наши с вами отношения для господина Лучникова не секрет?

— Вот именно это и хочу сказать, — смело брякнула Татьяна.

— Ну, знаешь... — Сергееву нужно было выпустить тучу голландского дыма, чтобы хоть на миг скрыть растерянность. — Ну, знаешь... Перекидываешься? Перевертываешься? Да ты представляешь себе, на что идешь?..

Тут вдруг кафе «Аничков мост» наполнилось шумом, смехом, веселыми голосами: вошла целая толпища офицеров Главштаба, пять летчиков и три моряка. Все они расселись вокруг круглой стойки. Все знали Таню. Оборачивались и салютовали ей бокальчиками.

— Татьяна Никитична, хотите новый•анекдот из Москвы? — спросил кто-то.

Она забрала свою рюмку и подошла к стойке. В зеркале очень красиво отражалась блестящая леди в окружении блестящих офицеров. В зеркало же увидела, как Сергеев расплатился за свои удовольствия, аккуратно спрятал «биль» в чемоданчик (для отчета) и покинул кафе. Военные тайны Крыма его, очевидно, не интересовали.

XI
Витая в сферах

Прошла неделя после ссоры в «баньке», и стоила она Марлену Михайловичу, как говорится, немалых нервов. Ежедневно он ловил на себе косые взгляды товарищей: видимо, слухи уже начали просачиваться. Телефоны в кабинете звонили гораздо реже, а верхний этаж просто молчал. Звонки, однако, кое-какие все же были. «Соседи» позванивали частенько. По согласованию с «соседями» решено было послать на Остров наиболее компетентного сотрудника «лучниковского» сектора, лучше всего самого Сергеева. Тот, естественно, не возражал, и Марлен Михайлович отлично его понимал. С какими бы противными делами ни отправляешься на Остров, все равно как-то там свежеешь, то ли классовое чувство обостряется, то ли все эти мелкие повседневные удовольствия капитализма, а скорее всего — климат, солнце, особенный этот волнующий ветерок. Марлен Михайлович даже зажмурился, вообразив себя самого в этот момент где-нибудь на набережной Севастополя или на перевале в Ласпи. В момент зажмуривания как раз и прозвучал звонок, которого он ждал все дни. «Видное лицо» очень официально, как будто и не парились никогда вместе, предлагало в течение суток подготовиться для встречи на таком уровне, от которого просто дух захватывает. Завтра в этот же час надлежит быть в том крыле здания, куда даже таким, как он, заказывался специальный пропуск. Готовьтесь к разговору о нынешней ситуации на Острове, минут сорок—пятьдесят, не менее, но и не более, предупредило его «Видное лицо».

Кузенков тут же собрал всех своих помощников, сказал, что задерживает всех до позднего часа, сам будет ночевать у себя в кабинете (по рангу ему полагалась здесь смежная комната отдыха с санузлом), а утром просит всех прийти за час до официального начала рабо-

220

чего дня. Нужно было подготовить предельно сжатую, но достаточно полную информацию с цифровыми данными о политических делах, армии, промышленности, торговле, финансах зоны Восточного Средиземноморья, Организации Крым—Россия, Базы Временной Эвакуации ВСЮР, Острова О'кей или «гнезда белогвардейских последышей», в зависимости от того, какое наименование предпочтут в заоблачных сферах. Помощники работали, телефончики трезвонили, секретарши бегали, и сам Марлен Михайлович головы от письменного стола не отрывал, хотя и думал иногда, какая это все напраслина, зачем все эти цифровые данные, если единственная цель совещания — признать его работу неудовлетворительной и переместить пониже или, в лучшем случае, к флангу отыграть.

Увидев, однако, на следующий день участников совещания, он понял, что все не так просто, во всяком случае, не однозначно. «Видное лицо» здесь вовсе и не главенствовало, оно сидело, правда, в чрезвычайно выгодной позиции, за одним столом, в одном ряду с тремя «виднейшими лицами», однако соблюдало этическую дистанцию длиной в два стула. За отдельным столом в углу огромного кабинета помещались три помощника «виднейших лиц» и один помощник «Видного лица». Последний дружески улыбнулся Марлену Михайловичу, это был один из подразумеваемых союзников, умница, доктор наук. Все присутствующие пожали руку Марлену Михайловичу, после чего ему было предложено занять место за главным столом, напротив «портретов».

Сев и положив перед собой свою папку, Марлен Михайлович поднял глаза. «Портреты» смотрели на него хмуро и деловито, с каждым годом черты усталости и возрастные изменения все больше проступали на них, несмотря на все большие успехи Системы и Учения в мировом масштабе. Взгляд Марлена Михайловича полностью соответствовал установившейся внутри этого учреждения негласной этике, он был в меру деловит и в меру выражал сдержанное, но необходимое обожание. Так полагалось. Нужна была деловитость вкупе с легкой, как бы невольно возникшей влагой обожания.

Марлен Михайлович подумал о том, что это у него вовсе не притворное, не искусственное, это у него естественно, как дыхание, что у него просто не может не появиться этого чуть-чуть дрожащего обожания при встрече с «портретами», ибо для него это и есть встреча с самым важным, с партией, с тем, что дороже жизни. Это ощущение наполнило его теплотой сопричастности, он почувствовал себя здесь своим, что бы ни случилось — он всегда здесь свой, он солдат партии, куда бы его ни переместили, пусть даже в райком.

Затем он понял, что искренность его для всех очевидна и, кажется, даже оценена. В глазах одного из «портретов» промелькнуло нечто отеческое и тоже не искусственное, тоже идущее от души, потому, должно быть, что для них, «портретов», нижестоящие товарищи тоже были своего рода символами великого, могучего и вечного, как сибирская тайга, понятия «партия».

Затем этот секундный и уловимый только скрытыми струнами души обмен чувств закончился и начался деловой разговор.

Вот, товарищ Кузенков, собрались о твоем островке покалякать, сказал один из «портретов», окающий во все стороны и как бы испытывающий еще недостаток в этом округлом звуке. Столько уж годков занозой он у нас в глазу торчит. Письма приходят в Центральный Комитет от рабочего класса, не пора ли, дескать, решать вопрос.

Марлен Михайлович, ловя каждый звук, кивал головой, выражая, во-первых, полную оценку того факта, что такие особы собрались для решения судьбы скромного объекта его патронажа, во-вторых, полное понимание классового недоумения по поводу «занозы» и, наконец, полную готовность предоставить исчерпывающую информацию по всему профилю проблемы «островка». Даже папочку открыл и даже слегка откашлялся.

Информация, однако, в этот момент не понадобилась. Второй «портрет», с лицом, как бы выражающим сильный характер, на деле же находящийся в постоянном ожесточающемся противоборстве со свисающими дряблыми складочками, надменно и раздраженно начал короткими пальцами что-то толкать на столе, отбрасывать бесцельными, но твердыми движениями какие-то блокноты и высказываться обрывочными фразами в том смысле, что проблема раздута, что проблемы фактически нет, что есть гораздо более важные проблемы, что опыт накоплен, исторический момент назрел и... Тут он обнаружил, что блокноты свои уже оттолкнул на такое расстояние, что дальнейшее их отталкивание стало бы каким-то нарочитым, это вызвало как бы еще большее его раздражение, он забарабанил короткими пальцами по краю полированной части стола, вроде бы потерял нить мысли, потом решительно протянул руку к зеленому сукну: подтащил к себе поближе свои блокноты и снова начал их отталкивать. Какой в принципе неприятнейший человек, если отвлечься от того, что он в себе воплощает, неожиданно подумал Марлен Михайлович и устыдился своей мысли. В возникшей на миг паузе он снова всем лицом и малым движением руки выразил полное понимание малозначительности его, кузенковской, проблемы перед лицом глобальной политики мира и социального прогресса и полную свою готовность немедленно предложить сжатую, но емкую информацию, но тут «Пренеприятнейший портрет», как бы даже не замечая Кузенкова, во всяком случае не считая для себя возможным обратиться к нему даже с вопросом, слегка наклонился к столу, чуть-чуть повернулся к тому, кого мы все время называем «Видное лицо» и которое было для него лишь лицом заметным, и спросил напрямую — достаточно ли будет для решения этой так называемой крымской проблемы десантного соединения генерала N?

Марлен Михайлович вздрогнул от мгновенно пронизавшего ужаса. В следующий миг он понял, что все заметили этот ужас, что все глаза сейчас устремлены на него: и «Окающий портрет» бесстрастно по-рыбьи взирает на него сквозь сильные очки, и все помощники смотрят на него серьезно, внимательно, профессионально, и «Видное лицо», чуть скособочившись в кресле (вполне, между прочим, независимая поза), выжидающим левым глазом держит его под прицелом, и даже «Пренеприятнейший портрет» быстро и остренько, с еле уловимой ухмылочкой скосил на него глаза, не меняя, однако, позы и ожидая ответа от «Видного лица». Только один человек в кабинете не посмотрел на Кузенкова в этот момент — третий «портрет», обозначим его словом «Замкнутый». Тот как начал с самого начала что-то рисовать, какой-то орнамент на чистом листе бумаги, так и продолжал свое дело.

— Что скажешь, Марлен Михайлович? — спросило «Видное лицо». — Достаточно этого для решения проблемы?

— В военном отношении? — задал Марлен Михайлович встречный вопрос.

— В каком же еще? — сказал «Пренеприятнейший» «Видному», на Марлена Михайловича по-прежнему не оборачиваясь. — Заодно и опробовали бы танки на воздушной подушке.

— В военном отношении десантного соединения генерала N для решения проблемы Острова Крым совершенно недостаточно, — с неожиданной для себя твердостью сказал Кузенков. — В военном отношении вооруженные силы Острова — это очень серьезно, — сказал он еще более твердо. — Недавняя война с Турцией, товарищи, позвольте мне напомнить, продемонстрировала их динамичность и боевую дееспособность.

— Мы не турки, — хохотнул «Пренеприятнейший». Все, естественно, этой шутке рассмеялись. Помощники поворачивались друг к другу, показывая, что оценили юмор. Дребезжащим колокольчиком раскатился громче всех хохоток «Окающего». Не турки, ох уж не турки! «Видное лицо» тоже засмеялось, но явно для проформы. Оно, на удивление, держалось независимо и смотрело на Марлена Михайловича прицельным взглядом. Не рассмеялся и не проронил ни звука лишь «Замкнутый». По-прежнему трудился над орнаментом. Не рассмеялся и Марлен Михайлович.

— Они, — сказал он очень спокойно (вдруг пришло к нему полное спокойствие) и даже с некоторой злинкой, — они тоже не турки.

Возникла пауза. Ошеломление. Некоторый короткий ступор. Кузенков срезал шутку одного из «портретов»! Ловкой репликой лишил ее далеко идущего смысла! Все участники совещания тут же углубились в бумаги, оставляя Марлена Михайловича наедине с «Пренеприятнейшим». Тот сидел, набычившись и глядя на свои застывшие пальцы — все мешочки на его лице обвисли, картина была почти неприличная.

И вдруг — с небольшим опозданием — в кабинете прозвучал смех. Смеялось «Видное лицо», крутило головой, не без лукавинки и с явным одобрением поглядывало на Кузенкова.

— А ведь и впрямь, товарищи, они ведь тоже не турки, — заговорило «Видное лицо». — Марлен-то Михайлович прав, войско там русское, а русские туркам, — он посмотрел на «Пренеприятнейшего», — завсегда вставляли.

В очках «Окающего» промелькнул неопознанный огонек. «Замкнутый» занимался орнаментом.

Марлен Михайлович вдруг понял, что «Видное лицо» и «Пренеприятнейший» — очевидные соперники.

— Что же тут предполагается? — «Пренеприятнейший» смотрел опять на «Видное лицо», хотя адресовался к Марлену Михайловичу. — Что же тут, сравнивается наша мощь с силенками белых? Ставится под вопрос успех военного решения проблемы? — Голос крепчал с каждым словом. — Америка перед нами дрожит, а тут какая-то мелкая сволочь. Да наши батьки, почти безоружные, саблями да штыками гнали их по украинским степям как зайцев! «Вооруженные силы Острова — это очень серьезно», — процитировал он с издевкой Марлена Михайловича.

Марлену Михайловичу показалось, что «Видное лицо» еле заметно ему подмигнуло, но он и без этой поддержки странным образом становился все тверже, не трусил перед «Пренеприятнейшим» и наполнялся решимостью выразить свою точку зрения, то есть еще и еще раз подчеркнуть неоднозначность, сложность островной проблемы.

— Сейчас я объясню, — сказал он. — Боевая мощь крымской армии действительно находится на очень высоком уровне; и если предположить, что десантное соединение генерала N — турки (или, скажем, американцы), то можно не сомневаться в том, что оно будет разбито крымчаками наголову. Однако, — он увидел, что «Пренеприятнейший» уже открыл рот, чтобы его прервать, но не замолчал, а продолжил. — Однако с полной уверенностью могу сказать: никогда ни один крымский солдат не выстрелит по советскому солдату. Речь идет не о военной проблематике, а о состоянии умов. Некоторые влиятельные военные в Крыму даже считают своих «форсиз» частью Советской Армии. В принципе наше Министерство обороны могло бы уже сейчас посылать им свои циркуляры.

— Что за чушь! — вскричал тут «Пренеприятнейший». — Да ведь они же белые!

— Они были белыми, — возразил Марлен Михайлович, в душе ужасаясь неосведомленности «вождя». — Их деды были белыми, товарищ (фамилия «Пренеприятнейшего»).

— Да ведь там все эти партии остались, — брезгливо скривился «Пренеприятнейший», — и кадеты, и октябристы...

— В Крыму зарегистрировано свыше сорока политических партий, среди которых есть и упомянутые, — сухо сказал Марлен Михайлович.

Дерзость его, заключавшаяся в этой сухости, видимо, поразила «Пренеприятнейшего», он даже рот слегка приоткрыл. Впрочем, возможно, он был потрясен распадом одного священного величественного слова на сорок равнозвучных, но ничтожных. Кузенков заметил за стеклами «Окающего» почти нестарческое любопытство. Явное одобрение сквозило во взгляде «Видного лица».

— Не забудьте упомянуть о Союзе Общей Судьбы, Марлен Михайлович, — сказало оно.

— Да-да, самым важным событием в политической жизни Острова является возникновение Союза Общей Судьбы, — сказал Марлен Михайлович, — во главе которого стоят влиятельные лица среднего поколения русской группы населения.

— Очень важное событие, — иронически произнес «Пренеприятнейший» и, откинувшись в кресле, впервые обратился с вопросом, пренебрежительным и грубым, прямо к Кузенкову: — Ну и чего они хотят, этот ваш Союз Общей Судьбы?

— Воссоединения Крыма с Россией, — четко ответил Марлен Михайлович.

— Наши, что ли? — криво усмехнулся «Пренеприятнейший». — Прогрессивные силы?

— Ни в коей мере нельзя назвать этих людей прогрессивными силами в нашем понимании, — сказал Марлен Михайлович.

— О-хо-хо, мороки-то с этим воссоединением, — вдруг заговорил «Окающий». — Куда нам всех этих островитян девать? Сорок партий, да и наций, почитай, столько же... кроме коренных-то, татар-то, и наших русаков полно, и греков, и арабов, иудеи тоже, итальянцы... о-хо-хо... даже, говорят, англичане там есть...

— В решении подобных вопросов партия накопила большой опыт, — высказался «Пренеприятнейший». — Многопартийность, как вы, конечно, понимаете, это вопрос нескольких дней. С национальностями сложнее, однако думаю, что грекам место в Греции, итальянцам — в Италии, русским — в России и так далее.

Все помощники, и Марлен Михайлович, и даже «Видное лицо» теперь чутко молчали. Разговор теперь пошел между «портретами», и нужно было только надлежащим образом внимать.

— Высылка? — проскрипел «Окающий». — Ох, неохота опять такими делами заниматься.

— Не высылка, а хорошо сбалансированное переселение, — сказал «Пренеприятнейший». — Не так, как раньше, — он усмехнулся. — С соблюдением всех гуманистических норм. Переселение всех пришлых нацгрупп. Коренное население, то есть крымские татары, конечно, будут не тронуты и образуют автономию в составе, скажем, Грузинской ССР.

— Красивая идея-то, — сказал «Окающий» и почесал затылок. — Ох, однако, мороки-то будет! С американцами договариваться...

— Договоримся, — надменно улыбнулся «Пренеприятнейший». — Дело, конечно, непростое, но не следует и переоценивать. Идеологический выигрыш от ликвидации остатков другой России будет огромным.

— А экономический-то, — прокряхтел «Окающий». — Сколько добра-то к нам с Острова течет — валюта, электроника...

— На идеологии мы не экономим, — сказал «Пренеприятнейший».

— Ваши предложения, товарищ Кузенков? — вдруг произнес «Замкнутый», отодвинул от себя полностью завершенный орнамент и поднял на Марлена Михайловича очень спокойные и очень недобренькие глаза.

Заряд адреналинчика выплеснулся в кровь Марлена Михайловича от этого неожиданного вопроса. На мгновение он как бы потерял ориентацию, но, наклонив голову и сжав под столом кулаки, весь напрягшись, взял себя в руки. «Спасибо теннису, научил собираться», — мелькнула совсем уж ненужная мысль.

— Прежде всего, товарищи, — заговорил он, — я хотел бы подчеркнуть, что в меру своих сил на своем посту я стараюсь воплощать в жизнь волю партии. Любое решение, принятое партией, будет для меня единственно правильным и единственно возможным.

Он сделал паузу.

— Иначе бы вы здесь не сидели, — усмехнулся «Пренеприятнейший».

Какая усмешечка, подумал Марлен Михайлович, можно ли представить себе более наглую античеловеческую усмешечку.

Все остальные молчали, реакции на «заверение в любви» со стороны остальных как бы не было никакой, но помощник «Видного лица» одобрительно прикрыл глаза, и Марлен Михайлович радостно осознал, что не просчитался с этой фразой.

— Что касается моих предложений как специалиста по островной проблеме, а я посвятил ей уже двадцать лет жизни, то я предостерег бы в данный исторический момент от каких-либо определенных шагов окончательного свойства. Политическая ситуация на Острове сейчас чрезвычайно запутана и усложнена. Есть симптомы появления нового национального сознания. В четвертом поколении русской эмиграции, то есть среди молодежи, распространяются идеи слияния этнических групп в новую нацию, так называемых яки. Намечается поляризация. Эта вдохновенная, но неорганизованная группа молодежи противопоставляет себя Союзу Общей Судьбы, который выражает то, что я назвал здесь состоянием умов. Симпатия к Советскому Союзу и даже тенденция к слиянию с ним — главенствующая идея на Острове, несмотря ни на что. Естественно, в этом русле идут и многочисленные левые и коммунистические партии, которые, к сожалению, все время борются друг с другом. Влияние китайцев слабое, хотя и оно в наличии. Анархические группы появляются, исчезают и снова появляются. Не следует, разумеется, забывать и об осколках институтов старой России, об административном аппарате так называемых врэвакуантов. Группу татарских националистов тоже нельзя сбрасывать со счета, хотя в ней с каждым днем усиливается влияние яки. Для татар яки — это хорошая альтернатива русской идее. Существуют и полууголовные, а следовательно, опасные группировки русских крайне правых, «Волчья сотня». Что касается Запада, то в стратегических планах НАТО Крыму сейчас уже не отводится серьезного места, но тем не менее действия натовских разведок говорят о пристальном внимании к Острову как к возможному очагу дестабилизации. Словом, по моему мнению, если бы в данный момент провести соответствующий референдум, то не менее семидесяти процентов населения высказалось бы за вхождение в СССР, однако тридцать процентов — это тоже немало, и любое неосторожное включение в сеть может вызвать короткое замыкание и пожар. Через три месяца на Острове предстоят выборы. Естественно, они должны хоть в какой-то степени прояснить картину. Нам нужно использовать это время для интенсивного наблюдения, дальнейшего усиления нашего влияния путем расширения всевозможных контактов по специальным сферам, распространения нашей советской идеологии, в частности увеличения продажи политической литературы. Должен, в скобках, заметить, что эта литература, так сказать, ходовой товар на Острове, но, опять же в скобках, хотел бы предостеречь от иллюзий — тяга к советским изданиям сейчас своего рода мода на Острове, и она может в один прекрасный момент измениться. В интересах нашего дела, мне кажется, будет победа на выборах Союза Общей Судьбы, однако мы должны воздержаться от прямой поддержки этой организации. Дело в том, что СОС (так читается аббревиатура Союза) явление весьма неоднозначное. Во главе его стоит тесно сплоченная компания влиятельных лиц, так называемые «одноклассники», среди которых можно назвать издателя Лучникова, полковника Чернока, популярного спортсмена графа Новосильцева, промышленника Тимофея Мешкова. Мне хотелось бы, товарищи, особенным образом подчеркнуть почти нереальную в наше время ситуацию. Эта группа лиц действительно совершенно независима от влияния каких бы то ни было внешних сил, это настоящие идеалисты. Движение их базируется на идеалистическом предмете, так называемом комплексе вины перед исторической родиной, то есть перед Россией. Они знают, что успех дела их жизни обернется для них полной потерей всех привилегий и полным разрушением их дворянского класса и содружества врэвакуантов. Взгляды их вызовут улыбку у реального политика, но тем не менее они существуют и мощно распространяют свое влияние. Найти истинно научную, то есть марксистскую, основу этого движения нелегко, но возможно. Впрочем, это предмет особого и очень скрупулезного анализа, и я сейчас не могу занимать этим ваше внимание, товарищи. Теоретический анализ — дело будущего, сейчас перед нами актуальные задачи, и в этом смысле СОС должен стать предметом самого пристального и очень осторожного внимания. Как любое идеалистическое движение, СОС подвержен эмоциональным лихорадкам. Вот и в настоящее время он переживает нечто вроде подобной лихорадки, которая на первый взгляд может показаться резкой переменой позиции, поворотом на сто восемьдесят градусов.

Марлен Михайлович перевернул страницу и, вдруг уловив в воздухе нечто особенное, затормозил на минуту и поднял глаза. То, что он увидел, поразило его. Все присутствующие застыли в напряженном внимании. Все, не отрываясь, смотрели на него, и даже «Пренеприятнейший» потерял свою мину пренебрежения, даже мешочки на его лице как бы подобрались, и обнаружились остренькие черты его основного лица. Тут наконец до Марлена Михайловича дошло: вот она — главная причина сегодняшнего высокого совещания. Обеспокоены «поворотом на сто восемьдесят градусов», перепугались, как бы не отплыл от них в недосягаемые дали Остров Крым, как бы не отняли того, что давно уже считалось личной собственностью. Ага, сказал он себе не без торжества, шапками тут нас не закидаешь.

Впоследствии Марлен Михайлович, конечно, самоедствовал, клял себя за словечко «нас», казнился, что в минуту ту как бы отождествил себя с идеалистами, встал как бы в стороне от партии, но в эту конкретную минуту он испытал торжество. Ишь ты, десантниками дело хотел решить! Какой прыткий! Никого он, видите ли, не знает и знать не хочет, лидер человеческих масс, фараон современный! Знаешь, боишься, трепыхаешься в растерянности, даже и соседа своего через два стула боишься. Впрочем, соседа-то, может быть, больше всего на свете.

«Пренеприятнейший» сообразил, что пойман, вновь скривился в надменной гримасе, откинулся в кресле, заработал короткими пальчиками, даже зевнул слегка и посмотрел на часы, но это уже было явное притворство, и он понимал, что притворство — пустое.

Марлен Михайлович продолжал:

— На самом деле поворота нет. Есть только некоторое увлечение идейками наших диссидентов, новой эмиграции, типично идеалистическая рефлексия. Редактор «Русского Курьера» Лучников, несомненный лидер движения, не боится пули волчесотенцев, но боится презрительного взгляда какого-нибудь джазиста или художника, московских друзей его молодости. Именно этим объясняется некоторый сдвиг в освещении советской жизни на страницах «Курьера».

Он сделал еще одну паузу перед тем, как произнести завершающую фразу своего сообщения, фразу, которая еще и вчера казалась ему опасной, а сейчас стала опасней вдвое, втрое, чрезвычайно опасной под щелочками глаз «Пренеприятнейшего».

— Я глубоко убежден, что перед решительными событиями на Острове одноклассники, опасаясь обвинения в предательстве, хотят показать своему населению так называемую правду о советском образе жизни, хотят, чтобы люди, привыкшие к одному из самых высоких в мире жизненных стандартов и к условиям одной из самых открытых буржуазных псевдодемократий, полностью отдавали себе отчет, на что они идут, голосуя за воссоединение с великим Советским Союзом. Без этого эпитета, товарищи, имя нашей страны в широких массах на Острове не употребляется. Уверен также, что следующим шагом одноклассников будет атака на прогнившие институты старой России, на Запад, а также сильная полемика с националистами яки.

Учитывая всю эту сложную ситуацию, я предложил бы в настоящий момент воздержаться от окончательного решения проблемы, не снимать руку с пульса и продолжать осторожное, но все усиливающееся наблюдение событий и людей.

Марлен Михайлович закрыл папочку и некоторое время сидел, глядя на лживо-крокодиловую поверхность с оттиском трех римских цифр в углу — XXV.

— Будут ли вопросы к Марлену Михайловичу? — спросило «Видное лицо».

— Вопросов-то много, ох, много, — пропел «Окающий». — Начнем спрашивать — до утра досидимся.

— Марлен Михайлович, — вдруг мягко позвал «Пренеприятнейший».

Марлен Михайлович даже слегка вздрогнул и поднял глаза. «Пренеприятнейший» смотрел на него с любезной, как бы светской улыбкой, показывая, что смотрит теперь на него иначе, что он вроде бы его разгадал, раскусил, понял его игру и теперь Марлен Михайлович для него «не свой», а потому и достоин любезной улыбочки.

— Вы, конечно, понимаете, Марлен Михайлович, как много у меня к вам вопросов, — любезно проговорил он. — Бездна вопросов. Огромное количество неясных и ясных... — пауза, — вопросов. Вы, конечно, это превосходно понимаете.

— Готов к любым вопросам, — сказал Марлен Михайлович. — И хотел бы еще раз подчеркнуть, что главное для меня — решение партии. История показала, что специалисты могут ошибаться. Партия — никогда.

По бесстрастному лицу помощника Марлен Михайлович понял, что в этот момент он слегка пережал, прозвучал слегка-несовсем-в-ту-степь, но ему как-то уже было все равно.

— Есть такое мнение, — сказал «Замкнутый». — Командировать Марлена Михайловича Кузенкова в качестве генерального консультанта Института по изучению Восточного Средиземноморья на длительный срок. Это позволит нам еще лучше вникнуть в проблему нашей островной территории и осветить ее изнутри. — «Замкнутый» скуповато улыбнулся. — Вот вы-то, Марлен Михайлович, и будете теперь нашей рукой на пульсе. Непосредственные распоряжения к вам будут поступать от товарища... — Он назвал фамилию «Видного лица», потом поблагодарил всех присутствующих за работу и встал. Совещание закончилось.

Марлен Михайлович вышел в коридор. Голова у него слегка кружилась, и весь он временами чуть подрагивал от пережитого напряжения. «Спасибо теннису, — опять подумал он, — научил расслабляться». Вдруг его охватила дикая радость — уехать на Остров на длительный срок, да ведь это же удача, счастье! Пусть это понижение, своего рода ссылка, но надо судьбу благодарить за такой подарок. Могли бы ведь по-идиотски и послом отправить в какой-нибудь Чад или Мали. Нет-нет, это удача, а перенос кураторства прямо в руки «Видного лица» означает, что это даже и не понижение, что это просто перенос всей проблемы на более высокий уровень.

«Видное лицо» взяло его под руку, шепнуло на ухо: «Рад, пиздюк?» — и подтолкнуло со смешком локтем в бок.

— Не скрою, рад, — сказал Марлен Михайлович. — Решение мудрое. В этот момент мне будет полезнее быть там. Ну и Вера, знаешь... она ведь умница, очень поможет...

— Нет, брат, жена тебе там только обузой будет, — усмехнулось «Видное лицо». — В Тулу-то со своим самоваром? Эх, Марлуша, я тебе даже немного завидую. Вырвусь на недельку, погуляем?

Марлен Михайлович заглянул в глаза «Видному лицу» — своему новому непосредственному шефу и понял, что дискутировать вопрос о Вере Павловне и ребятах бессмысленно — уже обсуждено и решено: «якоря» у Марлена Михайловича должны остаться дома. Что же, после дела Шевченко можно понять беспокойство иных товарищей, даже и по поводу людей высокого ранга.

— Гарантирую, что погуляем неплохо. — Марлен Михайлович улыбнулся в духе «баньки».

— Нельзя мне, — с искренней досадой сказало «Видное лицо». — Заметный я. Там ведь в «баньке» небось не спрячешься?

— Не спрячешься, — подтвердил Марлен Михайлович. — Вездесущая пресса. Сумасшедшее телевидение.

— Ты и сам смотри, — строго сказало «Видное лицо».

— Можешь не волноваться, — сказал Марлен Михайлович.

Они дошли до конца пустынного коридора и сейчас стояли на краю зеленой ковровой дорожки. Перед ними была только белая стенка и бюст Ленина, выполненный из черного камня и потому несколько странный. «Видное лицо» положило руку на плечо Марлену Михайловичу:

— Ну, а маму свою Анну Макаровну Сыскину ты напрасно от общества прячешь. Таких, как она, коминтерновок, считанные единицы остались.

Марлен Михайлович ответил своему покровителю бледной благодарной улыбкой.

XII
Старая Римская дорога

Старт Антика-ралли обычно давался в Симферополе у истоков Юго-Восточного фривея, но до начала древней дороги Алушта—Сугдея спортсменам предоставлялось право выбора: можно было устремиться к промежуточному финишу по стальной восьмирядной дороге, проносящейся, как стрела, мимо самой высокой крымской горы Чатырдаг, и можно было при желании покинуть фривей по любому из десяти съездов и попытать счастья на запутанных асфальтовых кольцах внизу. Главная цель каждого участника — выскочить раньше других на старую дорогу, ибо там на ее серпантинах каждый обгон превращался едва ли не в игру со смертью. Конечно, семьдесят километров прямого фривея для любого водителя, казалось бы, благодать, жми на железку, да и только, но там, на фривее, между гонщиками начиналась такая жестокая позиционная борьба, такая подрезка, такое маневрирование, что многие выбывали из соревнований, влепившись в барьеры или друг в друга, и потому наиболее хитроумные предпочитали покрутить по виражам асфальтового лабиринта мимо Машут-Султана, Ангары, Тамака, чтобы вынырнуть перед носом ревущей разномастной толпы машин уже в Алуште и устремиться сразу на Демерджи по самой Антике, волоча за собой хвост гравийной пыли, которая сама по себе доставляет соперникам мало удовольствия.

Лучников и Новосильцев разработали хитрый план. Граф нырнет в первый же «рэмп» и исчезнет из поля зрения, а Андрей постарается на своем «Турбо» снизить скорость основного потока машин на фривее на сколько возможно, будет подрезать носы лидерам, менять ряды, неожиданно тормозить. Если граф выскочит первым на Антику, его не удастся обставить ни Билли Ханту, ни Конту Портаго, не говоря уже о местных гениях.

Прибыли и на этот раз лучшие гонщики мира, не меньше десятка суперзвезд, десятка три просто звезд, а остальные все звездочки, но горящие ярчайшей дерзостью и честолюбием. Всего к старту было допущено девяносто девять машин. «Сто минус, единица» — рекламные цифры для маек, курток, сигарет, напитков... На громадном паркинге возле «Юго-Востока» разномастные машины всевозможных марок проверяли тормоза и рулевые управления, постепенно занимали места на линии старта, откуда вся ревущая масса низвергнется на фривей. За линией старта кипела многотысячная толпа. Трибуны вокруг статуи Лейтенанта были переполнены шикарной публикой. Вертолеты телевидения висели над площадью. Повсюду сновала пресса, папарацци и камерамены. Антика-ралли давно уже стали в Крыму чем-то вроде национального праздника. Он объединял всех и в то же время обострял соперничество между этническими группами: татарам, конечно, хотелось, чтобы выиграл татарин, англокрымчане делали ставку на своих, врэвакуанты, то есть русские, рассчитывали на своих героев и так далее... В последние годы на Антика-ралли побеждали международные «тигры», вроде присутствующих сейчас Билли Ханта и Конта Портаго.

У Билли Ханта, белозубого, медного от загара красавца, машина так и называлась «Хантер», то есть охотник. Трудно было определить, какая модель взята за основу этого чудовища. Вдоль корпуса ее красовались значки разных фирм: «Альфа-Ромео-трансмиссия», «Тормоза Порше», «Мустанг-карбюрейтер»... И за каждый такой значок фирмы отваливали Ханту огромные премии, но тот плевать хотел на деньги. Билли был настоящий фанатик автоспорта, или, как в Москве говорят, задвинутый. Всякий раз к каждой гонке он сам конструировал своих «охотников», заказывая фирмам разные узлы по собственным чертежам. Жизнь вне автоспорта проходила для Ханта чем-то вроде череды туманных миражей. В него влюблялись мировые красавицы, вроде миллионной модели Марго Фитцджеральд, и он снисходительно принимал их любовь, но не успевали журналы осветить медовые денечки, как тут же им приходилось описывать разрывы: красотки не выдерживали головокружительной жизни Ханта, а тот, не задумываясь, отдал бы их всех за одну-единственную свечу зажигания. Кстати говоря, Билли называл своих лошадок «охотниками» неспроста. На всех гонках он выбирал жертву, лидера, начинал за ним охоту, шел на хвосте, бесил бесконечным плотным преследованием, а потом, недалеко уже от финиша, «брал зверя».

Конт Портаго, худой и надменный юноша (впрочем, ему исполнилось уже тридцать шесть лет), был гонщиком совсем дру-

232

гой манеры. Он как бы никого не замечал в своей «Испано-сюи-за-фламенко» серебряно-серой окраски, он как бы боролся только со временем, его волновала только скорость, и он только лишь слегка кривил тонкие кастильские губы, когда кто-нибудь «путался под ногами». На нескольких последних гонках вот он-то как раз и оказался добычей «охотника» Ханта, однако все равно как бы не замечал его и никогда не комментировал свои поражения. Личная жизнь Конта оставалась для прессы загадкой.

Лучников сидел за рулем своего «Питера», стоявшего уже на линии старта, и спокойно смотрел, как репортеры кружатся вокруг «Хантера» и «Фламенко». Вокруг него тоже шла напряженная работа средств массовой информации. Сенсацией было уже то, что сорокашестилетний издатель влиятельной газеты участвует в гонке. Еще одной и, пожалуй, еще большей сенсацией были надписи на его бортах: «СОС! Союз Общей Судьбы! Присоединяйтесь к СОСу! СОС!» Несколько человек подлезали с вопросами, совали в окно микрофончики, но Лучников отодвигал их ладонью и спокойно курил. Разумеется, загадочно улыбался. Это необходимо — загадочная улыбка.

И вот он увидел главную сенсацию дня — автомобиль графа Новосильцева под номером 87 и под экзотическим названием «Жигули-Камчатка». Похоже было, что от Волжского автозавода осталась в этом аппарате только жестяная коробка, эмблема с ладьей да первая часть названия, зато «Камчатка», личная Камчатка графа, могущественно преобладала. Автомобиль представлял из себя открытое купе с одним лишь водительским сиденьем. За счет остального пространства, видимо, произошло увеличение мощности двигателя, там, видимо, были расположены какие-то новые узлы, покрытые стальным кожухом и теплоизоляцией. Система фар собственной конструкции, призванная прорезать гравийную пыль античной дороги, украшала передок. Жигулевский корпус был поставлен на шасси также собственной графа Новосильцева конструкции. Широченные шины с торчащими шипами и массивные каучуковые ярко раскрашенные бамперы, окружающие весь корпус машины и предназначенные для расталкивания конкурентов. Торчащая из-под заднего бампера выхлопная труба, похожая на реактивное сопло. Невиданная доселе система больших и малых зеркал, позволяющая графу видеть и вдаль и прямо под колесами. Лучников впервые увидел это чудище только сейчас, на старте: Новосильцев никому не показывал машину, даже одноклассникам. Лучников улыбнулся. «Камчаткой» Володечку называли в гимназии вплоть до седьмого класса за его пристрастие к задним партам, там он вечно копошился: или домашнее задание сдувал, или бумагу жевал, чтобы бросить комок отвратительной массы в отличника Тимошу Мешкова, или что-то мастерил, какую-нибудь очередную пакость, или, наоборот,

233

что-нибудь весьма милое и забавное, словом, жил на задах своей отдельной, частной жизнью, даже, кажется, онанизмом занимался. Потом вдруг это прозвище мгновенно забылось. После каникул, проведенных у тети в Сан-Франциско, прыщавый шкодливый граф вернулся в Симфи суперменом, спортсменом, молодым мужчиной. Тогда и началось — бокс, карате, прыжки с вышки и автогонки, гонки, гонки. Тогда у графа появилась другая кличка, примитивно возникшая из фамилии, Ново-Сила, но она-то закрепилась, даже и сейчас употребляется иногда одноклассниками.

То, что Володечка вдруг вспомнил детство и «Камчатку», показалось Лучникову и трогательным и уместным. Он помахал Новосильцеву перчатками, но тот не заметил. Репортеры и папарацци крутились вокруг его машины, и он явно позировал в своем головном уборе, оставшемся от прежних гонок, нечто похожее на древний галльский шлем с крылышками. Лозунги СОСа красовались и на его бортах, но трудно было сказать, что больше интересовало репортеров — лозунги ли эти, сам ли легендарный граф или его новая машина.

Новосильцев медленно катил к своему месту старта, иногда останавливался и что-то говорил, загадочно улыбаясь. Неподалеку на открытой платформе Ти-Ви-Мига был телевизор, и Лучников мог видеть крупно его загадочно улыбающееся лицо, сменяющееся изображением «Жигулей-Камчатки» сверху из вертолета. Граф вдруг попросил репортеров отойти от машины и продемонстрировал один из своих секретов — разворот. Это действительно было сногсшибательно — неуклюжая на вид конструкция раскрутилась буквально вокруг своей оси. Лучников нашел взглядом Билли Ханта. Тот внимательно смотрел на машину Новосильцева. Конт Портаго, естественно, ни на кого не смотрел, полировал ногти, что-то насвистывал.

— Хей, челло! — услышал вдруг Лучников обращенный к себе веселый возглас. Он увидел торчащую над толпой голову своего сына Антошки. Тот пробирался к нему и махал кепкой с надписью «ЯКИ!». Лучников и обрадовался и устыдился. Совершенно не думаю ни о ком из близких: ни о сыне, ни об отце, ни о матери Антона, прозябающей в Риме, ни, между прочим, даже о новой своей жене, которая сейчас, наверное, на трибунах не сводит бинокля с моей машины. В самом деле, я совсем задвинулся, заполитиканствовался, чокнулся на этой проклятой России, вот уж действительно Сабаш прав — стал настоящим «мобилом-дробилом».

— Хей, челло! — кричал ему сын, словно неожиданно увиденному приятелю.

Обращение «челло» так глубоко вошло в обиход, что даже врэвакуанты иногда им пользовались, хотя большинство из них решительно отвергало жаргон яки. Образовалось оно из обыкновенного русского «человек». С севера, однако, из англо-крымских поселений ползло «феллоу», а из многочисленных в пятидесятые годы на Острове американских военных баз горохом сыпалось энергично-хамоватое слово «мэн». Образовался очаровательный гибрид «челлоумэн» (Андрей с компанией в молодости восхищались этим словечком), а затем и «челло», человек превратился в своеобразную виолончель. Лучников открыл правую дверь, и Антон влез в машину.

— Атац, — сказал Антон и зачастил далее на яки, явно щеголяя своими познаниями.

Лучников не понимал и половины этого словоизвержения, но из другой половины уловил, что он «атац» — молодец, что Антика-ралли — это яки, это «холитуй» (холидэй плюс сабантуй, то есть праздник) для всех, но на «виктори» пусть не рассчитывает: победит сильнейший, фаворит яки двадцатитрехлетний Маста Фа на двухсотсильном «Игле».

— На и́гле или на игле́? — спросил Лучников и взъерошил Антону затылок. — Ты русский-то еще не забыл? Давай по-русски.

Антон не без скрытого облегчения перешел на язык предков.

— Забавно, что мы с тобой стали чем-то вроде политических противников, папа, — сказал он.

— Да никакие мы не противники, — сказал Лучников.

— Ты что же, нас и за силу не считаешь? — спросил Антон. — По-твоему, у яки-национализма нет перспектив?

— Слишком рано, — не без некоторой грусти сказал Андрей. — Через три поколения это могло бы стать серьезным, если бы Остров существовал.

— Куда он денется? — сказал Антон. — Не утонет же.

— Его притянет материк, — сказал Андрей.

— А вот мы, молодежь, считаем вашу идею бредовой, — без всякой злости задумчиво сказал Антон. — Как можно объявлять Остров русским? Это империализм. Ты знаешь, что русской крови у нас меньше половины.

— В Союзе, между прочим, уже тоже меньше половины, — проговорил Андрей.

Громовой голос по радио объявил, что до старта осталось десять минут, и пригласил всех участников занять места.

Лучников пустил мотор и стал наблюдать приборы. Краем глаза заметил, что сын смотрит на него с уважением.

— Дед сегодня дает прием? — спросил Андрей.

— Конечно! — воскликнул Антон и перешел на английский: — It's going to be what the americans call a swell party!* Все участники ралли и масса шикарной публики. Кстати, твоя мадам будет? Я ведь с ней слегка знаком. Ее зовут Тина?

---

* Предполагается, это будет то, что американцы называют роскошной вечеринкой! (*англ.*)

— Таня, — сказал Андрей.

— Тина или Таня? — переспросил Антон.

— Таня. Какая к черту Тина?

— Яки, атац! До вечера! Не торопись на трассе. Маста Фа все равно непобедим.

— Яки, челло! — сказал Лучников.

Осталось полторы минуты до старта. Он включил свое СВ-радио и сказал Тане:

— Привет.

— Как дела? — спросила она.

— Нормально, — сказал он. — Найди Брука и вылетай на его вертолете в Сугдею.

— Но мы же иначе планировали, — запротестовала она.

— Найди Брука и вылетай к финишу, — сказал он холодно. — Все. Выключаюсь.

Еще за несколько секунд до старта он подумал о том, что любимая его стала как-то странно строптива, вот и сегодня даже на хотела идти на праздник, едва не поругались.

— Старт!

Взлетели ракеты, и все машины тронулись. Правила этого соревнования не ограничивали ни объем цилиндров, ни габариты машин. Хочешь — гонись на огромном «Руссо-Балте», этом чуде современного комфорта, хочешь — на двухместном, похожем скорее на штиблету, чем на автомобиль, «Миджиете». При желании даже все эти ужаснейшие «голубые акулы» и «желтые драконы», развивающие по дну соляного озера почти звуковую скорость, могли выйти на старт Антика-ралли, только что бы они делали на виражах старой дороги?

Лучников не готовил свою машину специально к гонкам, не вносил в нее никаких ухищрений, как делают большинство гонщиков. Его «Питер-турбо» и без этого был едва ли не уникален, новинка и гордость автоконцерна «Питер-Авто» в Джанкое. Прошлой весной была выпущена малая партия, не более полусотни штук, разослана по всему миру перед началом рекламной кампании. Все важные узлы аппарата были запломбированы престижной фирмой, даже масло предлагалось сменить только после первых ста тысяч верст пробега. Конечно, в прежние времена Лучников не удержался бы и влез в брюхо своему «турбо», но сейчас он иногда с горечью думал, что в принципе ему и на гонку-то эту наплевать, не будь она нужна СОСу, он ее бы даже и не заметил: он изменился, он думал о себе прежнем почти как о другом человеке, очарование, возникшее прошлой весной в Коктебеле, больше не возвращалось к нему, как много он потерял и что он приобрел взамен — силу, власть, решимость? Грош этому цена по сравнению с единым мигом прошлого очарования.

Яки, сказал он себе, разгоняя машину в голубое с золотом сияние, в котором уже через пять минут гонки стал проявляться силуэт Чатырдага. Яки, мне нужно вывести вперед Володьку, вот моя цель, сейчас нет других целей, нет других мыслей, нет ничего.

Впереди, метрах в двадцати, шли всего три машины. Билли Хант в пятнистом своем «охотнике» стремился пристроиться в хвост к гордо летящей торпеде Конта Портаго. Однако между ними несся ярко-оранжевый с зеленым оперением автомобиль. Это был, как догадался Лучников, тот самый «Игл» фаворита яки «непобедимого» Маста Фы. Эта птичка была явной неожиданностью для Ханта. Он, кажется, нервничал.

Лучников соображал: Конта Портаго тормознуть мне уже не удастся. Он, безусловно, выскочит первым на серпантин. Однако Билли с его постоянной тактикой охоты сейчас для меня уязвим, и Маста Фа мне поможет. Если же Портаго останется один, Ново-Сила на серпантине возьмет его без всякого сомнения.

Маста Фа несся с предельной скоростью и не давал Ханту обойти его, чтобы перестроиться и сесть на хвост Портаго. Билли начал чуть-чуть отставать, явно намереваясь пропустить вперед «Игла» и выскочить к желанной поджарой заднице своего соперника. Лучников поджал акселератор и пристроился в самый хвост Маста Фе. Увидел слева оскаленный рот Ханта. Теперь для того чтобы выскочить сзади к Портаго, южноафриканцу надо было притормозить слишком сильно, и он рисковал попасть в сумасшедшую борьбу, перестройки и подрезки, основной группы гонщиков. Выход у него был один — выжать все из машины и обойти Маста Фу хотя бы на десять метров. «Хантер» ушел влево, прямо к борту фривея, зазор между ним и «Иглом» увеличился, но это позволило «Иглу» еще немного уйти вперед. Билли, кажется, уже на пределе, подумал Лучников, а у меня еще есть запас оборотов. Он ринулся в зазор между «Хантером» и «Иглом».

Несколько мгновений все три машины шли вровень. Лучников не удержался от любопытства, скосил глаза налево и увидел склонившуюся к рулю голову Ханта — тот явно злился. Скосил глаза вправо — вдохновенное, с пылающими глазами лицо юного татарчонка. Мустафа, подумал Лучников, вот как его зовут. Какой же он яки — настоящий крымский татарин, может быть, с каплей греческой крови. Они сейчас все переделывают свои имена, формируют нацию, наивные ребята — мой Тон Луч, этот Маста Фа... Он чувствовал, что обходит обоих и у него все еще был запас. В последний момент Билли решил слегка его пугануть и чуть-чуть переложил вправо. Бампер его чирканул по борту «Питера». Запахло жженой резиной, «Питер» рявкнул, и «Хантер» остался позади. Теперь Лучников уже оттеснял «Игла». В зеркало увидел, что Хант сбрасывает скорость, видимо решив все-таки броситься сзади по диагонали фривея к своей жертве, по-прежнему несущемуся на сумасшедшей скорости Конту Портаго. Не успевает Хант! Сзади на него налетают «Феррари», «Мазды», «Мустанги», «Спитфайеры» и «Питеры» основной группы. Еще секунда — «Хантер» поглощен основной группой. Полдела сделано — не менее минуты выиграно для графа.

Обходя довольно легко Маста Фу, Лучников успел глянуть вниз с авиационной высоты фривея. На крутом завитке дороги он увидел яркое пятно «Жигулей-Камчатки».

Над ним висел вертолет Ти-Ви-Мига, видимо, режиссер репортажа догадался, где собака зарыта.

Лучников нагло нажал на тормоза и увидел в зеркало, как расширились от ужаса глаза малоопытного яки. Расстояние между ними не сократилось. Видимо, Маста Фа тоже ударил по тормозам. Еще несколько секунд. Налетела сверкающая волна основной группы.

Маста Фа переложил руль и стал уходить вправо. В основной группе, видимо, началось нечто вроде паники, кто-то явно тормозил, кто-то пытался вырваться, но другие притирали его и под риском выхода из гонки вынуждали сбросить скорость. Выждав еще несколько секунд, когда в группе все более-менее утряслось, Лучников рванул вправо, подставляя свой борт, как бы стараясь нагнать Конта Портаго, на самом же деле имея одну лишь цель — тормознуть всю гонку. Еще несколько секунд! Перейдя на правую сторону фривея и видя перед собой сейчас метрах в тридцати продолжавшую победоносный полет «Фламенко», Лучников снова глянул вниз и увидел, как мощно и смело уходит граф Новосильцев в зеленые дебри расщелины, где начинался серпантин на Ангарский перевал. Несколько других хитрецов, что предпочли нижнюю дорогу, остались далеко позади. Так прошло еще несколько минут. Всякий раз, когда из основной группы вырывалась какая-нибудь машина, перед ней начинал маячить ярко-красный «Турбо» Лучникова, и удачливому гонщику приходилось менять ряд или сбрасывать скорость. Создавалось впечатление, будто Лучников оберегает победоносный полет Конта Портаго. Фривей пролетел над пропастью, и при очередной смене позиции Лучников увидел летящий вровень с ним огромный вертолет Ти-Ви-Мига. Там были открыты двери. Несколько парней в вертолете скалили зубы и показывали большие пальцы. Яки!

Вдруг в машине послышался щелчок и вслед за ним спокойный голос Тани:

— Мы летим над тобой. Что ты делаешь, Андрей? Ты сейчас врежешься.

— Больше, пожалуйста, не включайся, — сказал Лучников. Он увидел, как от левого фланга основной группы постепенно начинает отделяться пятнистый «охотник» и идет он теперь уже не к

Портаго, а к нему. Он понял, что Билли разгадал его игру и теперь уже он, Лучников, стал для него дичью и что от него не уйдешь. Он переложил руль и усмехнулся, увидев в зеркале, как точно реагирует гениальный гонщик Хант на каждое его движение. Растерянность Билли уже прошла, игра закончилась, и теперь Лучникову надо было только жать на железку, — к счастью, шли последние километры фривея. Вдали серебрился огромной дугой «рэмп» на Алушту, откуда машины должны были, проделав головокружительный вираж, вырваться на Старую Римскую дорогу.

«Рэмп» был в три раза у́же фривея, и здесь Лучникову удалось не пропустить вперед «Хантера». «Фламенко» первая выскочила на гравий и сразу подняла за собой огромный шлейф красноватой пыли. Вслед за ней откуда-то, будто черт из табакерки, возник и ринулся вверх по серпантину граф Новосильцев. План одноклассников удался. Машина Лучникова теперь прикрывала «Жигули-Камчатку» от «Хантера». Еще мгновение, и его собственные колеса заскрежетали по гравию. Сзади Хант включил свои мощные, слепящие даже сквозь пыль, бьющие в лучниковские зеркала фары. Впереди маячил силуэт «Камчатки», видна была плечистая фигура графа, его галльский шлем. На мгновение граф поднял правую руку, приветствуя Андрея.

Начались сумасшедшие виражи забирающего вверх серпантина. То с одной стороны, то с другой открывались пропасти. Слева в благодатных зеленых долинах и по склонам были разбросаны виллы и отели Демерджи, справа открывалось море, одна за другой скалистые бухты и крохотные приморские поселки, яркие пятнышки спортивных яхт, круизный лайнер, идущий к Ялте. Кое-где на виражах над пропастями старая дорога была ограждена допотопными, торчащими вкривь и вкось колышками. Чаще всего отсутствовало всякое ограждение. Проносились мимо опасные места — осыпавшиеся, провалившиеся обочины, трещины, оползни. Дорога за последние годы пришла совсем уж в плачевное состояние, то есть именно в то состояние, которое и делало эту гонку этой гонкой. Из-за нехватки времени, да и от некоторого легкомыслия Лучников не сделал предварительно ни одной прикидки, впрочем, он точно знал, что Володечка катал по этой дороге за последний месяц не менее пятнадцати раз, знает здесь каждую трещинку, а значит, СОС — вперед! Теперь граф висел на хвосте «Фламенко», но не торопился его обгонять. Конт Портаго просто выжимал из своего аппарата все возможное. Лучников же бросал свою машину то вправо, то влево, стараясь как можно дольше не выпустить вперед Ханта. Гонка шла.

Сверху все это выглядело довольно безобидно. Караван машин растянулся на несколько километров, облака пыли и пронизывающие их, сверкающие всеми красками, вспыхивающие на солнце стеклами и зеркалами аппараты. Иногда гонщики менялись местами, казалось, согласованно уступали друг другу. Впереди, сильно оторвавшись, неслись «Фламенко» и «Камчатка». Не менее полукилометра отделяло лидеров от красного «Питера-турбо», который «гулял» по шоссе, от одной обочины к другой, не давая себя обогнать пятнистому «Хантеру». И это тоже выглядело сверху довольно безобидно, хотя временами, когда на экране телевизора в вертолете появлялся средний план несущихся почти вплотную машин Лучникова и Ханта, а потом крупно — оскаленные и как бы сплющенные от напряжения лица гонщиков, еле видные сквозь стекла, покрытые красноватой пылью, Тане становилось не по себе. Она видела, как сидящие вокруг Брук, Мешков, Фофанов, Сабашников, Востоков, Беклемишев, Нулин, Каретников, Деникин после каждого маневра лучниковской машины вытирают пот со лбов и переглядываются. Все были в крайнем возбуждении. Нервы подкручивала сумасшедшая пулеметная дробь телекомментатора:

— Сложнейшая изнуряющая борьба идет сейчас между Андреем Лучниковым и Билли Хантом. Кто бы мог подумать, что издатель «Курьера», которого мы уже много лет назад вычеркнули из списка наших гонщиков, окажет такое сопротивление прославленному автоохотнику из белого племени Африки? Машины пошли вниз к Туаку, скорость увеличивается. Вираж. Хант уходит влево, пытаясь по осыпавшейся бровке, сминая нависшие кизиловые кусты, обойти «Питер-турбо». Лучников тоже уходит влево, а вот теперь он, как бы предвидя очередной маневр Билли, швыряет свою машину вправо. Впереди короткий прямой участок дороги. Лучников опережает Ханта на полтора корпуса. Между тем лидеры продолжают стремительное движение, граф Новосильцев висит на хвосте Конта Портаго. Обе машины выходят из рекордного графика Антика-ралли. Обратите внимание, милостидари-и-дарыни, на автострадах, ведущих к Кучук-Узеню, Туаку и Капсихору, фактически прекратилось движение. Публика, оставив свои машины, как завороженная наблюдает караван гонки, проносящийся внизу по дороге римских легионеров. Внимание! Вираж на спуске в четырнадцать градусов! «Фламенко» и «Жигули-Камчатка» проходят его в прежнем порядке. Внимание, внимание, внимание! С бешеной скоростью, будто стараясь взлететь над морем, к виражу приближается «Питер-турбо». Но что делает Хант? Господа, он срезает! «Охотник» буквально перепрыгивает через камни за обочиной дороги, над головокружительной пропастью, и выскакивает на подъем впереди Лучникова! Нет, недаром весь мир говорит об удивительном чутье белого охотника Ханта! Он чувствует дорогу каждым миллиметром своих колес, каждым миллиметром своей собственной кожи! Итак, впереди по-прежнему Конт Портаго, за ним по пятам граф Новосильцев, их мощно догоняет «охотник». Лучников еще пытается спасти положение, но, кажется, он уже выдохся. Кстати, что побудило выступить в ралли двух наших ветеранов? Не кажется ли вам, господа, что здесь политическая подоплека? Вы, конечно, заметили на бортах некоторых машин призывы к СОСу? Простите, я отвлекся. Лидеры прошли половину античной змеи, теперь им уже видны розовые уступы Капсихора...

У Лучникова не было времени отдавать должное «удивительному» чутью мистера Ханта. Честно говоря, он был ошарашен, когда увидел, как вывалилось из камней и закрыло ему выход из виража пятнистое чудовище. Он потерял обороты, и теперь «Хантер» стремительно уходил вверх вдогонку за «Камчаткой», а сзади уже приближались два итальянца, «Феррари» и «Мазаратти», и подпирающий их на «Порше» немец. Дорога огибала глубокий овраг, они с Хантом шли вверх и видели по другую сторону пропасти несущихся вниз Портаго и Новосильцева. Граф еще раз поднял руку, показывая Андрею, что все видел и оценил ситуацию. Володе теперь приходится рассчитывать только на самого себя. Ему нужно сейчас опередить «Фламенко» — вот его задача. Как можно скорее опередить Конта Портаго и заставить испанца и югоафриканца бороться друг с другом.

Лучников переключил скорость, тремя толчками по педали форсировал турбину. Рявкая, «Питер-турбо» набирал обороты. Дорога теперь неслась прямо в пропасть, впереди маячили три жалких белых столбика ограждения, а за ними ярко-синяя бездна моря. Закрытый поворот. Скрежет тормозов, запах горящих шин. Поворот пройден, и новая пропасть перед глазами. Расстояние между «охотником» и «Камчаткой» сокращалось. Лучников отчетливо видел все: здесь, видимо, недавно прошел ливень и пыль прибило. Он видел даже трещины в глинисто-каменистой обочине на внутренней дуге поворота и успел подумать, что здесь, в этом месте, у графа появилась первая, пожалуй, возможность обойти «Фламенко», ибо обочина достаточно широка, и, если она не обвалится сразу же под колесами «Камчатки», граф тогда проскочит и гонка будет выиграна, потому что дальше таких возможностей для обгона уже не будет. Я бы рискнул, успел подумать он и увидел, что Ново-Сила тоже рискует и с маху бросается на обочину, и земля тут же обрушивается под ним.

По затяжному подъему за лидерами неслось уже не менее двух десятков машин, и, стало быть, не менее двух десятков гонщиков, кроме Ханта, Портаго и Лучникова, стали свидетелями трагедии. Не говоря уже о пассажирах и пилотах целой стаи вертолетов, не говоря уже о миллионах телезрителей.

Потерявшая почву под колесами «Камчатка» влетела в торчащий из пропасти каменный зуб и перевернулась в воздухе. Удар, видимо, оказался так силен, что сорвало ремни безопасности, и тело графа Новосильцева вылетело из сиденья, словно из катапульты. Мгновение — и тело, и машина исчезли на дне пропасти. Взрыва бензобака в реве моторов никто не услышал.

Впоследствии все участники гонки признавались, что испытали мгновенный шок при виде гибели «Камчатки». Притормозил даже лидер Конт Портаго, потерял несколько мгновений даже Билли Хант. Это позволило Андрею Лучникову обойти их обоих и вырваться вперед, ибо он не притормозил и не потерял ни одного мгновения. Впоследствии он признавался сам себе, что с самого начала, уже с того вечера, когда Володечка объявил о своем намерении участвовать в гонке, он в глубине души представлял себе нечто подобное и точно знал, что не притормозит и не потеряет ни одного мгновения, потому что в этой гонке должен был победить не Новосильцев и уж тем более не Лучников, но СОС. Разгоняясь под дикий уклон к селению Парадиза, он увидел на холме греческую церковь, хотел было перекреститься, но подумал, что потеряет на этом долю мгновения, и не стал креститься, он только прошептал: «Царствие Небесное! Царствие Небесное тебе, Володька! Царствие Небесное, «Камчатка», Ново-Сила! Сильный друг моей жизни!»

— Царствие Небесное! — прорычал он, глянув в зеркало на раскоряченных, взлетающих в этот момент над виражом «Фламенко» и «охотника». Он преисполнился вдруг ярости и вдохновения и понял, что победил.

Когда на экране телевизора появилось распростертое на камнях тело рыцаря в галльском шлеме, все в вертолете перекрестились, и Таня перекрестилась — впервые в жизни. У всех в глазах были слезы, а Тимоша Мешков рыдал, как ребенок.

Между тем вертолет летел над трассой гонки, и Таня, не успев еще осмыслить того, что она сделала первый раз в жизни, посмотрела в окно на другом борту вертолета и вдруг отчетливо увидела на вершине холма белый кемпер и лежащего на крыше человека с винтовкой. Она схватила за плечо Востокова и показала рукой, не в силах вымолвить ни слова. Востоков мгновенно включил свою мини-рацию.

— Саша, внимание! Белый кемпер «Форд» на холме сразу за Парадиза. На крыше снайпер!

От летящей впереди стайки вертолетов мгновенно отделился один, реактивный «Дрозд», и резко пошел вниз. В машине «Курьера» успели заметить, как тень вертолета легла на белый кемпер, как дернулось плечо снайпера — выстрел. В следующее мгновение караван гонки стал заворачивать за огромные скалы по висящей над морем каменистой узкой тропе к Новому Свету. Пилот забрал мористее, все бросились к левому борту и радостно вздохнули — впереди по-прежнему мчался ярко-красный «Питер-турбо».

— Господь направил ваш взгляд, мадам, — прошептал Фофанов и поцеловал Тане руку.

Лучников, естественно, ни выстрела, ни самого снайпера, целившегося в него с холма, не заметил. Не мог он видеть и трех молодцев, выпрыгнувших из вертолета Чернока прямо на крышу кемпера и обративших снайпера. Он вообще предпочитал почему-то как бы не замечать мер предосторожности, которые друзья принимали для его защиты, хотя и понимал, что «группа немедленных действий», подчиняющаяся прямо Черноку, а следовательно, СОСу, всегда наготове. Рваное пулевое отверстие в левом заднем крыле «Питера» он увидит позднее. Сейчас он летел к роскошной, застроенной в псевдогенуэзском стиле, ликующей Сугдее, к победоносному финишу.

Вечером в «Каховке» Лучников с друзьями и Таней, сбежав от гостей в «башенку», смотрели по программе Ти-Ви-Мига первый допрос снайпера. Это был тридцатилетний подстриженный «под ежик» тощий субъект, как ни странно, очень напоминающий Ли Харви Освальда. Он говорил чисто по-русски, без всяких наслоений яки и, следовательно, происходил из врэвакуантов. Никто, впрочем, не мог его опознать. Делались предположения, что он из северо-западной части Острова, оттуда, где в районе Караджи и Нового Чуваша существовала довольно замкнутая колония потомков гвардейских казаков, самый надежный резерв волчесотенцев.

Развалившись в кресле и закинув ногу на ногу, преступник улыбался со сдержанной наглостью, со спрятанным перепугом, но и не без некоторого удовольствия: все-таки такое внимание.

— Ваше имя, сударь? — вежливо спрашивали его стоящие вокруг осваговцы.

— Иван Шмидт, — улыбался преступник и махал рукой. — Зовите меня Ваней, парни.

Он категорически отрицал какое бы то ни было свое участие в покушении на нового чемпиона, а от улик, столь уж явных, просто отмахивался. Винтовка со снайперским прицелом лежала на столе, и несколько раз камера показывала ее крупным планом. Да что вы, господа, улыбался Иван Шмидт, я и не думал стрелять, я просто смотрел на гонку, просто в прицел смотрел одним глазом, чтобы лучше видеть. По сути дела, эта штука для меня и не оружие вовсе, а что-то вроде подзорной трубы, милостидари, вот именно, подзорная труба, иначе и не скажешь. Когда у меня нет под рукой бинокля, я смотрю вот в эту подзорную трубу, господа.

— Значит, это подзорная труба, господин Шмидт? —спрашивал осваговец, показывая на вещественное доказательство.

— Вот именно, вы совершенно правы, — улыбался господин Шмидт.

— Для чего же к подзорной трубе, господин Шмидт, приделана винтовка? — спрашивал осваговец.

— Ну, знаете... — мямлил преступник, потупляя глаза, а потом, глянув исподлобья, зачастил, мелькая обворожительной вкривь и вкось улыбкой: — Ну, знаете... иногда... когда у меня нет под рукой оружия, я, конечно, использую эту подзорную трубу, как винтовку, но... господа, в данном случае я же не мог стрелять в нашего русского чемпиона, даже если это и товарищ Лучников, ведь я же патриот, господа, да и вообще, господа, чего это вы меня так, понимаете ли, грубо схватили, мучаете бестактными вопросами, позвольте вам напомнить о конституции... вы же не ГэПэУ, а?..

Ти-Ви-Миг оборвал тут прямой репортаж, и на экране снова замелькали кадры Антика-ралли. Теперь будут непрерывно повторять эту программу, пока во всех барах по всему Острову публика не изучит досконально мельчайшие эпизоды гонки от ее головы до хвоста.

— Завтра мерзавца выпустят под залог, и начнется бесконечная следственная и судебная волокита, а он тем временем смоется куда-нибудь в Грецию или в Латинскую Америку, — сказал Фофанов.

— Неужели даже срок не получит? — возмутилась Таня. — Востоков, это правда?

— Да, можно считать, что господин Шмидт выкрутился. — Востоков как-то многосмысленно улыбнулся Тане. — Таковы гримасы буржуазной демократии, мадам.

На экране стали появляться лица победителей.

— Настоящим победителем гонки является граф Владимир Новосильцев, — мрачно сказал с экрана изможденный Лучников.

— Целая серия случайностей, вот причина того, что я второй, — процедил сквозь зубы Билли Хант.

— На будущий год я буду первым! — Ярчайшая улыбка Маста Фы.

— Глубоко потрясен гибелью друга и родственника, — почти не оборачиваясь к камере сказал Конт Портаго.

— Как, они родственники? — удивилась мадам Мешкова.

— Ну, конечно же, они — свояки, или как это там по-русски называется, — сказала мадам Деникина.

— Дочь Володи в прошлом году вышла замуж за племянника Портаго, барона Ленца. Вот это для меня новость, — сказала мадам Фофанова, — и что же, Катя довольна этим браком?

Программа снова была прервана командой Ти-Ви-Мига. В сгущающихся сумерках под лучами фар провели какого-то типа в наручниках, потом показали внутренность полицейского фургона еще с двумя арестованными. Вокруг фургона мельтешила толпа репортеров и любопытных. Комментатор Мига, ловко поворачиваясь лицом к камере, частил в микрофон по-английски:

— Вдоль трассы гонки в окрестностях Парадиза полиция арестовала еще трех подозрительных, вооруженных снайперскими винтовками. Похоже на то, что кто-то из участников гонки был красной дичью для этих бравых егерей...

Все сидели в креслах, один лишь победитель Андрей лежал в углу комнаты на ковре и смотрел не в телевизор, а в окно, где за холмами Библейской долины остывал закат.

Потом все ушли, и Андрей впервые остался наедине с Таней в своей «башенке», впервые с ней в отцовском доме. Несколько минут они молчали, чувствуя, как между ними встает зона пустоты и мрака.

— Таня, — позвал наконец Андрей. — Ты можешь мне сейчас дать?

Голос его слегка дрожал. Происходит нечто особенное, подумала Таня, но вникать глубже в это особенное она не стала. В сумеречной, с плывущими по стене последними отсветами заката комнате ей почудилось, что от него исходит сейчас такой мощный зов, которого она не знала раньше. Она не сразу обернулась к нему, но тело ее откликнулось немедленно, и она вся раскрылась. Развязала бретельки на плечах, платье, сродни тунике, упало на пол. Сняла трусики и лифчик. Приблизилась к лежащему на ковре мужчине, который, кажется, весь дрожал, глаза которого светились, который исторгал жалкие кудахтающие звуки. Что он кудахчет, подумала она, опускаясь рядом с ним на локти и колени, может быть, так он плачет? Она подрагивала от столь знакомой ей по прежней жизни смеси мерзости и вожделения. Он вошел в нее, и так у нее было впервые с Андреем — он будто бы с ходу забил ее всю, от промежности до груди, ей показалось, что в этот момент он стал необычным, огромным, каждый раз ошеломляющим, словно Суп.

— Ну, значит, спасла меня, спасла, спасла, спасла? — спрашивал он, зажав в ладонях ее бедра.

Она молчала, стараясь не застонать, кусала губы. Гад, думала она, жалкая сопливая тряпка, фальшивый супермен, думала она и чуть раскачивалась в ритме его движений.

— Значит, выполнила задание? — спрашивал он, хныкая, покрытый слезами и потом, и разрывая ее престраннейшей мощью изнутри. — Выполнила задание своих хозяев? Уберегла ценный для России кадр? Что же ты молчишь, блядь? Тебя же спрашивают, ну, отвечай... Таня, Танечка, отвечай...

— Я не могу говорить, — прохрипела она, чувствуя, что еще миг и начнется извержение.

Все это, однако, затягивалось, он нарочно все это затягивал. Мокрая рука его, трогающая ее соски, была слаба, но внутри шевелился раскаленный шланг, и она не выдержала — застонала.

— Не можем говорить? — бормотал он, захлебываясь в слезах. — Храним профессиональную тайну, товарищ сотрудник? Однако спасать жизни ты можешь, можешь? Что же ты меня-то спасаешь, а Володечку не спасла, падла, dirty cunt, шлюха наемная...

Тут он стал толчками извергать в нее все, что у него было, всю накопившуюся в нем ничтожность, слабость и страх, и она отвечала на могучий этот фонтан своими взрывами омерзительной жалости и защиты.

Несколько минут они лежали рядом на ковре, не говоря друг другу ни слова.

— Прости, — пробормотал он наконец. — Уже после финиша один доброхот подбросил мне о тебе полную информацию. Прости, Таня... — Он протянул руку и коснулся ее груди.

Она в ужасе отдернулась и прошипела:

— Мразь...

Тогда он встал и открыл дверь в ванную. Полоса света пересекла ее ногу, она отдернула ногу.

— Твоя комната налево по галерее, — сказал он. — Там же ванная. Не тяни, через полчасика начнется прием. Ну, перестань, Танька. Ты права, какая-то мерзость из меня вылилась, но прости, прости. — Вдруг она в ужасе услышала, что он усмехается, усмехается по-прежнему, как будто ничего не случилось, как будто он не промчался только что по трупу своего друга, как будто не вылил в нее, словно в лоханку, какую-то свою трусливую слизь. — Поговорим потом и все выясним. Ну, Танька, ну, вставай! — Прежний снисходительно-победительный тон.

— Я тебе не Танька, — прохрипела она не двигаясь.

Он закрыл за собой дверь в ванную. Зашумела вода. Некоторое время она лежала не двигаясь. Ей казалось, что жизнь вытекает из нее, что она молниеносно худеет, что у нее будто бы выпирают все кости, злость и отвращение уходили вместе с жизнью, вместе с прелестью, которая раньше иногда и ее самое удивляла, все вытекало, и только лишь грусть, тяжкая и тревожная, наполняла сердце. Она понимала, что это последняя ее встреча с Андреем, что за этой дверью уже ничего не осталось для них двоих.

Потом она встала, собрала все свое — платье и сумки, отразилась в зеркале, равнодушно подумала, что прелесть еще осталась при ней, и пошла туда, куда он сказал — по галерее налево, в свою комнату, — мыться и готовиться к торжеству. В конце галереи она увидела силуэт девушки в темном свитере. Та сидела на перилах, привалившись к столбу, и курила. На Таню она не обратила никакого внимания.

246

Эти приемы в честь Антика-ралли в доме предводителя дворянства Феодосийской губернии давно уже стали традицией. Кроме участников гонки на них обычно присутствовали члены Временного Правительства и видные врэвакуанты, руководство Клуба Белого Воина, дипломаты якобы несуществующих посольств, тузы промышленности, чины «форсиза», лидеры национальных и религиозных общин, в частности, и представители ханского двора, думцы, выдающиеся граждане — все считали за честь получить приглашение в дом Лучникова-старшего, но и без приглашения явиться тоже не считалось зазорным: огромное дивное поместье на крутизне Сюрю-Кая было открыто для всех всю ночь. Толкучка, одним словом, возникала на славу, настоящая Ходынка.

Что касается врепремьера Кублицкого-Пиоттуха, то он прибыл в «Каховку» тайно еще рано утром для того, чтобы доверительно побеседовать с Арсением Николаевичем. Когда-то Кублицкий-Пиоттух слушал лекции Арсения Николаевича по российской истории, был одним из любимых его учеников, впоследствии превзошел учителя и стал видным исследователем раннего русского христианства. В премьеры судьба занесла его без всякой на то его собственной воли, в силу каких-то меж- и внутрипартийных интриг. Однако, оказавшись наверху, скромный, интеллигентный и бедный Кублицкий-Пиоттух счел этот поворот судьбы для себя решающим, важнейшим, уверовал в свое избранничество и стал исполнять свой долг не за страх, а за совесть, хотя и охватывала его временами, а в последнее время все чаще, ошеломляющая растерянность.

Учителя своего врепремьер застал на утренних гимнастических упражнениях. Слуга провел его в парк и предложил задрать повыше голову. Задрав оную, государственный деятель увидел в прозрачном коктебельском воздухе сухую фигуру старика Лучникова, карабкающегося по канату на отвесную скалу. Глядя снизу на этот подъем и последующий спуск, Кублицкий-Пиоттух все больше наполнялся уверенностью, что приехал по адресу, что старик Лучников уникален и тоже предназначен Господом для особого дела, как и он сам, Кублицкий-Пиоттух, а когда узнал, что скалолазание применяется Арсением Николаевичем как средство борьбы против появившихся головокружений, уверовал вовсе. Арсений же Николаевич еще сверху, со скалы, заметив внизу фигуру премьера, понял, что опять история явилась по его душу, опять зовут герольдов трубы, и преисполнился сначала тоски, а потом решимости все эти исторические призывы от себя отпульнуть. Весь день он бегал от Вити, как он называл главу правительства, ссылаясь на занятость, на подготовку к приему, а Кублицкий-Пиоттух весь день гулял по парку под скалистым профилем Пушкина или сидел в шезлонге, наблюдая море, думая, что в этом сегодняшнем созерцании, может быть, и кроется некий спиритуальный, но могущий перейти в политический выход из очередной растерянности. Страна же с утра до вечера благополучно пребывала без руководства.

В сумерках прибыл секретариат премьера, был привезен темно-синий от Кардена костюм с «Владимиром» в петлице. Облачившись, Кублицкий-Пиоттух стал наблюдать из окна лучниковского кабинета съезд роскошных «Мерседесов», «Роллс-ройсов», «Линкольнов» и «Руссо-Балтов» и вновь наполняться своей исторической растерянностью, которая, разумеется, достигла пика с прибытием машины советского ИПИ, бронированного «ЗИЛа».

Перед церемонией награждения была минута молчания в память погибшего графа Новосильцева, «достойнейшего гражданина и истинной гордости российского спорта», как назвал его врепремьер. Употребив эту несколько дерзкую формулировку, Кублицкий-Пиоттух бросил взгляд на «советских товарищей». Мясистое лицо директора Института по Изучению не выражало ничего. Вновь прибывший таинственный «генеральный консультант» Кузенков очень мило склонил голову.

Тело графа Новосильцева было отправлено во Владимирский собор на мысе Херсонес. Там предстояло отпевание, и туда после окончания приема собирались отправиться все одноклассники.

Победители уже стояли рядом с врепремьером. Кубки и медали, а также чеки денежных призов размещались на старинном инкрустированном столике. Отовсюду свисали и торчали микрофоны. Периодически вспыхивали софиты телевидения.

Из четырех победителей Андрей Лучников был самым старым, самым элегантным и самым суровым. Таня стояла среди приближенных дам, смотрела на Андрея и отводила глаза — ей не хотелось верить, что этот господин, сама уверенность и решимость, и тот хныкающий, слезящийся, повизгивающий ее истязатель — одно и то же лицо. Конец, думала она, хватит с меня. Завтра же расплюемся. Никогда он больше ко мне не притронется. Я его не люблю. Да и любила ли когда-нибудь? Может быть, только в ту ночь, десять лет назад, на Качаловской, в лифте?

Она чувствовала, что все вокруг смотрят на нее. Редактор «Курьера» и победитель Антика-ралли впервые представляет обществу свою новую жену. Изредка ее касался и взгляд Лучникова-старшего, стоявшего среди официальных лиц во второй линии. Он, очевидно, узнал в ней ту странную «финку» из Аэро-Симфи, но взгляд его был любезен. Он лучше своего сына в сто раз, подумала Таня. Он никому ничего не навязывает, никаких своих идей, да, может быть, и нет у него политических идиотских идей, быть может, единственная его идея — это честь. Так ей подумалось впервые в жизни, да и слово «честь», собственно говоря, впервые в жизни она подумала, так объемно. Старое серебряное, тускнеющее до предела, но дальше уже не тускнеющее слово. Она гордо подняла подбородок и так стояла, замерев и не обращая ни на кого внимания, в самой дивной своей позе, в полном блеске своей прелести, которая у нее после половых излишеств, надо признаться, отнюдь не уменьшалась, но увеличивалась.

Лучников во время речи Кублицкого-Пиоттуха озирал собравшихся. Он видел угрюмые лица друзей и Танино лицо, вздернутое в непонятной ему гордыне. Что это вы так горделивы, сударыня? Какие у вас для этого основания, плебеечка московская, любимая моя, герцогиня ГэПэУ? Кажетесь себе первой дамой бала? Увы, товарищ Лунина, вам далеко до Марго Фитцджеральд, которая час назад прилетела из Флориды, чтобы поздравить своего Билли с несостоявшейся победой. Учитесь самопожертвованию, русская женщина, ведь вы же здесь просто по заданию вашей авторитетной организации. Впрочем, вы меня спасли, большое вам за это спасибо. Больше не буду на нее смотреть. Сегодня все смотрят на меня, на нас, сегодня мы — победители.

Вдруг он увидел среди советских гостей Марлена Кузенкова. Вот так сюрприз! Что означает его приезд? Ведь означает же что-то, так просто у них ничего не делается. Он встретился с ним взглядом, и они улыбнулись друг другу.

Сюрпризы продолжались. В толпе мелькнули иронически улыбающиеся Октопус и Витася Гангут. Ага, стало быть, махнул все же «за бугор» советский Феллини. Надо будет с ними помириться, нельзя разбрасываться друзьями на старости лет. Потом он увидел своего духовника отца Леонида, обрадовался и устыдился: чуть ли не два года уже они не беседовали, не молчали вдвоем. Дух мой слаб, ты мне нужен, отец Леонид... Почему сказано, что все волосы на голове уже сочтены? В толпе присутствовал также какой-то особенный взгляд, направленный на него, он не мог его поймать, но чувствовал явственно. В глубине зала он увидел стоящего на подоконнике сына. Антон был в костюме с галстуком, и рядом с ним стояла какая-то девушка, он обнимал ее за плечи, а она просто сверкала красотой. Взгляд, особенный взгляд, продолжал чувствоваться, и Лучников никак не мог понять, откуда он на него направлен, пока вдруг не заметил в дверях женщину в черном свитере с белым отложным воротничком, волосы ее были стянуты в пучок на затылке, глаза спрятаны за дымчатым стеклом массивных очков. Вот откуда шел к нему этот особенный взгляд — из-за этих дымчатых стекол. Кто она? Он не успел сосредоточиться. Врепремьер передал ему кубок, медаль и чек, заключенный в рамку кожаной папки.

Аплодисменты. Прикосновение мягкой щеки Кублицкого-Пиоттуха. С кубком в руке он шагнул к микрофону.

— Милости-дарыни-и-дари, — начал он и, еле заметно улыбнувшись, завершил обращение по-советски: — Дорогие товарищи! Я уже говорил, что считаю подлинным победителем гонки своего погибшего друга, графа Владимира Новосильцева. Участие ветеранов в Антика-ралли — это его идея. Я всегда преклонялся перед его спортивными качествами, меня всегда восхищала его верность идеалам нашей молодости. Это был человек чести и мечты, настоящий русский рыцарь.

Бросить вызов гениальным гонщикам современности, таким, как Билли Хант и Конт Портаго, нашей островной талантливой молодежи — это был великий риск. Однако Новосильцев предложил пойти на него для того, чтобы граждане Острова смогли именно в этот день прочесть на бортах наших машин аббревиатуру основанного нами нового русского политического клуба — Союза Общей Судьбы.

Я надеялся, что именно граф Новосильцев объявит о создании нового клуба на этом торжественном акте. Этого не свершилось, и сейчас я беру эту миссию на себя.

СОС не является политической партией, ибо призывает в свои союзники всех граждан по всему политическому спектру. Основная идея Союза — ощущение общности с нашей исторической родиной, стремление выйти из островной эйфорической изоляции и присоединиться к великому духовному процессу человечества, в котором той стране, которую мы с детства называем Россией и которая именуется Союзом Советских Социалистических Республик, уготована особая роль. Мы призываем к размышлению и дискуссии и в конечном историческом смысле к воссоединению с Россией, то есть к дерзновенной и благородной попытке разделить судьбу двухсот пятидесяти миллионов наших братьев, которые десятилетие за десятилетием сквозь мрак бесконечных страданий и проблески волшебного торжества осуществляют неповторимую нравственную и мистическую миссию России и народов, идущих с ней рядом. Кто знает, быть может, Крым и будет электронным зажиганием для русского мотора на мировой античной трассе. В этот торжественный и столь любимый нашим населением день я счастлив сообщить о возникновении на островной части нашей страны Союза Общей Судьбы и о намерении нашего Союза участвовать в очередных выборах во Временную Государственную Думу. Мы не будем выставлять своих собственных кандидатов, но мы будем поддерживать тех кандидатов от разных партий, которые разделяют нашу историческую философию. Народ Острова должен сделать выбор, и выбор этот будет не слепым, но сознательным. Публикации «Курьера» и других, сочувствующих СОСу органов печати дают правдивую картину нынешней жизни в Советском Союзе. От вас ничего не утаивают. В этом я могу поручиться своей честью. Выбор Общей Судьбы обернется для нас всех жертвой. О масштабах жертвы мы можем только догадываться. Что касается самого выбора, то он формулируется нами как: сытое прозябание на задворках человечества или участие в мессианском пути России, а следовательно, в духовном процессе нашего времени. Вы знаете меня, вы знали нашего героя графа Новосильцева, вы знаете летчика Чернока, промышленника Мешкова, профессора Фофанова, дипломатов Сабашникова и Беклемишева... Мы призываем вас присоединиться к Союзу Общей Судьбы, голосовать за людей, верных этой идее. Сейчас я говорю — СОС! Господи, укрепи!

Лучников поставил кубок на стол. Зал в этой паузе будто взорвался. Кто бы мог подумать, что собравшиеся здесь сливки общества поднимут такую бурю? Аплодисменты, свист, восторженные крики и ругательства, не обошлось даже без кошачьего мяуканья. Он поднял руку, и сразу все стихло. Власть идола уже действует, подумал он перед тем, как заключить свое выступление сердечной благодарностью в адрес организаторов ралли и правительства, фирм и спортивных союзов, дружеским приветом к иностранным участникам и гостям, а также и восхищением в адрес прелестных дам, почтивших нас сегодня своим присутствием.

Он не просчитался. Камеры тут же обратились к дамам, сначала пропанорамировали все блестящее общество, а потом выделили «крупешником» мадам Татьяну Лунину, Марго Фитцджеральд и Лючию Кларк. Последняя, разумеется, помахала телеобожателям ладошкой и крякнула в микрофончик: «Хелло, СОС!» И в этом Лучников нисколько не сомневался: никогда волшебная Лючия не упустит возможности выскочить на гребешок событий.

Сенсация разразилась. СОС идет на выборы в Думу! Растерянный вепремьер Кублицкий-Пиоттух, спотыкаясь на каждом слове, завершал процедуру награждения. Билли Хант дьявольски злился: ему, видно, далеко не все перевели, но он понял, что речь идет вовсе не об автомобилях, что он вовлечен в какое-то дурацкое неавтомобильное дело. Замкнутое лицо отца. Посвистывающий в два пальца Антошка. Хохочущая и посвистывающая вслед за ним золотая девушка. Ба, да это одна из тех, что гостили весной в «Каховке»!

Маста Фа попытался что-то сказать о движении яки, однако опыта для таких дел ни у него, да и у самого движения явно не хватало, он то и дело сбивался с нового языка на татарский, русский и английский, получалась какая-то абракадабра, почти все смеялись. Надменное и безучастное лицо Татьяны. Всем своим видом показывает, что она здесь чужой человек. Сосредоточенное перешептывание сотрудников советского ИПИ. Марлен, с любопытством разглядывающий возбужденную толпу.

«Особый» взгляд из-за дымчатых очков не оставлял Лучникова и тогда, когда он направился на юго-западную лужайку давать пресс-конференцию. Он успел разглядеть даму в черном свитерке и белых брюках. Довольно стройная фигурка, но принадлежит явной американской зануде, какая-нибудь молодая профессоршаруссистка. Он спросил Брука, не знает ли тот случайно... Брук случайно все знал — дама приехала из Нью-Йорка на сессию Международной амнистии, миссис Колифлауа или мадам Кэбидж, что-то в этом роде, босс... Лучников тут же забыл про даму.

Между тем по всей территории «Каховки», в холлах, на террасах и на лужайках парка, начался коктейль-парти с буфетом и ужином для желающих поужинать, которых оказалось немало. Таня вдруг осталась одна и, конечно, тут же подумала, что это хамство со стороны Андрея оставить ее одну среди всего этого «мудачества». Она взяла в буфете бокал мартини и направилась наверх, на площадку солярия, где, кажется, было меньше народу. Однако и там на нее все бесцеремонно уставились. Какие-то группы снобистской публики вполне бесцеремонно разглядывали ее и улыбались. Проходя мимо одной из таких групп, Таня даже сказала в лицо какой-то вешалке с драгоценностями: «Чего вылупилась, старая жопа?» Дама дернулась и быстро залопотала что-то по-французски, однако московский изыск явно дошел до всей опешившей компании.

С угла террасы Таня смотрела на залив с проползающими габаритками ботов и яхт, на россыпь огней вдоль берега и на сверкающие, подмигивающие, переливающиеся кристаллы Коктебеля у подножия горы. Она смотрела вдаль, чтобы не видеть ярко освещенной лужайки неподалеку, где прямо на траве сидели журналисты, а лицом к ним «одноклассники», основатели СОСа, и среди них Андрей, стройный, в темно-синем костюме; хорош мужик, ничего не скажешь. Издали казалось, что десяти лет не прошло, что он все тот же лихой и веселый Луч, которого она полюбила десять лет назад в бардачке на Качаловской. Иллюзия, однако, быстро развеялась. Луч нацепил на нос пенсне а-ля Чехов и стал читать журналистам какой-то очередной «стейтмент». Почему-то это пенсне чертовски раздражало Татьяну: даже очки нормальные не может завести, вечное это выпендривание, снобизм паршивый, все это мужество и решимость — показуха, она-то знает теперь, сколько в нем дрожи и слизи, дымящейся штукой ее не обманешь, все — выпендреж и только ради подлого этого выпендрежа тянет миллионы счастливых людей за собой в грязную помойку.

О-ля-ля, вот времена энд нравы, мужчины помешались на политике, красавицам приходится созерцать природу. Истоки лесбиянства в этом, не так ли, сударыня? Она обернулась. Два плейбоя с усами а-ля Риимс нагло улыбались и протягивали ей свои карточки. Журналы «Сплетник» и «Ходок», мадам. Хотелось бы познакомиться. Оба мерзавца подошли очень близко, а один («Ходок») даже положил ладонь Тане на бедро. Вы удовлетворены своим другом, мадам? Нет-нет, никаких сомнений, но наши читатели хотели бы знать некоторые подробности. Ваши интерсекции происходят спонтанно или существует какой-то режим, нечто вроде графика? Какие установки дает в этом смысле советская сексология? Противозачаточные средства, мадам? Известно ли вам, мадам, что ваш законный супруг Лунин стал чемпионом Союза по толканию ядра? У него есть любовница? Таня, сколько рук вам нужно, чтобы пересчитать своих друзей? Не видится ли вам, мадам, в Идее Общей Судьбы ярко выраженного мужского начала, стремления чего-то горячего и твердого внедриться в гигантскую женственную плоть?

Папарацци между тем бегали вокруг и снимали эту так называемую беседу, матч в одни ворота, ибо мерзавцы не давали Тане и рта раскрыть. Наконец она стряхнула руку «Ходока» со своего бедра и небрежно щелкнула его по носу. У обоих, как говорится, челюсти отвисли.

— Встречный вопрос, фраера, — наглым ленивым голосом сказала Таня. — А вы-то сами как относитесь к Идее Общей Судьбы?

— Горячо приветствуем! — быстро проговорил «Ходок».

— Искренние сторонники, — пробормотал «Сплетник».

Она расхохоталась.

— Причина смеха, сударыня? — быстро спросил «Сплетник».

— Род мастурбации, не так ли? — выпалил «Ходок». Они явно были ошарашены ее ленивым и наглым тоном.

— Просто воображаю вас обоих в системе Агитпропа, — сказала Таня.

Стоящие неподалеку группы снобов с восторгом ей зааплодировали и засмеялись: как ловко мадам Лунина отбрила этих архаровцев! Браво! Браво!

Вот, господа, чего не хватает всему нашему обществу — эдакий дерзкий демократизм, присущий советским людям! В самом деле, надо чувствовать за собой некую могучую силу, чтобы с такой уверенностью и небрежностью обрезать бульварных газетчиков, эту сволочь, господа, которая на днях — вы слышали? — довела до слез княжну Вешко-Вершковскую...

Никто не замечал, что Таня была на пределе. Она готова была уже зажать рот, чтобы не завопить от отчаяния, как вдруг увидела хозяина дома, который приближался к ней под руку — мама! — с Фредом Бакстером. И вдруг при первом же взгляде на двух высоченных стариков ей стало спокойно, она почувствовала себя в безопасности. Оба старика улыбались ей, а Бакстер, она глазам своим не верила, улыбался даже слегка застенчиво. Они начали с ней дружескую светскую болтовню, как будто давно знакомы, как будто между ними нет никаких неясностей. Арсений Николаевич сказал Тане, что хитрый Бакстер торгует у него часть горы, жадная рука американского империализма тянется к долине за Северным склоном, только фигушки получит, долина за Северным склоном — это рай земной. Вы еще там не были, Татьяна? Вот завтра и пойдем, но только, учтите, пешком; впрочем, вы ведь отличная спортсменка. Там будет обед на натуральной ферме; вообразите, Таня, ни электричества, ни газа, ни даже атомной энергии, все как в XVII веке, но вы увидите, как все отлажено и как все чудно устроено — если бы человечество смогло на этом остановиться!

Сказав все это и совершеннейшим образом Таню очаровав, а заодно и показав любопытствующим, как следует обращаться с подругой его сына, Арсений Николаевич извинился и с гибкостью отчалил, оставляя их вдвоем с Бакстером.

Чудо из чудес — старый бандюга явно волнуется. Таня улыбнулась и спросила, все ли он о ней знает. О да, дарлинг, конечно, сказал он с грустной улыбкой, я узнал о вас все еще в ту ночь. Как только мы вылетели из Аэро-Симфи на Москву, мой секретарь уже предоставил мне о вас полнейшую информацию. Не представляю уж, каким образом эта сволочь так быстро ее добывает, эту дьявольскую информацию. Все переплелось, дарлинг, в говенном мире — Си-ай-эй-кей-джи-би-осваг-си-ай-си-шиибет-дозьем-бюро — все это дерьмо плюс частный сыск, дарлинг. Я знал о вас все, летя в Москву, да и потом все это время, пока вы жили здесь, а я путешествовал, все это время какая-то информация поступала. Зачем я снова здесь? Ну, видите ли, «Элис»-то еще в Ялте, и я собирался... Ну, в общем, дарлинг, честно говоря, я просто вас хотел увидеть. Я вас прошу, дарлинг, полминуты молчания, я должен вам что-то сказать. Я понимаю, вы пошли тогда со мной из-за отчаяния, или из-за злобы, или еще из каких-то неприятных чувств. Я вас прошу... знайте всегда, что старый Бак вычеркнул это из памяти, ничего не было. Что? Благородно, вы говорите? Пожалуйста, можете иронически улыбаться, но я старомодный человек, пусть это будет благородно. Леди, я обожаю вас. Как вы сказали, сэр, admire? Yes, Lady, but I might better say: I am in awe of you...* Это слишком сильно переводится по-русски. Благоговею. Простите, но перевод как раз и отражает английский смысл. Да как же вы можете благоговеть перед блядью? Леди, я рассержусь, прошу вас, вы предмет моего обожания...

Вдруг у нее вырвалось:

— Бак, спасите меня! Вытащите меня отсюда, увезите куда-нибудь!

Он смотрел на нее внимательно и очень проникновенно, ей и впрямь показалось, что это отец на нее смотрит.

— Нет ничего легче, — сказал он. — Для меня нет ничего легче, я могу увезти вас, куда вы захотите, когда вы захоти-

---

* Да, леди, но лучше было бы сказать: я без ума от вас... *(англ.)*

те, и дать вам все, что вы захотите, — во всяком случае, полный комфорт и полную защиту. Однако не смеетесь ли вы надо мной, леди?

— Бак, вы бы знали, как я запуталась.

— Я знаю все.

— Вы не все знаете.

— Все, за исключением Андрея.

— Вот именно.

Леди? — спрашивали голубые выцветшие глазки. Он и в самом деле в меня влюблен, подумала Таня, причем и в самом деле в каком-то старомодном стиле. Она посмотрела ему прямо в глаза, стараясь этим взглядом дать ему понять все: ее уже больше ничего не привязывает к Андрею, все отгорело.

— О'кей, — сказал Бакстер. — Где вы хотите жить, Таня?

— В Новой Зеландии, — сказала она.

— О'кей, — кивнул он. — Там есть чудесные места, и вовсе не так скучно, как некоторые полагают.

— Ну вот... вот... в Новой Зеландии... — забормотала Таня. — Вот-вот-вот... Нью-Зиланд... там, где не скучно, как некоторые полагают...

Ее стала бить дрожь. Мимо столика, за которым они сидели над Коктебельской долиной, промелькнула некая тень, деликатно клацнул фотозатвор.

— Таня, возьмите себя в руки, — пробормотал Бакстер. — Не волнуйтесь. Не беспокойтесь ни о чем. Все снимки будут уничтожены. Если хотите, мы вылетим отсюда сегодня же. Хотите, полетим сначала в Лондон, в Париж, в Нью-Йорк или сразу в Новую Зеландию... Или выйдем ночью в море на «Элис». Хотите, отправляйтесь одна или с моей доверенной секретаршей миссис Хиггинс... Короче говоря, может быть, старый болт сошел с резьбы, но для себя я решил твердо: you are my queen for the rest of my life...* простите, Таня, это из одной старой песенки.

— Неужели это правда, Бак? — Она уже поняла, что и в самом деле спасена, что тупик вдруг раздвинулся и вдалеке появилась блаженная Новая Зеландия, но тут снова шторы стали задвигаться. — Нет, ничего не получится, Бак. Ваши информаторы сообщили о моих детях, конечно? Я не могу бросить детей, а они их ко мне никогда не отпустят. Они никогда не отпускают родственников к невозвращенцам.

— Это не проблема, — сказал Бакстер. — Я просто позвоню Алексею, и все будет улажено за один день.

— Какому Алексею? — удивилась Таня.

— Косыгину. — Бакстер похлопал наивными глазками. — Он мне не откажет. Мы с ним много раз вместе рыбачили.

---

* Вы моя королева до конца жизни... *(англ.)*

Она расхохоталась. Как просто, оказывается, жить в этом мире! Фред Бакстер звонит Алексею Косыгину, и — нет проблем! Рыбалка, гольф, зеленые склоны зеленой ньюландии.

Поехали, Бак. Произведем еще одну сенсацию сегодняшнего вечера. Нет, Андрею мы ничего не скажем, не будем отравлять его торжества. Он будет огорчен новой сенсацией, ведь она наложится на сенсацию СОСа, идея и движение слегка пострадают. Огорчим его позже, позвоним ему по телефону. Откуда? Сейчас решим. Позвоним ему из-за моря или из моря. Да-да, сегодня же вон отсюда, с этого Острова, от всех этих мерзких проблем, из этих пут, из этой подлой аббревиатуры, мой милый Бак, Лишь только одно мне нужно сделать. Мне нужно заехать на мыс Херсонес в собор Святого Владимира и поставить там свечку. Поедем сразу, потому что и они там собираются быть к утру, а встречаться не нужно.

После пресс-конференции, которая продолжалась не менее двух часов, Лучников наконец добрался до бутылки шампанского и осушил ее сразу, бокал за бокалом.

— Хелло, мистер Мальборо, — вдруг услышал он тихий голос и обнаружил рядом с собой скромняжечку-зануду миссис Паролей из Международной амнистии.

— Простите, мадам... — начал было он и вдруг догадался: Кристина!

Нелегко было узнать в этой застенчивой, с угловатыми движениями «профессорше» ту развязную секс-террористку, международную курву, бродячую нимфоманку — иначе он о ней и не думал, если вообще о ней думал когда-нибудь. Она была забавным эпизодом в его жизни, а сколько их было, таких эпизодов! Странно, что имя вдруг сразу вспомнилось. Почему-то очень отчетливо вспомнился голос и шутка о Мальборо и этот легкий польский акцент. Вдруг сразу все вспомнилось в подробностях — ее приход, борьба за половое преобладание и такая чудесная капитуляция. Он улыбнулся и вдруг увидел, что она краснеет, заливается мучительной краской, от шеи по уши, и даже капелька пота падает со лба.

— Вас нелегко узнать, бэби, — сказал он насмешливо. — Задали вы мне загадку, бэби. Кто это, думаю, гипнотизирует меня весь вечер? Грешным делом даже подумал — не террористка ли? Ошеломляющие изменения, бэби. Вы полностью переменили стиль. Новое направление «уименслиб»? Или это уже за кормой, бэби? «Амнести» — новая игрушка? Вы, должно быть, из состоятельной семьи? Прошу прощения, бэби, за этот горох вопросов — старая репортерская привычка, бэби. Вы даже покраснели, бэби, я ошеломлен. Краска стыда — это что-то новое. Классика, да? Возврат к классике?

— Если бы вы знали, Андрей, как я рада вас видеть, — очень тихо проговорила она, протянула руку и чуть-чуть кончиками пальцев дотронулась до его локтя.

Ну и ну, подумал он, экий ток от нее идет. Влюблена. что ли? Да ведь и в самом деле — она влюблена в меня. Фантастика, она сделала из меня романтический образ, подумал Андрей. Нет, невозможно разобраться в бабах, сколько с ними ни возись.

Он посмотрел вокруг — Тани нигде не было. Тогда он сказал Кристине, что чертовски голоден и, может быть, она разделит с ним ночную трапезу. Устроят ли ее жареные «скампи» под шампанское «Новый Свет»? О'кей. Он попросил старого Хуа накрыть им стол на южной галерее, из которой был подъем прямо в «башенку».

Они сидели вдвоем над затихающей долиной, в глубине которой в этот предрассветный час, словно угли в костре, остывал загульный Коктебель. По всей «Каховке», однако, еще мелькали тени: солидные гости разъехались, настало время молодежи. На лужайке под скалой танцевало несколько пар: в свете низких, прижатых к траве фонарей видны были мелькающие ноги, все, что выше колен, скрыто во мраке.

Во время ночной этой трапезы выяснилось вдруг немаловажное обстоятельство. Оказалось, что Антон и подружка Кристины, Памела, обвенчались еще тогда, весной, что Памела забеременела и, следовательно, чемпион Антика-ралли скоро станет дедом.

Вот это да, сказал Лучников, все сразу, хотя и не очень-то отдавал себе отчет в том — что сразу. Оказалось также, что и для Кристины эти месяцы не прошли бесплодно: она хоть и не забеременела, но в ней родилось новое сознание. Она постигла бесцельность своих молодых блужданий — и лефтизма, и феминизма — и теперь решила посвятить себя узникам совести во всем мире. Не без вашего влияния, мистер Мальборо, произошел этот сдвиг. Прости, Кристина, но я к узникам совести имею лишь косвенное отношение, в том смысле, что участь чилийцев или аргентинцев, мне, признаюсь со стыдом, как-то далека. Русские узники — вот наша печаль. Увы, мы вообще погружены только в свои, русские, проблемы, а их столько!.. увы...

— Вот с русских-то все и началось, — печально призналась Кристина (узнать ее было нельзя), — вернее, с русского, с вас, Андрей. Я думала о вас... Может быть, славянские гены виноваты... сентиментальность... казалось бы, подумаешь — little sexual affair, но я не могла вас забыть... и в Штатах я стала изучать вас... да-да... проникла в вашу идею... меня поразила ее жертвенность... Профессора в Гарварде говорили, что это типичный русский садомазохизм, но мне кажется, все глубже, важнее... может быть, это уходит к религии... не знаю... во всяком случае, мне стала противной моя распутная и дурацкая жизнь, и тогда я отдала половину своих денег в Международную амнистию и стала работать на них... Хотите верьте, хотите нет, но у меня после вас не было ни одного мужчины.

Сногсшибательно, пробормотал Лучников, к чему же такая схима? Он посмотрел на милый овал ее лица, на высокую шею в белом воротничке, и в самом деле некая монашеская свежесть... Он был взволнован — что-то от старой России чувствовалось в этой американочке, что-то от тех барышень и от «неба в алмазах...».

— Сколько вам лет, Кристина? — спросил он.

— Тридцать один год.

— А Памеле?

— Двадцать два...

«Жена на три года старше Антошки», — подумал он. Вдруг в конце галереи появилась незнакомая фигура. Лучников быстро вынул свой маленький пистолет из подмышечной кобуры. Человек сделал успокаивающий жест, поставил на пол какой-то ящичек, вытянул телескопическую антенну и нажал кнопку. Высветился экран Ти-Ви-Мига. Человек медленно удалился.

— Что это значит? — испуганно проговорила Кристина.

— Все шутят, — зло усмехнулся Лучников. Пистолет вернулся на свое привычное место.

Послышался вкрадчивый шепот телесоглядатая:

— Если кто-нибудь не спит, есть возможность прикоснуться к тайнам великих мира сего. Вопросы потом, господа. Сейчас внимание. Сюжет отснят двадцать минут назад.

На экране появился мыс Херсонес, темная громада Владимирского собора, окруженная разбросанными по холмам античными руинами: столбики мраморных колонн, куски капителей и мозаика мерцали под колеблющимися огнями Севастопольского порта.

К собору медленно подкатил бесшумный «Руссо-Балт». Из него вышла женщина. Белое платье, обнаженные загорелые плечи. За ней вылезла долговязая сухопарая фигура. Пожилой господин. Двое тихо пошли ко входу в собор, и двери перед ними открылись с тяжелым скрипом. В соборе горели несколько свечей, своды и боковые приделы были во мраке, но виден был массивный гроб, стоящий перед клиросом. Тело графа Новосильцева. Затем съемка пошла с другой точки, кощунственный оператор пробрался не иначе как за алтарь. Высокий старик остался стоять в дверях. Женщина приближалась. Через несколько секунд Лучников узнал Таню, увидел ее близко над гробом со свечой в руке над головой своего друга. Сверхчувствительная оптика выхватила из мрака ее усталое и почти злое в свете свечи лицо. Оно долго держалось на экране, и злость покидала его, оставалась только усталость.

Он смотрел и смотрел на это лицо.

— Вы прощаетесь с ней? — услышал он издали голос Кристины. Тогда он выключил подлый ящик.

XIII
Третий Казенный Участок

У Марлена Михайловича в Симферополе появился новый друг — хозяин гастрономической лавки господин Меркатор, толстобрюхий оптимист, совершенно неопределенной национальности, ведущий, однако, свою родословную непосредственно от Меркаторовой карты.

Марлен Михайлович любил заходить под полосатые тенты этого заведения на Синопском бульваре, оказываться в уютном прохладном мирке чудесного изобилия. Небольшое предприятие было заполнено такими прелестями, каких и в спецбуфетах, и в «кремлевках» на улице Грановского не сыщешь. Приятен был и размер магазина, не похожего на гигантские супермаркеты, тоже забитые под самый потолок «дефицитом», но все-таки чем-то неуловимым напоминающие распределительную систему Московии. В самом деле, ведь эти гигантские супермаркеты, должно быть, и есть то, что простой советский гражданин воображает при слове «коммунизм», осуществление вековечной мечты человечества.

В лавке господина Меркатора никаким коммунизмом уж никак не пахло, здесь преобладал особенный дух процветающего старого капитализма — смесь запахов отличнейших табаков, пряностей, чая, ветчин и сыров. Цены господин Меркатор предлагал тоже весьма привлекательные, умеренные, а после того, как они сошлись с Марленом Михайловичем, цены эти для мосье Кузенко превратились в чистейший символ.

Марлен Михайлович, между нами говоря, обратился к самоснабжению из чистейшей экономии. Совсем не трудно было рассчитать, что в магазинах еда стоила в три раза дешевле, чем в ресторанах. Служащие ИПИ получали по советским меркам высокие оклады в валюте, а «генконсультант» Кузенков по высочайшей мерке, на уровне директора ИПИ, то есть посла, но тем не менее все работники «института» старались сберечь «белые рубли» для более капитальных приобретений, чем быстро исчезающая еда. Сколько всего надо было привезти в Москву — для жены, для детей, для родственников, голова шла кругом.

Господин Меркатор бегло, хотя и безграмотно, говорящий, почитай, на двадцати языках, включая даже иврит, сразу распознал в Кузенкове советского человека и предложил ему чашечку кофе. Через несколько дней он увидел Марлена Михайловича на экране телевизора и очень возгордился, что такая важная персона стала его кастомером, то есть постоянным клиентом. Ему очень льстило, что Марлен Михайлович удостаивает его беседами, да не только удостаивает, но даже и как-то особенным образом интересуется, словно желает что-то из этих бесед почерпнуть. Когда в лавке появлялся Кузенков, господин Меркатор оставлял торговлю двум молодым подручным, с достоинством распоряжался насчет чашечки кофе и приглашал гостя в свой кабинет, в мягкие кожаные кресла, в прохладу, где они иной раз беседовали чуть ли не по часу, а то и больше.

— Любопытно, господин Меркатор, — с партийным прищуром спрашивал Марлен Михайлович, — вот вы, предприниматель-одиночка, тоже являетесь сторонником Общей Судьбы?

Господин Меркатор поднимал брови, разводил руками, потом прижимал ладони к груди. Мосье Кузенко может не сомневаться: как и все мыслящие люди (а я себя к таким имею смелость причислять, бизнес — это только часть моей жизни), он, Владко Меркатор, конечно же, горячий сторонник Идеи Общей Судьбы и будет голосовать за ее кандидатов.

Однако отдает ли себе отчет господин Меркатор в том, что победа СОСа на выборах может привести не к формальному, а к фактическому слиянию Крыма с СССР?

— Ах, Марлен Михайлович, — вы разрешите мне вас так называть? — трудно поверить в то, что такое великое событие произойдет при жизни нашего поколения, но если оно произойдет — это будет поистине эксайтмент: стать свидетелем исторического перелома, такое выпадает на долю не каждому. Как вы сказали, мосье Кузенко? Блажен, кто посетил сей мир в его минуты роковые? Разрешите записать? Александр Блок?

Господин Меркатор вытаскивал тяжелый в кожаном переплете гроссбух и записывал в него русскую строчку. Обожаю все русское! И это вовсе не потому, что имею одну шестьдесят четвертую часть русской крови, как наш последний государь, а просто потому, что мы здесь, на Острове, все, и даже татары, каким-то образом причисляем себя к русской культуре. Вы знаете, наша верхушка, врэвакуанты, была всегда очень тактична по отношению к национальным группам, а такие, как я, средиземноморские типы, любят терпимость, толерантность, определенную грацию в национальных отношениях. Возьмите меня: кузен — влиятельный адвокат в Венеции, тетя — владелица чайной компании в Тель-Авиве, есть Меркаторы и на Мальте, и в Сардинии, в Марселе, Барселоне... Homo medioterrano — это человек мира, господин Кузенко.

— О-хо-хо, господин Меркатор...

— Почему вы вздыхаете, Марлен Михайлович? Не угодно ли рюмку «Бенедиктина»? Кстати, это самый на стоящий «Бенедиктин», я получаю его прямо из монастыря, и мои покупатели это знают. Продолжаю о врэвакуантах, мосье Кузенко! Вот кто может принести огромную пользу великому Советскому Союзу! Поверьте мне, это сливки русской нации — верх интеллигентности, благородства, таланта. Конечно, они были когда-то реакционерами и дрались против великих вождей Троцкого и Ленина, но ведь когда это было, мосье Кузенко? В незапамятные времена! Конечно, и сейчас там есть разные течения, не все такие прогрессивные, как наш замечательный Андрей, но ведь великий Советский Союз в наше время стал так могуч, что может позволить себе некоторые дискуссии среди своих граждан, не так ли?

— О-хо-хо, господин Меркатор, — вздыхал вконец расстроенный болтовней лавочника Марлен Михайлович. — Вы хотя бы понимаете, что у нас социализм, что, если мы объединимся, вы перестанете владеть своим прекрасным магазином?

— Яки! — радостно сияя, восклицал господин Меркатор. — Так я буду здесь менеджером, социалистическим директором, да?! Ведь не откажется же великий Советский Союз от моего опыта, от моих средиземноморских связей!

— Допустим, — уныло говорил Марлен Михайлович. — Однако у вас не будет здесь ни английского чая, ни итальянского прошютто, ни французских сыров, ни американских сигарет, ни шотландского виски, ни плодов киви, ни...

— Ха-ха-ха, — хохотал господин Меркатор. — Отмечаю у вас, Марлен Михайлович, склонность к черному юмору. Ха-ха-ха, это мне нравится!

— О-хо-хо, господин Меркатор, доверительно вам говорю, что в вашем магазине многого не будет, увы, должен вас огорчить, вы не сможете при социализме похвастаться полным комплектом товаров, мне очень жаль, но вам придется кое-что прятать под прилавком, у вас тут будут очереди и дурной запах, простите меня, господин Меркатор, но не хотите ли вы в свою красивую книгу записать еще одно изречение? Уинстон Черчилль: «Капитализм — это неравное распределение блаженства, социализм — это равное распределение убожества».

— Браво! Какое счастье все-таки беседовать с образованными людьми! Марлен Михайлович, мы, торговые люди Крыма, постараемся превратить социалистическое убожество, по словам Черчилля, в социалистическое блаженство. Ведь это не трудно, в самом деле. Главное — энергия, главное — инициатива. Равномерное же распределение благ — это, согласитесь, суть человеческой цивилизации. Не этому ли учил нас Иисус?

— Правильно, Иисус учил нас этому, но мы пока оказались плохими учениками, а жизнь даже в формулу реакционера Черчилля вносит коррективы. Запишите, господин Меркатор, некоторую модификацию: «Социализм — это неравное распределение убожества».

— А это чье, мосье Кузенко?

— Простите, мне нужно идти. Очень признателен за беседу.

Господин Меркатор провожал своего почетного гостя до дверей и даже выходил за порог, чтобы его видели вместе со столь важной птицей, с «крупным советским товарищем», соседи и конкуренты по торговой Синопской улице. Молодые подручные яки Хасан и Альберт выносили покупки Кузенкова и укладывали в машину, сильно подержанный «Пежо». Сами они раскатывали на шикарных «Питерах», но восхищались скромностью могущественного «товарища» и относили ее к общей скромности великого Советского Союза.

Господин Меркатор не раз намекал Кузенкову, что был бы счастлив принять его у себя дома, в городской квартире или на «ля даче» в Карачели, все будут просто счастливы, и жена, и дети, однако Марлен Михайлович всякий раз мягко отклонял эти намеки, и Меркатор сразу показывал, что понимает отказ и даже как бы извиняется за свое нахальство: залетел, мол, высоко, не по чину. Однажды Марлен Михайлович рассердился и высказался напрямик: господин Меркатор, боюсь, что вы меня неверно понимаете. Я не могу посетить ваш дом и дачу в Карачели вовсе не из-за чванства, а из-за слежки. За мной постоянно наблюдают, и всякий новый мой контакт может вызвать непредвиденные осложнения.

Господин Меркатор ужасно возмутился. Неужели осваговцы имеют наглость следить за таким человеком, как мосье Кузенков? Он немедленно напишет письмо в «Курьер», он их выведет на чистую воду! Ах, господин Меркатор, опять вы не совсем верно оцениваете ситуацию. Осваговцы ваши ничуть меня не волнуют. Меня волнуют наши же товарищи, мои коллеги. Они могут написать на меня донос. К сожалению, довольно распространенное явление в нашей среде — заявления, докладные, «сигналы», доносительство, увы, наследие сталинизма. Господин Меркатор был чрезвычайно удручен словами Марлена Михайловича, остался в мрачной задумчивости, но при очередной встрече с Марленом Михайловичем снова сиял. Он много думал над этой ситуацией так называемого «доносительства» и понял, что в основе своей она идет от великого чувства общности, чувства единой семьи, от массовой тяги к совершенству, от чувства некой общей матери, которой можно и пожаловаться на брата, вот именно от того, чего не хватает островитянам, да и всем людям раздробленного Западного мира. Да-да, господин Меркатор, печально сказал Кузенков, вы правильно рассудили, этого чувства не хватает людям Западного мира.

Они неизлечимы, думал он, посещая митинги, читая предвыборные плакаты, сидя у телевизора, изучая газеты, беседуя с людьми на приемах в посольствах, в салонах аристократии, на вернисажах, выставках и бесконечных соревнованиях. С каждым днем обстановка на Острове все более выходила из-под власти привычных старорусских институтов. Депутаты чуть ли не всех партий, даже и монархисты, начинали свои выступления с клятв верности СОСу. Отказ от Идеи Общей Судьбы практически лишал каких-либо шансов на победу в выборах. Одни лишь экстремистские группки, которые и не рассчитывали на места в Думе, позволяли себе атаковать лучниковскую братию. Яки-национализм очень быстро вымирал, представал перед избирателями все более несерьезным и безобидным молодежным клубом. Между тем Москва бесконечными шифровками запрашивала Марлена Михайловича, держит ли он руку на пульсе событий, регулирует ли оный пульс, направляет ли события в должное русло? В какое русло, ломал он себе голову, куда мне направлять эти события? С какими группировками вести переговоры и к чему их толкать, если все и так пышут бурной любовью к великому СССР? Революционная теория и практика, отвечала Москва, подсказывает нам, что в сложных ситуациях следует всегда опираться на рабочий класс как на передовой отряд пролетариата. Вам нужно найти подходящую причину для посещения Арабатской индустриальной зоны, вступить в контакты с лидерами профсоюзов, с деятелями местной социал-демократии. Остерегайтесь партии, именующей себя «коммунисты-нефтяники». Оперативные сводки сообщают, что у них есть прямой выход на Белград. Представьте в ЦК обстоятельный доклад о ситуации и настроениях в Арабатской зоне.

Что же это за вздор, тоскливо думал Марлен Михайлович. Какого черта им далась эта индустриальная зона? Неужели они не понимают, какую малую роль играет в политической жизни Крыма так называемый рабочий класс, эти несусветные богачи, дующие пиво и жующие кровавые бифштексы толщиной в руку. Кроме того, там, на Арабате, вообще шестьдесят процентов населения — иностранные рабочие: турки, греки и арабы. Крымчанам самим не очень-то нравится пачкать руки в нефти. Как можно столь рьяно держаться за дряхлые догмы, да еще и подгонять под эти догмы невероятные исторические события? Как можно не развивать марксизм?

Марлен Михайлович стал уже пугаться своих мыслей. Ведь когда-то, еще несколько лет назад, он и сам смотрел на Арабат как на цитадель классового сознания, как на могучий эшелон классового движения. Иногда он просыпался в ночи, вставал, курил, смотрел на пустынный бульвар, за голыми ветками которого светились кое-где витрины магазинов и огоньки недреманных артистических клубов, и думал о том, что, быть может, в этот момент, в этой зимней крымской ночи он, коммунист Марлен Михайлович Кузенков, самый реакционный человек в стране, что, может быть, никто так страстно, как он, не противостоит в душе слиянию этой малой страны с великой метрополией.

Он думал об этом Острове, странным образом поместившемся чуть ли не в центре небольшого Черного моря. Какие тектонические силы провидения отделили его от материка и для чего? Уж не для того ли, чтобы задать нашему поколению русских нынешнюю мучительную задачу? Он думал о Чонгарском проливе и вспоминал День лейтенанта Бейли-Лэнда, 20 января 1920 года, один из самых засекреченных для советского народа исторических дней, день ужасающего поражения победоносной пролетарской армии, когда против всей лавины революционных масс встал один-единственный мальчишка, англичанин, прыщавый и дурашливый. Встал и победил. До сего времени никто в Советском Союзе, за исключением Марлена Михайловича да еще нескольких специалистов, не имеет права знать, а тем более упоминать об этом дне. Никто не знает, а уж тем более не упоминает, разве что жалкая кучка нравственных уродов, отщепенцев, каких-нибудь двух-трех миллиончиков так называемой критически мыслящей интеллигенции, то есть неполноценных граждан.

Марлен Михайлович был допущен к секретным архивам двадцать лет назад, уже в хрущевское время, когда сформировался нынешний сектор Восточного Средиземноморья. Он вспоминал сейчас свое первое ошеломление, и даже не от самого факта разгрома ударного южного фланга Красной Армии, а от того, что качнулись устои веры, то есть теории — «роль личности в истории» повернулась вдруг к нему неприглядным, немарксистским боком, исказила гармонию внутреннего мира молодого ученого. Впоследствии он то и дело вновь и вновь уходил в эти секретнейшие архивы, какая-то странная тяга влекла его ко Дню лейтенанта Бейли-Лэнда. Ему даже стало казаться, что он был свидетелем этого дня, случившегося за девять лет до его рождения.

Двадцатое января. Тридцать градусов мороза. Сорокамильное горло Чонгарского пролива сковано крепчайшим льдом, по которому могут двигаться многотысячные колонны с артиллерией. Все соответствовало в этот день логике классовой борьбы: полностью деморализованная и дезорганизованная Добровольческая армия в панике грузилась на дряхлые пароходы в портах Севастополя, Ялты, Феодосии, Керчи, Евпатории; последние боеспособные части, вроде мамонтовцев, марковцев и дроздовцев, дрались с налетевшими из горных ущелий татарскими сабельными отрядами; казачьи полки разложены большевистскими агитаторами; полностью «упропагандированы» экипажи мощной английской эскадры, призванной охранять северное побережье. Проявляя классовую солидарность с российским пролетариатом, английские моряки и морские пехотинцы покинули свои корабли, вмерзшие в лед у пирсов и на рейде Альма-Тархана, и митинговали под красными флагами на набережных и на базарной площади среди торговых рядов, мазанок и минаретов этого пронизанного ледяным ветром северокрымского города. В полном соответствии с логикой классовой борьбы впервые за столетие замерз Чонгарский сорокамильный пролив, и уже в полнейшем соответствии с логикой классовой борьбы под сверкающим морозным солнцем по сверкающему льду спокойно двигались к острову армии Фрунзе и Миронова. Было, правда, немного скользко, копыта коней слегка разъезжались, однако флаги реяли в выцветшем от мороза небе, оркестры играли «Это есть наш последний и решительный бой», и красноармейцы весело матюкались, не наблюдая никаких признаков сопротивления со стороны последнего прибежища классового врага.

Не соответствовало логике классовой борьбы лишь настроение двадцатидвухлетнего лейтенанта Ричарда Бейли-Лэнда, сменного командира одной из башен главного калибра на линейном корабле «Ливерпуль»: он был слегка с похмелья. Вооружившись карабином, офицерик заставил своих пушкарей остаться в башне; больше того, развернул башню в сторону наступающих колонн и открыл по ним залповый огонь гигантскими шестнадцатидюймовыми снарядами. Прицельность стрельбы не играла роли: снаряды ломали лед, передовые колонны тонули в ледяной воде, задние смешались, началась паника. Все это можно было наблюдать с набережной Альма-Тархана даже в не очень сильные бинокли, а порой и невооруженным глазом. Стучали телеграфные аппараты по всему Крыму: английский флот отражает наступление красных! Неожиданный шквал вдохновения охватил белую армию. С аэродрома в Сары-Булате тройками стали подниматься дряхлые «Фарманы», «Ньюпоры» и «Витязи» с радужными кругами на крыльях. Они сбрасывали на лед взрывные пакеты. Главнокомандующий барон Врангель отдал приказ всем войскам выйти на северные берега, и впервые за целый месяц полки подчинились. Дроздовская дивизия выдвинулась на северные рубежи. Даже шкуровские «волчьи сотни» оставили до поры увлекательную резню с татарами в теплых ущельях и поскакали в морозные степи. Даже остатки русского военного флота в Балаклавской бухте после череды митингов стали разводить пары и поднимать андреевские флаги. Английские экипажи вернулись на боевые посты. Престраннейшим образом классовое сознание стало уступать место соблазну воен-

военной победы. Впрочем, британское правительство не простило мятежников, и большинство матросов после окончания войны предпочло осесть на крымской земле, чем подвергнуться страшным морским penetentiary в традициях Владычицы Морей. Так и образовались северокрымские английские поселения, сродни австралийским колониям беглых каторжников.

Красные войска в первые сутки разлома льда понесли чудовищные потери. Марлен Михайлович вспомнил, как нервы у него сдали, как он не выдержал и разрыдался, читая списки жертв в рядах героической Второй Конной армии, Инзенских и Симбирских пехотных дивизий, броневых батальонов и конной артиллерии. Дрались красные отчаянно, старались найти другие пути к крымским берегам, но Чонгар замерз только в горловине, западнее и восточнее была вода. Красноармейцы цеплялись за песчаные банки и гибли среди ледяного месива тысячами и тысячами. Добровольческая же армия возрождалась на глазах. Горячие головы стали уже призывать к новому походу на Белокаменную. Благоразумие, однако, победило. Остров отбил атаку и ощетинился. Через несколько дней подул мощный юго-восточный ветер. В Чонгарском проливе разбушевался шторм. Героя битвы лейтенанта Бейли- Лэнда нашли в офицерском клубе Сары-Булата. Двое суток подряд он играл в канасту с русскими летчиками.

Марлен Михайлович подолгу рассматривал фотопортрет лейтенанта. Оттопыренные уши, надменно-придурковатый взгляд, зализанный пробор. Ретушь, должно быть, скрыла прыщи, но они явно предполагались. На снимке он не тянул на свои двадцать два, что-то возле совершеннолетия, эдакий гимназист-переросток. Какой-то, естественно, отпрыск какой-то захудалой аристократии, потомственный royal navy. Какая чудовищная нелепость — паршивый мальчишка прервал мощный симфонический ход истории! Марлена Михайловича почему-то совершенно возмущало, что Дик Бейли-Лэнд в последовавших за победой интервью настойчиво отклонял всяческие восхваления, дифирамбы, всевозможные «пращи Давида» и собственный героизм. «Мне просто было любопытно, что получится, — говорил он газетчикам. — Клянусь, господа, у меня и в мыслях не было защищать Крым или русскую империю, конституцию, демократию, как там еще, уверяю, мне просто была любопытна сама ситуация — лед, наступление, главный калибр, бунт на корабле, очень было все забавно. Пожалуй, меня больше всего интересовала эффективность главного калибра в такой, согласитесь, уморительной ситуации». Здесь он обычно начинал сморкаться в платок с вензелями, и газетчики, захлебываясь от восторга, шпарили целые периоды о «британском юморе», но от «пращи Давида» все равно не отказались.

Как? — возмущался Марлен Михайлович. Даже без всякого классового сознания, без ненависти к победоносным массам, а только лишь из чистого любопытства гнусный аристократишка отвернул исторический процесс, просто моча ему в голову ударила. Да нет же, ерничает, просто снобистское выламывание, а в глубине-то души несомненно понимал, что победа шахтеров Донбасса и питерских металлургов грозит его эссекским лаунам. Так убеждал себя Марлен Михайлович, но сам-то, глядя на фото лейтенанта, в глубине души не сомневался, что, вот именно, ноль ненависти, ноль классового сознания, а просто «любопытно, что получится».

Думая сейчас о Дне лейтенанта, Марлен Михайлович перебирал в уме и другие свои закавыки, тупики истории, в коих марксистская теория теряла свою основополагающую.

Бывали временами и внутренние содрогания, когда музыка революции начинала казаться какофонией, куда если и долетают звуки подлинной музыки, то лишь случайно, и звуки эти, знаки жертвенности, мечты, любви, тут же тонут в тоскливом бреду основополагающей партитуры.

Марлен Михайлович вздрогнул, отгоняя кощунственные мысли, стал перелистывать шифровки, переписку с «Видным лицом», справки, выписки, инструкции, потом вдруг всю эту дрянь отмахнул от себя, вздохнул тяжело, но как-то и освобожденно, как бы тяжесть эту с себя снимая, заплакал и предался своему сокровенному и нежному — любви к Крыму.

Я люблю этот Остров, память о старой России и мечту о новой, эту богатую и беспутную демократию, порты скалистого Юга, открытые на весь мир, энергию исторически обреченного русского капитализма, девчонок и богему Ялты, архитектурное буйство Симфи, тучные стада восточных пастбищ и грандиозные пшеничные поля запада, чудо индустриальной Арабатской зоны, сам контур этого Острова, похожий на морского кота. Я столько лет отдал этому чуду натуры и истории, и неужели все это может пропасть по велению какого-нибудь «Пренеприятнейшего», вопреки всем смыслам и против выгоды всей нашей страны, даже без определенного мнения руководства? О, Боже, я не переживу этого, о, Боже, я должен этому помешать! Так даже адресом к Господу думал «генеральный консультант по вопросам зоны Восточного Средиземноморья» Марлен Михайлович Кузенков.

Однако пора было собираться в «командировку». Отплакавшись, Марлен Михайлович приступил к выполнению директивы. Вызвал машину из ИПИ, положил в атташе-кейс пижаму и умывальные принадлежности и отправился к естественному союзнику, зачерпнуть живой воды из кладезя классового сознания Арабатской индустриальной зоны.

По дороге, глядя с фривея на фермы богатых немцев (весь Остров умудряются, черти, снабжать чуднейшими молочными продуктами, а сыры и ветчину еще экспортируют в Европу), Марлен Михайлович обдумывал докладную «Видному», какую дозу демагогии запустить и что себе позволить всерьез, думал уже и о речи перед членами Общества дружбы и как бы увильнуть от «коммунистов-нефтяников»; словом, весь уже был на службе, вне сомнений и тревог.

— Эх, фермы тут, эх, стада! — вдруг с непонятным смыслом вздохнул шофер Лопатов.

Марлен Михайлович быстро глянул на мясистую ряшку. Что имеет в виду? Провоцирует или тайком восхищается?

— Да-а-а-а, — высказался Марлен Михайлович.

Теперь уже шофер быстро на него посмотрел.

С минуту ехали молча.

— Нашего бы мужика сюда, — сказал Лопатов и теперь уже всем лицом повернулся к Марлену Михайловичу. — Благодатная почвишка-то, а, товарищ Кузенков? Благодатная. эх-ма, почвица!

Восторгаться природными качествами Крыма в ИПИ не возбранялось. Марлену Михайловичу стало противно и муторно от того, что шофер боится его, а он шофера.

— Рядность, Лопатов, рядность, — сухо указал он на дорогу и отвернулся.

«Вот так не пройдет и года после «воссоединения», и крымчане будут бояться друг друга, как мы с Лопатовым. Лучников думает, что у русских от Крыма прибавится храбрости. Дудки, у всех только трусости достанет...»

Бросить все, сбежать, выступить по ТВ, объявить войну СОСу, открыть глаза дуракам, обратиться к Западу...

— Вот она, Ак-Мечеть! — Лопатов начал спуск к побережью Азовского залива.

С высоты фривея уже видна была Арабатская стрелка, любопытное явление природы, песчаная коса шириной в полтора-два километра и длиной больше сотни. С восточной стороны на всю длину косы тянулись дивные пляжи из красного ракушечника, там гуляли чистые волны Азовского залива. С западной же стороны стоял тухлый неподвижный и мелководный Сиваш, сокровище Крыма, драгоценный резервуар нефти, природного газа, бездна всевозможных других материалов. Соответственно все и было организовано: с западной стороны вдоль всей косы и в глубине Сиваша стояли буровые вышки, перегонные, очистительные, обогатительные заводы, резервуары и эстакады — джунгли индустрии. По середине косы пролегало шестирядное шоссе со всеми причиндалами: телефонами через каждый километр, автоматическими бензоколонками, автоматами с кофе, сигаретами, колой, чаем, жвачкой, конфетами, хотдогами, богатые бары, выдержанные в так называемом «пограничном» стиле. Далее по восточному берегу косы, то есть просто-напросто в полутора километрах от индустриальных джунглей, шли пляжи, причалы катеров и яхт, городки и поселки трудящихся и промышленников, ультрасовременные поселения с максимальными удобствами и обильными, хотя далеко и не изысканного вкуса, развлечениями. Основными центрами на Стрелке были города Ак-Мечеть, Большой Кем и Третий Казенный Участок, куда, собственно говоря, и направлялся сейчас автомобиль Кузенкова, ибо там располагалось правление «Драбат ойл компани», центры профсоюзов и обществ. На северном хвостике косы был еще в духе Дикого Запада поселочек под названием Малый Бем и Копейка. О нем ходили толки по всему Острову, говорили, что там можно либо сдохнуть со скуки, либо испытать самые невероятные приключения; там среди грузовых причалов и трубопроводов имелось десятка два борделей на любой вкус, словом, мини-Гонконг.

Перед приездом на Третий Казенный Участок, уже тогда, когда на горизонте появилась разноцветная кучка его небоскребов с рефлектирующими стеклами, Марлен Михайлович подумал, что хорошо бы ему здесь остаться одному, избавиться бы от шофера Лопатова. В каком он чине? Наверняка не ниже майора. Он еще раз глянул на него сбоку. Эдакое лицо! Да ведь это же Нерон! В самом деле, более развращенного трудящегося не сыщешь.

Уже в гостинице «Литейный-Сплендид» Марлен Михайлович напрямую сделал шоферу предложение:

— Послушайте, Лопатов, я буду здесь три дня без всяких переездов. Почему бы вам не махнуть в Малый Бем и Копейку? Говорят, там такое! Другая возможность вряд ли представится.

Глаза Лопатова зажглись вдруг диким огнем: он, видно, не был лишен воображения.

— А... вы... товарищ Кузенков... как... тут... — забормотал он.

— Лопатов, — тонко усмехнулся Марлен Михайлович. — Надо же понимать, все ж мы люди...

— Вот именно! — воскликнул Феофан Лопатов и весь даже засветился. — Вот именно, как это все доходчиво — мы все люди и все хочем чего послаще.

И этот крупнейший работник, таинственный генконсультант, с которого приказано глаз не спускать, тоже явный «все мы люди» и тоже хотит в индустриальной зоне гужеваться без помех. Конечно, немедленно в душу многоопытного Лопатова вкралось сомнение: обнаружат товарищи в Малом Беме и Копейке — конец карьере, отстранят от руля, придется влачить остаток жизни на родине. И в то же время... Лопатов с тоской оглядывал пустынный уютный холл «Литейного-Сплендид» с мягким пружинящим полом, светильниками, скучающим в глубине холла барменом... глянул в стеклянную стену, где тускловато поблескивали зимние волны Азовского залива, и снова засосало — «все мы люди». Да гори все огнем — жизнь проходит, и в итоге будет мучительно горь-

269

ко и обидно за бесцельно прожитые годы, да вот как закачусь на три дня к блядям в Малый Бем и Копейку, в царство кайфа!.. — пусть потом хоть из партии вычистят, все равно я за три дня с тамошними девчонками да гомиками такое увижу, чего вы, дорогие товарищи, даже в массовом масштабе за всю жизнь не поймаете... До удивления быстро пролетели сейчас перед Лопатовым унылые годы на шоферско-сыскной службе. Скоро и сам Остров О'кей полетит в тартарары, и все пролетит, ничего не увидишь и вспомнить будет нечего.

Все эти чувства вдруг чрезвычайно ясно отразились на мясистом лице Лопатова, а Марлен Михайлович, все тут же поняв, лишний раз поразился, как изменились за последние годы «наши люди». Через минуту Лопатова уже не было: на посольской машине рванул к международным блядям в Малый Бем и Копейку.

Марлен Михайлович, освобожденно вздохнув, стал располагаться в чудесном двухкомнатном номере, окнами, конечно, на чистое море. Внизу пустынные вылизанные улочки Третьего Казенного Участка шли к пляжу. Ветер сгибал верхушки пирамидальных можжевеловых кустов, тянущихся вдоль зеркальных витрин. Изредка проезжал автомобиль или проходил какой-нибудь молодой парень в ярком анораке из пластика. Марлен Михайлович испытал вдруг чувство уюта, спокойствия, полную, оторванность от проклятых проблем и нелепых инструкций. Проживу здесь три дня в полном одиночестве, не буду никому звонить, ни с кем встречаться, ну а отчет составлю за милую душу — что нам даст этот отчет, не отдалит катастрофы ни на миг и ни на миг ее не приблизит. Просижу три дня у телевизора, буду переходить с канала на канал за Ти-Ви-Мигом, следить за перипетиями избирательной кампании. Гулять, читать газеты, смотреть телевизор... На три дня выйду из игры и постараюсь определиться, куда идти мне, с кем и за что. В конце командировки из какого-нибудь бара позвоню в Москву и скажу Вере, чтобы она позвонила мне от своей сестры. Быть может, не засекут. Вера все поймет, попрошу ее выйти на «Видное лицо» и еще раз попытаться удержать их от катастрофических решений.

Он включил телевизор. На одном канале шла французская многосерийная чепуха, на другом играл американский джаз, на третьем бушевал советский хоккейный чемпионат... Ти-Ви-Миг он обнаружил на шестом канале. Пулеметная дробь комментатора сразу же прогнала из этого сумеречного дня сонное спокойствие и отрешенность. Камерамены показывали из Евпатории сногсшибательное событие — слет «Волчьей сотни», на котором ультраправая организация объявляла о своем присоединении к Союзу Общей Судьбы. Какой-то дряхлый полковник (вероятно, один из последних кавалеристов Шкуро) с восторгом рассказывал молодежи о своей туристской поездке в Москву и об огромном впе-

270

чатлении, которое произвел на него военный парад на Красной площади. Ни слова о коммунизме — Россия, мощь, границы империи, флаг на всех широтах мира, XXI век — век русских! В президиуме собрания Марлен Михайлович вдруг увидел профессора Фофанова, одного из «одноклассников». Еще неделю назад его, либерала, «любителя краснопузых», в таком собрании размазали бы по стене, теперь, за неделю до выборов, он был почетный гость и волчесотенцы ждали его слова.

Зазвонил телефон. Марлен Михайлович передернулся. Кто может мне звонить? Кто знает, что я в «Литейном-Сплендид»? Оказалось, знают те, кому полагается знать. Звонил из Феодосии Вильям Иванович Коккинаки. Под таким именем пребывал на Острове полковник Сергеев. Вальяжный профессор-археолог прибыл в Феодосию с личными научными целями из Калифорнии. Мягким картавым говорком археолог на правах старого друга и знатока Крыма приглашал Марлена Михайловича посетить его в Феодосии. В том случае, если вас одолеют дела или визитеры, дорогой мой, милости прошу — я снял дивный особнячок у моря, мы сможем, как в старые времена, поспорить о третьем слое кургана Тепсень или о происхождении древних водоемов на склонах Легинера. Позвольте, какие визитеры, я никого не жду, возразил Марлен Михайлович, ни с кем не намерен... Да-да, конечно, я и сам люблю уединение, зачастил господин Коккинаки, сочувствую вам от всей души. Вот только вчера избавился от одного нумизмата, некий Игнатьев-Игнатьев, личность любопытная, но полный дилетант. Советую вам таких любителей адресовать к своему — ха-ха — шоферу или даже прямо ко мне. Ну, а уж если полезут какие-нибудь древние египтяне, то тогда просто звоните мне, дорогой мой, вот — запишите телефон.

Соображая некоторое время, что могла бы означать вся эта абракадабра, Марлен Михайлович некоторое время невидящими глазами смотрел на экран Ти-Ви-Мига, пока до него вдруг не дошло, что на экране фигурирует очередное сногсшибательное событие. Пресс-конференция в Бахчисарае. Советник по печати ханского двора делает заявление журналистам. Его высочество исламский руководитель татарского народа Крыма призывает своих подданных голосовать за Союз Общей Судьбы и выражает уверенность, что в составе великого Советского Союза Крым сможет внести более солидную лепту в движение неприсоединения, укрепить антиимпериалистический фронт своих братьев по вере.

Вдруг снова зазвонил телефон. На этот раз портье. Любезнейшим тоном на чистом русском интересовался, не желает ли господин получить ужин в номер.

На экране телевизора появился Андрей. Он выпрыгнул из вертолета на базе ВВС в Каче. За ним по пятам следовала его новая женщина — Кристина Паролей, в кожаной куртке и джинсах, весьма привлекательная особа, но до нашей Таньки ей далеко,

271

дурак Андрей, во всем дурак. Их встречал Чернок и сотни три восторженных молодых летчиков.

Ужин? Да-да, пожалуйста. Что-нибудь полегче, что-нибудь простенькое. Да, и вот еще... вот еще что... будьте любезны... бутылку скоча, да-да... Что? Вот именно целую бутылку. Black-White вполне устроит...

Лучников поднялся на трибуну, поднял руки, призывая к тишине.

— Летчики! — сказал он. — Каравеллы испанцев отправлялись в Атлантику, не зная, что им принесет каждая следующая миля, шли во мрак и туман. Они обрели Америку, но ведь ее могло бы и не быть на месте, мрак и туман поглотил бы их. Таков удел человека — идти к новым берегам. Обретем ли мы Россию, нашу судьбу и мечту? Летчики, отправляясь в этот путь, я хочу вам сказать, что наш мрак и туман гораздо чернее и пространнее, чем тот, что лежал перед испанцами.

Вскочил какой-то чудесный юноша с лейтенантскими значками в петлицах, махнул пилоткой, прокричал:

— Мы летаем в любую погоду, Андрей!

Аудитория восторженно взревела. Полковник Чернок закурил сигариллос. Андрей грустновато улыбался. Миссис Паролей (кажется, есть такая травка в бульон) демонстрировала одну лишь безграничную преданность своему владыке.

Экая хитроумная бестия, вдруг с отчетливой злобой подумал Кузенков о Лучникове. Агитация от обратного! Пугает людей «мраком и туманом», а достигает желаемого восторга, отваги. Что происходит с этими людьми? Вновь и вновь Солженицын увещевает их с телеэкранов — остановитесь, одумайтесь! Все его с благоговением слушают, а потом приходят к сногсшибательному выводу: только великая земля могла взрастить столь могучую личность, только великий Советский Союз! Может быть, на такой степени процветания у человека всегда возникает эдакий вывих в сторону бессмысленных вдохновений? Как умудрился Лучников так глубоко проникнуть в психологию островитян? Может быть, и впрямь в КГБ его этому научили? Кузенков, однако, достоверно знал, что верхушка Комитета вовсе не стремится к захвату Крыма: ведь пропадает такое чудное рабочее поле. Нет, просто Андрей сам один из островитян, один из лучших.

Ти-Ви-Миг по своему обыкновению зафиксировал физиономию Лучникова. Странное сочетание: хищноватая улыбка и грустный, если не тоскливый, взгляд.

— Подонок! — Кузенков поднес кулак к физиономии бывшего друга. — Подонок во всем: и родных своих забыл, и любимую выбросил, и даже такая мелочь — не удосужился за все эти месяцы старого друга найти. Все поглотила садомазохистская идея, снобизм, доведенный до абсурда.

272

— Совершенно с вами согласен, Марлен Михайлович, — прозвучал поблизости несколько проржавленный голосишко.

Кузенков отскочил от телевизора. В номер въезжала колясочка с его «скромным ужином» — целый набор подносов и подносиков, прикрытых серебряными крышками, плюс бутылка виски. Колясочку толкал слуга, средних лет костлявый субъект с улыбочкой, обнажающей анемичные десны, седоватые крылья волос падали на глаза.

— Вы нашли точное слово, — сказал слуга. — Андрей Лучников — нравственный подонок. Я его знаю с детских лет, мы вместе учились в Симферопольской гимназии имени царя Освободителя.

Кузенков молча смотрел на слугу и уже понимал, что это вовсе не слуга, что он, может быть, зря отослал Лопатова, что его здесь ждали, что нужно немедленно звонить господину Коккинаки, если это уже не поздно.

Фальшивый слуга склонил голову и слегка подщелкнул каблуками.

— Разрешите представиться. Юрий Игнатьев-Игнатьев, — сказал он. — Простите великодушно, но это была единственная возможность предстать перед вами, а в этом у меня есть крайняя нужда.

Подкинув фалды, как в XIX веке, Игнатьев-Игнатьев присел на кресло, но кресло было современным, «утепляющим», нагловатое, нарочито старомодное движение не соответствовало дизайну. Он как-то нелепо провалился и, чтобы соответствовать этому креслу, дерзко закинул ногу на ногу. Смещение времен и стилей оказалось столь дурацким, что Марлен Михайлович, несмотря на напряжение, усмехнулся.

— Игнатьев-Игнатьев? — сказал он ледяным тоном. — Волчесотенец? Знаю о вас немало.

— В прошлом, любезнейший Марлен Михайлович, — сказал Игнатьев-Игнатьев, подчищая себе ногти как бы небрежно, стильно и вновь фальшиво. — «Волчья сотня» вычистила меня из своих рядов, и я горд, что это произошло за несколько дней до того, как они продались СОСу. Теперь я член партии «коммунисты-нефтяники»...

— Браво, браво, — сказал Марлен Михайлович. — Из «ВС» в «КН». Поздравляю. Однако не могли бы вы оставить меня одного. Я не вполне...

— Более того, я вошел в ЦК этой партии и сейчас хотел бы говорить с вами не как частное лицо, но как член ЦК... — Игнатьев-Игнатьев вопросительно протянул руку к бутылке.

— Не трогайте виски, — с неожиданной для себя грубостью сказал Кузенков.

Изображение Лучникова уже исчезло с экрана. Теперь Ти-Ви-Миг, захлебываясь, повествовал о драме, разыгравшейся в ялтинском «Мажистике»; Лючия Кларк нашла в постели продюсера Джека Хэлоуэя местную аристократку Нессельроде! — в то время как... и так далее и тому подобное. Среди интервьюируемых персон мелькнул на минуту и недавний эмигрант кинорежиссер Виталий Гангут. Он категорически отмежевывался от постельной истории, заявляя, что на Лючию Кларк он «кладет» (неясное место, господа, позднее постараемся уточнить), а Лидочку Нессельроде «видал в гробу» (последуют разъяснения, милостидари), из всей остальной шараги знать никого не желает, а Осьминога ценит как сильно «секущего» в кино продюсера. Без всякого сомнения, интервьюируемый был слегка или основательно навеселе. Ему был задан вопрос: кстати, правда ли, что вы совместно с Хэлоуэем вынашиваете планы сверхмощного блокбастера? Гангут хитро заулыбался, погрозил пальцем и в таком виде был зафиксирован.

— Кажется, вы знаете и этого негодяя, товарищ Кузенков? — спросил Игнатьев-Игнатьев, кивая на экран.

— Я вам не товарищ, — рявкнул Марлен Михайлович, налил себе полный стакан виски, а бутылку недвусмысленно переставил подальше от непрошеного гостя.

— Что касается меня, то я знаю его прекрасно, — усмехнулся Игнатьев-Игнатьев, ничуть не смущаясь. — Витя Гангут — нравственный урод и алкоголик. Дружок нашего героя. Видимо, предательство родины у этих господ в крови.

После стакана виски все вспыхнуло ярким светом и юмором.

— Не позволить ли вам выйти вон, милостидарь, радетель родины? — сказал Кузенков Игнатьеву-Игнатьеву и резко показал ему на дверь. В жесте было что-то ленинское.

Зашевелилось лицо Гангута на телеэкране. В ответ на вопрос о СОСе он сморщился, будто прихлопнул на шее комара, и пробормотал:

— Презираю...

Замелькало что-то зарубежное. Ти-Ви-Миг шуровал с одинаковым успехом по всему миру. Нефть, развратные морды шейхов и революционных лидеров, террористы, плейбои, ученые, спортсмены, модели и бляди.

— Да, я радетель родины своей, — надуваясь спесью, заговорил Игнатьев-Игнатьев и снова потянулся к бутылке, но Марлен Михайлович вновь ее переставил подальше, — и ради борьбы с врагами ея, со сволочью вроде Лучникова, готов соединиться даже с «коммунистами-нефтяниками», с самим дьяволом...

— Под родиной вы что подразумеваете? — спросил Марлен Михайлович.

Глаза Игнатьева-Игнатьева радостно сверкнули — ага, не выгоняют! Все-таки начинается же диалог же!

— Мое понятие родины прежде всего отличается от лучниковского, — быстро, едва ли не захлебываясь, проговорил он.

— Только-то и всего. — Марлен Михайлович изобразил разочарование. — Скучновато, господин Игнатьев-Игнатьев. У вас как будто и не родина, а только лишь Лучников на уме. Задвинулись вы на этой персоне.

Голова Игнатьева-Игнатьева упала, и Марлен Михайлович услышал глухое отчаянное ворчание.

— Налейте мне скоча, — наконец различил он слова.

— Не налью. Я вас не приглашал. Вы меня не интересуете.

Игнатьев-Игнатьев взял себя в руки, откинул назад волосы, встал и прогулялся по ковру.

— Напрасно пренебрегаете, Марлен Михайлович, — сказал он. — Сейчас я представляю те немногие силы на Острове, которые противостоят эпидемии СОСа. Запад, как всегда, расписывается в банкротстве. Мы выходим на Белград, мы ищем пути в Пекин. Мы, семь левых партий, единственные, кто может хоть что-то сделать против СОСа...

— И во мне вы ищете союзника? — усмехнулся Марлен Михайлович. — В советском дипломате вы ищете союзника? Любопытно.

— Да, вы наш потенциальный союзник, — сказал Игнатьев-Игнатьев. — У нас есть сведения, что в СССР могущественные круги не хотят воссоединения, и вы из этих кругов.

— Кто это вам сказал, господин коммунист-нефтяник? — Марлен Михайлович со стаканом виски в левой руке приблизился и ухватил Игнатьева-Игнатьева за плечо. Плечо оказалось на удивление слабым и податливым, голова кобылообразного субъекта как-то бессильно мотнулась. — Отвечайте! Откуда этот вздор?

Игнатьев-Игнатьев молчал, бессильно моталась его голова.

— Это я ему сказал, — прозвучал вальяжный голос, и Марлен Михайлович увидел на пороге располагающего к себе господина с бородой Радамеса, в котором без труда узнал полковника ОСВАГа Вадима Востокова. Изящно поклонившись, полковник прошел в комнату и поставил на стол серебряное ведерко с бутылкой шампанского. Виновато развел руками: — Извините, Марлен Михайлович, но это я имел неосторожность во время одной из официальных бесед, сиречь допросов этого криминального господина, высказать нечто вроде подобного предположения.

— Чему обязан, господин Востоков? — почти весело спросил Марлен Михайлович. «Черное и белое» делали свое дело, мир упрощался, распадаясь на два цвета, уподобляясь телевизионному старому доцветному фильму добрых шестидесятых, мир иллюзий.

— Очень польщен, что вы знаете мое имя. — Востоков ловко открыл шампанское. — Слышите, как завывает норд-ост? Начинается ураган. В такие вечера весьма приятно разыгрывать в уютном отеле партию политического покера.

275

Шампанское после виски показалось Марлену Михайловичу серебрящейся фортепьянной пьеской после аккордов орекстра.

— Учтите, господин Востоков, — сказал Марлен Михайлович, разваливаясь в кресле. — В соседнем номере помещается тренированный майор Лопатов.

На экране Ти-Ви-Мига вдруг появился «рыбий жир ленинградских речных фонарей». Кровавые полосы угасающего заката за зыбкой иглой Петропавловки. Ухмыляющиеся лица трех мальчишек в шинелях с поднятыми воротниками и в черных шарфах, обмотанных вокруг шеи.

— Соседний номер пуст, — любезно сказал Востоков. — Майор Лопатов в сей момент нежится в кабинете массажа «Бангкок», что в Малом Беме и Копейке, с вашего разрешения.

— Внимание, — услышал Марлен Михайлович голос комментатора. — Репортаж из колыбели пролетарской революции. — Появился не сам комментатор. Тренчкоут с поднятым воротником, «федора» с опущенными полями. — Съемка сделана спонтанно, без разрешения властей, просим прощения за дефекты изображения. — Он повернулся к трем юношам. — Милостидари-и-дарыни, перед вами Игорь, Слава и Валера, все трое называют себя «новые правые».

Один из юношей вытащил из-за пазухи листок школьной бумаги и, кашлянув, стал читать: «От имени Комитета «Новые Правые Крестовского Острова» мы обращаемся к русскому правительству на Острове Крым, к главнокомандующему Вооруженными Силами Юга России генералу Павловичу, а также к начальнику ОСВАГа генералу Арифметикову с просьбой немедленно взять под стражу редактора просоветской газеты «Русский Курьер» Андрея Лучникова. Советская молодежь и ее авангард «Новые Правые Крестовского Острова» считают Андрея Лучникова ренегатом и предателем нашей борьбы...»

Далее на экране началось какое-то непонятное движение, замелькали неясные пятна. Комментатор Ти-Ви-Мига бойко объяснил, что интервью сорвалось из-за вмешательства народной дружины, но «новым правым» удалось скрыться на мотоцикле.

— Ага! — восторженно вскричал Игнатьев-Игнатьев. — Слышали? Под стражу Лучникова! Вот воля советской молодежи!

— Так ведь они же «правые», — сказал, от души веселясь, Марлен Михайлович, — а ведь вы же теперь «ультралевый», Игнатьев-Игнатьев.

— Да какая разница! — брызгая слюной, зашумел Игнатьев-Игнатьев. — Главное — Лучникова под стражу! Пока не поздно! Главный негодяй!

— Вот она, страсть! — сочувственно кивнул в его сторону Востоков. — Он обожает Андрея с детства. Недавно в ОСВАГ попал дневник господина Игнатьева-Игнатьева. Представьте себе, Марлен Михайлович, чуть ли не тысяча страниц страсти, ненависти, любви, ярости. Воображает себя женщиной Лучникова.

— Фальшивка! — вскричал Игнатьев-Игнатьев. — Дневник — фальшивка!

Глаза его явно замаслились, он явно испытывал сейчас сладостное страдание, какое бывает у юнцов, когда в их присутствии говорят о предмете их любви, пусть и неверном, пусть подлом, но страстно желанном.

— Дайте мне хоть немного выпить, Марлен Михайлович, — жалобно попросил Игнатьев-Игнатьев. — Налейте хоть капельку.

— Принесите из бара пару бутылок, — строго сказал ему Востоков. — Запишите на счет ОСВАГа.

— Слушаюсь! — Игнатьев-Игнатьев выскочил из номера.

Востоков выключил телевизор. В наступившей тишине послышалось завывание норд-оста, или, как его здесь называют, «боры». Луч прожектора осветил изрытый волнами морской горизонт.

— Мне так давно хотелось поговорить с вами, Марлен Михайлович, — сказал Востоков.

Марлен Михайлович засмеялся. Сердце его было полно молодой отваги. Ему казалось, что он видит вперед все ходы этих запутавшихся в собственных хитростях людей, видит нелепый смысл их игры, поскольку он, Марлен Михайлович, знает главную и Основополагающую причину всей неразберихи. С молодой отвагой он полагал эту Основополагающую мерзостью и вздором.

Востоков вздохнул.

— Как все безобразно запуталось! Послушайте, Марлен Михайлович, скажите мне откровенно, вы-то сами, одно из главных действующих лиц, понимаете, что происходит?

— Дело не в том, понимаю или нет, — сказал Марлен Михайлович. — Я, благодаря своему воспитанию и образованию, в отличие от вас, товарищ белогвардеец, вижу Основополагающую...

В номере вновь появился Игнатьев-Игнатьев. На этот раз «коммуниста-нефтяника» привел, зажав нос и верхнюю губу в болевом приеме, профессор Коккинаки, он же полковник Сергеев.

— Собирался выстрелить нервно-паралитическим патроном прямо в вас, господа, — сказал Сергеев, отшвырнул Игнатьева-Игнатьева, сел в кресло и вынул из атташе-кейса три бутылки «Сибирской водки».

— Отдайте мне мой дневник, господин Коккинаки, — хныкал Игнатьев-Игнатьев. — Верните грязную фальшивку.

Марлен Михайлович весело оглядел присутствующих.

— Братцы мои, да я вижу, вы здесь все свои.

Сергеев улыбнулся.

— Нет-нет, не совсем так, но мы делимся некоторыми данными. Без такого обмена intelligence service невозможен. Не так ли, коллега Востоков?

Востоков, на удивление Марлену Михайловичу, никакой искательности к Сергееву не выказал, а, напротив, как бы и не удостоил вниманием.

— Не можете ли вы закончить свою мысль, Марлен Михайлович? Вы сказали, что знаете Основополагающую?..

— Вот именно. — Марлен Михайлович налил себе в стакан немного виски, немного шампанского и долил до краев водкой. — Основополагающая крутит нас всех в своем водовороте, превращает нашу жизнь в абсурд, нашу работу в бессмысленную трату времени и денег. Всех нас, и марксистов и монархистов, и цэрэушников и кагэбэшников, она закручивает в водовороты, она плывет, неумолимая, могучая, светящаяся акула!

Все замолчали. Возникла неловкая пауза.

— Впечатляюще, — неуверенно пробормотал Востоков. Новая пауза, неловкая тишина. Тихое бульканье — Игнатьев-Игнатьев деликатно глотал водочку.

— Есть предложение, — сказал господин Коккинаки. — Мы все здесь мужчины. — Он бросил взгляд на Игнатьева-Игнатьева. — Или почти все. Давайте напьемся сегодня под «бору»? Напьемся по-свински и поедем к девкам в Малый Бем. Кстати, Лопатову в «Бангкоке» уже проломили бутылкой голову.

— Иногда это нужно, — сказал Востоков.

— Жалею, что иногда, а не всегда, — сказал Марлен Михайлович. — Как подумаю об этой кошмарной светящейся бляди, так и не просыхал бы никогда с проломанной башкой. Попробуйте мой коктейль, товарищи штирлицы. Меня уже качает, как в море. Кстати, что это там за огни, прожекторы, мигалки? Может быть, уже началось?

— Когда начнется, мы будем знать, — сказал Сергеев. — Тут всегда при норд-осте адмирал Вирен выводит свою эскадру на тренировку, ну а нашим из Новороссийска тоже дома не сидится. Да и американцы летают, фотографируют. А на хуя? — спросил он всех присутствующих.

— Это ее дела, — загадочно усмехнулся Марлен Михайлович и показал рукой движение большой рыбы.

Все засмеялись. Зазвонил телефон. В трубке послышался голос не кого-нибудь, а именно Андрея Лучникова. Он говорил очень торопливо:

— Марлен, мне удалось оторваться от Ти-Ви-Мига и от своего конвоя. Я в пятистах метрах от тебя у самого пляжа, в баре «Трезубец». Приходи немедленно.

— Однако у меня гости, — пробормотал Марлен Михайлович. — Милейшая компания. Беседуем об Основополагающей.

— Я знаю, кто у тебя, — пробарабанил Луч. — Постарайся их обмануть. Это единственный шанс.

— Добре, добре, — хитровато засмеялся Марлен Михайлович. — Мои любезнейшие гости очень заинтригованы. Сейчас я и вас сюда

278

приташу, дружище! Разыграем партию политического покера под рев норд-оста. Помните песню? «И битый лед на всем пути, и рев норд-оста, к коммунизму прийти не так-то просто...» — Он повесил трубку и весело глянул на «гостей». Разведчики смотрели на него профессиональными взглядами. Бедняги, подумал Марлен Михайлович, им кажется, что они все знают, что направляют события, между тем нет, пожалуй, более неосведомленных и более жалких прислужников главной суки. Основополагающей.

— Лучников звонит, — сказал он.

У разведчиков профессионально не дрогнул ни один мускул, между тем как обвисший над стаканом «Сибирской» «коммунист-нефтяник» вскочил, разлил, уронил, задрожал девичьим трепетом.

— Он внизу, в баре. Сейчас приведу его сюда, — сказал Марлен Михайлович.

— Я этого не переживу, — пробормотал Игнатьев-Игнатьев.

— Миссис Паролей с ним? — быстро спросил Востоков.

— Он один. — Марлен Михайлович вышел из номера, прихватив с собой ключ, и заблокировал замок. Пока будут выбираться отсюда, мы смоемся, подумал он. Куда смоешься? — мелькнула мысль. В море?

В холле отеля он подошел к дежурному городовому, показал свой паспорт и пожаловался, что к нему, советскому дипломату, ввалились какие-то пьяницы и мешают отдыхать. Коп тут же побежал вызывать патруль. Нахалы, осмелились нарушить покой «советского товарища».

Марлен Михайлович между тем выбежал из отеля и рванул по пустынной, короткой и темной улице, где кипели под яростным ветром можжевеловые кусты и светились лишь окна двух-трех баров. В конце улицы бухала и взлетала над парапетом накатная волна норд-оста.

Тут только, почувствовав пронизывающий холод, Марлен Михайлович сообразил, что он выскочил на улицу даже без пиджака, в одной жилетке. Он добежал до парапета, увернулся от очередного удара волны, увидел справа и слева пляж, заливаемый пенным накатом, дикую пляску огней в черном мраке, подумал, что, может быть, это ночь окончательного решения всех проблем, весело спутал мокрые волосы и тогда заметил в цокольном этаже массивного и безжизненного здания три светящихся теплых окна. Это был бар «Трезубец». Волна останавливалась в метре от его крыльца. Гибельная ночь осталась позади, как только он переступил порог: в теплом баре пахло крепким кофе, табаком, играла музыка.

Gonna make a sentimental jorney
To renew old memory...

— напевал какой-то теплый успокаивающий басок.

Хозяин бара смотрел по телевизору хоккейный матч СССР—Канада. Рядом со стойкой сидел огромный пес-овчар с черной полосой по хребтине. Он дружелюбно осклабился при виде вбежавшего Марлена Михайловича. В углу на мягком диване сидели Лучников и миссис Паролей.

— Боже мой, — засмеялся Андрей. — Ты мокрый и пьяный. Никогда тебя пьяным не видел. Cristy, look at my friend. He is a heavy drunk...*

Чистенькая и строгая миссис Паролей в застегнутой под горло кожаной курточке дружелюбно улыбнулась Кузенкову. Благодаря Ти-Ви-Мигу всему Острову было известно, что в карманах куртки этой особы всегда помещаются два пистолета со снятыми предохранителями.

— Николай, — сказал Лучников бармену, — дай моему другу какой-нибудь свитер и стакан горячего рома... Николай, — сказал Лучников бармену через пять минут, — дай мне и моему другу штормовки, мы хотим немного подышать воздухом.

Движением руки он пресек поползновение Кристины следовать за ними. Они вышли в ревущую мглу и медленно пошли по узкой полосе ракушечника, которая еще оставалась между каменной кладкой набережной Третьего Казенного Участка и накатывающимися из мрака белыми гривами.

— Марлен! — прокричал Лучников на ухо Кузенкову. — Дело сделано! Через неделю мы победим! Последний полл показал, что СОС получит более девяноста процентов!

— Гордись! — крикнул Марлен Михайлович.

— Меня тоска гложет! — ответил Лучников.

— Еще бы! — крикнул Марлен Михайлович. — Ведь ты всего лишь жалкая рыба— лоцман для огромной бессмысленной светящейся акулы.

— О чем ты говоришь? — с испугом спросил Лучников.

Марлен Михайлович ничего не ответил, а только лишь большим оттопыренным пальцем показал в черное море и загадочно ухмыльнулся.

Лучников, удивившись на миг, тут же забыл об удивлении. Он шел вдоль могучих бетонных плит, весь мокрый, в переливающейся под бликами огней штормовке, задумчивый и до странности молодой, настоящий герой народного плебисцита, настоящий чемпион.

— Еще через неделю Госдума обратится к Советскому правительству с просьбой о включении в СССР на правах союзной республики. Скажи, ты можешь мне гарантировать, что не будет какого-нибудь варварства, какой-нибудь тотальной оккупации? Ведь это же не нужно в нашем случае, совсем не нужно. Чехи —

---

* Кристи, взгляни на моего друга. Он сильно пьян... *(англ.)*

280

чужие, они хотели отколоться, мы свои, мы хотим слиться. Насильственный акт здесь не нужен. Нужна некоторая постепенность, такт... В конце концов, по конституции каждая союзная республика имеет право на свободный вход и выход, на международные отношения, даже на свои вооруженные силы. Наши «форсиз» станут частью Советской Армии, зачем же нас оккупировать? Социалистические преобразования тоже нужно проводить постепенно — мы долго еще сможем быть источником твердой валюты. Пусть меня вышлют сразу, пусть нас всех, одноклассников, вышлют в Кулунду, посадят во Владимирский централ, пусть хоть расстреляют, мы готовы, но с Островом, с населением нужна постепенность, варварские акты не уместны... Оккупация может потрясти и нас, и вас, может привести к самому невероятному... к войне... Я пытался несколько раз выходить наверх за такими гарантиями, но там, как всегда, делают вид, что нас вообще не существует. В конце концов, ты проводишь здесь политику правительства, Марлен. Я не встречался все эти месяцы с тобой из-за телевизионного хвоста... Они бы скомпрометировали нас обоих... Теперь выхода нет — отвечай напрямую: хватит там ума не оккупировать нас?

Лучников, высказывая это, говорил как бы сам с собой, но после последнего вопросительного знака повернул лицо к Кузенкову и слегка обомлел. Солидный его друг, само воплощение спокойствия и стабильности, выглядел диковато, с мокрыми завитками волос, прилипшими ко лбу, с горящим взглядом, устремленным в грохочущий мрак Азовского залива.

— Ума? — взвизгнул он и расхохотался. — Ума-то хватит! В малых дозах ума у нас хватает, а много не нужно!

— Что с тобой, Марлен? Идем назад в «Трезубец»! — Лучников с трудом остановил стремящееся куда-то мощное тело Марлена Михайловича, повернул его в обратном направлении.

Марлен Михайлович вырвался, прижался к бетонным плитам дамбы Третьего Казенного Участка, распростер вдоль стены руки. Глаза его, расширившись неимоверно, проницали ночной шторм, а рот кривился в саркастическом смехе.

Грохочущие белые валы один за другим шли на них, и Лучников подумал, что буря усиливается и в конце концов может расплющить их о камни дамбы. Пока валы разбивались метрах в двадцати от них, но бурлящая пена докатывалась уже до стены. Через час волна будет бить в дамбу и взлетать над ней, как сейчас она взлетает над морем.

— Вот как? Ты сторонник постепенности, Луч? — бормотал, борясь с неудержимым смехом, Марлен Михайлович. — Ты хочешь только себя принести в жертву, да? Всех остальных ты хочешь спасти? Мессианство? Выход в астрал? Протоптал себе дорожку на Голгофу? Ты не понимаешь разве, что дело не в мудрости наших

281

мудрецов и не в твоей жертвенности? Ты что, разве не видишь ее? Не замечаешь ее свечения? Не понимаешь, что это она нас всех крутит?

Перепуганный Лучников тряхнул Марлена Михайловича, шлепнул его по щеке тяжелой ладонью.

— У тебя срыв, Марлен! Возьми себя в руки. О чем ты бормочешь?

— Об Основополагающей, вот о чем, — захохотал Кузенков. Лучников неуверенно рассмеялся.

— Это ваши марксистские бредни, а я не марксист...

— Ха-ха-ха! — Кузенков взревел совсем уже бешеным хохотом и простер руки во мглу. — Марксист ты или в боженьку своего веруешь, но ведь не можешь ты не видеть реальности, не можешь не видеть ее, ее огромного тела, ее свечения!

Он оттолкнулся от стены, побежал к морю, и через минуту очередной белый вал накрыл его с головой. Лучников бросился за ним. Волна откатывалась, и теперь они оба оказались по пояс в кипящей белой пене... то тут, то там в водоворотах крутились ящики, бревна, доски, комки пластика, бутылки, куски пенопласта, обрывки оранжевой штормовой одежды. Лучникова отделяло от Кузенкова метров десять, он понял, что может его догнать, когда вдруг луч мощного прожектора опустился на море сверху, с дамбы, и он увидел в этом луче, как новая белая стена, неистовая, идет на них, подбрасывая на гребне новые ошметки моря.

— Марлен! — отчаянно закричал он. — Стой!

Кузенков, словно ребенок, ошарашенный счастьем купанья, повернул к нему хохочущее лицо.

— Она! Она! — кричал генконсультант.

Вал накрыл его, потом вышвырнул на гребень. В луче прожектора было отчетливо видно, как в голову ему въехало толстенное бревно. Через мгновение вода накрыла и Лучникова. Он бешено поплыл вперед, снова пытаясь догнать Кузенкова.

Когда он вытаскивал на берег бесчувственное тело генерального консультанта, на дамбе и на полосе песка вдоль дамбы уже было полно народу. Он видел стоящую по пояс в воде Кристину, бегущих к нему ребят охраны, видел Сергеева, Востокова и даже Игнатьева-Игнатьева. Все было отчетливо видно, повсюду полыхали софиты. Ти-Ви-Миг вел прямую передачу с места действия.

XIV
Весна

В середине весны, то есть к концу апреля, склоны Карадага, Сюрю-Кая и Святой горы покрываются цветами горного тюльпана и мака, что радует и вдохновляет зрение. Цветение полыни, чебреца и лаванды наполняет воздух мимолетной, такой, увы, летучей и быстро пропадающей обонятельной поэзией. Не хочется пропустить ни мига из этой череды быстро проносящихся мигов цветения. Ночью — окна настежь, днем — блуждание по горам. «Я надеюсь, что после меня тысячи тысяч раз будет цвести этот склон, ведь вот после Макса чуть не полсотни раз цветет... — думал Арсений Николаевич. — Ну а когда земля начнет остывать, когда солнце начнет остывать, то по теории вероятности все равно где-нибудь во Вселенной возникнет точно такой же склон и на нем будут раз в год цвести тюльпаны и маки, лаванда, полынь и чебрец...» С улыбкой подумалось, конечно, что по теории вероятности может оказаться в тех неведомых глубинах и подобный старик среди подобного цветения, но улыбка эта была подавлена коротким смешком.

Между тем высокий старик в старом белом свитере из альпаки, в старых крепчайших ботинках, вполне еще ловкий и совершенно уже добрый и чистый, что в старости случается далеко не со всеми, вполне был достоин повторения в рамках теории вероятности.

В это утро спутником Арсения Николаевича по прогулке был другой старик, подполковник в отставке Марковского полка Филипп Степанович Боборыко, такой же, как и сам Арсений Николаевич, бывший юноша Ледяного похода. Филипп Степанович, в отличие от Арсения Николаевича, был рыхл и одышлив. Он и в отставку-то вышел в 1937 году по причине дурного здоровья, но с тех пор вот уж столько десятилетий тянул, бесконечно охая и скрипя, основал, развил и передал детям небольшой, но вполне солидный судоремонтный бизнес, объездил весь мир. Сейчас, охая и стеная, ругая Арсения Николаевича за то, что вовлек тот его в немыслимую «по нашим-то мафусаиловым годам» прогулку, подполковник Боборыко рассказывал о своем прошлогоднем путешествии в Москву и о наслаждении, которое он испытал на концерте церемониального оркестра Советской Армии.

— Арсюша, мон ами, поверь, это было шикарно, елочки точеные! Какой повеяло российской стариной! Тамбурмажор подбрасывал жезл, на задах стояли военные значки, штандарты сродни, знаешь ли, Семеновским и Преображенским. Все трубачи такие грудастые и усатые, вот она, имперская мощь, не чета нашим «форсиз», которые, ты уж извини меня, я знаю, что ты этого не любишь, но, согласись, с годами стали больше похожи на тель-авивских командос, чем на русскую армию, прости, Арсюша, похожи стали на этих дерзких жидков. А что они играют — ты не представляешь! «Морской король», «Тотлебен», «Славянку» и даже одну нашу, белую, ты себе не представляешь, Арсюша, они играли «Марш дроздовцев», конечно, без слов, но я пел, Арсюша, я пел, сидя в советском зале, пел и плакал...

Филипп Степанович слегка даже пробежался по горной тропе, воздвиг свое грузное тело на камень и, прижав руку к груди, спел не без вдохновения:

Шли дроздовцы твердым шагом,
Враг под натиском бежал,
И с трехцветным русским флагом
Славу полк себе стяжал...

Затем последовала одышка и затяжной кашель со свистом, деликатное, в кустик, отхаркивание мокроты.

— Милый Боборыко, — сказал с улыбкой Арсений Николаевич (любопытно, что даже в юности у подполковника не было прозвища, сама его фамилия воспринималась как забавная кличка), — должен тебя огорчить: о «дроздовцах» эти твои трубачи даже и не слышали, а на дроздовский мотив они поют свое: «По долинам и по взгорьям шла дивизия вперед, чтобы с боем взять Приморье, Белой армии оплот». Согласись, в поэтическом отношении этот текст явно лучше нашего.

Филипп Степанович огорчился. С огорчением и очень серьезно он смотрел на Арсения Николаевича, и тот понимал, что церемониальный оркестр и марши — лишь повод для серьезного разговора, с которым Боборыко приехал в «Каховку».

Прошло уже около двух месяцев с того момента, как Временная Государственная Дума обратилась к Верховному Совету с просьбой о включении Крыма в Союз на правах шестнадцатой республики. Ответа до сих пор не было, не было никакой реакции из Москвы, словно все это была детская игра, словно и сам ОК не достоин внимания гигантской Евразии.

— И все-таки, Арсюша, в вооруженных силах там чтут российские традиции. Представь, отправился я в Лефортово искать свой кадетский корпус. Представь, сразу нашел. Все те же красные стены, белые колонны, вокруг почти ничего не изменилось, в здании помещается Артиллерийская академия, у входа дежурный офицер, стройный, перетянутый ремнями, наш, настоящий, Арсюша, русский офицер. Я обратился к нему и сказал, что учился здесь кадетом. Представь, никакой враждебности, представь, наоборот, дружелюбие, уважение...

— Что ты хочешь этим сказать, Боборыко? — мягко спросил Арсений Николаевич. — Говори наконец впрямую.

— Я хочу сказать, что в мире болтают о советском милитаризме, но ведь мы, русские, всегда любили войну, мы... — Филипп Степанович разволновался вконец, руки задрожали, дыхание сбилось.

— Давай присядем. — Арсений Николаевич посадил старого друга на нагретый солнцем камень. Огромная чаша Коктебельской бухты со всеми ее парусниками и мотоботами, ее небо с двумя-тремя геликоптерами, ее земля с уступчатыми домами и завитками фривея, с катящимися автомобилями в тишине лежала под ними. Здесь, на склоне, была тишина, только свиристела близкая птица да мощно пахли цветущие травы. — Ну, скажи наконец, Филя, скажи, спроси, — сказал Арсений Николаевич.

— Хорошо. — Филипп Степанович отдышался. — Арсюша, мы вымираем с каждым днем. Сколько осталось? И батальона не наберется. Арсюша, меня послали к тебе товарищи. Мы чувствуем, что они скоро придут. Ведь это же бесспорно, они придут. Мы и сами бы пришли на их месте, иного быть не может. Скажи, можем ли мы, последние добровольцы, смотреть на них как на нашу армию?

Арсений Николаевич не думал ни минуты.

— Нет, это не наша армия, — сказал он.

Теплым майским вечером на открытой веранде литературного ресторана «Набоков» Антон Лучников играл на саксофоне для своей беременной жены. Выпросил инструмент у музыканта — Джей, дай мне твою дудку ненадолго, хочу для жены немного поиграть, она у меня очень беременная. Все тут были свои, все друзья, все яки, и, конечно, знаменитый саксофонист Джейкоб Бриль не отказал Тони, дал свое золотое сокровище, только попросил слюни не пускать. Кумир подземной пересадки на станции метро «Шатле» заиграл в стиле ретро мелодию «Сентиментальное путешествие». Он думал, что всех поразит этой древностью, которую недавно выудил в отцовских архивах, но оказалось — все эту штучку знают, вся публика в «Набокове», не говоря уже о музыкантах, которые тут же к нему подстроились и только лишь слегка улыбались, когда он пускал «фиксу». Певица же оркестра, длинноногая черная Заира, обтянутая черным платьем и вся целиком напоминающая стройную изгибающуюся ногу, встала рядом с Тони и запела:

Gonna make a sentimental journey
To renew old memory...

Антон играл, глядя на жену влюбленными глазами. Со дня на день она родит. У меня будет ребеночек, сын или дочь, еще одно родное существо появится в мире. Мать ушла, но придет ребенок, он заполнит то, что называется гнусным словом «пустота», черную дыру в пространстве, образовавшуюся с уходом матери. После недавней смерти матери он почувствовал, что изменился, может быть, повзрослел, может быть, это называется каким-нибудь другим словом, но изменился решительным образом. У каждого человека свой космос, но в моем слишком просторно, слишком много пустот... Мать ушла, а отец и не знает об этом, орбита его удаляется, он кружит в холодных кольцах своей подлой славы, все дальше и дальше отлетает от меня... и от деда... Счастье, что в мир мой вошла такая горячая Памела... Вот она сидит в своем африканском широченном бурнусе, но пузо все равно видно, не спрячешь, там мое дитя...

Черная, тоненькая, дочь татарина и негритянки Заира, поводя плечами и бедрами, будто старалась вылезти из своего чулка. Оживи мою короткую память... Когда я увидел двух американочек на торговой улочке Стамбула, разве я думал, что одна из них станет моей женой? Кажется, это дед виноват, — кажется, это он сказал — вот твоя жена, Антошка! Отец этого не сказал, может быть, он только подумал об этом, помнится, он бросил на нас в «Калипсо» какой-то странный взгляд, но не сказал ничего. Ему не до этого. Исторический деятель... Экий вздор вся эта история, вся эта политика. Если бы я мог играть на саксе, как Бриль!

Он кончил играть и с церемонным поклоном вернул инструмент хозяину.

— Ты можешь хорошо играть, — серьезно сказал Бриль. — Хочешь, позанимаюсь с тобой?

— Очень хочу, Джей, — сказал Антон. — Готов хоть завтра начать.

— Давай поиграем, пока красные не пришли, — сказал Джей Бриль.

— На саксофоне сейчас и у них можно играть, — сказал Антон. — Меня как раз там и научили. Некий Дим Шебеко.

— Ага, — уважительно кивнул Бриль. — Знаю.

Антон вернулся к своему столу, где золотой богиней восседала Памела, а рядом с ней ближайший друг, третий призер Антика-ралли Маста Фа и несколько еще парней и девушек из первого национального конгресса яки, который, едва возникнув, тут же и рассыпался на множество групп, группочек и отдельных личностей. К сожалению, отец прав, думал Антон: яки-идея, возникла преждевременно, ей нужно еще не менее одного поколения. Быть может, вот тот, кто сидит сейчас в Памеле и так колоссально растянул ее матку, может быть, этот типус и смог бы стать настоящим яки, если бы... если бы не... если бы не было сейчас такой грустной и чудной весны, если бы мы все, весь наш Остров, со всеми его скалами и бухтами, не был зачарован ожиданием неизбежного, загипнотизирован таинственным северным молчанием. А впрочем, какое все это имеет значение, никогда я не пойду по пути своего папочки, никогда не позволю поработить себя никакой политической идее, любая из них мерзее другой, хватит с меня этого дурмана, лучше на саксофоне буду играть, лучше уеду с Памелой к ней в Малибу, забуду о том, что я русский, что я яки, забуду об Острове Крым, довольно... Вновь и вновь в памяти его вставал дряхлый дворец на окраине Рима, отставшие от стен обои, выскакивающие при каждом шаге плитки паркета, запах распада, неотвратимой беды... Он тряхнул головой, поймав на себе беспокойный взгляд Памелы.

— Ну, — улыбнулся он жене. — Как я играл, бэби?

— Совсем неплохо, — улыбнулась она. — Я думала всегда, что ты врешь про саксофон, а ты, оказывается, и действительно немножечко умеешь.

— Бриль будет заниматься со мной, — сказал Антон. — Через год заиграю, как он.

— Браво! — Памела погладила его по голове. Чем больше рос у нее живот, тем более по-матерински она относилась и к мужу своему, русскому мальчишке. — Завтра же напишу маме в Малибу, что ошиблась — выходила замуж за будущего премьера, а он оказался просто саксофонистом.

— Ебал я всех премьеров, — пробормотал смущенно Антон. — Джаз — вот независимая страна, ни с какой политической падлой никогда не смешается.

— Какой ты стал аполитичный, — ядовито заметил Маста Фа. — Тони, ты вернулся из Италии другим человеком. Может быть, «красные бригадисты» тебя запугали?

Все расхохотались, кроме Антона и Памелы. Он никому не рассказывал, для чего ездил в Италию, никому, кроме Памелы, и никому никогда не расскажет: нечего им знать о горшках с черной рвотой, о трещинах в стенах так называемого дворца, о последних хрипах матери, о ее глазах, замутненных наркотиками, об одинокой его молитве, которая обернулась судорогой, никому он не расскажет об этом, кроме Памелы, которой уже все расскажал, никому, даже отцу, прежде всего — никогда — отцу. Он ничего не ответил Маста Фе и отвел глаза. Получается, что у меня совсем нет друзей. Маста Фа — лишь политический союзник, он не друг, если я не могу ему рассказать обо всем этом. Дед Арсений на своей горе... Могу я ему рассказать? Это еще вопрос... Впрочем, дед Арсений — мой друг. Вот ему я расскажу все о матери, об этом ужасном дворце, где она провела свои последние дни... Завтра же отправимся с Пам в Коктебель...

— Ну? — настойчиво сверлил его взглядом яростный Маста Фа. — Перед бригадистами там обосрался?

— Ебал я «Красную бригаду», — неохотно проговорил Антон, выпил рюмку коньяку и поспешно закурил.

— Обосрался! — крикнул Маста Фа. — Мы все обосрались! Мы все оказались дерьмом! Мы не яки, а говно!

Еще после участия в Антика-ралли бахчисарайская аристократия отлучила юношу от дома. Мусульманин не должен принимать участия в варварских забавах гяуров. Затем и отец, богатейший плантатор, выгнал сына: иди к своим русским! Теперь Маста Фа собирался и сам послать всех подальше: оскорбленная душа жаждала одиночества.

Все за столом после слов темпераментного гонщика зашумели. Маста Фе удалось добиться своего: все забыли про джаз и про очарование поздней весны, про все свои сердечные дела и про марихуану, снова бессмысленно закружилась по столу безнадежная яки-проблема. Антон, хотя и слово себе дал не ввязываться, через минуту уже перегибался через стол, отмахивал волосы, стучал кулаком, безобразно, в худшем русском стиле, оппонировал другу, едва ли не рыдал.

— Да ты пойми, да вы поймите, ты, парень, вы, ребята, поймите, нет у нас еще нации, хоть плачь, но нету! Вы же видели, как проваливались все наши митинги, за исключением тех, где надо было кулаками работать; все наши дискуссии оборачивались комедией, а над своим языком мы сами смеялись!

Маста Фа в ответ тоже вскочил и перехватил раскачивающуюся над столом длинную руку.

— Это вы, русские, смеялись, а другие не смеялись! Вы русские — мазохисты! Вас Золотая Орда триста лет употребляла, а вы только попердывали! Вас Сталин сорок лет ебал, а вы его отцом народов называли. Вы, русские, сейчас весь наш Остров жопой к красным поворачиваете, напрашиваетесь на очередную выебку. Кончено! Катитесь вы, проклятые русские!

Отшвырнув тяжелое кресло, Маста Фа перепрыгнул через перила веранды прямо на мостовую. Через несколько секунд зеленая его «Бахчи-мазаратти», рявкая, отвалила от ресторана «Набоков» и исчезла.

— Ну вот вам и яки, — печально развел руками Антон. — Вот вам на поверку и вся наша «нация». Вы — русские! При чем тут русские? В конце концов, почему я — русский? Я с таким же успехом и итальянец.

— Вы итальянец? — спросила, подходя, Заира. — Такой блондинчик?

— По-вашему, все итальянцы черны как сажа? — надменно возвышаясь над своим животом, обратилась к ней Памела. Она чувствовала, куда клонит певичка, — при беременной жене уволочь на ночку мальчика.

— Ну, вот уже и цвет волос, цвет кожи, примитивнейший расизм, — уныло проговорил Антон. Он был удручен внезапной злобной вспышкой Маста Фы. — Друзья, — сказал он, — мы ссоримся по пустякам, а на самом-то деле думаем об одном — придут ли красные?

— Не сомневайтесь, придут, — сказал кто-то с дальнего конца стола.

Сказано это было по-русски, но Антону показалось, что с советской интонацией, да-да, определенно, кто-то советский высказался. В конце стола на углу бочком сидел маленький, заросший бороденкой по глаза молодой человек в солдатской рубашке, расшитой лилиями, мода советских хиппи.

— Вы, кажется, из России? — спросил Антон.

— Сейчас из России, — загадочно ответил малыш.

Антон повернулся к друзьям и продолжил свою мысль:

— Придут или не придут красные, долг крымской молодежи — продолжать процесс формирования новой нации. Надо перенести семя яки через поколение. Нужно организовать многонациональные земледельческие коммуны, работать над языком, над новой культурой...

Говоря это, он чувствовал на себе усмешливый взгляд малыша. Резко повернул голову — так и есть: смеется.

— Какого черта вы смеетесь?

— Хотел бы я посмотреть на ваши многонациональные коммуны в Крымской АССР, — сказал малыш. — У вас никто до конца не понимает большевизма. Даже вы, яки, противники воссоединения. Даже вы, ребята, не понимаете, что вас очень быстро тут всех раскассируют...

— Кто вы такой? Вы из Москвы? — спросили малыша.

— Неделю как оттуда, — ответил он.

— Турист? Однако туризм прекращен сразу после призыва Думы. Еврейский эмигрант? Они сюда не едут...

— Я просто беглец, — скромно сказал малыш. За столом расхохотались — нашел куда бежать!

— Мне все равно, куда бежать, — пояснил малыш. — Я могу убежать откуда угодно и куда угодно.

— Новый Гудини, — сказал Антон.

— Между прочим, что-то в этом роде, — очень просто, без всякой амбиции сказал малыш. — Мое имя Бенджамен Иванов, или Бен-Иван, как зовут меня друзья. Я эзотерический человек. С каждым годом обнаруживаю в себе все новые и новые признаки свободы. Вы можете спросить, Тони, у вашего отца. Прошлым летом мы пересекли с ним вместе советско-финскую границу. Мне удалось тогда «вырубить» целую заставу, на солидном расстоянии спутать показания локатора.

— Так это были вы? — поразился Антон.

— К вашим услугам, — поклонился Бен-Иван, встал, подошел к перилам веранды клуба «Набоков» и вдруг исчез в подступающих вплотную к веранде ветвях платана.

Антон тряхнул головой. Бен-Иван уже снова сидел за столом и ободряюще ему улыбался.

Заира приблизила к уху Антона мягкие темные губы. Может быть, потанцуем, секси-бой?

— Секси-бой потанцует со мной, — сердито сказала Памела, неизвестно каким образом услышавшая эту даже и не произнесенную фразу. — А вы, детка, — обратилась она вполне, впрочем, миролюбиво к Заире, — были бы очень любезны, если бы спели еще раз «Сентиментальное путешествие».

Заира была покладистой бабой и тут же опять отправилась к эстраде. По дороге она подцепила вновь прибывшего эзотерического человека. Тот оказался к тому же с тромбоном и очень профессионально солировал поочередно с Заирой и улыбался ей вполне по-свойски и даже иногда притрагивался своим твердым передком к ее пружинистому задку. Все танцевали на веранде, и все улыбались друг другу. Антон прижимал к себе огромный живот жены и ему казалось, что сердцебиение плода совпадает с его собственным пульсом. Он видел вокруг лица друзей, несостоявшуюся новую нацию Острова Крым, такие красивые яки — хей, челло, где вы еще найдете такую красивую молодежь? Все танцевали под мелодию четвертьвековой давности, и все улыбались. Сладкое облачко марихуаны витало над верандой. В небе растворялось закатное золото и висел для красоты рой безобидной майской мошкары. За хрустальным стеклом виден был внутренний зал ресторана «Набоков», еще недавно там чуть ли не каждый вечер проходили приемы в честь очередного заезжего эмигранта. Теперь элегантная публика передвигалась с бокальчиками мартини вполне бессмысленно. Кое-где были видны хохочущие рты, кое-где насупленные брови пророков, кривые рты пьянчуг, подержанные дамочки проносили высоко поднятые и на всякий случай чуть-чуть оскорбленные подбородки, а с дубовых панелей взирали на толпу портреты Тургенева, Мережковского, Бунина, Ахматовой, Бродского, Вознесенского, Ахмадулиной и множества других. «Писатели — верные помощники партии», — вспомнил Антон поразивший его лозунг в московском клубе ЦДЛ. Сейчас все казалось призрачным, все подернуто дымкой. Слабый привычный наркотик на этот раз будто бы отодвинул куда-то вглубь весь клуб «Набоков» и веранду с танцующей молодежью и придал всему какой-то смутный несмысл. Впрочем, ощущение это было мимолетным, оно пропало так же, как и появилось, — внезапно, и в это время поворот танца открыл перед ним прореху в шеренге платанов и в прорехе той — огромное золотое небо крымской ночи, панораму Симфи с ее кубами, шпилями, шарами, квадратами и уступами, россыпь огней на фоне золотого неба и торчащий прямо посредине карандаш «Курьера». Верхний его конец сверкал ярким светом, будто маяк. Там был в этот момент его отец. Он поддерживал там уже бессмысленный огонь; маяк в ослепительной золотой ночи, где все было видно и ясно далеко вперед.

Вторжение началось именно в эту ночь, но по традиции все-таки в темноте: одна заря еще не успела сменить другую, и в этих коротких сумерках налетел на Симфи свист бесчисленных турбин.

Председатель совета СОСа, издатель и редактор «Русского Курьера» Андрей Лучников, услышав этот свист, понял: свершилось.

Он выключил весь свет в башне, и одноклассники увидели с большой высоты своего небоскреба бесчисленные огни над Симфи. Это кружили в ожидании очереди на посадку гигантские десантные «Антеи».

Ти-Ви-Миг, как всегда, оказался на месте. На экране «ящика» уже можно было видеть пасть десантной рыбины, откуда один за другим выезжали набитые «голубыми беретами» джипы. Передача, правда, почему-то внезапно прервалась, когда несколько «голубых беретов» побежали прямо на камеру, на ходу поднимая приклады.

— Ну вот видите, — спокойно сказал Беклемишев. — Они снова обманули. Они не могут не врать.

— Кто они?! — закричал Лучников. — Я не с солдафонами разговаривал! Я с Госпланом разговаривал! С Комэконом и с Госпланом. Они вполне могли и не знать, что готовится.

Третьего дня в башне «Курьера», а затем и в правительственном квартале начались радостные события. Москва прервала трехмесячное зловещее молчание, на связь с Лучниковым стали выходить видные деятели Госплана, а затем и Совета Экономической Взаимопомощи. Есть, дескать, мнение, что пришла пора начать координацию экономики. Лучников, ликуя, переадресовывал московских товарищей к соответствующим симферопольским правительственным, коммерческим, финансовым органам. Из всего этого следовало, как решили одноклассники, что в Москве торжествуют «прагматики», что там решено объединение провести поэтапно, тактично и, уж во всяком случае, без вторжения, ведь в самом деле, что же за нелепость — вторжение в страну, добровольно присоединившуюся. Не Прибалтика ведь.

Итак, все стало поворачиваться, казалось бы, в благоприятную сторону, за исключением, впрочем, череды золотых закатов над всей территорией Острова, этого золотого и слегка зеленоватого свечения, которое вселяло почему-то все большую тревогу и заставляло одноклассников торчать по ночам в башне «Курьера» и мешало почему-то им разлучаться.

Замигал индикатор видеофона. На экране появился полковник Чернок. На голове у него был шлемофон. Он говорил очень тихо, но вполне внятно:

— Со всех сторон к берегам подходят десантные суда, на пляжи высаживаются танковые колонны, в бухты — морская пехота, применяются судна на воздушной подушке. Аэропорт Симфи наводнен «Антеями». Радарные системы оповещают о приближающемся соединении истребительной авиации. Предполагаю, что речь идет о блокаде наших баз.

— Саша, для чего им блокировать наши базы? — вскричал Мешков. — Разве они не понимают, что это их базы?

Лучников положил руку на плечо дрожащему Мешкову, сказал Черноку:

— Попробуй напрямую запросить Генштаб о причинах вторжения.

— Это не вторжение, — улыбнулся Чернок.

— Что же?! — вскричал потерявший весь свой юмор Сабашников.

— Включи московский канал ТВ, — сказал Чернок.

Фофанов повернул ручку телевизора на московский канал. Там в этот глухой час вместо цветной сетки сидел скуластый диктор Арбенин в диком пиджаке и умиротворяющим монотонным голосом читал какое-то сообщение ТАСС. Судя по тону, сообщение было средней важности, более серьезное, чем сводка ЦСУ, но, конечно, не столь существенное, как речь товарища Капитонова на собрании по поводу вручения ордена Октябрьской Революции городу Кинешме.

— Как известно (хотя, казалось бы, откуда известно, если ничего по этому поводу населению не сообщалось)... широкие слои населения исконной российской территории (нет-нет, никакой Государственной Думы, ее вовсе не существует)... Восточного Средиземноморья (даже в таком сообщении не употребить заколдованного слова «Крым», это уж слишком)... обратились к Верховному Совету Союза Советских Социалистических Республик с просьбой о включении в состав одной из союзных республик (опять лжица, опять подляночка — не так ведь обратились, не так звучала просьба). Вчера на заседании Президиума Верховного Совета СССР просьба эта была в принципе удовлетворена.

Теперь она подлежит утверждению на очередной сессии Верховного Совета.

В ознаменование воссоединения народов Восточного Средиземноморья с нашим великим социалистическим содружеством Комитет физкультуры и спорта при Совете Министров СССР совместно с Министерством обороны СССР и ДОСААФ решили провести в секторе Черного моря военно-спортивный праздник под общим названием «Весна». Проведение праздника назначено на (вчерашнее число мая)... Репортажи о ходе праздника будут периодически транслироваться по второй программе Центрального телевидения.

— Достаточно, — сказал со своего экрана Чернок. — Выключайте.

Члены совета увидели, как дежурный офицер протянул Черноку радиограмму. Полковник снова улыбнулся, на этот раз слегка саркастически.

— Американцы любезно сообщают, что из Одессы к нашим берегам вышла эскадра во главе с авианосцем «Киев», а из Новороссийска эскадра во главе с авианосцем «Минск»...

— Наши данные подтверждаются, — вставил невозмутимый Востоков.

— Пока, ребята, — сказал Чернок. — Я поднимаюсь на вертолете. Насколько понимаю, я уже не командующий. Позволю себе просто удовлетворить любопытство. Мне интересно, как это у них поставлено.

Видеофон погас, и почти в тот же миг все увидели приближающийся к башне «Курьера» большой зеленый вертолет с советскими опознавательными знаками. Он завис в непосредственной близости от стеклянных стен лучниковского шалаша. В открытых его дверях столпились, внимательно вглядываясь в рефлектирующие стекла, десантники.

— Это по нашу душу, Востоков? — спросил Лучников осваговца. Тот молчал. — Где Сергеев? Когда нас должны взять? — спросил Лучников. Востоков молчал.

На вертолете зажегся мощный прожектор. Через мгновение луч его уперся в наконечник башни «Курьера» и ослепил всех. Несколько мгновений они чувствовали себя козявками под микроскопом, как вдруг сверху донеслась автоматная очередь, и все увидели на одном из уровней «вигвама» Кристину Паролей с оружием в руках. Вертолет немедленно погасил огни и стал удаляться.

— Вы что же, Андрей, собираетесь защищаться? — с кривой улыбкой спросил Востоков. — Наподобие Сальваторе Альенде?

— Брось оружие! — злобно крикнул Лучников Кристине. Та немедленно выполнила приказ. — Как ты смела стрелять?

Она села на пол и уткнула голову в колени.

— Что же прикажете делать? — спросил всех Сабашников. Его нельзя было узнать, трудно было предположить, что он и в этот момент играет. — Как дубчековской компании сидеть и ждать особистов?

Наступила долгая пауза, которую в конце концов прервал Лучников.

— Петяша прав, — сказал он. — Пусть хоть потрудятся товарищи. Пусть поищут. А мы пока покатаемся по своей земле на прощанье.

Все молча встали. Через несколько минут из подземного гаража «Курьера» без особой спешки, с сохранением полного достоинства стали разъезжаться машины одноклассников — «Руссо-Балт» Мешкова, «БМВ» Беклемишева, «Мерседес» Фофанова, «Ягуар» Сабашникова, машины Нулина, Каретникова, Деникина... и, наконец, знаменитый «Питер-турбо» лидера национальной идеи Лучникова.

— В следующий раз встретимся, должно быть, в Потьме на стекольном заводе, — сказал на прощанье Сабаша и тут уж все-таки не удержался, изобразил «декабриста», а потом, чуть не заплакав, рассмеялся. — Странная связь со стеклом...

С каждой минутой становилось светлее, и в тот момент, когда в небе появилось созвездие целого вертолетного соединения, задержавшийся Востоков заметил приближающуюся фигуру полковника Сергеева. На этот раз тот был в своей полной форме, которая, надо сказать, выглядела на нем довольно дико.

— Разъехались? — еще издали и негромко спросил он Востокова.

Звук приближающихся вертолетов был пока еще подобен жужжанию шмелей, и потому негромкий голос Сергеева прозвучал гулко и отчетливо на площади, выложенной цветной плиткой, с кинетической и в этот утренний час едва колышущейся скульптурой.

Востоков сидел как раз у подножья этой скульптуры, олицетворяющей, по мысли ее творца, «Стойкость хрупкого». Закинув ногу на ногу и скрестив руки на груди, он смотрел на приближающегося Сергеева. «Любопытно, сам он меня застрелит или прикажет вертолетной сволочи», — думал он. Сергеев подошел вплотную.

— Почему не задержали? У вас ведь был приказ. — В голосе Сергеева тоже слышалось нескрываемое любопытство, и Востоков подумал, что это свойство не покидает людей их профессии, пожалуй, даже в самые критические минуты.

— Как думаете, почему? — надменно спросил он Сергеева. — Не догадываетесь?

— Молодец, Востоков, — вдруг сказал московский полковник, сделал было движение, чтобы хлопнуть коллегу по плечу, но почему-то не решился. — Я в тебе не ошибся, Востоков. Бери-ка свою тачку и испаряйся, пока не поздно. Лучший выход для тебя — испариться.

— Даже если бы я и выполнил приказ? — вновь Востоков дал волю своему неистребимому любопытству.

— В этом случае — тем более, — сказал Сергеев.

— Яки, — сказал полковник Востоков. — Я тоже в вас не ошибся, Сергеев.

За несколько минут до того, как из вертолета посыпались отборные молодчики спецгруппы ГБ, темно-вишневый «Фольксваген» Востокова успел завернуть за угол «Курьера», а потом нырнул в ближайший тоннельчик Подземного узла.

Дока по таким делам, офицер-азербайджанец был основательно разочарован — чехословацкий вариант, когда он, азербайджанец, построил все правительство вдоль стенки с поднятыми руками, сорвался; здесь, в Симферополе, товарищи оказались не столь сознательные.

На больших высотах небоскребов вдоль бульвара 20 января с первыми лучами солнца появились красные и трехцветные флаги. Чем выше поднималось солнце, тем гуще становилась толпа на широченных тротуарах главного бульвара Симфи. На несколько часов раньше обычного открылись все кафе и бары-экспрессо. Царило радостное возбуждение. Молодежь развешивала по ветвям платанов лозунги типа: «Привет, Москва!», «Советский Остров приветствует советский материк!», «Крым + Кремль = Любовь!» и самый оригинальный: «Пусть вечно цветет нерушимая дружба народов СССР!» Автомобильные реки еле-еле текли в обоих направлениях вдоль бульвара. Полиция сбилась с ног, стараясь очистить главную улицу столицы для церемониального прохода частей родной Советской Армии. До восьми утра, однако, в центре не было видно ни одного советского солдата. Огромные экраны в барах и транзисторные телевизоры в руках публики показывают репортажи Ти-Ви-Мига из различных пунктов побережья. Ти-Ви-Миг на сей раз почему-то оказался далеко не в лучшем своем качестве; передачи были сбивчивые, внезапно прерывались, но и по ним можно было судить о грандиозных масштабах военно-спортивного праздника. Все-таки, видимо, развязные телемолодчики раздражали скромных советских парней, лица скромняг мрачнели при приближении машин Ти-Ви-Мига, и передачи почему-то прекращались. Московский канал между тем передавал вчерашний выпуск программы «Время», материалы о ходе весенних посевных работ, выступление временного поверенного Республики Мозамбик в связи с национальным праздником, вручение наград ветеранам угольной промышленности... Публика на Январском бульваре начала пить шампанское, настроение все повышалось: ничего, ничего, скоро все наладится, к черту телевидение, сами скоро все увидим своими глазами, вы слышали, говорят, к вечеру прилетит Брежнев.

Вдруг в начале бульвара жутко взвыли сирены, и невероятно мощный и явно советский голос стал повторять одну и ту же фразу:

— Машинам и пешеходам немедленно очистить проезжую часть! Машинам и пешеходам немедленно очистить проезжую часть!..

Столичная полиция взялась разгонять автомобили, заталкивала их под платаны, на тротуары и чуть ли не в подъезды домов.

Наконец по бульвару на большой скорости пронеслись пол-дюжины броневиков-амфибий с горящими фарами и воющими сиренами. Из-за брони видны были только голубые береты, скособоченные на бритых затылках.

Восторженные крики населения не достигли ушей куда-то чрезвычайно спешащих солдат. В кафе «Марсово Поле» некий иностранец предположил, что подразделение мчалось «брать» Совет Министров. Его подняли на смех. Через несколько минут на экране в кафе, правда, и в самом деле появилась сводка Ти-Ви-Мига с Сенатской площади, где стильно светилась колоннада Совета Министров и куда ворвалась броневая кавалькада. Передача вновь как-то внезапно и нелепо оборвалась. Ти-Ви-Миг, по северному выражению, в этот день был явно не на высоте.

Между тем в одной из автомобильных пробок на площади Барона стоял «Питер-турбо» крымского чемпиона. В обычное время он оказался бы, конечно, в центре внимания, сейчас все пассажиры и водители высовывались из машин, стараясь не пропустить появления головных церемониальных советских колонн.

Кристина вдруг потеряла свой образ гибкой и почти немой любовницы-телохранительницы, которая сопровождала лидера идеи все эти месяцы. У нее было разбухшее от слез лицо и страх в глазах.

— Андрей, прошу тебя, умоляю, бросим немедленно эту машину, — повторяла она. — Эту твою ебаную машину все знают. Тебя сейчас возьмут. Надень парик, и бежим. Тебя могут каждую минуту взять эти ебаные «комми»...

— Я ни от кого не скрываюсь, — надменно отвечал Лучников. Известная всем телевизионная его улыбка не сходила с его лица. Черный свитер, ворот голубой рубашки, сигариллос в углу рта — прежний рекламный облик. — Если предъявят ордер на арест, подчинюсь. Захотят взять нахрапом, окажу сопротивление.

Она вдруг взорвалась неудержимыми рыданиями. Он обозлился — какой тряпкой оказалась эта «железная девочка». Танька никогда бы не унизилась до таких соплей. Он сам еле справлялся с внутренней дрожью, и злость на Кристину помогла ему. Он даже взял ее слегка за горло и тряхнул:

— Вытри сопли, говно!

— Подумай обо мне, — рыдала уже во весь голос Кристина. — Что я буду делать без тебя? Бежим, Андрей! Ну, подумай хоть раз о ком-нибудь другом! Хоть на миг подумай обо мне, подумай о другой душе, хуесос, подумай не о себе...

— Сука, ты меня полагаешь самоманьяком? — зарычал он. — По-твоему, это я для себя все сделал, весь этот ад для себя сотворил?

Между тем в «аду» этом гремели оркестры и музыка из динамиков, реяли флаги всех политических партий Крыма и красные флаги СССР, мелькали смеющиеся лица. Впереди у скульптуры Барона началось какое-то движение: приехало несколько фургонов полиции и платформы Ти-Ви-Мига.

Лучников наклонил голову и сжал ладонями виски, нажал пальцами на глазные яблоки, чтобы разогнать спускающуюся ему на голову тучу мрака. В самом деле, быть может, Кристи и права по-своему, по-бабски. Она напомнила об отце, о котором я забыл, о сыне, о котором я забыл, о внуке, который может появиться со дня на день и о котором я уже забыл, она напоминает о себе, о которой я никогда и не помнил. Я даже Таньку-то свою забыл, забыл еще тогда, в Москве, поэтому она и ушла, даже свою единственную женщину забыл и наплевал на нее, а уж эту-то, Кристи, я никогда и не помнил. Прости меня, Господи, я расплачусь за эту черствость, но ведь и она не права, не о себе же я все это время думал, о России, о верховном ее пути, о Твоем пути, об искуплении...

Сегодня, когда они покинули здание «Курьера», Кристина напомнила ему об отце, и он из первой же телефонной будки позвонил в «Каховку». Там ответил новый библиотекарь, бывший премьер Кублицкий-Пиоттух. Он поведал, что Арсений Николаевич среди ночи, никому ничего не сказав, с одним лишь своим верным Хуа укатил на «Роллс-ройсе» в Симферополь, и он, Кублицкий-Пиоттух, не может не связать этот отъезд с общими событиями, о которых Андрею Арсеньевичу, естественно, известно лучше других, и хотя он лично, Кублицкий-Пиоттух, не может не быть ему благодарен за то, что вовремя покинул никчемное правительственное учреждение, но тем не менее он не может не выразить ему своего недо...

На симферопольской квартире в телефонную трубку рыдал одинокий Хуа. Андрюса, что-то ужас слышилось... Арсюса усел из дом в старой синель и взял из подвал свой рзавий руззие...

Теперь в автомобильной пробке на площади Барона Лучников не знал ничего ни об отце, ни о сыне. Вдруг он подумал, что без них ему свет не будет мил. Не будет мил ему свет и без снохи — золотой Памелы, и без будущего внука, и без Танькиного Саши, и без самой Таньки, и без этой бабы, которая, оказывается, так его любит. Вдруг в этот момент вся история, философия и политика сгорели, словно куча старых газет, и он ощутил себя лишь мешком протоплазмы, жалкой живой сферой, вместилищем чего-то дрожащего, жаждущего защиты. Так уже было с ним однажды после финиша Антика-ралли.

— Внимание! — снова послышался над огромной площадью могучий радиоголос. — Всем на бульваре Января, на Синопском бульваре и на Преображенской! Немедленно очистить проезжую часть для проходящих колонн.

Приказ этот не относился к площади Барона, да все равно его и выполнить было невозможно.

Лучников сдвинул крышу назад и встал в машине. Он увидел приближающуюся по Синопскому бульвару первую колонну танков с поднятыми вверх стволами пушек и зажженными фарами.

Несколько камераменов Ти-Ви-Мига, в их серебряных куртках, с аппаратами на плечах, бежали почему-то не к танкам, а к статуе Барону. Что там происходит? Крыши автобусов, полицейских фургонов и сам Ти-Ви-Миг закрывали поле зрения.

— Что там происходит? Что там? — спросил он в пустоту.

Кристина сидела теперь, не двигаясь, надвинув мужскую шляпу, закрыв глаза черными очками, а нос и рот завязав цветным платком.

— Взгляните на экран, господин Лучников, — услышал он рядом вполне любезный голос. В «Кадиллаке» по соседству тоже была сдвинута крыша, и владелец, по внешности биржевой брокер, любезно показывал ему на экран своего внутреннего телевизора. — Происходит историческое событие, господин Лучников. То, чего большевики ждали шестьдесят лет. Окончательная капитуляция Добровольческой армии.

Лучников вздрогнул от ужаса. На экране все было видно отчетливо. У подножья статуи Барона стояло каре — несколько сот стариков, пожалуй, почти батальон, в расползающихся от ветхости длинных шинелях, с клиновидными нашивками Добровольческой армии на рукавах, с покоробившимися погонами на плечах. В руках у каждого из стариков, или, пожалуй, даже старцев, было оружие — трехлинейки, кавалерийские ржавые карабины, маузеры или просто шашки. Камеры Ти-Ви-Мига панорамировали трясущееся войско или укрупняли отдельные лица, покрытые старческой пигментацией, с паучками склеротических вен, с замутненными или, напротив, стеклянно просветленными глазами над многоярусными подзлазниками... Сгорбленные фигуры, отвисшие животы, скрюченные артритом конечности... несколько фигур явилось в строй на инвалидных колясках.

— Что за вздор, господин Лучников? — спросил владелец «Кадиллака». — Вы не можете объяснить мне смысл этого фарса?

Камеры скользили по каре старцев, и у Лучникова вдруг возникло некое особое ощущение: это и в самом деле была армия, а развалины эти были воинами, и весь урон, который принесло время их телам и амуниции, только подчеркивал почему-то это ощущение «войска». Через минуту Лучников увидел того, кого и не сомневался увидеть в этом каре, — своего отца. Арсений Николаевич стоял в первом ряду, где заняли места самые сохранившиеся, самые бравые. Иные из них выпячивали груди с крестами и медалями, красуясь и бодрясь вполне по-дурацки. Лучников-старший в полковничьих погонах на своей юнкерской шинели просто стоял, опершись на винтовку, в той позе, в какой, наверное, они, мальчишки, и стояли в перерывах между атаками на Каховку. Странно было видеть рядом с ним репортера Ти-Ви-Мига в его серебряной куртке с фирменной эмблемой на спине. В глубине кадра над морем голов, цветов, флагов и лозунгов светились фары медленно приближающейся танковой колонны.

— Президиум Союза Белого Воина, как известно, отверг решение Временной Государственной Думы, — слышался спокойный голос отца. — Находящееся здесь подразделение Вооруженных Сил Юга России, верное присяге, противостоит вторгшейся армии красных.

— Однако, профессор... — Репортер показал камере свое ухмыляющееся лицо.

— Полковник, — мягко поправил Арсений Николаевич.

— Простите, полковник, но ведь Генштаб и весь личный состав наших «форсиз» приветствуют слияние с героической армией великого Советского Союза...

— Мы вам не «форсиз»! — рявкнул стоящий рядом с Арсением Николаевичем грудастый старик. — Мы — добровольцы! Русская армия!

— Русская армия собирается драться? — спросил репортер.

— Мы собираемся капитулировать, — сказал Арсений Николаевич. — Добровольческая армия капитулирует перед превосходящими силами неприятеля. — Он усмехнулся. — Согласитесь, слово «капитуляция» звучит более нормально, чем...

Сверхмощный радиоголос заглушил «ненормальное» слово:

— Немедленно освободить проезжую часть! Через пять минут начнется прохождение танковых колонн!

Сотни, тысячи машин, стоящих вплотную, отделяли Андрея от Арсения. Никак не пробраться к отцу, никак уже его не спасти. Началось хаотическое движение, в котором среди базарной разноголосицы послышалось четко:

— Равняйсь! Смирно! Шагом арш!..

Каре подобралось и медленно двинулось вперед. В последний раз Андрей Лучников увидел своего отца, когда тот довольно энергичным движением отодвинул от себя серебряную куртку Ти-Ви-Мига.

Теперь съемка шла с верхней точки, и неожиданно оказалось, что между головными танками и батальоном стариков есть некое асфальтовое озеро, вполне пригодное для исторической процедуры капитуляции. Быть может, сами Ти-Ви-Миги и позаботились о возникновении этого пространства, чтобы заснять «трагикомедию». Фанатики, безумцы спонтанной съемки, для них не существовало ни эмоций, ни опасностей.

Над батальоном «добровольцев» развернулся довольно большой и вполне эффектный белый флаг капитуляции. В передней шеренге склоненным несли трехцветное знамя России и несколько полковых штандартов.

В какой-то момент камера скользнула по молодым лицам советских танкистов. В своих шлемофонах они выглядели совершенно невозмутимо, только у двух-трех были при открыты рты, что придавало им, естественно, несколько дурацкий вид. Танки пока что стояли без движения, их прожекторы добавляли огня к софитам Ти-Ви-Мига. Теперь невидимый комментатор трещал по-английски с такой скоростью, будто шли последние минуты финального матча на Кубок Мира:

— Захватывающее и в самом деле довольно трогательное символическое событие! С опозданием на шесть десятилетий белая армия складывает оружие перед красной. Взгляните на этих дрожащих стариков, это те самые вдохновенные юноши Ледяного похода. Сколько их осталось, где развеяны их традиции? Кто они сейчас и перед кем капитулируют?..

Старики бросали на асфальт перед танками свое ржавое оружие и отходили в сторону, где снова строились с опущенными уже головами и заложенными за спину руками.

Вдруг что-то мгновенно переменилось. Исчезли лица танкистов, и закрылись люки. Захлебнулся на полуслове комментатор. Между танками появились несущиеся с автоматами наперевес «голубые береты». Не обращая внимания на старых белогвардейцев, но лишь оттесняя их, десантники бросились к платформам Ти-Ви-Мига. Изображение на экране стало прыгать. В какой-то момент Лучников увидел двух солдат, заламывающих руки назад парню в серебряной куртке, потом все пошло трещинами — удар прикладом прямо в камеру, потом на экране появились три бегущих серебряных куртки и преследующие их десантники. Упорные фанатики продолжали снимать собственный разгром.

— Странная акция десантного соединения, — хрипел, закрываясь локтем, знаменитый комментатор Боб Коленко, лицо у него было разбито в кровь, сзади на него наседал, просунув ствол карабина под подбородок, невозмутимый «голубой берет», но Боб Коленко видел нацеленный откуда-то глаз уцелевшей камеры и потому продолжал хрипеть: — Странная игра. Имитация атаки на средства массовой информации. Вы видите, господа, этот мальчик душит меня стволом своего карабина. Кажется, он принимает эту игру слишком всерьез...

Наконец канал Ти-Ви-Мига прикрылся фирменной серебряной заставкой с эмблемой — крылатый глаз. Встревоженный хозяин «Кадиллака» смотрел на Лучникова.

— Должно быть, эти негодяи из Ти-Ви-Мига проявили какую-то бестактность к нашим войскам. Не так ли, сударь?

Он переключил свой телевизор на Москву. Там показывали общим планом улицы крымских городов, заполненные восторженными толпами. В небе группа парашютистов образовала в затяжном прыжке слово СССР. Лучников увидел, что танки пошли.

— Там мой отец, — сказал он Кристине. — Попробую пробраться на площадь. Сядь за руль.

Она судорожно, каким-то лягушачьим движением вцепилась в него. Он вдруг почувствовал к ней отвращение и тут как раз заметил, как из какого-то «Каравана» в полусотне метров сбоку группа хмельных господ показывает на него пальцами и хохочет. Он мельком глянул на них, сначала не узнал, но потом узнал и внимательно вгляделся. Это были развеселые американские киношники во главе с Хэлоуэем-Октопусом, и среди них самый хмельной, самый развязный и самый оскорбительный вчерашний московский друг Витяся Гангут. Именно он, а не она, тыкал в Лучникова пальцем, похабно хохотал, а заметив его взгляд, совсем уж зашелся. Надрываясь от хохота, он что-то орал прямо Лучникову, показывая на плывущие вокруг статуи Барона башни советских танков, надрывался, покатывался, а потом вытащил из кармана куртки какую-то зеленую книжицу и как бы торжественно показал ее Лучникову. Американский паспорт, догадался Лучников. Считает себя недосягаемым, свободным, гражданином мира, а меня уже крепостным Степаниды Власьевны. Он отвернулся от кинобанды так, словно их не было поблизости, снял с головы Кристины шляпу, стал гладить ее по волосам, целовать, успокаивать:

— Why, baby? Take it easy, easy, easy... I want you. I love you*.

Она успокаивалась, пальцы ее выпускали его пиджак, тихо ползли по груди... она даже улыбнулась.

Рядом мелькнула какая-то тень, кто-то махнул звериным прыжком через капот «Кадиллака».

— Лучников, встаньте! Я хочу дать вам в морду!

Перед ним стоял молодой красавец, в полосатой майке и белых джинсах, смуглое, резко очерченное лицо — настоящий яки. Лучников успел перехватить летящий кулак. Пока две мускулистые руки превозмогали друг дружку, он вглядывался в гневное и презрительное лицо. Где он видел этого парня? Наконец догадался — его соперник по Антика-ралли, третий призер. Рука его упала.

— Маста Фа! Это вы?

---

* Почему, бэби? Легче, легче, легче... Я хочу тебя. Я люблю тебя *(англ.)*.

Юноша с демонстративным омерзением вытирал ладонь о джинсы.

— Я Мустафа, а не Маста Фа, — яростно говорил он. — К черту яки! В жопу русских! Все вы — ублюдки! Я татарин! — Клокочущая крымская речь, перепутанные англо-русско-татарские экспрессии, плевок под ноги. — Знайте, что не плюю вам в лицо только из-за уважения к вашему возрасту. Больше ничего в вас не уважаю, а презираю все!

— Умоляю вас, Мустафа, — тихо сказал Лучников. — Где Антон?

— Вспомнил о сыночке? — зло засмеялся Мустафа. — Где были ваши родительские чувства раньше, сэр? Впрочем, все вы стоите друг друга, русские свиньи! Ждите газавата!

— Умоляю вас, — повторил Лучников. — Умоляю, если знаете, скажите — Памела родила?

Танковая колонна ушла на бульвар Января, и в автомобильной пробке началось медленное движение. Сзади загудели.

— Я перед тобой на колени встану, Мустафа, — сказал Лучников.

Нотки жалости мелькнули в свирепом голосе новоиспеченного исламского воина.

— Ночью они отправились в Коктебель, на Сюрю-Кая. Но она не родила еще, — сказал он. — Советую вам всем драпать с нашего Острова, и белым и красным...

— Спасибо, Мустафа, — сказал Лучников. — Успокойся, друг. Не ярись. Пойми, вся наша прежняя жизнь кончилась. Начинается новая жизнь.

Сзади гудели десятки машин. Лучников взялся за руль. В последний момент он поймал на себе взгляд юноши и не увидел в нем ни презрения, ни гнева, а только лишь щенячью тоску.

— Прыгай на заднее сиденье! — крикнул он. Впереди был просвет, и «Питер-турбо», рявкая в своем лучшем стиле, устремился к памятнику барону Врангелю.

На площади вокруг статуи видны были следы странного побоища, вернее, избиения: осколки стекла, обрывки серебряных курток, раздавленный танком фургончик. У подножия памятника стояла группа растерянных городовых. С тревогой они вглядывались в даль бесконечного Синопского бульвара, где уже появились огни новой танковой колонны. Лучников притормозил и спросил одного из городовых, куда делись старики врэвакуанты?

— Все развезены по госпиталям, — довольно вежливо ответил городовой и вдруг узнал его, подтянулся. — Их тут порядком помяли, Андрей... есть травмы... ммм... ваш отец, Андрей...

— Что?! — вскричал Лучников в ужасе.

— Нет-нет, не волнуйтесь... там, кажется, только рука, только рука сломана... Его подхватили друзья... шикарная публика... да-да-

да. Две шикарные дамы на «Руссо-Балте»... так точно, Андрей, с вашим дадди все — яки!

— Сержант, вы можете оказать мне услугу? — спросил Лучников.

— Вам, Андрей? Буду счастлив, Андрей! — Добродушная морда расплылась в улыбке.

— Вот вам номер телефона, позвоните, пожалуйста, господину Хуа и расскажите все, что вы знаете о моем отце. Пусть он разыщет его и немедленно едет вместе с ним в Коктебель. Я буду там.

— Иеп, Сара, иеп. — Сержант тут же начал пробираться к ближайшему кафе.

Лучникову пришлось несколько раз прокрутиться вокруг Барона, прежде чем удалось нырнуть в один из тоннелей Подземного Узла. Пока он крутился, его все время не оставляла мысль о том, что нужно что-то еще сделать здесь, на этой площади, что он забыл сделать еще что-то необходимое... Перекреститься, наконец вспомнил он, на церковь Всех Святых в Земле Российской Воссиявших... В последний момент, когда его уже затягивало под землю, он успел бросить взгляд на прозрачный шар церкви и положить крест.

Под землей в оранжевом свете бесконечных фонарей, как обычно, неслись сотни автомобилей, и казалось, что все нормально, ничего не происходит, идет нормальная жизнь в этой нормальной суперцивилизации.

— Почему ты сам не разыскиваешь отца?! — крикнула ему Кристина. Она, кажется, совсем уже пришла в себя и даже закурила сигарету.

— Потому что надо перехватить Антона! — крикнул Лучников. — Папа уже выступил, а вот мальчик может натворить глупостей!

— Это точно! — крикнул кто-то сзади.

Лучников оглянулся и увидел скорчившегося на заднем сиденье Мустафу. Он протянул ему назад руку и ощутил под ладонью твердую мокрую щеку парня.

— Прости меня, Андрей-ага, — прокричал Мустафа. — У меня был нервный срыв.

Лучников потрепал его по щеке, снова опустил руку на руль. Кристина радостно обернулась к Мустафе, перегнулась через сиденье и стала целовать его.

Вскоре они вырвались на Восточный фривей и с эстакады увидели разворачивающуюся величественную картину военно-спортивного праздника «Весна». Эстакада почему-то была свободна от военной техники, и по ней, как в скучные дни независимости, по-прежнему неслись разномастные своры машин, быть может, генералы-стратеги не верили в прочность сверхмощных стальных опор. Зато внизу все дороги были забиты танками, броневиками и военными грузовиками, колонны двигались, кажется, довольно хаотически, натыкались друг на друга и подолгу стояли, образуя уродливые стада серо-зеленых животных, как бы толпящихся у водопоя. Повсюду висели и перелетали с места на место многочисленные вертолеты. Основной их задачей в этой местности, кажется, была координация движения колонн, но с задачей этой они как будто не справлялись, серо-зеленые стада только лишь пошевеливались и все росли, скапливались. На съездах с фривея пробки легковых машин. Сам фривей пока что был относительно свободен, во всяком случае, «Питер-турбо» без особого труда держал скорость сто десять. Временами из пустоты, из солнечного сияния звеньями по двое возникали двухвостые, устрашающе свистящие «МИГ-26». Они проходили над эстакадой и растворялись в голубизне. Где-то вдалеке, южнее, кажется в районе Баксана или Там-Дайра, в небе висело темное авиаоблако. Там, по всей вероятности, шла высадка парашютного десанта.

Вдруг, во время очередного пролета реактивного патруля, произошла серьезная неприятность. Ведомый «МИГ» задел крылом один из висящих над скоплением танков вертолетов. Что стало с «МИГом», сказать трудно, так как он исчез в полном соответствии со своей аббревиатурой. Геликоптер же загорелся и рухнул вниз. Там, у очередного «водопоя», началась паника, танки и броневики открыли беспорядочную стрельбу. К счастью, «Питер-турбо» успел проскочить опасную зону.

Карачель, Бахчи-Эли, Сады, Мама-Русская... Они уже приближались к съезду на Отузы, откуда до «Каховки» оставалось пятнадцать километров.

— Если застану Антошку и Памелу на горе, немедленно вернусь в Симфи за Арсением, — стал размышлять вслух Лучников. — Нам надо к вечеру собраться всем вместе на горе и решить, что делать дальше...

— Правильно! — радостно вскричала Кристина. — А ночью сбежим!

— Куда сбежим? — спросил Мустафа.

— Мир большой! — ликуя, кричала Кристина. Ее вдруг охватил восторг. Она подумала вдруг, что этот день, может, будет вспоминаться ей, как самое захватывающее приключение жизни. — Мир такой большой, эй ты, красивый татарин! Есть куда сбежать! Правильно, Андрей? Молчишь? Ты же сбежишь с нами? Ты верен своей жертвеннической идее? Русский мученик с нами не сбежит, милый Мустафа. Как жаль, правда? Я надеялась, что мы будем спать втроем, а теперь нам придется спать вдвоем, милый мой Мустафа.

Лучников, покосившись, увидел, как Кристина, перегнувшись назад, целуется с Мустафой, и подумал, что бляди, увы, ему всегда нравились больше порядочных женщин и что вот такая Кристина нравится ему больше, чем верная вооруженная пуританка.

В этот момент на приборной доске загорелся красный глазок — бензина осталось пять литров. Они только что проскочили городок Мама-Русская, но в полукилометре от городка был сравнительно свободный съезд к отселю, прилепившемуся на крутом склоне горы, и там, недалеко от отеля, яркие постройки каких-то шопов и кафе и бензостанция «Эссо», правда забитая автомашинами.

— Придется заправиться здесь, — сказал Лучников. — Зальем полный бак и канистру. Кто знает, когда еще удастся и удастся ли заправиться вообще.

Небывалое явление — очередь на бензозаправочной станции — забавляло всех участников очереди, все улыбались друг другу и разводили руками — что, мол, поделаешь, историческое событие, в такой день и в очереди можно постоять. Машина Лучникова оказалась в третьем десятке. Кристина, неожиданно развеселившаяся и даже какая-то лихая, отпустила «мальчиков» в кафе выпить, а сама села за руль. Такое великодушие, да-да, джентльмены, новый век — женщина, предвкушая любовь, угождает мужчинам. Лучников оглянулся уже от дверей кафе — уж не начинается ли у нее снова истерика? Нет, как будто все в порядке. Миссис Паролей (кто, кстати, сам этот господин Петрушка, он никогда не спрашивал ее об этом) спокойно сидела в кресле водителя, и ее очень милые каштановые волосы были разбросаны по плечам.

В кафе было полно народу. Бойко работали две машины-эспрессо. Стоял гул сквозь музыку, светились два телеэкрана. Москва патетически-задушевным тоном повествовала о жизни и труде жителей и тружеников какого-то жилья и труда, рядом трещал восстановившийся после симферопольского разгрома Ти-Ви-Миг — показывали аресты и обыски в помещении одной из старейших ялтинских газет правого направления «Русский Артиллерист». В кафе обсуждали события, все соглашались, что временное (конечно же временное) задержание всяких там газетчиков и телевизионщиков, а также лидеров политических партий — это меры необходимые и умные при проведении такого крупного исторического события, как военно-спортивный праздник «Весна». Мы вступаем, господа, простите, товарищи, в новую, следующую общественную формацию, объяснял какой-то фермер из немцев каким-то бездельникам приморского типа. Те согласно кивали. И я должен сказать, господа, простите, товарищи, что наше советское командование проводит эту смену чрезвычайно осторожно, тактично, я бы даже сказал, деликатно. Вспомните, какими жертвами сопровождался такой перелом в самой России.

Лучников взял кампари с содовой. Мустафа заказал крепчайший джин-вермут «Кокти».

— Не злитесь на меня, — сказал он.

— И вы на меня, — сказал Лучников.

— Скажите, Андрей, вы предполагали, что все произойдет именно так? — спросил Мустафа.

305

— Таких масштабов не предполагал, — сказал Лучников.

В кафе вошли три советских солдата, три «голубых берета» с автоматами на плечах и кинжалами у пояса. Конечно, они впервые были в западном кафе и сейчас явно растерялись, явно «поплыли». Подталкивая друг друга и криво усмехаясь, они уже собирались уйти, когда к ним устремился усатый красавец хозяин с распростертыми объятиями:

— Братья! Господа! Джентльмены! Чем могу служить?

Все в кафе были радостно потрясены вновь прибывшими, все обратились к ним с таким мощным радушием, что у солдатиков головы закружились.

— Дринк, — сказал один из солдат, блондинчик. — Водички можно? — Мучительными жестами, нелепо куда-то под мышку подсовывая автомат, он попытался объяснить «фирменной» публике всю скромность своего желания.

— Пить хотите, мальчики? — восхитился хозяин. — Пиво «Левенброй» вас устроит?

Солдаты изумленно и боязливо переглянулись. Для них уже был очищен стол, открывались немыслимой красоты «валютные» банки холодного золотистого пива. Уже тащили им и хрустящие багеты, и нежнейшую ветчину, и огромное деревянное блюдо с двадцатью сортами сыра, а публика смотрела на них с умилением и восхищением.

Солдаты мялись, сглатывая слюну, наконец тот же блондинчик сказал: «Во фирма!» — и все трое тут начали с невероятным наслаждением пить и закусывать. Кто-то налил им по рюмке «Метаксы», и солдаты, что называется, «совсем захорошели».

— Приятного аппетита, — сказал хозяин. Десантники рты раскрыли, до них только сейчас дошло, что с ними говорят по-русски.

— По-нашему, значит, можете? — спросил блондинчик.

— Да ведь мы же ваши, — вскричал хозяин. — Мы ваши, а вы наши! У нас здесь все, как у вас!

Солдаты переглянулись и захохотали.

— У нас так не бывает! — хохотали они. — У нас по-другому!

Оказалось, что один из них костромчанин, а двое из Калуги.

— Сейчас вам старую песню споем, иностранцы, слушайте! А ну-ка дай жизни, Калуга, гляди веселей, Кострома!

Скоро все кафе распевало старую — оказывается, еще фронтовую! — песню, и все дарили солдатам на память разную мелочь: часы «Омега», зажигалки «Ронсон», перья «Монблан», перстни с камешками, ну и прочее. Мустафа от стойки смотрел на солдат.

— Ненавижу эту тупую сволочь, — сказал он.

— Напрасно, — сказал Лучников и положил парню руку на плечо.

— Я знаю вашу концепцию, ага, — сказал Мустафа, — следил за всеми вашими речами. Не понимаю. Извините, я преклоняюсь перед вами — человеком, спортсменом, мужчиной, но, когда я думаю о вашей концепции отвлеченно, вы представляетесь мне горбатым и злобным уродом из подвалов Достоевского...

— Отчасти ты прав, — проговорил Лучников. — Я горбат, но не зол. Послушай, Мустафа, какого ты рода?

— Ахмет-Гирей, — небрежно бросил юноша.

— Вот так даже? Гордый хан Ахмет-Гирей? — удивился Лучников.

— Вся наша гордость в прошлом, — сказал Мустафа. — Отец — биржевой спекулянт. Ему повезло, сейчас он в Афинах. Впрочем, как считаете, может, ему вернуться? Может, станет секретарем райкома? Есть же прецеденты. Принц Су-фанувонг...

Вдруг он оборвал свою саркастическую речь и стал смотреть за плечо Лучникова. Тот обернулся. Дверь в кафе медленно открывалась, но за ней не было никого, за ней было солнце, и ветер, и беда.

...Пока они пили мартини и кокти, на бензозаправочной станции действительно созрела беда.

Кристина медленно продвигалась к колонке и уже подошла ее очередь, когда с другой стороны подъехал массивный «Форд» с задними крыльями, похожими на плавники акулы, проржавленный символ «золотых пятидесятых». Кристина вспомнила вдруг, как в детстве в Чикаго, куда они с родителями сразу попали после бегства из Польши, ее, крошку, восхищали эти огромные машины. Сейчас такую редко встретишь, должно быть, ездит в ней какой-нибудь сноб.

Так и оказалось — снобейший сноб ездил в ржавой акуле: высокий сутулый мужлан в короткой кожаной куртке, в брюках галифе и в крагах! Машина была из середины столетия, водитель же явился как бы из начала. На мгновение он опередил Кристину и схватил шланг. Кристина улыбнулась ему и протянула руку, как бы заранее благодаря за любезность.

— Хуй тебе! — сказал мужчина и стал засовывать шланг в утробу своей машины.

— It's my turn, sir*, — улыбнулась она еще раз, но уже несколько растерянно, пожала плечами.

— Хуй тебе! — повторил мужчина свое не очень понятное приветствие.

Наливая бензин, он смотрел на Кристину. На глаза его падали два пегих крыла прямых сальных волос, престраннейшая улыбка обнажала десны. Малопривлекательный господин, подумала она. Кто-то из очереди крикнул что-то малопривлекательному господину по-русски — дескать, некрасиво так вести себя с дамами. Тогда тот распрямился и заорал, размахивая свободной рукой:

— Надоели эти иностранные бляди! Хватит с нас иностранных блядей! Куда ни войдешь, всюду иностранные бляди! Хва-

---

* Моя очередь, сэр *(англ.)*.

307

тит! Тошнит! Теперь наши пришли! Русские войска пришли! Теперь мы всех иностранных блядей разгоним!

Затем он извлек шланг из своего рыдвана и направил мощную струю бензина прямо на Кристину.

Она была потрясена и не могла сойти с места. Бензин окатывал ее с ног до головы и обратно, а она не могла двинуться. Кажется, и все в очереди были потрясены таким неслыханным варварством. Немая сцена на бензозаправке, статичные позы, раскрытые рты.

Долговязый маньяк между тем бросил шланг — струя теперь заливала сиденья открытого «Питера», — хихикая, уселся в свой «Форд», закурил (!), бросил спичку в Кристину и поехал прочь.

В тот миг, когда открылись двери кафе, вернее, в следующий миг, Лучников и Мустафа увидели несущуюся, крутящуюся, сказочно прекрасную Кристину с пламенем на плечах и на бедрах. Странным образом Лучников в подобных ситуациях всегда реагировал мгновенно. Так и сейчас, юный Мустафа остолбенел, в то время как Лучников, сорвав с ближайшего стола скатерть, уже бежал за Кристиной.

У Кристины был взрыв болевой эйфории. Она хохотала и уворачивалась от Лучникова и от других преследователей. Кажется, единственное, что она понимала в этот момент, что она сказочно прекрасна, что пламя за плечами и на бедрах делает ее сказочно прекрасной, что мир вдруг преобразился ярчайшей полыхающей мечтой, а эти мужики с тряпками только и хотят, что эту мечту у нее отнять.

Она уже была почти спасена: Лучников настигал ее сзади, а навстречу к ней летел Мустафа, но вдруг она заметила сбоку барьер, за которым кончалась асфальтовая площадка станции и начинался склон. Немыслимая красота цветущего склона со скоплением тюльпанов и торчащими скалами. Она перешагнула через барьер и ринулась вниз. Влетела сразу в какую-то скалу, влепилась в нее, упала уже без сознания и покатилась вниз горящим комком.

Весь день был очень яркий, небо сверкало над всем Крымом, а мыс Херсонес просто купался в сиянии моря и солнца. В разгаре дня Андрей Лучников привез мертвую Кристину к Владимирскому собору. На обширном паркинге перед вратами храма, выходящими к морю, к античным развалинам, к крестам православного кладбища, было пустынно, стоял лишь зеленый старый «Фольксваген», по которому Лучников догадался, что отец Леонид здесь. Осторожно, как будто боясь потревожить, Андрей поднял на руки тело Кристины. Мустафа молча стоял рядом. Андрей огляделся. Никакого трагизма не было на его лице.

— Сейчас мы ее отпоем и похороним вот здесь же, на этом кладбище, — деловито сказал он Мустафе. — Это одно из самых удивительных, самых прекрасных кладбищ, которые я когда-либо видел.

— Так пойдем же, Андрей, пойдем в храм, — осторожно потянул его за рукав Мустафа.

— Посмотри, мусульманин, как плавно переходит здесь Эллада в Византию, а Византия в Россию, — с улыбкой сказал Андрей. Он сделал несколько шагов в сторону античного портика и прислонился к колонне. Он будто не замечал тяжести мертвого тела на своих руках.

Гора серо-зеленого металла, авианосец «Киев» в это время медленно и бесшумно проходил мимо мыса Херсонес в гавань Севастополя. Отчетливо видны были фигуры матросов с загорелыми лицами на палубах гиганта. Поворачивались антенны локаторов. Из недр авианосца поднимался очередной истребитель.

— Эффектное зрелище, правда, Мустафа? — с ленцой щурясь на солнце, проговорил Лучников. Он положил тело Кристины на мозаичный пол с античным орнаментом. Все перебинтованное, оно напоминало оголенный манекен. Лучников закурил. — Посмотри, как эффектно — такая стальная гора проплывает мимо античных развалин. Неплохо придумано, а?

— Пойдем, Андрей, — с тревогой сказал Мустафа. — Пойдем в храм!

— Посмотри, как поднимается с палубы этот удивительный ракетоносец, — сказал Лучников. — Самая современная техника. Вертикальный взлет. Вообще, взгляни, как все это эффектно, с каким размахом поставлено. Посмотри, что творится в небе, — вертолеты, кружат, как мухи...

— Там, кажется, и наш один, — проговорил Мустафа, глядя в небо. — Взгляни, вон один выше всех, голубой с радужным знаком.

— Это герой-одиночка! — расхохотался Лучников. — Неужели не понимаешь? По замыслу сценария — это герой-одиночка!

Авианосец миновал оконечность мыса, но все еще был очень близко, вздымался из моря, как бы соревнуясь в экспрессии с самим храмом Святого Владимира, построенным в начале века, на том месте, где первый русский, князь Владимир, принял христианство. Вдруг авианосец сказал огромным скучным голосом:

— Отрядам Попова и Ерофеева построиться на третьей палубе для встречи с представителями местного населения. Внимание. Командир корабля поздравляет молодых матросов с началом несения службы...

Авианосец чуть-чуть развернулся, и голос слегка заглох.

— Мустафа, ты понял наконец, что вокруг нас происходит? — с улыбкой спросил Лучников.

Юный красавец тряхнул головой, будто пытаясь рассеять наваждение: пустынный мыс, полумузей-полукладбище, тяжелый в византийском стиле русский храм, гигантский, вползающий в Севастополь стальной храм Советов, перебинтованный труп молодой женщины на мозаичном полу, ее хохочущий любовник, развалившийся у колонны... Мустафа повернулся и побежал к церкви.

— Это же киносъемки! — хохотал Лучников, не заметивший его исчезновения. — Ничего не скажешь, американский размах. Браво, Октопус! Ты затмишь сегодня и «The Longest Day» и «Apocalypse Now»! Витася, поздравляю, ты, конечно, постановщик! Браво, браво, гениально придумано! И флот закупили, и авиацию, серьезная игра! А как вы между делом надо мной поиздевались! Уверен, что вы и сейчас меня снимаете. Сцена сумасшествия в античных развалинах. Я вижу, вы и без меня отлично справились со сценарием. А смерть Кристи для вас — просто подарок, правда? Может быть, и спичку в нее бросил какой-нибудь ваш ассистент, какой-нибудь манхэттанский педрила? Новый творческий метод — съемка-хеппенинг! Браво! Как же я сразу не догадался, что это все с самого начала — трюки Хеллоуэя. Я даже там, на площади Барона, не догадался, когда они всей своей экипой потешались надо мной... Ну что ж, снимайте. Я буду хохотать. Вам нужно, наверное, чтобы я похохотал. Пожалуйста! Мне на все наплевать! Ха-ха-ха! Жалко, что Кристина не может для вас похохотать. Кристи, ты не можешь похохотать для джентльменов, у тебя чудные зубки, на экране это зазвучит отменно! Клево, как скажет Витася. Так, Витася? Я не забыл вашу московскую «феню»? Ну, а где наш одинокий герой? Ха-ха-ха, вот он, одинокий герой! Один, в стае красной саранчи! Ошеломляюще!

Между тем тот, кого Лучников называл «одиноким героем», был его ближайший друг, командующий крымскими «форсиз» полковник Чернок, и героем в голливудском духе «одинокого героя» он отнюдь себя не чувствовал. Весь день до этого часа он кружил над местами высадки поистине немыслимой по численности и тяжести армии. Масштаб праздника «Весна», казалось, значительно превышал братскую помощь Чехословакии.

У Чернока была отличная машина, сверхвысотный вертолет марки «Дрозд», выпущенный местным авиакомплексом «Сикорский». Он сидел в стеклянной части машины рядом с пилотом. В любую минуту он мог повернуться в кресле к экрану видеофона и вступить в связь с командиром любого полка. В задней части кабины два молодых офицера при помощи компьютерной системы получали и обрабатывали информацию.

Все высшее руководство «форсиз» (или почти все) было членами СОС, и на многочисленных совещаниях все офицеры уже десятки раз обсуждали различные варианты операции «Воссоединение». Никто, впрочем, не рассчитывал на тот вариант, который начался этой ночью и продолжал развиваться час за часом, катастрофически увеличиваясь в масштабах.

В какой-то момент у Чернока даже появились сомнения в стратегической мудрости московских маршалов и в тактическом умении советских генералов. Компьютерная система и наблюдение с высоты показывали, как гигантские войсковые соединения вдруг совершенно неоправданно упирались друг в друга или останавливались в странной иммобильности, а на них наваливались другие, неоправданно подвижные. В нескольких пунктах Острова возникли немыслимые по правилам современной науки скопления людей и техники. Общий замысел операции вырисовывался для Чернока туманно. Кажется, он был, если он вообще-то был, не особенно «элегантным». Военная наука в Москве явно отстает от советской шахматной школы, подумал полковник и вообразил свой доклад в Академии Генерального штаба, где он для общей пользы русского оружия вскроет замеченные недостатки. Впрочем, вряд ли они будут меня слушать, зашлют куда-нибудь в глухомань механиком. Так или иначе, можно было заметить, что части вторжения стараются заключить в «котлы» расположения крымских полков, аэродромы и морские базы. Чернок облетел почти все важные места от Сары-Булата до Керчи, говорил по видеофону с командирами. Все были веселы, все готовились к встрече, все поднимали на мачтах государственные флаги СССР. В нескольких местах к видеофону подходили уже советские офицеры, в рангах от майора до генерал-майора. Все они запрашивали Чернока о его местонахождении и любезно приглашали на личную встречу. В какой-то момент до него дошло, что офицеры эти не могут сами установить его местонахождения, так как не умеют обращаться с крымской техникой, а помочь некому, потому что... потому что... Ну, что там себя обманывать! Ясно, что они изолируют наших командиров. Странно, неужели они не понимают, что это может привести к неожиданным последствиям, к братоубийственным коллизиям?

Чернок с тревогой подумал о полковнике Бонафеде, командире ракетной базы в районе Севастополя. Кажется, это был единственный высший офицер, верный белым традициям и склонившийся к идеям СОСа только с большими оговорками. Вряд ли решительный и агрессивный Игорь Бонафеде добровольно пойдет под арест. На подходе к Севастополю авианосец «Киев». Великолепная цель для ракет Бонафеде!

Чернок приказал своему пилоту взять курс на Севастополь и вышел на видеосвязь с базой.

Полной неожиданностью было увидеть полковника за бутылкой виски с советским гостем, тоже полковником. Прервав веселый разговор, оба полковника повернулись к экрану.

— Здравия желаю, товарищ бывший командующий, — сказал Бонафеде.

— У тебя уже гости, Игорь, — сказал Чернок.

— Сергеев, — вежливо представился советский офицер. — Военная разведка.

— Очень приятно, — сказал Чернок. — Игорь, видите «Киев»?

Бонафеде рассмеялся.

— Не только вижу, но слышу, как там разговаривают. Мы как раз, Саша, спорим с полковником Сергеевым. Я говорю ему, что накрыл бы авианосец «Киев» одним залпом на дистанции сто миль, а он не верит, мудила грешный, в наши возможности...

— Вот тебе, Игорь! — Советский полковник показал Бонафеде свою правую ладонь, как бы обрубив ее ладонью левой.

— Вот тебе, Сергей! — Бонафеде показал Сергееву правую руку до локтя.

— Бестактный спор, — сухо сказал Чернок, отключил связь и сказал пилоту: — Снижаемся к базе Бонафеде.

— Снижаемся, сэр? — переспросил летчик.

— Не век же нам летать, — раздраженно бросил Чернок. — Постепенно снижаемся! Продолжаем наблюдение.

Они ушли мористее и начали медленное снижение. Уже виден был подходящий к Севастополю гигантский авианосец. В море, на сколько хватало глаз, маячили боевые корабли и транспорты. Десятки вертолетов летели к побережью. От пирсов к центру города ползли бронированные колонны.

Чернок повернул кресло на сто восемьдесят градусов и оказался как бы за оперативным столом — такое это было чудо, вертолет «Дрозд». Два молодых офицера, специалисты по оперативной информации, прапорщики Кронин и Ляшко, смотрели на него. Все трое некоторое время молчали.

— Они не сошли с ума, сэр? — наконец спросил Кронин.

Чернок попросил Ляшко налить ему полный стакан не разбавленного «Чивас Ригал».

— Самое смешное, сэр... — начал было Кронин.

— Нас атакует «МИГ-25», сэр, — сказал пилот. Чернок выпил полстакана и бросил взгляд назад. Успел увидеть только реверсионный след пролетевшего истребителя.

— Вы что-то хотели сказать, Кронин? — спросил он.

— Еретическая мысль, сэр, — улыбнулся юноша.

— Держу пари, сэр, она и вам приходила в голову, — сказал Ляшко.

Парни старались говорить по-русски, но то и дело переходили на более для них удобный язык, то есть английский.

— Как там истребитель? — спросил Чернок пилота.

— Заходит на второй круг атаки, — доложил пилот. — Вижу базу Бонафеде. К ней подходит бронетанковая колонна.

— Спускайтесь туда, — сказал Чернок, допил стакан до дна и закурил сигариллос. — Да, мальчики, мне тоже приходила в голову эта мысль, — сказал он. — Больше того, она мне даже и ересью не кажется. Я почти уверен, что «форсиз»...

— Да! — вскричал Кронин. — Если бы это был неприятель, если бы это была армия вторжения, мы бы сбросили их в море!

— Боюсь, что мы бы их просто уничтожили, — холодно улыбнулся Ляшко. — Взгляните, сэр...

На темной стенке в глубине кабины высветилась карта Крыма. Пятнышко световой указки поползло по ней.

— Скопище техники у Карачели... — презрительно кривил губы Ляшко. — Толкучка в Балаклаве... Танковое месиво без капли горючего у Бахчисарая...

— Кронин, как бы вы действовали? — Чернок откинулся в кресле. — Давайте поиграем в войну.

— Ракетный залп, сэр, — только и успел сказать пилот. Мгновенно последовавший за этим взрыв уничтожил вертолет «Дрозд» и четырех находящихся в нем офицеров.

Кажется, Лучников даже видел яркую вспышку в небе, взрыв командного вертолета Чернока, но не обратил на нее особого внимания, отнеся к пиротехническим эффектам подлейшей киносъемки. Он вспомнил о Кристине и подумал о том, как безнравственно современное искусство. Все снимается на пленку и все демонстрируется, и чем естественнее выглядит человеческая трагедия, тем лучше, а во имя чего? Цель полностью утеряна...

Бедная девочка, подумал он, занесло тебя тогда в Крым... занесло тебя тогда в мою спальню... занесло тебя...

Он поднял ее тело и медленно направился к храму. Навстречу ему по дорожке, выложенной ракушечником, мимо античных руин и православных крестов, бежали три фигуры, он узнавал их по мере приближения: отец Леонид, Петр Сабашников в монашеском одеянии и Мустафа.

— Вот, — сказал Лучников, передавая тело Кристины на руки отцу Леониду. — Примите, отец Леонид. Она была рождена в католичестве, но обернулась к православию. Она меня очень любила. Какая разница — католичество, православие?.. Всем христианам нужно быть вместе, когда в мире совершаются безнравственные события, вроде этой киносъемки.

— Съемки, Андрей? — Сабашников обнял его за плечи. — Ты называешь это съемкой?

— Даже ты не догадался, — засмеялся Лучников. — Что же говорить о простых людях? Вообрази, какая это для них психологическая травма! Любопытно, кто дал банде Хэлоуэя разрешение на это массированное глумление?

— Пойдемте, дети мои, в храм, — сказал отец Леонид. — Будем вместе. Сегодня ночью многие придут, я думаю так. Иди и ты, Мустафа. Будь с нами. Ты не обидишь ислам, если будешь сегодня с нами.

— Я плохо знаю ислам, я буддист, — пробормотал юноша.

Отец Леонид шел широким крепким шагом. Белые ножки Кристины свисали со сгиба его руки. Лучников разрыдался вдруг, глядя на то, как они болтаются.

— Андрей, — повернулся к нему отец Леонид. — Утешься. Час назад я крестил здесь твоего внука Арсения.

Мыс Херсонес каменными обрывами уходит в море, но под обрывами еще тянется узкая полоска галечного пляжа. Там, в одной из крохотных бухточек, готовились к побегу четверо молодых людей — Бенджамен Иванов со своей подругой черной татаркой Заирой и Антон Лучников со своей законной женой Памелой; впрочем, их было пятеро — в побеге участвовал и новорожденный Арсений. В бухточке этой они нашли брошенный кем-то открытый катер с подвесным мотором «Меркурий». В катере оказалась еще и двадцатилитровая канистра с бензином — топлива вполне достаточно, чтобы достичь турецкого побережья.

Антон и Памела, потрясенные всеми событиями уходящего дня, сидели, прижавшись друг к другу боками, а спинами прижимались к уплывающему от них Острову Крыму. В последних передачах ныне уже заглохшего Ти-Ви-Мига промелькнуло сообщение о смерти деда Арсения и об аресте, или, как деликатно выразились перепуганные тивимиговцы, «временной изоляции», Андрея. На коленях у них, однако, лежал новорожденный Арсений, головкой на колене отца, попкой на бедре матери. Чувства, раздиравшие Антона, были настолько сильны, что он в конце концов впал попросту в какое-то оглушенное состояние. Жена его не могла ему ничем помочь, растерзанная родами, жалостью к Антону, нежностью к бэби, страхом перед побегом, она тоже впала в полулетаргию.

Впрочем, энергии Бен-Ивана хватало на всех пятерых. Он чувствовал себя в своей тарелке, побег был его стихией. Побег — это мой творческий акт, всегда говорил он. Я всегда

благодарен тем, кто берет меня под арест, потому что предчувствую новый побег. Я буду очень разочарован, когда Россия откроет свои границы.

Вместе с милейшей своей подружкой, вечно пританцовывающей Заирой, Бен-Иван все приготовил на катере, а затем, ничтоже сумняшеся, отправился на «поверхность», как он выразился, в ближайший супермаркет, притащил оттуда одеяла, плащи, огромный мешок с едой и напитками и даже Си-Би-Радио. Он со смехом рассказывал о «наших ребятах», то есть о советских солдатах, в супермаркете, одном из бесчисленных филиалов «Елисеева-Хьюза», о том, с каким восторгом их там встречают, как они жрут печенье «афтерэйт» и жареный миндаль и как «вырубаются» от восторга.

— Дождемся ночи, Бен-Иван? — спросил его Антон.

— Ни в коем случае! — воскликнул «артист побега». — Ночью здесь все будет исполосовано прожекторами. Они будут

314

каждую минуту подвешивать ракеты. Если они обнаружат нас ночью, нам конец.

— А если они обнаружат нас сейчас? — довольно весело поинтересовалась Заира.

— Сейчас другое дело, кара кизим, сейчас солнце склоняется к горизонту, заканчивается горячий денек истории, сумерки — это час прорех, расползания швов, час, когда видны просветы в эзотерический мир, когда на некоторый миг утрачивается спокойствие и хрустальные своды небес слегка колеблются. Понятно?

К начальнику сигнальной вахты авианосца «Киев» капитан-лейтенанту Плужникову подошел один из операторов старший матрос Гуляй.

— Товарищ капитан-лейтенант, — сказал он и вдруг как-то замялся, затерся, словно пожалел, что подошел.

— Ну, что, Гуляй, — поморщился капитан-лейтенант Плужников, который считал минуты до окончания вахты и мечтал об увольнении на берег. — Все в порядке, Гуляй? — Офицер уже чувствовал со стороны матроса какую-то «самодеятельность», так называемую инициативу, чувствовал также, что матрос уже жалеет о «самодеятельности», но не решается отвалить. — Поссать, что ли? — спросил он Гуляя.

— Да понимаете, товарищ капитан-лейтенант, — с нескрываемой досадой сказал старший матрос, — объект на приборе.

«Ах ты, падла такая, Гуляй, — думал Плужников, глядя на светящуюся блошку в углу экрана. — Ну, какого хуя с места сорвался? Что тебе, паскуда, эта блоха? Может, плотик какой-нибудь болтается или ребята какие-нибудь от нашей армады в Турцию когти рвут? Ну, какого хуя... Придется теперь докладывать командиру, а то еще стукнет этот Гуляй...»

Он внимательно посмотрел в лицо старшему матросу. Отличная у парня будка — крепкая, чистая, нет, такой не стукнет. Впрочем, может, как раз такой и стукнет. Тогда вернулся к своему пульту, связался с командованием, доложил, как положено: объект, идущий от берега в нейтральные воды, в секторе хуй с минусом и три хуя в квадрате...

Начальник вахты корабля капитан первого ранга Зубов дьявольски разозлился на капитан-лейтенанта. Кто его за язык тянет? Подумаешь, бегут какие-то чучмеки на какой-нибудь шаланде. У всех классовое сознание в один день не пробудишь. Бегут, пусть бегут, больше места останется. Не буду никому докладывать, а Плужникову скажу, что будет отмечен. Рядом с Зубовым стоял его помощник кавторанг Гранкин и делал вид, что ничего не слышал, лишь еле заметная улыбка появилась на его лице, обращенном к подпрыгивающим над силуэтом Севастополя рекламным огням.

«Это он, пидар, психологический тест мне ставит, — подумал про Гранкина Зубов. — А вот сейчас я тебе сам психологическую штуку воткну, Гранкин-Хуянкин».

— Доложите командиру, — приказал Зубов, думая, что Гранкин начнет сейчас ваньку валять и на том проколется, но тот немедленно включил селектор и доложил командиру все, что полагается, и скосил, конечно, глазок в сторону Зубова — дескать, все нюансы, ебенать, им, Гранкиным, уловлены.

Командир авианосца контр-адмирал Блинцов в это время находился в собственной спальне, куда удалился для частного разговора с супругой, пребывавшей в этот момент, по обыкновению, на даче в Переделкино. Нужно было уточнить список покупок в пока еще капиталистическом Севастополе, а главное, узнать по только им двоим понятным намекам, как там младший сын Слава, ночевал ли дома или снова «ухилял» на Цветной бульвар к своей «хипне».

И тут этот малоприятный офицер Гранкин проявляет «самодеятельность», лезет с сообщением о какой-то дурацкой «блохе» в море. Конечно, на таких, как Гранкин, служба стоит, но личной симпатии эти заебистые твари вызвать не могут. Зубов, тот ходит, как будто на все кладет, но мужик отличный, банку хорошо держит и талантливый специалист...

Так или иначе, но через пятнадцать минут после сигнала старшего матроса Гуляя с борта авианосца «Киев» по направлению к «блохе», ползущей в бескрайнем море, вылетел боевой вертолет, ведомый старшими лейтенантами флота СССР Комаровым и Макаровым.

— Смотри, Толя, — сказал Комаров. — Как будто Греция слева, как будто мифология...

Пустынный мыс Херсонес проплыл слева, после чего они стали круто забирать в море.

Катер шел споро, временами слегка бухал днищем по небольшой волне, что накатывала сейчас с юга. Солнце садилось за Севастопольские холмы, небо и море за спинами беглецов горело дивным огнем, и из этого дивного огня явилась и зависла над катером зловещая стрекоза. Неужто конец, подумал Антон, сжимая плечи Памелы, неужто в один день конец нам всем, конец Лучниковым? Жена его тряслась и плакала. Заира закричала, поднимая ладони к вертолету:

— Ребята, не трогайте нас! Христа ради, пожалейте нас!

— Внимание, ложусь крестом, — деловито сказал Бен-Иван, отполз на корму, лег на спину и распростер руки, образовав фигуру креста и устремив на кабину вертолета мощный «отводящий» взгляд. От напряжения у него дергались нога и голова. Невозмутимым оставался один лишь младенец Арсений. Два могучих советских человека смотрели на них сверху.

— Видишь, Толя, какие ребята, — сказал старший лейтенант Комаров. — Отличные ребята.

Старший лейтенант Макаров молча кивнул.

— А девчонки еще лучше, — сказал Комаров. — Плюс новорожденный.

Макаров опять кивнул.

— Смотри, Толяй, они крестятся, — сказал Комаров. — У них там никакого оружия ни хера нету, Толяй. Крестятся, Толька, от нас с тобой крестом обороняются. Давай, Толька, шмаляй ракету!

— Я ее вон туда шмальну, — сказал Макаров и показал куда-то в мутные юго-восточные сумерки.

— Ясное дело, — сказал Комаров. — Не в людей же шмалять.

Он соответствующим образом развернул машину. Макаров соответствующим образом потянул рычаг.

— Але, девяносто третий, — ленивым наглым тоном передал Комаров на «Киев», — задание выполнено.

— Вас понял, — ответил ему старший матрос Гуляй, хотя отлично видел на своем приборе, что задание не выполнено.

На Херсонес упала ночь, когда из храма Святого Владимира вынесли легкий гроб с телом Кристины Паролей. За гробом шли четверо: отец Леонид, Петр Сабашников, Мустафа Ахмед-Гирей и Андрей Лучников.

Небо было полно звезд, а праздничное зарево Севастополя стояло за темной громадиной собора и не мешало звездам полыхать над пустынным мысом, где ярко белели мраморные останки Эллады и отсвечивал черный мрамор христианских надгробий.

Ракушечник слегка похрустывал под ногами маленькой процессии. Отец Леонид покачивал кадилом и читал от Матфея, тихо, как бы и себя самого вопрошая:

— ...Что же смотреть ходили вы в пустыню? Трость ли, ветром колеблемую? Что же смотреть ходили вы: пророка?

— Отец Леонид, — спросил Лучников. — Отчего сказано: у вас же и волосы на голове все сочтены?

Голос его лихорадочно подрагивал. Священник повернул к нему свое белое в темноте лицо.

— Светильник для тебя есть око, — читал он. — Если око твое будет чисто, то все тело твое будет светло.

Лучников сжал голову руками:

— Отчего же сказано, что даже волосы сочтены, что из двух птиц, купленных за ассарий, ни одна не упадет на землю без воли Отца нашего. Зачем же мы-то Ему? — Руки его упали.

Отец Леонид, отвернув лицо свое к небу, говорил в пустоту:

— ...тесны врата и узок путь, ведущие в жизнь, и немногие находят его...

317

— К чему наши потуги? — спросил Лучников. — Почему сказано, что соблазны надобны Ему, но горе тем, через кого пройдет соблазн? Как бежать нам этих тупиков, отец Леонид...

Священник не взглянул на Лучникова, он говорил как бы только себе, но его гулкий голос далеко слышен был:

— ...где будет труп, там соберутся орлы... и многие лжепророки предстанут и прельстят многих... претерпевший же до конца спасется... бодрствуйте, ибо не знаете, в который час Господь ваш придет...

Могильщики поставили гроб на край ямы. Все остановились. Лучников смотрел на спокойное детское лицо Кристины и механически повторял за отцом Леонидом слова заупокойной молитвы. Гроб опускался, падала сухая крымская земля. Он взял горсть этой земли, в которой, конечно, были и осколки Эллады, поднял глаза и увидал рядом другую могилу, черный мраморный крест и выбитое на нем имя покойной — ТАТЬЯНА ЛУНИНА.

— Значит, и она здесь, — пробормотал он. — Таня и Кристи теперь рядом. — Он улыбнулся. — Не пережали, ребята? Все правильно?

Сабашников обнял его за плечи. Мустафа тихо проговорил:

— В «Питере» работает Си-би. Антон и Памела вызывают. Они сейчас в море, уходят к Турции. Дали свои позывные. Еще полчаса они будут в зоне слышимости. Что им передать?

— Передай, что я целую их, — сказал Лучников. — Трижды целую маленького. Передай, что я страшно занят — я хороню своих любимых.

Сабашников крепче сжал его плечи.

— Повторяй за отцом Леонидом.

Втроем они вдруг крепко и ясно запели:

— «Возлюби Господа Бога твоего всем сердцем твоим, всей душою твоею, и всем телом твоим!»

Звезды полыхали. За собором Святого Владимира взлетал праздничный фейерверк.

В соседней аллее за осколком мраморной колонны давно уже ждал конца церемонии полковник Сергеев. «Боже, как я живу, — думал он. — Чем я всю жизнь занимаюсь». В душе его была тревога, он часто посматривал на светящийся циферблат своих часов... Вдруг что-то случилось с современным механизмом: стрелки, секундная, минутная и часовая, закрутились с невероятной скоростью, словно в бессмысленной гонке, а в рамке дней недели стало выскакивать одно за другим: понедельник, вторник, среда, четверг, пятница, суббота, воскресенье, понедельник, вторник, среда, четверг...

1977— 1979 гг.

Содержание

Василий Аксенов

ОСТРОВ КРЫМ

Редактор *Михаил Гуревич*
Художник *Александр Анно*
Корректоры: *Татьяна Калинина, Наталия Пущина*
Издательский редактор *Александр Перевозов*
Компьютерная верстка *Юрий Балабанов*

ЛР № 065377 от 22 августа 1997 г.

Издательство «ЭКСМО-Пресс»
125190, Москва, Ленинградский проспект,
д. 80, корп. 16, подъезд 3
Тел. 378-82-61, 378-84-74

Издательство «Изограф»
Москва, 3-й проезд Марьиной Рощи, 40, офис 704
Тел. 289-04-54
Отдел реализации: Москва, 3-й Павелецкий пр-д, 9
Тел. 235-07-31, факс 235-02-37
e-mail: IZOGRAF@TSR.RU

Подписано в печать 08.02.2001 г.
Формат 60x90/16. Гарнитура «Таймс»
Печать офсетная. Печ. л. 20,0
Доп. тираж 5000 экз.
Заказ № 3395.

Отпечатано с готовых диапозитивов
на Тверском ордена Трудового Красного Знамени полиграфкомбинате
детской литературы им. 50-летия СССР Министерства Российской Федерации
по делам печати, телерадиовещания и средств массовых коммуникаций.
170040, г. Тверь, проспект 50-летия Октября, 46.

ISBN 5-04-006303-2

9 785040 063031